EL JEFE

GABRIELA CERRUTI

El Jefe

*Vida y obra de
Carlos Saúl Menem*

PLANETA
Espejo de la Argentina

Espejo de la Argentina

Diseño de cubierta: Mario Blanco
Diseño de interiores: Alejandro Ulloa

Tercera edición: junio de 1993
© 1993, Gabriela Cerruti

Derechos exclusivos de edición en castellano
reservados para todo el mundo:
© 1993, Editorial Planeta Argentina SAIC
Independencia 1668, Buenos Aires
© 1993, Grupo Editorial Planeta

ISBN 950-742-338-9

Hecho el depósito que prevé la ley 11.723
Impreso en la Argentina

Investigación periodística:
María O'Donnell

Documentación y archivo:
Viviana Cerruti

AGRADECIMIENTOS

HORACIO VERBITSKY y Martín Granovsky podrían haber sido mis próceres, como para la mayoría de los periodistas de mi generación. Pero quiso mi suerte, y la generosidad de ellos, que se convirtieran en mis maestros y mis compañeros. El coraje, el talento y la ternura de Horacio tanto como la sabiduría y la transparencia de Martín fueron invalorables lecciones de periodismo y compromiso.

Rosa Riasol y Ruggero Cerruti son mis padres: el más extenso de los agradecimientos sería incompleto y trivial. Sandra, Fabiana, Viviana, Carina y Andrea me acompañaron y me mimaron tanto como necesité, que a veces fue demasiado; Tamara y Julián me demostraron que puedo quererlos infinitamente. Mis hermanas y mis sobrinos son mi mayor privilegio.

Sergio Ciancaglini soportó mis inseguridades mientras escribíamos *El octavo círculo*. Sin su convicción y su rigurosidad aquel libro no hubiera sido posible. Juan Forn volvió a creer en mi trabajo. Paula Pérez Alonso editó los originales con la misma pasión con que yo los escribí.

Mis compañeros de la sección política de *Página/12* conocen los secretos, los sinsabores y las alegrías de los últimos cinco años. Ellos son la mejor demostración de que el periodismo es un trabajo en equipo.

María O'Donnell puso su inteligencia, su obsesiva capacidad de trabajo y su concepción militante del compañerismo y la lealtad al servicio del libro y de nuestra amistad; Nancy Pazos y Martín Cortés estuvieron siempre, con infinita paciencia. Cada página lleva el sello de la calidez y la solidaridad con que los tres me sostuvieron durante estos meses. Gabriela Esquivada y Marcelo Panozzo supieron aparecer cada vez que me resultaron imprescindibles. Claudia Acuña fue todo lo dura, dulce, exigente o comprensiva que necesité cada vez. Sin cada uno de ellos hubiera sido demasiado difícil aquel absurdo y complicado 1992.

UNO

LAS DOS MUJERES MAS IMPORTANTES *de la vida de Carlos Menem se senta-*
ron debajo del naranjo, el único rincón con sombra del patio que ardía
bajo el sol del mediodía. Durante unos segundos miraron el piso, en si-
lencio. Mohibe habló primero.
 —*¿Vos seguís enamorada de él?*
 —*El se casó.*
 —*Estás muy triste...*
 —*Es el momento más triste de mi vida... Señora: yo sólo quise a*
dos hombres en mi vida. A mi padre y a su hijo.
 Mohibe Menehem inclinó hacia adelante su cuerpo moreno, dora-
do por ancestrales soles saharianos y curtido por el viento de la precor-
dillera. Dicen en el pueblo que era bella, muy bella, con hablar cansino
y mirada sensual. Pero cuentan sobre todo de sus manos: largas y finas,
que se movían como investigando el aire y llegaban siempre un segundo
antes que el gesto. Mohibe apoyó sus manos sobre la mejilla de Ana Ma-
ría Luján, acariciándola apenas.
 —*Sufrís mucho, madrecita... Yo te pido perdón. Seguramente me*
equivoqué, pero no podía hacer otra cosa. Pero te pido perdón, porque
vos sufrís.
 —*No importa, señora... Ojalá nunca tenga que pedirle perdón a*
su hijo.

Ana María Luján y Mohibe Menehem hablaron por única vez aquella tarde de verano de principios de los años setenta. Mohibe nunca le pidió perdón a su hijo, Carlos Menem. Pero se arrepintió más de una vez de haberlo obligado a que dejara a Ana María, el único amor de su vida, y a que se casara contra su voluntad con Zulema Yoma.

Hace treinta años que Carlos Menem envía un ramo de rosas todos los domingos, quizá emulando esa costumbre de Mohibe, quien durante treinta años, cada noche, dejó una flor en la almohada de su hijo preferido. Ana María nunca se separó de él. Cuando Carlos Menem fue gobernador de La Rioja, Ana María fue su secretaria de Cultura. Cuando fue presidente, ella fue su asesora con despacho en la Casa de Gobierno. Siempre, en los momentos de las decisiones fundamentales, él la buscó para consultarla, para dialogar, para descansar. Ella lo esperaba. En 1992, después de veinticinco años del inicio del romance, sexagenaria, divorciada, Ana María estaba convencida de que el único amor de su vida había sido Carlos Menem; y de que el menemismo había nacido en aquellas siestas riojanas de finales de los cincuenta cuando ella —hija de una de las familias más tradicionales entre los conservadores del Noroeste— sumaba su herencia política al recién descubierto peronismo, mientras él cabalgaba por los cerros invocando al espíritu de Facundo Quiroga.

ANA MARIA, QUIROGA Y MAQUIAVELO

En 1947 Ana María Luján tenía diecisiete años. Vivía en Aimogasta, un puñado de casas que salpicaban la ladera del cerro. Ana María contaba los minutos entre el almuerzo y la siesta, que se le hacían interminables: cuando toda la familia se dormía, ella se escapaba sin hacer ruido, escondiendo un libro entre los faldones del vestido. Tirada debajo de un olivo leía una y otra vez *El amante de Lady Chatterley*, el escandaloso libro de D. H. Lawrence. Los Luján eran una de las familias más ricas y cultas del Noroeste. Sus tres tíos habían sido gobernadores de La Rioja. Su abuelo fue jefe del Regimiento 19 en Tucumán. Su padre era médico, profesor de psicología, de filosofía y de literatura española. Ferviente conservador, fue diputado nacional durante el gobierno de Agustín P. Justo (1932-38). Ana María aprendió la forma y los modos de la política de la Década Infame: desconfiaba del voto popular y estaba convencida de que algunos nacían para gobernar y otros para ser gobernados.

Cuando se hartó finalmente de Lady Chatterley, Ana María se dedicó a emular a Lady Godiva. Insistió hasta lograr que Don Luján le comprara ropas de montar, y padre e hija salieron, como en un cuadro inglés, a cabalgar por el pueblo que los espiaba azorados detrás de las ventanas. Su madre se preocupaba por los gustos excéntricos que Ana María estaba adquiriendo: se negaba a leer las clásicas andanzas caballerescas del *Amadís de Gaula* y prefería *La educación sentimental* de Gustave Flaubert. Cuando Ana María cumplió veinte años, su madre decidió intervenir: "las mujeres están para casarse", le advirtió. Y Ana María se casó con el teniente coronel Abel Díaz. Un año después nació Ricardo. Dos años más tarde, Cristina. En Buenos Aires gobernaba Juan Domingo Perón, y Ana María se pasaba la siesta escuchando historias sobre Evita. Comenzó a discutir con sus padres y su esposo sobre política: algunas tardes marchaba sola hacia La Rioja para participar en las reuniones del partido. Su madre se escandalizaba, y su marido decidió prohibírselo. Cuando llegó el golpe en 1955, Ana María preparó sus valijas. Había decidido que se mudaría a La Rioja para trabajar como maestra y militar en el peronismo de la clandestinidad. Fue el fin de su matrimonio. Para evitar las habladurías del pueblo, el teniente coronel se mudó a Valle Hermoso, Córdoba. Pero su madre nunca le perdonó la separación. Durante años, madre e hija no se hablaron y ni siquiera los nietos pudieron doblegar la rigidez provinciana de la abuela.

Eran épocas en que nadie se mostraba públicamente como una mujer separada. Ana María tenía veintiséis años y cruzaba la Plaza 25 de Mayo de La Rioja sin bajar la vista: las vecinas cuchicheaban a su paso y los hombres se daban vuelta a mirarla. Era indudablemente la mujer más bella y distinguida que había vivido en la ciudad en los últimos años. Conservaba el andar ceremonioso y la economía de gestos de las señoras patricias, pero exhibía sus hombros con la prepotencia de las mujeres peronistas que, en los cincuenta, creían que arrebataban la historia. Jamás un exabrupto, ni levantar la voz; hablar siempre como en una letanía. Así le había inculcado su madre. La literatura le había enseñado la osadía y la política la insolencia.

Después de su separación, comenzaron los problemas económicos. Sus padres dejaron de ayudarla y su marido se negaba a hacer una división legal de bienes. Decidió poner todo en manos de un abogado y una tarde de la primavera de 1957 entró al estudio de la calle Pelagio Luna que atendía Carlos Menem.

El mayor de los hermanos Menem, Carlos, había vuelto a La Rioja tres años antes, con el título de abogado que le otorgó la Universidad de Córdoba. Nadie sabrá nunca cuánto aprendió de leyes, pero todos recuerdan todavía su fama de militante nacionalista y las lecciones de historia argentina que solía dar en el bar de la facultad. Era el mejor en los deportes: boxeaba, jugaba al básquet y al fútbol, todo con la misma pasión. Gracias al básquet en Córdoba tuvo el primer acercamiento con el peronismo: su equipo ganó una copa en los campeonatos Evita y el general Juan Perón le entregó el premio. La soberbia figura del presidente lo perturbó suficiente como para hacerlo soñar con la política y el poder, pero no tanto como para convencerlo de que abandonara su ferviente nacionalismo conservador e ingresara al peronismo. Buscó una solución que le permitiera estar cerca del avasallador poder del peronismo de los cincuenta pero, a la vez, no pertenecer a un movimiento que le resultaba ajeno y vulgar. Fundó el Centro de Estudios Rosistas: un punto intermedio entre la oposición y el peronismo.

Carlos Menem volvió a La Rioja en marzo de 1955. Le ofrecieron la Fiscalía de Estado, pero la rechazó. El gobierno peronista estaba cayendo, todos hablaban de un posible golpe militar y él no estaba dispuesto a ser identificado con el partido en esas condiciones. Se incorporó al estudio de un viejo amigo, el conservador Germán Cámera Gordillo, y transformó el local en el lugar de encuentro de sus amigos. Tocaban la guitarra en la vereda y durante la siesta ensayaban las serenatas que, por la noche, cantaban bajo los balcones de sus prometidas. Su hermano Munir era la voz privilegiada del grupo mientras que él debía conformarse con tocar el bombo. Por la mañana, una docena de pobres hacía cola, todos prendidos de los manubrios de sus bicicletas: Carlos Menem atendía sus causas gratis. Algunas tardes ensayaban obras de teatro junto a Bernabé Arnaudo y Erman González, y después montaban escenarios en las calles para protagonizarlas.

El romance entre Ana María y Carlos comenzó una tarde de diciembre de 1957. Más de treinta años después, en 1992, cuando era asesora del presidente Carlos Menem, Ana María recordaría esos días: "¿Sabés una cosa? Carlos Menem es lo más hermoso que me pasó en la vida. Era noble, puro, íntegro, romántico, afectivo, querible... Nos escribíamos muchas cartas, a pesar de vivir a muy pocas cuadras uno del otro. Teníamos también larguísimas conversaciones telefónicas. ¿De qué hablábamos?... De lo que hablan todas las parejas".

El era un joven abogado recién llegado desde Córdoba, buscado por la mayor parte de las madres con hijas en edad de merecer. Ella era una mujer separada, sola con sus dos hijos. Vivieron el romance en la clandestinidad —"como detrás de un cortinado", relataría ella—. No fue difícil: también las reuniones políticas eran secretas. Pero unos meses después todo el pueblo hablaba de la apasionada pareja que ya no se cuidaba en disimular, se besaba en los paseos públicos y se juraba amor eterno en las calles de La Rioja.

Durante las siestas riojanas, Ana María y Carlos soñaban con el futuro. El quería ser presidente, y a ella su padre le había enseñado sobre el poder. Entre los dos fueron formando un paradigma político que se convertiría con el tiempo en el esqueleto del menemismo. Ana María intuía al peronismo, pero conocía a los conservadores: sus prácticas, sus tiempos, sus fórmulas. Menem era un apasionado lector de historia argentina y un militante del revisionismo histórico. Podía citar a Facundo Quiroga, a Felipe Varela o al "Chacho" Peñaloza, pero no leía libros políticos. Sabía con detalle la vida de los caudillos y se embarcaba en antológicas discusiones acerca de Rosas o Sarmiento. Conocía la suerte de todas las tribus indígenas que habitaron el Noroeste argentino. Ella solía pasarse horas explicando la evolución y la influencia de las familias tradicionales en la política argentina. Leían juntos los libros sobre el tema, y soñaban hasta que llegaba la madrugada.

Menem siempre se pensó a sí mismo como un Facundo moderno. Solía armar alegorías y buscar puntos de coincidencia entre su imagen y la del Caudillo de su provincia; entre el Caudillo y los personajes míticos de los países árabes. ¿Cuántas veces leyó el *Facundo* de Sarmiento? Sus amigos no lo pueden decir con exactitud. Lo cierto es que jamás faltó de ninguna de sus ocasionales bibliotecas un ejemplar de la obra. Una sencilla edición de las usadas por los estudiantes secundarios, como en el departamento de Cochabamba, o un ejemplar con tapas de cuero y grabados dorados, como en la casa de La Rioja. Siempre llevaba encima la edición de Plus Ultra. Todos ajados, subrayados con lápiz, con las esquinas de algunas hojas dobladas para marcar la ubicación de los pasajes que más lo conmovían. Para algunos, Menem quería inventarse a imagen y semejanza de Facundo. Para otros, como Zulema, Menem tenía arranques místicos en los que creía que era la reencarnación del Caudillo. "Salía al patio gritando, y levantaba los brazos pidiendo que el espíritu de Facundo entrara en su cuerpo", relató Zulema cuando ya era la esposa del gobernador. Los riojanos recuerdan también que, en las noches de verano, Menem salía a cabalgar por el cerro hasta la madrugada. Cuando volvía, aseguraba que se había encontrado con Quiroga y que el Caudillo lo había ungido como el "nuevo Tigre de los Llanos". Menem creía en la reencarnación, y muchas veces practicaba ritos vudú para convertirse en la "morada" del espíritu del Caudillo.

Solía explicar que él tenía demasiadas similitudes con Quiroga como para que esto pasara inadvertido. Pero lo cierto es que muchos de esos puntos en común fueron cuidadosamente construidos.

Estos años de apasionamiento místico por la figura de Facundo Quiroga serían decisivos en la formación de su estilo político. Menem aprendió de Facundo, no de Juan Domingo Perón. Se inventó a imagen y semejanza del Facundo retratado por Sarmiento: inexacto, arbitrario y plagado de errores históricos, pero desmesurado, apasionado e idolatrado. Si había viento, Menem se ponía su poncho colorado, montaba a caballo y salía a andar hasta sentir que encabezaba una montonera. Si el sol obligaba a la siesta, pasaba horas frente al espejo peinando sus patillas y comparando su rostro con el del Caudillo.

Los pasajes subrayados en los textos son elocuentes: su accionar político en los años venideros evidenciaría la simbiosis que Menem intentó realizar con Facundo. Por eso es imprescindible releer estas citas para comprender la construcción de su personalidad política. Estos son algunos de los pasajes más destacados por Menem en su lectura, tomados todos de la edición publicada por la Biblioteca Nacional.

• "El caudillo argentino es un Mahoma, que puede cambiar a su antojo la religión dominante y forjar una nueva. Tiene todos los poderes. Su injusticia es una desgracia para su víctima. Pero no un abuso de su parte: porque él puede ser injusto, más todavía, ha de ser injusto necesariamente..."

• "El Gobierno echa mano de los hombres que más temor le inspiran para encomendarles este empleo, a fin de tenerlos en su obediencia. Así, el gobierno Papal hace transacciones con los bandidos... Así el sultán concedía a Mehemet Alí la investidura de bajá de Egipto..."

• "Quiroga poseía el don político en grado eminente. Y lo ejercitaba en reconcentrar en torno suyo todo lo que veía diseminado en la sociedad que lo rodeaba: fortuna, poder, autoridad, todo está con él. Todo lo que no puede adquirir: maneras, instrucción, respetabilidad fundada, eso lo persigue, lo destruye en las personas que lo poseen."

• "Facundo, aunque gaucho, no tiene apego a un lugar determinado. Es riojano, pero se ha educado en San Juan, ha vivido en Mendoza, ha

16

estado en Buenos Aires. Conoce la república: sus miradas se extienden sobre un gran horizonte. Dueño de La Rioja, quisiera naturalmente presentarse revestido del poder en el pueblo en que aprendió a leer, en la ciudad donde levantó unas tapias."

• "Otra cosa hubiera sucedido —decía Facundo— si yo hubiese estado aquí.

"—Y que habría hecho, general? Su excelencia no tiene influencia sobre esta plebe de Buenos Aires.

"Entonces Quiroga, levantando la cabeza, sacudiendo su negra melena y despidiendo rayos por los ojos, le dice con voz breve y seca:

"—Mire usted, habría salido a la calle, y al primer hombre que me hubiera encontrado, le habría dicho: 'Sígame, y me habría seguido'."

Menem se sentía predestinado; tenía una concepción musulmana del destino. Su construcción no era política sino religiosa. Le gustaba a veces compararse con Yugurta, el caudillo númida que escapaba a través del desierto del Sahara mientras lo perseguían las tropas romanas y que sólo podía confiar en su propio ingenio. Estaba convencido de que el día en que llegase su hora, sería definitivo. Las multitudes lo seguirían y él gobernaría desde entonces y para siempre, liderando un nuevo movimiento político que llevaría su nombre y que estaría llamado a ser reconocido mundialmente.

En esos años que sucedieron a su regreso de la Universidad cordobesa —durante los que Menem descubrió su vocación política y comenzó a obsesionarse por su formación—, estudió particularmente tres libros: el *Sofisma de la política*, de Jeremy Bentham, y la *Historia de Roma* y el *Arte de la guerra* de Nicolás Maquiavelo. Bentham era casi una moda en las cátedras positivistas de las facultades de Derecho que comenzaban a explicar la ley según el criterio del filósofo inglés y miraban la realidad en términos del "placer o dolor" que causaba.[1]

Las pocas notas que Menem escribió en esa época, conservadas por amigos riojanos, lo perfilan como un declarado fatalista, rosista, nacionalista y pragmático. Definía a la Nación como "categoría y proyecto histórico" y al federalismo como "una nación altamente centralizada con una conducción territorial descentralizada". La Nación, dijo entonces, es "una asociación, sobre el mismo suelo, de los vivos y los muertos con los que están por nacer". Se autocalificaba como un "militante anticorporaciones", pero englobaba en éstas por igual a la Iglesia, los sindicatos y los partidos políticos, en una versión peculiar del fascismo criollo.

Aunque ninguno de sus compañeros de debates de aquellos años juveniles lo menciona puntualmente, la formulación de la mayor parte de las definiciones de Menem hace suponer que el riojano nutrió su formación política de Gaetano Mosca y Wilfrido Pareto, dos *cientistas* políticos italianos que fueron considerados los continuadores de Maquiavelo en el siglo XX. En otro caso, habría que deducir que en su recorrido intelectual llegó a las mismas conclusiones que los filósofos políticos mediterráneos. Porque su definición de los partidos políticos como una corporación y su concepción de la "clase gobernante" parecen sacadas de alguno de los textos que eran material de consulta permanente en las universidades argentinas en los años cincuenta y que constituyen tanto una modernización de Maquiavelo como una variante seudodemocrática del fascimo.[2]

En aquellos años de la década del cincuenta en que Menem formó su paradigma político, el riojano aprendió a creer en el liderazgo devenido de la inmediatez, no de la acumulación. Por eso admiraba al Perón de 1945, que había sabido aprovechar las circunstancias políticas y convertirse de la noche a la mañana en la cabeza de una marea incontenible, pero al mismo tiempo desconfiaba del afán por transformar al justicialismo en una estructura política con continuidad. ¿Qué significaba finalmente aquello de que "Sólo la organización vence al tiempo"? Nada para él, que no creía ni en la organización ni en el tiempo. El poder estaba reservado para los carismáticos. Y el poder garantizaba la eternidad. Se trataba sólo de estar en el momento oportuno en el lugar oportuno.

Para esto estaba Ana María Luján. Ella era una mujer sensible y culta. Ella le indicaría cuándo había llegado su hora.

El abordaje del peronismo

La Revolución Libertadora que había tomado el poder en 1955 convocó a elecciones tres años más tarde. Cuando se inició 1958 los partidos políticos comenzaron a rearmarse. Menem intentó ese año fundar un partido nacionalista conservador al que denominó Partido Populista y que era la variante riojana del que en la vecina Catamarca había fundado en 1957 Vicente Saadi. La experiencia duró menos de tres meses. Intentó ser designado candidato a senador nacional por la conservadora Unión Popular de La Rioja pero su candidatura fue impugnada porque no alcanzaba a la edad reglamentaria. Supo pronto que la única manera de intentar llegar a algún puesto de gobierno en esa Argentina dividida entre peronistas y antiperonistas era sumarse al justicialismo. Por primera vez en lo que sería su larga carrera en la política, Carlos Menem confió en su buena estrella y una noche de junio de 1958 tomó un tren a Buenos Aires, esperando que el azar decidiera la mejor manera de acercarlo al poder. Ana María esperaba confiada su regreso. Creía en su buena suerte tanto como él.

Menem llegó a Buenos Aires con un único dato en su agenda: la dirección del Comando Nacional del Peronismo en la clandestinidad. Bajó del tren en Retiro, tomó el tranvía y llegó hasta el Parque Rivadavia. Buscó la casa y se sentó en el umbral. Pasaron algunas horas. Nadie entraba ni salía del edificio.

La puerta se abrió finalmente, y Carlos Menem sonrió satisfecho: una vez más el destino estaba de su lado. Se paró y abrazó al hombre moreno, petiso y gordo que salía del edificio.

—Hola, Carmelito.

—¿Y vos quién sos?

—Soy Carlitos Menem.

Carmelo Díaz tuvo que pensar durante algunos segundos para poder identificar el rostro y el nombre. Alguna vez, quince años atrás, se habían cruzado en la Plaza 25 de Mayo de La Rioja. Díaz era un militante del incipiente peronismo, Carlos Menem un adolescente que simpatizaba con el nacionalismo y los conservadores. Hacia fines de 1944, Díaz se mudó a Buenos Aires y desde entonces no había vuelto a su provincia. Esa tarde de 1958 se asombró al verlo en la puerta del edificio de Rivadavia al 4300, un lugar clandestino y cuya dirección conocían sólo dirigentes de mucha confianza dentro del partido.

—¿Qué hacés acá? —le preguntó.

—Vengo a ver al presidente del partido.

Carlos Menem hablaba con vehemencia, como si estuviera diciendo la verdad. En realidad, ni siquiera sabía con certeza que allí vivía el presidente del PJ, Alejandro Leloir. Pero el asombro de Díaz parecía confirmarlo.

—Ah... ¿y vos de dónde lo conocés?

—No, no lo conozco. ¿Me lo podés presentar?

Díaz nunca pudo explicar por qué dijo que sí, a pesar de la desconfianza que le provocaba ese riojano prepotente, militante nacionalista, con hablar canyengue, que quería ver al presidente del PJ y ni siquiera pedía cita. Lo hizo entrar al edificio y le presentó a Guillermo Rey, el secretario de Leloir. El presidente del Pj estaba reunido con una delegación de Laprida, un pueblo de la provincia de Buenos Aires. Díaz y Menem esperaron unos minutos en el recibidor. Leloir salió.

—Alejandro, este es un amigo de La Rioja. Quiere verte. ¿Podés atenderlo?

Menem y Leloir hablaron durante una hora. El riojano volvió triunfante a su provincia: lo habían nombrado delegado interventor de la Juventud Peronista riojana. En realidad, no había dudado un solo minuto. Cuando partió hacia Buenos Aires estaba convencido de que conseguiría su objetivo. Lo que no sabía entonces era que su suerte hubiera sido otra sólo si se retrasaba una semana. Juan Perón ordenó desde el exilio la expulsión de Leloir del partido por desoír su mandato de apoyar a Arturo Frondizi como candidato a presidente.

En La Rioja lo esperaban su estudio de abogado, sus siestas y Ana María. El romance continuaba, y se iba convirtiendo en el tema preferido de conversación de las vecinas. El comenzó a quedarse a dormir en su casa y ella lo acompañaba a las reuniones políticas. Fueron cinco años, entre 1957 y 1962, en que los dos se soñaban habitando alguna vez la Casa Rosada. Ella era el "cerebro gris", él era el carisma.

Todo se complicó de pronto. Saúl Menehem llamó un día a su hijo y le explicó la situación: la sociedad riojana repudiaba ese noviazgo. Debía terminar inmediatamente. Mohibe intentó ser más comprensiva. Sugirió, explicó, suplicó... Pero Carlos no entraba en razones y ella fue entonces más firme todavía que Saúl. Si seguía viendo a Ana María no volvería a hablarle mientras viviera. Carlos nunca había podido oponerse a la voluntad de su madre. Rebelde, discutía con su padre, lo enfrentaba, se iba de su casa. Saúl había sido en extremo exigente con la educación de sus hijos. Pero Mohibe mediaba y recomponía la situación. Esta vez la inflexible era ella, y Carlos decidió acatar. En agosto de 1964 partió hacia Damasco dispuesto a olvidar su amor por Ana María.

Mohibe estaba segura de cada paso que daba. No sólo pretendía que Carlos conociera Yabrud, el pueblito del que habían partido hacía cincuenta años, sino que viajaba a encontrarse con los Yoma, una familia que había vivido en Nonogasta, La Rioja, y se había instalado nuevamente en Damasco. Los Yoma tenían varias hijas mujeres, y éste era un dato fundamental para Mohibe, un poco arrepentida al ver el sufrimiento de su hijo pero convencida de que un nuevo amor le haría olvidar el anterior. Los Menem llegaron a Damasco y a los dos días fueron a visitar a los Yoma, con quienes ya habían comenzado a conversar la posibilidad del casamiento de sus hijos.

ZULEMA Y PERON

A mediados de la década del sesenta, los Yoma eran una acomodada familia protagonista de la convulsionada vida política de Medio Oriente. Nunca habían estado ausentes de los momentos más críticos del país desde el siglo XIX, en que el primer político de la familia se convirtió en alcalde de una vasta zona del territorio lindante con el Líbano. Fueron años de profundos cambios. Europa volvía de las guerras napoleónicas e iniciaba el camino hacia la consolidación de los estados nacionales. Medio Oriente era un polvorín. Comenzaba el fin del Imperio Otomano construido a partir de 1534, cuando Turquía ocupó Egipto y las Tierras Fértiles. La agonía se prolongó casi un siglo, hasta el final de la Segunda Guerra Mundial. Durante ese período, Medio Oriente vivió inmerso en la guerra civil, las luchas independentistas, la peste y la pobreza.

Jaqueado por Inglaterra y Francia desde Europa y por los grupos nativos de cada país, el gobierno de Estambul intentaba profundizar el control sobre los territorios dominados. En 1860 estalló la guerra civil en el Líbano entre los cristianos maronitas y los drusos, que culminó con una matanza de cristianos en toda Siria. Llegaron épocas de epidemias y malas cosechas. El gobierno militar impuso una reforma agraria por la que la mayor parte de las tierras pasaron a poder del Estado que las entregaba para su usufructo a familias urbanas relacionadas con el poder político. La única posibilidad de salida era hacer dinero en América y enviar las remesas a la familia para que comprase las tierras en que se producían sedas. Los jóvenes árabes se encontraban en la disyuntiva de sumarse a los grupos independentistas o emigrar al Nuevo Mundo. Turquía entró en guerra con Rusia y el gobierno de Estambul convocó masivamente a la conscripción obligatoria para marchar al frente.

La situación de los Yoma no era fácil. Una vieja tradición política los sindicaba como parte de la resistencia a la ocupación otomana. Mohamed Amín había sido por años alcalde de Djumier, un pueblo de pocos habitantes y menos comercio pero importante porque constituía la vía de salida de Damasco hacia Bagdad. Había logrado ejercer el gobierno de la ciudad con cierta autonomía con respecto a Estambul, tal como ocurría en la mayor parte del interior de los territorios. Siria estaba dividida en cuatro provincias: en cada una de ellas el gobernador era nombrado des-

21

de la capital del imperio, pero el resto de la región era abandonada a sus propios recursos con tal de que admitiera la soberanía otomana y pagara el tributo correspondiente. La familia Yoma asegura que entre sus antepasados figuran varios "jeques" (jefes espirituales) y que por eso los turcos los persiguieron particularmente. Lo cierto es que pertenecían a la radicalizada fracción religiosa de los alawíes, una secta sihita extremista que veía en Mohamed Alí (gobernante de Egipto entre 1805 y 1848, primer antecesor del panarabismo e impulsor del desarrollo y la modernización del país del Nilo) una nueva encarnación de la divinidad.

El matrimonio Yoma no dudó, y embarcó a Amín, el primogénito, rumbo a América. Amín Yoma llegó a la Argentina en 1909, un año después de que la revolución de los "Jóvenes Turcos" tomara el poder en el Imperio Otomano. El ascenso de la fracción nacionalista del ejército provocó nuevos enfrentamientos civiles y religiosos.

Amín llegó a Buenos Aires y buscó en la zona de Constitución a los ex vecinos de su pueblo que habían emigrado unos años antes. Se instaló en la tienda de unos amigos, y con ellos aprendió el castellano. Un año después abrió su primer negocio de telas sobre la calle Reconquista, pero las ventas no le alcanzaban para vivir. En 1913 decidió marcharse a Mendoza en busca de un amigo de su pueblo. Trabajó allí tres años, pero también esta vez la tienda quebró. Se mudó a San Juan y abrió un negocio de ramos generales que sobrevivió apenas unos meses. Algunos paisanos lo convencieron de marchar juntos a Nonogasta, un poblado de La Rioja, donde había movimiento comercial porque se construía el paso de la cordillera Cuesta Miranda. Un año más tarde, en 1916, se convirtió en el proveedor de materiales para la construcción de esas obras.

Viajaba una vez por mes desde La Rioja hasta Buenos Aires para comprar los materiales que revendía. Su madre accedió a enviarle dinero desde Siria para que ampliase el negocio, y Amín instaló la primer empresa familiar sobre las vías del ferrocarril que conducían hacia Chilecito, cerca de una mina, de oro y plata. Cuando el gobierno provincial decidió tender el cablecarril entre la ciudad y la mina logró que lo contrataran como proveedor. En algunos años sería el representante mayorista y exclusivo de Esso, Alpargatas, Terrabusi e International Harvest y el primer concesionario de automóviles.

En 1926 ya era el comerciante más reconocido de la zona. Se casó con una maestra de Villa Unión, un pueblo perdido en la cadena de El Velazco, pero el matrimonio duró menos de tres años: ella murió de alguna enfermedad incurable que los médicos de la zona no supieron determinar. Había tenido dos hijos, Amín y Emilio, que murió de un ataque al corazón. En 1934 volvió a Siria. Su padre había muerto y él heredó su fortuna. Había terminado la Primera Guerra Mundial en la que los turcos se aliaron con Alemania, y Siria era ahora un protectorado francés. Las guerras civiles continuaban. Los drusos encabezaban levantamientos contra el gobierno. Francia bombardeó Damasco provocando una masacre entre la población civil. Antes de dejar nuevamente su pueblo, Amín se casó con una novia de su adolescencia, Chaha Gazal, y convenció a su primo Jorge de que lo acompañara a la Argentina para trabajar juntos. Jorge llegó un año después, y Amín lo puso al frente de una bodega que acababa de inaugurar: Vinos Yoma. Mientras tanto, él regenteaba Amín Yoma y Cía., una empresa que incluía una cámara fumigadora de granos, una estación de servicio y una barraca de cueros.

En Siria había nacido el primer hijo de su segundo matrimonio, Mohamed Amín (1934). Luego vendrían otros siete: Leila (1936); Naim (1937), que murió al año siguiente en un accidente automovilístico de su padre; Naim, del mismo nombre que su hermano muerto, (1939); Karim (1940); Zulema (1942); Delia (1944); Omar (1946); Emir (1948), y Amira (1952). Chaha Gazal cuidaba a sus hijos y aprendía corte y confección por correo.

En 1959 Amín sobrevivió a un paro cardíaco y decidió regresar a Siria con todos sus hijos. Sólo Amín, su primogénito, y Mohamed Amín, el primer hijo de su segundo matrimonio, permanecieron en la Argentina a cargo de las empresas. La decisión no fue casual. Los Yoma regresaron a su país cuando en Medio Oriente crecían los movimientos revolucionarios nacionalistas y se vivía un clima de profundas reformas culturales, sociales y económicas. Estaba en su apogeo el Partido Baath —*Hizb al-bat't al-arabí al-istirakí*, Partido Socialista de la Resurrección Arabe— integrado en su mayor parte por los cuadros alawíes. El Baath fue fundado en 1940 en Damasco por Michel Aflaq, un intelectual de izquierdas educado en Francia, al que las circunstancias revolucionarias que conmovían a Oriente llevaron a estrechar lazos con los sectores nacionalistas del ejército. Su filosofía básica —nacionalismo, unidad y socialismo en la sociedad árabe— se implantó como vocación del conjunto. La revolución egipcia de 1952 comandada por Nasser y los "Oficiales Libres" terminó por dar impulso a aquellos movimientos panárabes revolucionarios. En febrero de 1958 Siria y Egipto formaron la República Arabe Unida y decidieron disolver los partidos políticos y coordinar las políticas económicas. Los dos gobiernos intentaban además escapar de la amenaza comunista que creían vislumbrar en algunos grupos extremistas que comenzaban a recibir ayuda militar de la Unión Soviética. Los sectores más radicalizados del Baath se negaron a disolver el partido y tomaron el gobierno en Siria persiguiendo y encarcelando a los moderados. Los estudiantes y los jóvenes marchaban por las calles de El Cairo y Damasco reclamando reformas sociales y la depuración del Ejército. Se oponían básicamente a la alianza del ejército, los políticos, los ricos industriales y los terratenientes que conspiraban contra Nasser y el Baath porque la política de nacionalización de las tierras y la industria afectaba sus negocios. La izquierda del Baath subió al gobierno en Siria e Irak. Damasco se convirtió en territorio de entrenamiento de los grupos terroristas palestinos que se infiltraban desde Siria en territorio israelí.

Los Yoma se instalaron entonces en Damasco. La familia no permaneció ajena al clima político. Delia comenzó a trabajar como secretaria administrativa de la embajada española en Damasco y se casó con un coronel del ejército revolucionario. Lelia pasó a ser secretaria privada del embajador español. Karim, con sólo veintitrés años, fue nombrado canciller (tercer lugar en la escala jerárquica) de la embajada española en Siria. Zulema, que llegaba con un título de decoradora desde La Rioja, ingresó en la Escuela de Bellas Artes. Amira era apenas una adolescente, pero se sumó a las marchas y las protestas, y con quince años empezó a militar en el ala más radicalizada del Baath, la fracción prochina que criticaba por igual a Nasser y a la Unión Soviética acusándolos de haberse sumado a los movimientos reaccionarios y proclamaba la "revolución permanente". Emir, más díscolo, se dedicaba a disfrutar de la noche árabe.

Amín, mientras tanto, se dedicaba a los negocios. Lo acompañaba su hijo Omar. Después de guardar reposo por prescripción médica durante un año, instaló una curtiembre en Damasco que importaba cueros desde la Argentina. Viajaba periódicamente a Buenos Aires para cerrar personalmente las compras. Chaha Gazal de Yoma lo acompañaba a veces.

Habían pasado diez años desde que regresó a su país cuando en uno de los viajes desde Buenos Aires volvió a sentir molestias en el corazón. Al llegar a Holanda para ocuparse personalmente de un trasbordo de cueros sufrió un ataque de hemiplejía. Chaha lo trasladó hasta Damasco, donde murió el siete de junio de 1970.

Desde 1968 los hijos varones habían comenzado a volver a la Argentina, sobre todo por las dificultades para aprender el idioma. Sólo las mujeres lograron rápidamente dominar el árabe con la misma fluidez que el castellano. Amira no quería volver. Se había adaptado a las costumbres y al idioma y tenía allí su grupo de amigos. Cuando llegó tenía seis años. Había aprendido a escribir en árabe. Junto con Emir, habían cursado los estudios primarios en la lengua materna. La situación política se había complicado notoriamente a partir de 1967, con la Guerra de los Seis Días: Israel bombardeó Damasco acusando al Baath de entrenar a los grupos terroristas palestinos. Egipto y Jordania respondieron en defensa de Siria y el ejército israelí ocupó en seis días la orilla occidental del Jordán, la península del Sinaí y los Altos del Golán. Se firmó la paz, pero el clima de enfrentamiento persistía. Amira militaba día y noche.

Zulema se dedicaba a la pintura y a sus estudios de Bellas Artes. Ya había hecho dos exposiciones en Damasco, y estaba convencida de que su destino era convertirse en una pintora famosa. Era un momento particular del desarrollo del arte y la cultura para el pueblo árabe: las políticas nacionalistas de los gobiernos de la región incentivaban la formación de los artistas jóvenes en escuelas estatales y promovían las muestras y las exposiciones gratuitas y colectivas. Zulema estaba orgullosa de sus dos primeras obras reconocidas: un autorretrato y una pintura de Malula, un pueblito cercano a su ciudad natal.

Fue entonces, invierno de 1964, cuando los Menem y los Yoma se reunieron. No fue difícil que los hijos cumplieran con el mandato de los padres: Carlos no tardó en seducir a esa morocha de ojos verdes que ansiaba volver a la Argentina. La primera noche Carlos y Zulema salieron a bailar junto a Emir, uno de los hermanos Yoma. Los flamantes novios terminaron besándose al ritmo de *La Bamba* mientras Emir vigilaba desde una mesa.

En la casa de los Yoma, en un living con sillones verdes de pana, Saúl y Mohibe Menem acordaron con Amín y Chaha Yoma que sus hijos Carlos y Zulema se casarían dos años después. Más tarde Menem prefirió hacer un relato más romántico. Aseguró que caminaba por las calles de Damasco y se cruzó con Zulema. "¿Querés casarte conmigo por una noche?", le dijo en español. Ella se dio vuelta: "Argentino tenías que ser". Pero la versión es desmentida hasta por la misma Zulema.

Lo cierto es que el romance duró menos de una semana porque Carlos había decidido viajar a Tokio, a presenciar los juegos Olímpicos. El trámite para conseguir su visado se complicó y a último momento decidió hacerle caso a su cuñado Emir, que le sugirió ir a conocer Madrid.

Carlos Menem llegó al aeropuerto de Barajas el 1º de octubre de 1964. Lo guiaba una obsesión: conocer al general Juan Domingo Perón. No sabía cómo iba a hacerlo, sólo confiaba en su fortuna y en su intuición. Como aquella vez, cuando había esperado en la puerta del edificio de Rivadavia. Algo iba a pasar. Caminó por las calles de la ciudad mientras pensaba la estrategia. Madrid todavía era la aldea imperial de Francisco Franco: un enclave anacrónico en una Europa moderna, inmersa en la revolución tecnológica y convulsionada por el accionar de los movimientos socialistas. Así, caminando, llegó a la reja de acceso a Puerta de Hierro y preguntó por el secretario privado del ex presidente. El guardia le explicó que no era el modo, que él no podía anunciar a nadie que no tuviera cita. Menem, después de insistir durante algunos minutos, se marchó.

Tenía una dirección en su agenda: la de Jorge Antonio, un paisano sirio que trabajaba con Perón y que alguna vez se había encontrado con sus padres en una reunión de la comunidad. No quedaba lejos. Caminó por La Castellana y encontró el edificio. Antonio lo recibió, lo escuchó y le pidió que regresara al día siguiente. En el ínterin funcionaron esa suerte de "servicios de inteligencia paralelos" que habían montado los hombres de Antonio en Madrid. Julio Antún, un hombre de la derecha peronista, delegado del Comando Nacional en Córdoba, le alcanzó un informe sobre ese riojano nacionalista, militante universitario y, como él, hijo de sirios. Esa noche salieron a cenar: Antonio, sus dos hijos, Menem y Antún. La cita con Perón fue establecida para el 8 de octubre al mediodía.

Jorge Antonio acaparó la cena contando, una vez más, su historia elevada al nivel de mito. Antonio había llegado a Madrid en 1960. Era la cuarta parada de su exilio: antes había estado en Caracas, Santo Domingo y La Habana. Compró un piso en La Castellana y se radicó con todos sus hijos. En algunos años tendría también una finca en las afueras de Madrid y una casa de descanso en Torremolinos, sobre la Costa Azul, que se convertiría en la primera residencia de Perón en España. Para conocer aquellos días de Antonio en Madrid, y su incursión en la nobleza local, es imprescindible leer el retrato hecho por el periodista Ernesto Tenembaum en la revista *Página/30*:

"Llegó tan rico que pudo comprar un piso de unos 600 metros en La Castellana, la avenida por donde pasaban los desfiles, la calle más cara de Madrid, a pocos metros de las casas de los Bordiú y los Franco. Don Jorge y Doña Pilar Franco solían compartir largas caminatas por allí en los años sesenta.

"La cordial relación entre los generales Perón y Franco fue una de las vías que permitieron el ingreso de Don Jorge a la nobleza española. Otra fue su velocísimo caballo Revirado, que hizo historia en la hípica española, un círculo mucho más selecto que el de la hípica argentina. Cuatro de sus once hijos estudiaron en el distinguido colegio Rosales, donde también asistía el Príncipe de Asturias, y tres de ellos, además, completaron la secundaria en Liverpool y París.

"Nunca se sabrá cuánto se amaron Don Jorge y su primera esposa, Esmeralda Rubín. Lo cierto es que del vientre de ella salieron cuatro hijos y luego el matrimonio adoptó otros siete. Jorge Antonio hijo es el mayor de todos y se casó con Susana Redondo, hija de una poderosísima familia con multimillonarias inversiones en la industria papelera española."

Antonio, Antún y Menem se despidieron luego de la cena y acordaron encontrarse en Puerta de Hierro el 8 de octubre a las 12 del mediodía.

Menem llegó unos minutos antes que lo previsto. Traje azul y una camisa blanca de cuello ancho, afuera de las solapas. Jorge Antonio lo esperaba. Atravesaron los jardines y llegaron al salón principal: junto al ventanal, mirando la calle, estaba Perón. Antonio había organizado un encuentro de dirigentes de la juventud con el General. Además de Menem —presidente de la juventud riojana— estaban Jorge Camus, de San Juan, y Fernando Bramuglia, el hijo de Juan Atilio, ex ministro de Relaciones Exteriores del gobierno peronista.

Perón los fue saludando uno por uno. Menem le contó sobre aquel campeonato Evita en que había recibido la copa de campeón de básquet de su mano. El General sonrió con simpatía.

—Usted es muy joven, ¿no? —le preguntó.

—No tanto, General. Hay que mantenerse.

—¿Y a qué se piensa dedicar?

—Bueno, soy abogado... Pero me gustaría dedicarme a la política. Por eso vengo a ver a los hombres sabios, para que me ilustren...

Perón sonrió y continuó conversando con el resto del grupo.

El General repitió algunos lugares comunes sobre la importancia de la juventud en la hora que vivía el país. Les recomendó la lectura de sus libros. "Cada joven lleva el bastón de mariscal en su mochila", les advirtió. Después brindaron: era el cumpleaños de Perón. Cuando el encuentro se distendió, Menem preguntó lo que en ese momento todos los políticos, militares y sindicalistas argentinos querían saber.

—¿Es cierto que vuelve, General?

Perón se dio vuelta y señaló unas maletas que se amontonaban en un costado.

—¿Qué le parece?

—¿Y cuándo? —insistió el riojano.

—Ah... eso pregúntele a su paisano. El me regaló las valijas y dice que está preparando todo.

27

Jorge Antonio sonrió satisfecho. Una comisión de dirigentes del justicialismo, entre los que se encontraban Augusto Timoteo Vandor, Delia Parodi y Jorge Alonso, había llegado desde Buenos Aires para organizar el "Operativo Retorno", y todos peleaban por ser los señalados para ponerse al frente de la organización. Antonio se sintió honrado. Cuando Menem fue presidente, Antonio completó el relato de aquella jornada de la siguiente manera: al día siguiente, Perón llegó hasta la oficina de Antonio en La Castellana 56. Antonio estaba reunido con una periodista colombiana y un diplomático mejicano.

—¿Y, Don Jorge? —preguntó el General—. ¿Qué pasa con ese muchachito riojano, se queda o se va?

Jorge Antonio no sabía. No había vuelto a hablar con Menem desde que dejaron Puerta de Hierro.

—No lo sé, General. Puedo averiguar.

—Dígale que se quede unos días... No lo pierda, Jorge... Ese muchacho tiene premio.

Antonio encontró a Menem en el Hotel Surbarán, un alojamiento de tercera categoría en pleno centro madrileño. Le contó la conversación con Perón, y Menem decidió quedarse dos semanas más en la ciudad. Volvió a encontrarse dos veces con el General en las oficinas de Antonio. De aquellas reuniones, Menem recuerda que le impresionó, sobre todo, "que Perón le diera tan poca importancia al fracaso de 1955".

A medida que pasó el tiempo, Antonio fue menemizando la anécdota. En 1993 la narración sostenía que Perón le había pedido especialmente a Menem que se quedara y que el riojano pasó una semana junto al General. "Yo voy a ser presidente cuando usted deje la política", había llegado a decir Menem en la última versión del encuentro.

Menem volvió a Buenos Aires en la última semana de noviembre de 1964. Diez días después, el 2 de diciembre, también Juan Perón y Jorge Antonio subirían a un avión con destino a la Argentina. Pero no lograron llegar. El "Operativo Retorno" fracasó cuando el avión que trasladaba al General al país luego de diez años de exilio fue detenido en el aeropuerto El Galeão de Río de Janeiro, y el grupo fue obligado a retornar a Madrid. En una carta escrita desde el aeropuerto mismo, mientras esperaban el viaje de regreso, Perón anunció a los militantes peronistas que a partir de ese momento "se acabaron las contemplaciones. Hay que comenzar la guerra integral, por todos los medios, en todo lugar y en todo momento. Es en la lucha donde yo he aprendido a conocer a los hombres que realmente valen. Nuestra juventud debe hacerme caso porque no me equivoco. Los jóvenes deben poner el impulso y los viejos debemos elegir la dirección".

Carlos Menem estaba ya en La Rioja cuando se conoció el fracaso del Operativo, que marcó el inicio de una nueva etapa de la movilización política. La puesta en marcha de la operación había profundizado el enfrentamiento entre los grupos combativos y la burocracia partidaria y sindical, pero había también demostrado que Perón estaba efectivamente dispuesto a regresar al país y ponerse al frente del proceso político. En una conferencia en la Universidad de Córdoba, el 4 de diciembre, John William Cooke sintetizó las consecuencias de la operación. "Lo que fracasó en esta tentativa no fue, como dicen algunos, el grupo burocrático dirigente; o, como dicen otros, el propósito de venir antes de que se haga la revolución. Lo que fracasó el día 2 de diciembre fue la concepción burocrática de la política en general; fracasó la concepción de que es posible hacer cualquier acuerdo con el régimen; la concepción de que el peronismo puede progresar en base a concesiones y no en base a mantener inflexiblemente sus principios de fuerza revolucionaria frente al régimen. Lo que fracasó fue también el desprecio por la organización, el desprecio por la estructuración de nuestro potencial de masas y activistas, el desprecio por una metodología correcta, el desprecio por la teoría."

Menem se instaló en La Rioja. Abrió su propio estudio, al que sumó a su hermano Eduardo, quien también se había recibido de abogado en Córdoba. Volvió a los paseos, las siestas y el casino. Escribía larguísimas cartas a Madrid y Damasco: para Jorge Antonio y para Zulema. La Rioja se iba convirtiendo de a poco en un reflejo de la febril actividad política que ganaba al país, y Menem pretendía mantenerse al margen. Estaba decidido a no optar por ningún sector en particular y a esperar a que la situación se fuera decantando. Recién entonces se definiría. Mientras tanto, volvía a encontrarse con Ana María Luján y preparaba su boda con Zulema.

Los Yoma se establecieron en La Rioja en septiembre de 1966. Unos meses antes, Carlos y Zulema se habían casado por poder formalizando el "conyuganato" acordado por sus padres: Chaha seguía dudando de las promesas hechas por Mohibe acerca de su hijo, y no pensaba dejar viajar a Zulema si los papeles no estaban firmados con anterioridad. Ella llegó a La Rioja con sus padres y su hermano Emir. El 7 de setiembre de 1966 intercambiaron los anillos que sellaban el compromiso. El 1º de octubre se casaron en Buenos Aires. La versión de los Yoma indica que la boda fue bendecida por un imán, según el rito musulmán. La de los Menem, que fue el párroco de la iglesia de Anillaco quien los casó en el rito católico. Lo cierto es que ni Carlos ni Zulema se decidieron a oponerse a la voluntad de sus padres, y el casamiento recibió una doble consagración.

El matrimonio tuvo apenas unos meses de sosiego durante el verano de 1967 —el primero después del matrimonio— pero rápidamente comenzaron las discusiones. A veces se transformaban en verdaderas batallas campales, que solían tener como tercera protagonista a la madre de Carlos, Mohibe. En realidad, Mohibe había sido la más interesada en el matrimonio. Ella se preocupó por convencer a Amín Yoma para que dejara casar a su hija, y se comprometió a ser garante de la fidelidad de su hijo. Zulema explicaría con crueldad la situación varios años después: "Carlos dejó que los demás hicieran lo que querían. Es que era muy difícil contravenir la autoridad de mi suegra. Calcule que ninguno de los hermanos Menem se casó con la mujer que amaba porque su madre no las quería".

Pero Mohibe no contaba con el carácter de Zulema, una "turca" arrolladora que se había enamorado apasionadamente de Carlos. Durante los dos primeros años intentó hacerlo todo para conquistarlo. Nada daba resultado: Carlos seguía saliendo con otras mujeres, muchas noches no volvía a su casa a dormir y cada tanto pasaba una temporada en casa de su madre. En 1968 nació el primer hijo, Carlos Saúl, y Zulema se dedicó a él. Después perdió dos embarazos consecutivos, cada vez con complicaciones, y las cicatrices en la pareja siguieron aumentando. Las peleas comenzaron a ser casi diarias. Cuando Mohibe intervenía, todo se precipitaba: Zulema la insultaba y las dos mujeres se peleaban en la vereda. Carlos empezó a encontrarse con Ana María: era la contracara de su matrimonio. Culta, fina, sosegada, convertía los encuentros en un remanso. Carlos decidió abandonar a Zulema, pero ella se anticipó. Chaha, su madre, le avisó desde Siria que su padre había enfermado y Zulema se marchó a Damasco llevándose a su hijo. Carlos se deprimió profundamente. Escribía larguísimas cartas pidiéndole que volviera. Fue la primera vez que sintió que estaba enamorado de su mujer. Quería estar con ella y con su hijo. Se ofreció para ir a buscarlos. Amenazó con suicidarse.

Zulema regresó a principios de 1970, y dos meses más tarde murió su padre. El matrimonio vivió una corta luna de miel y nació Zulema María Eva. Pero cuando pasaron las emociones de los primeros días, Zulema comenzó a recriminarle a Carlos que no le hubiera permitido quedarse junto a su padre. El se pasaba el día en el estudio, entre la política y

30

los negocios. A la noche salía con sus amigos, se quedaba hasta muy tarde en el casino o no volvía a dormir a su casa. Pero tenía claro que no estaba dispuesto a separarse. En los últimos años de la década del 60, había comenzado a trabajar políticamente para ser gobernador de La Rioja. Esa estrategia implicaba también a su familia. Debía mantener su matrimonio a toda costa. La Rioja era una sociedad católica que no permitiría un gobernador divorciado pero, además, él no tenía fondos para costearse su campaña y la pareja había comenzado a ser una sociedad comercial, en la que los Yoma aportaban buena parte del dinero que Carlos Menem necesitaba para sus proyectos. Aunque la curtiembre de Nonogasta era apenas un pequeño negocio, ellos recibían algo de dinero de Karim desde España y estaban en condiciones de pedir préstamos. Mucho más si accedían al gobierno provincial. Si Zulema quería divorciarse debía consultar con el clan: ahora todos eran la familia del futuro gobernador.

MENEM MONTONERO

Se acercaban los setenta y La Rioja era un inmenso desierto casi condenado al atraso y al éxodo de sus jóvenes. Una vieja tradición de confrontación con el gobierno central la mantenía en la postergación y el olvido. La situación económica era caótica. Los emprendimientos hidráulicos y los pasos cordilleranos que la conectaran con Chile y el Pacífico eran sólo dos viejos sueños jamás concretados. La población se dividía entre empleados estatales y pequeños comerciantes que viajaban de pueblo en pueblo con sus mercaderías. La tierra era improductiva y ajena. "La Rioja de los hechos consumados", la bautizó el historiador Ricardo Mercado Luna para explicar la pasividad de ese pueblo que desde las luchas montoneras no volvió a conocer de rebeldías ni protestas frente al feudalismo instituido por sus clases gobernantes. Durante décadas los conservadores se fueron sucediendo en el gobierno, ya se tratara de radicales, peronistas o militares: algunas familias, propietarias de las tierras, los viñedos y las bodegas, ocuparon sucesivamente el obispado, la comandancia del cuerpo regional de ejército y la gobernación.

"La resignación, el quietismo y el tedio, constituyen las principales subculturas generadas por el hecho consumado —dice Mercado Luna—. El razonamiento que la alimenta es simple: el riojano es un hombre resignado. La resignación es una forma de santidad. Por lo tanto debe cultivársela, porque en ello, además, va gran parte de su personalidad. El riojano también es un hombre quieto. Y esto tampoco es malo, porque la quietud no es otra cosa que la paz. Y ser pacífico es poseer un rasgo que enaltece. El tedio es una consecuencia necesaria de esa paz. Alzarse contra el tedio es el comienzo del alzamiento contra la paz y el preanuncio de repudio a esa forma de santidad que es la resignación."

El 31 de enero de 1967 había asumido la intervención de la provincia Guillermo Domingo Irrribarren, un conservador de Nonogasta designado al frente del gobierno por el presidente de facto Juan Carlos Onganía. Irribarren había sido intendente de Chilecito en 1932, cuando gobernaba la nación Agustín P. Justo, y en 1966, cuando se produjo el golpe contra el radical Arturo Illia, estaba afiliado al Movimiento de Integración y Desarrollo. Iribarren designó como subsecretario de Gobierno a uno de sus hombres de mayor confianza en La Rioja: el joven abogado Eduardo Menem. La CGT estaba comandada por el combativo Julio Corzo, opositor militante del sector vandorista, que se acercaría unos años más tarde a la CGT de los Argentinos liderada por Raimundo Ongaro. El circuito económico se movía alrededor de algunas grandes familias que, aunque paupérrimas vistas desde el orden nacional, eran las únicas que manejaban la producción regional: los Luján en Aimogasta, los Yoma en Nonogasta, Amado Menem en Anillaco.

Amado Menem era hijo del primer matrimonio de Saúl Menehem, y había quedado a cargo de la bodega "El Velazco" cuando sus tres medio hermanos —Carlos, Eduardo y Munir— se dedicaron a estudiar y se radicaron en La Rioja como profesionales. Conservador y ultracatólico, envió a sus hijos a estudiar a los mejores colegios religiosos de Córdoba y se autotituló el "enólogo" de la familia, aunque sólo fue siempre el administrador de los viñedos. Amado hacía y deshacía a su antojo en Anillaco, como los Luján en Aimogasta y los Yoma en Nonogasta. De cualquier forma, ninguna de las tres familias llegaba a ser siquiera una de esas "riquezas provinciales" que suelen convertir en feudos a las provincias en el Noroeste argentino. Manejaban la provincia por sus ligazones económicas y políticas, pero sus empresas apenas les alcanzaban para vivir y se movían al ritmo de los avatares económicos del resto de los argentinos.

El peronismo era entonces una entelequia en La Rioja. Toda la conducción se reducía a tres viejos y pacientes militantes que habían logrado conservar el nombre de justicialistas a pesar de haber convivido con todos los poderes de turno: Bernabé Arnaudo, Luis Basso y Libardo Sánchez. Arnaudo era un amigo de la infancia de Carlos Menem, y juntos solían representar obras de teatro en las calles. El fue el primero en hablarle del peronismo, y en intentar convencerlo de que dejara su ferviente nacionalismo y se sumara a la causa. Basso y Sánchez habían militado en la resistencia, y eran en los setenta dos viejos dirigentes respetados por la juventud de todos los sectores.

Como en todas las ciudades del interior, el único poder real en La Rioja era la Iglesia. La mayor manifestación anual era la del Tinkunacu, el último día de diciembre, la fiesta del reencuentro. Una fiesta popular, con hondo contenido revolucionario: recordaba cómo San Francisco Solano se había enfrentado con la dominación española y cómo había proclamado alcalde de la ciudad al Niño Jesús para oponerse a los dictados de la capital del Virreinato.

No es extraño entonces que fuera desde la Iglesia desde donde se revolucionó la tradicional calma riojana y desde donde la provincia ingresó al ritmo político que la década del sesenta impuso al país. En 1967 fue designado obispo de La Rioja monseñor Enrique Angelelli, "El Pelado". Angelelli había comenzado a trabajar desde 1957 en la formación de la Juventud Obrera Católica, una de las formaciones del cristianismo revolucionario. Junto a monseñor Devoto, obispo de Goya, y monseñor Podestá, obispo de Avellaneda, se convirtieron en los pilares de los Sacerdotes por el Tercer Mundo, que en noviembre de 1969 definían claramente su posición en una carta abierta al presidente Onganía:

"Nuestra conciencia cristiana, educada en la Biblia, nos dice que Dios rehúsa nuestros actos religiosos si no están precedidos y acompañados de una realización de la justicia y la fraternidad. Se nos ha enseñado que la verdadera religión consiste en proteger a los desvalidos, en liberar a los oprimidos, en asistir a los hambrientos. (...) Será necesario poner en marcha el programa, políticamente eficaz, de un proyecto liberador. Esto es inevitable en un momento en que los cristianos tomamos conciencia profunda de que el mensaje evangélico de liberación pasa también por la dimensión socio política de la historia humana."

Angelelli comenzó a movilizar a los riojanos para que reclamaran por la justicia social, la división de las tierras y las riquezas, el salario digno y el empleo. Las estadísticas indicaban que el 25 por ciento de los niños riojanos no consumía leche, y que la mortalidad infantil era del 72 por mil. Los riojanos llegaban a las misas dominicales a escuchar a ese obispo que les hablaba de liberación. La juventud peronista tomó la posta y comenzó a nuclearse alrededor de "El Pelado". El viejo refrán provincial que reza "el riojano es sufrido pero advertido" se hizo realidad: la pasividad se transformó en movilización. Los jóvenes se reunían a tomar mate con el Obispo y organizaban trabajos barriales, encuentros, grupos de formación política y jornadas de trabajo solidario.

Paradójicamente, un buen perfil del trabajo de Angelelli en La Rioja lo da un documento del Centro de Residentes Riojanos en la Capital Federal, que pretende destruir la imagen del obispo acusándolo de "cura guerrillero, infiltrado marxista, falso profeta con piel de lobo" y "sacerdote extranjerizante". Reunido en Luján para declarar la "guerra santa" contra los sacerdotes tercermundistas de La Rioja, el grupo nacionalista y ultracatólico distribuyó un documento en el que explicaba la llegada y el accionar de Angelelli en La Rioja, plagado de inexactitudes y acusaciones, pero tras el que se puede adivinar cuál era el accionar real del grupo en la provincia:

"El obispo de La Rioja cuenta con un importante y bien preparado equipo socialista, que se encarga de organizar encuentros o campamentos con participación de jóvenes estudiantes universitarios, hermanas de congregaciones religiosas o simples campamenteros. El motivo para estos encuentros lo da el hecho de que el pueblo riojano es pobre y desposeído. Así se los orienta hacia el trabajo en rancherías o lugares socioeconómicos necesitados y —con el pretexto de realizar estas experiencias— se aprovecha para adoctrinarlos y orientarlos en el nuevo catecismo de Medellín. Monseñor Angelelli, en su afán de transformarse en un nuevo Robin Hood de los desposeídos, no pierde oportunidad para hacer oír su voz de protesta."

Si algo faltaba para fermentar el clima político riojano, el Cordobazo estalló demasiado cerca. La CGT de Julio Corzo lo apoyó, y las juventudes de todos los partidos se movilizaron. Era casi una lucha generacional. La Rioja comenzó a ser un "aguantadero" para los jóvenes militantes corridos por la violenta represión en Córdoba y Tucumán. El poder social se fue solidificando a través de las organizaciones de defensa de los campesinos y los mineros. Los sectores más progresistas y combativos contaban con un aliado fundamental: el diario *El Independiente*, convertido en una cooperativa de trabajadores de prensa, era uno de los baluartes fundamentales de las reivindicaciones.

Carlos Menem no dudó en dónde ubicarse. Delegado de la JP riojana, endeudado por el juego y con complicaciones matrimoniales, se lanzó por entero a conquistar la arena política convirtiéndose en el primer revolucionario; el de los discursos más inflamados y las protestas más airadas, contra sus dos hermanos, Amado y Eduardo, y siempre junto a Angelelli. Si alguien podía ganar una elección en La Rioja, no era Juan Perón. Era "El Pelado". Menem lo supo antes que nadie, y allí se encuadró. Armó su grupo de confianza con los representantes montoneros en la provincia. Los apoyó y los refugió. Les prometió cargos y participación en el gobierno y se hizo un aliado fundamental de las cooperativas sociales. Ellos lo convirtieron en su candidato: primero en la interna, contra Libardo Sánchez; luego para la gobernación.

En octubre de 1970, Menem decidió encabezar un acto del peronismo riojano en conmemoración del Día de la Lealtad. Invitó a su vecino, Vicente Saadi, y al secretario general de la CGT de La Rioja, Julio Corzo. Irribarren prohibió la movilización, pero Eduardo, subsecretario de Gobierno, se ocupó de que se hiciera aunque en un local cerrado. Los hermanos sabían ayudarse mutuamente. Carlos podía, a la vez, ser el más ferviente opositor y el de mejor diálogo con el gobierno militar.

En 1972 se anunció la Organización del Retorno de Perón. El Comando Nacional, que lideraban Julio Mera Figueroa y Manuel Abal Medina, nombró delegados para cada región. Jorge Llampar, un ignoto militante de la Juventud Peronista recomendado para su nominación por Héctor Cámpora, fue designado para La Rioja y Catamarca. Llampar llegó a La Rioja y unas semanas después se casó con una militante del peronismo combativo, Juanita Romero, sindicalista del gremio docente. La casa de Llampar comenzó a ser el centro de las reuniones políticas. La Rioja parecía inclinarse hacia los sectores más radicalizados de la izquierda peronista, y hacia allí se inclinó Menem.

La nueva década llegaba complicada. Las peleas con Zulema eran públicas y escandalosas. Ella había decidido poner el juicio de divorcio en manos del candidato a gobernador por los conservadores, Manuel Fernández. Su situación económica personal era difícil. En esos años lo mantenía, en realidad, la familia de su esposa. El estudio de los hermanos Menem, ahora en la calle Catamarca número 9, se había convertido en una suerte de leyenda en La Rioja, envuelto en denuncias y escándalos: Menem no lograba conciliar su nueva fiebre política con su pasión por el juego y la noche. Las versiones que lo involucraban hablaban de amantes, usura, juego clandestino y hasta recibió entonces las primeras acusaciones sobre consumo de drogas.

• En junio de 1968 habían detenido a Juan Ortiz, un empleado del Banco Industrial de La Rioja que pretendía cobrar un giro sobre la sucursal de Córdoba por quince millones de pesos. En el sumario interno del banco, Ortiz declaró que lo asesoraba "el doctor Menem". Unos meses después, Marta Ocaño, una de las mujeres sindicadas como amantes de

Menem en aquellos años, se peleó con él y declaró ante la delegación provincial de la Policía Federal —de acuerdo con un documento distribuido por la oposición a Menem en La Rioja— que "iban juntos al puerto de Buenos Aires a recibir drogas". Estas acusaciones fueron desmentidas por Menem, y la forma en que se hicieron públicas, a través de papeles de prensa anónimos, hizo pensar que se trataba de una maniobra de los servicios de inteligencia provinciales.

• El 30 de enero de 1970, el Boletín Oficial anunció la creación de una Sociedad Financiera e Inmobiliaria integrada por Carlos Menem y Tomás Noriega. Las acusaciones indicaban que se trataba en realidad de un grupo de prestamistas. En un operativo antiusura del 18 de julio de 1971 allanaron el estudio de los Menem, secuestraron documentos probatorios y le quitaron la habilitación de la justicia. La "Comisión Antiusura" que hacía las denuncias estaba integrada, entre otros, por el diario *El Independiente* y el obispo Angelelli. Precisamente el Obispo, que llamaba a La Rioja "la capital de la usura", había organizado en los últimos meses una serie de marchas de protesta por el tema. Todas las movilizaciones fueron disueltas por orden del ministro de Gobierno, Eduardo Menem. Los rumores en La Rioja señalaban, en realidad, que el "jefe" de la usura en la provincia era Saúl Menehem.

• El 9 de octubre y el 26 de noviembre de 1971, el Centro de Empleados de Comercio de La Rioja denunció, en dos solicitadas publicadas en *El Independiente*, a los hermanos Menem como "negreros" por la forma en que se manejaban con los casos que llegaban a su estudio, y los acusó de "trata de jubilados". En una investigación de *El Independiente* se descubrió y se probó que Picho Vargas, un socio del estudio, se presentaba como gestor de jubilados pero en realidad cobraba sus sueldos y nunca se los entregaba.

• El 17 de abril de 1972 el Sindicato de Obreros Mineros acusó a Menem de "silenciar" los vejámenes que sufrían los trabajadores y denunció que los expedientes iniciados por infracciones laborales aparecían "extraviados" en su escritorio. Menem amparaba en esos días a Arturo Grimaux, un viejo y reconocido militante peronista de tradición de lucha durante la resistencia peronista, pero que comenzó a ser cuestionado desde que asumió como director del Departamento de Trabajo de la intervención de Irribarren, y al que los sindicatos habían bautizado desde entonces como "el azote".

Menem pasaba largas horas en el Casino. Por aquellos días, circulaban en La Rioja las fotocopias de los cheques sin fondo que canjeaba por las fichas. En 1973, en medio de su campaña política de tinte progresista, acusó al titular del Casino, Tomás Alvarez Saavedra, candidato a diputado nacional por el lanussismo y dueño del diario *El Sol* —portavoz de los sectores más reaccionarios de la provincia—, de ser un "personaje nefasto para la provincia". Unos meses después, ya en funciones, lo autorizó a que no actualizara el canon que debía pagar a la provincia por explotación del juego y le permitió que no construyera el Hotel Internacional a que estaba obligado según el convenio por el cual se le había adjudicado la concesión. En 1974 organizó un acto en el PJ local para agradecer la donación de dos escritorios y cuatro sillas y dedicó quince minutos de su discurso a elogiar a Alvarez Saavedra. Para entonces, Alvarez Saavedra ya tenía en sus manos todos los documentos que Menem había firmado durante esos años para saldar sus deudas de juego y que, luego de haber dado vueltas por todos los financistas de la provincia, habían sido puntillosamente guardados por el empresario, que estaba dispuesto a hacerlos jugar públicamente si lo presionaban.

El 11 de marzo de 1973 la marea incontenible del peronismo se impuso en todo el país. La Rioja no estuvo ausente. Angelelli había convocado desde el púlpito y sin eufemismos a votar por la fórmula Carlos Menem-Libardo Sánchez porque "el peronismo es el nombre argentino y moderno de la liberación". El Frente Justicialista de Liberación ganó por casi el sesenta por ciento de los votos. Menem festejó paseándose en caravana por las calles céntricas acompañado de Vicente Leónides Saadi. "Los guerrilleros son ciudadanos que procuran la liberación del país por medios violentos. Yo les solicito a las formaciones especiales que durante el nuevo gobierno se llamen a sosiego, pero sin bajar la guardia", dijo el gobernador electo apenas conocido el resultado final de los comicios.

El 25 de mayo se hizo cargo formalmente de su mandato ante la Legislatura, pero todo estaba preparado para una fiesta mayor. El 8 de junio asumió simbólicamente el mando de La Rioja en San Antonio, el pueblo en el que nació Juan Facundo Quiroga. Juró bajo una bandera con la leyenda "Organizarse para la toma del poder". Primero habló Angelelli, después Bustos, después el vicepresidente Solano Lima y finalmente él. "En la sesión inaugural de la Legislatura provincial, con la presencia del gobernador Carlos Menem, legisladores de ambos partidos (justicialista y radical) y otras autoridades, el diputado Osvaldo Scartezzini, en nombre de la Juventud Peronista de La Rioja, solicitó y obtuvo un minuto de silencio en homenaje a Eva Perón y a los militantes de las organizaciones FAR, FAP y Montoneros caídos en la lucha y sostuvo que las organizaciones armadas son la piedra fundamental y la garantía de este proceso", narró una crónica de la época. Por su parte, Bustos sostuvo que "no por nada nuestras banderas tienen un fusil y una lanza cruzadas, porque el peronismo llevará a cabo una revolución que hará de la Argentina una patria socialista". Solano Lima se espantó y retrucó: "O hacemos la reconstrucción en paz o el país arderá por los cuatro costados".

Ya entonces Menem decía a cada uno lo que quería escuchar. En declaraciones a *El Descamisado*, órgano de difusión de la izquierda peronista, sostuvo que "el reaseguro del proceso no está sólo en la juventud sino también en el accionar de la FAR y Montoneros", y criticó a los "conservadores que llenan el gobierno nacional". Mientras tanto, sus propias fuerzas de seguridad habían comenzado a cercar en La Rioja a los partidarios de Angelelli.

Ese mismo día comenzó la batalla más importante que recuerde La Rioja en las últimas décadas. Angelelli había acompañado la campaña electoral de Menem con un reclamo concreto: la entrega de las 124 hectáreas de la finca Azzalini a una cooperativa de trabajadores del pueblo. Los Azzalini habían decidido cerrar la finca por improductiva, y los trabajadores —casi todos los habitantes de Aminga— habían quedado desocupados. Se formó CODETRAL (Cooperativa de Trabajadores Amingueños Limitada), que reclamaba hacerse cargo de la explotación de la tierra si el estado la expropiaba por improductiva. Angelelli movilizó al pueblo detrás del proyecto, y las misas eran verdaderas manifestaciones en que marchaban a apoyar la iniciativa. Cuando el reclamo tomó dimensiones provinciales y las manifestaciones se convirtieron en multitudinarias, Menem se puso al frente de la reivindicación y convirtió la entrega de la tierra a los trabajadores en uno de los ejes de su campaña. La CGT de Julio Corzo lo apoyaba, y la Juventud Peronista movilizaba en su nombre. El diario más importante de la provincia, *El Independiente*, militaba junto a Angelelli y a favor del proyecto de colectivización. La Juventud Trabajadora Peronista de La Rioja reclamó la expropiación de la finca Azzalini "como avanzada de la construcción del socialismo en La Rioja" y apoyó "todas las experiencias similares elaboradas por el denominado Comando Tecnológico y que han sido incluidas dentro de los planes de gobierno de Menem".

La movilización popular a favor del tema parecía indestructible. La oposición no atinaba a reaccionar. Amado Menem habló con su hermano, el gobernador: quería saber exactamente hasta dónde llegaba su decisión de cumplir con el proyecto. Menem le anticipó que esperaría hasta último momento. "El que gana, gana", le advirtió, haciendo gala de su pragmatismo. Amado se ocupó de organizar la oposición. Se llamaron "Defensores de la Fe": intentaban no focalizar el enfrentamiento en la cuestión de Aminga, en la que tenían a todo el pueblo riojano en contra, sino extenderlo a una cuestión ideológica con el obispo, contando que así harían renacer el histórico espíritu conservador de los habitantes de la provincia. Amado Menem envió una carta al flamante cardenal de la Argentina, Raúl Primatesta, pidiéndole la remoción del obispo. Al frente de un grupo de vecinos del pueblo, Amado Menem y su mujer, Mirta Edith Coronel, echaron a pedradas a Angelelli de Anillaco. Unos días después marcharon hacia Aminga, donde la Cooperativa de Trabajadores había encabezado junto a la CGT y la Iglesia una jornada de trabajo solidario, y rompieron todo lo que encontraron a su paso.

Carlos Menem no estaba en La Rioja. Había viajado a Roma para acompañar, en su condición de gobernador, al charter que trajo de regreso a Juan Domingo Perón. Cuando volvió a su provincia aseguró que "la justicia castigará a los culpables, caiga quien caiga y cueste lo que cueste. El gobierno será inflexible". Claro que no mencionó a su hermano Amado ni a su cuñada Mirta. Unos días después de asumir, Menem había enviado el proyecto que decretaba la expropiación a la Legislatura. Durante la primera quincena de agosto se sucedieron las manifestaciones encabezadas por Angelelli y Corzo reclamando que se aprobara, y por Amado y Esteban Yáñez pidiendo que se dejara sin efecto. El 22 de agosto la Legislatura aprobó la expropiación de Azzalini, pero para su parcelamiento y venta. Nada para CODETRAL. Un grupo de disidentes del justicialismo había votado junto a los radicales logrando parar el proyecto. La JP, el peronismo liderado por Délfor Brizuela, presidente del bloque de diputados, y la Iglesia le reclamaban a Menem que vetara la ley. Menem convocó a un acto en Anillaco: "No tengo vergüenza en decir aquí que el gobernador ha perdido. Pero ha ganado el pueblo. Porque los legisladores son sus legítimos representantes y la mayoría se ha pronunciado. No me temblará el pulso para firmar la decisión de los señores legisladores".

Fue el fin del noviazgo de Menem con la izquierda. Angelelli estaba convencido de que el gobernador había impulsado a los legisladores disidentes después de acordar con su hermano Amado, y de que su discurso era sólo un intento de no pagar los costos. La campaña proselitista para las elecciones del 23 de setiembre fue casi lúgubre. Todos presentían lo que iba a suceder: en la vecina Catamarca de los Saadi habían comenzado a operar las bandas armadas que fueron el prólogo de la Triple A.

Menem se preocupaba más por sus contactos con Buenos Aires que por el gobierno de La Rioja. A fin de año viajó para participar de una reunión de gobernadores árabes. Soñaba con una proyección nacional, pero la presencia del general Juan Perón lo inhibía: "Este muchacho... qué pintoresco..." era todo lo que le había escuchado decir de él.

Planificó un golpe de efecto. Iba a cruzar la cordillera y llegar a Chile para demostrar la necesidad de un paso fronterizo. Se sentía Facundo Quiroga, pero, además, necesitaba tener espacio en los medios nacionales y por el momento no había otro modo de conseguirlo. El no participaba de los grandes debates políticos que se estaban concretando en la capital nacional. El martes 8 de enero partió, a caballo, junto a un grupo de doce funcionarios que se arriesgaron a seguirlo. Con poncho para contrarrestar el frío de las altas cumbres, y dos baquianos para guiarlos, llegaron hasta Copiapó, en el lado chileno. El objetivo estaba conseguido, pero Menem ya se había entusiasmado y quería más: decidió que también regresaría a caballo. Esta vez era para probarse a sí mismo que podría hacerlo. Cuando llegó a La Rioja estaba feliz. Fetichista, se había juramentado que si lograba volver como había ido sería presidente de la Nación.

Carmelo Díaz, el comprovinciano que le había abierto las puertas al peronismo cuando le presentó a Alejandro Leloir, se convirtió en su operador político en la Capital Federal. Estaba al frente de la Casa de La Rioja y desde allí se dedicaba a intentar que Menem apareciera, de cualquier forma, en los medios de comunicación. Díaz se siente uno de los inventores de la dimensión nacional de Menem, y él mismo relató así cómo hacía para que su jefe político apareciera en los diarios porteños:

"Menem llegaba un martes a las 11 de la mañana desde La Rioja. El viernes me reuní en la Unidad Básica con mi gente y les dije que agotaran los recursos para llevar algo de gente, de cualquier manera, al Aeroparque. Yo me dediqué a recorrer los diarios, las radios y la televisión. Iba a ver a algunos periodistas amigos y les decía que tenía una primicia, que no podía decirles de qué se trataba pero que fueran el martes a las 11 a aeroparque. Los amenazaba diciéndoles que me avisaran si no iban, porque era una exclusiva y, si ellos no iban, se la pasaría a otro medio. En aquella época los periodistas creían en estas cosas. Cuando llego al aeropuerto me encuentro con unas cien personas de la Unidad Básica y los periodistas de los medios. Entonces le dije al Negro Tiburón: 'Cuando yo me acerco al avión y levanto la mano, ustedes empiezan a cantar'.

"Y así fue. Bajamos y ellos empezaron a cantar 'Carlitos, Carlitos'. Y como había gente que había ido a despedir a algunos, y a recibir a otros, parecíamos más. Entonces lo llevé a Carlos al salón VIP y lo acomodé y llamé a los medios.

"'La primicia es que acá está el gobernador más joven del país', les dije. Me acuerdo que me daba mucha vergüenza, pero todo salió bien."

Cualquier arma valía para hacerse conocer. Ese mismo día almorzó en el restaurante "Arturito", y terminó firmando autógrafos a los mozos. Por la noche festejaron en la pizzería "La Antártida" el desembarco del menemismo en la Capital Federal.

No volvió durante varios meses. Recién el 3 de julio salió nuevamente desde La Rioja hacia Buenos Aires. El 4 de julio de 1974 despidió los restos de Juan Domingo Perón como el gobernador más joven del país. El presidente había muerto el 1º de julio dejando un vacío político que desencadenaría la crisis más violenta del peronismo, quizá el comienzo de su propia extinción y el inicio del posperonismo. El "peronismo sin Perón" que habían soñado los vandoristas en los sesenta era mucho más difícil de alcanzar de lo que ellos pensaban.

Menem comenzó a virar lentamente. Cambió hombres en su gabinete, se alejó de *El Independiente*, el combativo diario de su provincia que lo había apoyado y ahora profundizaba sus críticas hacia la represión que comenzaba a instalarse. No se veía ya con el obispo Angelelli, demasiado ocupado, por otra parte, en proteger a los militantes y amigos que comenzaban a ser perseguidos por la fracción local de la Triple A.[3]

Los hombres de López Rega llegaron a la provincia con tres objetivos: terminar con los dirigentes ligados a los Montoneros en la gobernación, cerrar *El Independiente* y alejar a monseñor Angelelli de su cargo. Menem negoció. No quería la intervención federal y prefirió entregar lo que podía. Corrió a algunos funcionarios de sus puestos y en la misma noche llamó a Angelelli para avisarle que se cuidara de la futura represión, y a Guillermo Alfieri, el secretario de redacción del diario.

—Chango, voy a clausurar el diario.

Alfieri no podía creer que le estuviera avisando por teléfono de la traición. Menem no recordaba quizá en ese momento, o tal vez nunca lo conoció, un episodio protagonizado por su ancestro Boabdil, el último rey moro de la Alhambra. Unas noches antes del ataque cristiano sobre el fuerte, el rey Fernando le envió una carta avisándole que iba a romper el pacto que habían firmado. El rey cristiano terminó su carta con una peculiar sentencia: "Quedo libre de los compromisos que habíamos contraído. El que avisa no es traidor".

En los meses previos al golpe del 24 de marzo de 1976, la derechización del gobierno de La Rioja crecía a la par que las acusaciones desde Buenos Aires por la supuesta filiación montonera de Carlos Menem. El partido provincial fue tomado por los hombres de José López Rega. Un dirigente ligado a los comandos de "El Brujo", Octavio Agustín Ríos, fue enviado como interventor al partido. ¿Menem mostraba su verdadera condición ideológica o respondía a su propio instinto de supervivencia? Angelelli intentaba justificarlo diciendo que el gobernador ni siquiera era un fascista convencido: sólo era cobarde —explicaba—, y esa no era una elección, formaba parte de su condición humana.

Menem intentaba acercarse a la presidente Isabel Perón improvisando un discurso de unidad en el peronismo: era necesario verticalizarse detrás de la viuda como la única manera de salvar al movimiento. Los riojanos comenzaron a desconfiar. Ya no creían en los líderes que, como Angelelli, les ofrecían una vida mejor, pero a cambio de sacrificios, participación y, ahora, desde la muerte del general Perón, les advertían que debían afrontar una pelea, dura y continua, incluso contra escuadrones de la muerte. Pero tampoco querían saber nada de este nuevo acercamiento con Buenos Aires, a pesar de que Menem intentaba disimularlo hablando cada vez que tenía oportunidad del origen riojano de Isabelita. El gobernador pensaba en su proyección nacional. Comenzó a reclamar el adelantamiento de las elecciones presidenciales, previstas para 1979, y se ofreció para el segundo lugar de la fórmula. Estaba convencido de que, por su sola condición de mujer, Isabelita era débil y aceptaría la fortaleza de un hombre a su lado. Menem tuvo que soportar hasta escenas de celos de Zulema por estas manifestaciones, pero es cierto también que la ambición de su esposa era tan grande como la propia, y ella aprendió a disimular los conflictos matrimoniales durante estos años en que su marido comenzó a pensar en la Presidencia de la Nación.

Planificó todo cuidadosamente. Estaría junto a Isabelita en una fecha particular. Menem estaba convencido de que el 8 de octubre de 1974 era importante para la viuda del General porque era el primer cumpleaños de su marido luego de su muerte. Una mujer, se decía, sufre estas cosas. Lo que no sabía la presidente es que era importante para Menem porque hacía veinte años que había conocido a Juan Domingo Perón en Puerta de

Hierro, y que quería festejarlo. Sobre todo ahora que creía que había llegado su hora.

Menem invitó a Isabel a La Rioja. Cuidó todos los detalles. Del aeropuerto fueron directamente a la casa en que ella había nacido, para que se emocionara y para que los riojanos no la sintieran tan distante. Pero no era fácil: José López Rega no se separaba de su lado. Menem demostró en su discurso que estaba lejos de las acusaciones que le hacían por montonero. "A este pueblo le duele cuando alguno de los criminales de turno mata a algunos de nuestros hermanos que militan en las Fuerzas Armadas", aclaró. Y reivindicó el accionar de la policía provincial cuyos miembros, dijo, "no reprimen al pueblo sino que defienden su seguridad y sus bienes".

Antes de terminar su discurso, sintió que había llegado el momento. Pidió elecciones para 1977 y la reelección de Isabel. No mencionó nada sobre sus propias aspiraciones, pero eran obvias. López Rega se sintió triunfador cuando vio al supuesto montonero preocupándose por quedar bien con él y con los jefes militares, pero no le gustó el final. Lo intuyó tan ambicioso como él, y tan inescrupuloso.

A partir de ese viaje, Menem comenzó a hacerse amigo personal de los hermanos de Isabel, fundamentalmente de su hermana Araceli. Viajó a Buenos Aires para su cumpleaños y se hablaban por teléfono periódicamente. Araceli era una de las personas que se encontraba más cerca de Isabel en ese momento.

Menem se quedó sin ningún apoyo político en la provincia. Había abandonado a su suerte a los militantes de la Juventud Peronista y a los grupos cristianos revolucionarios que lo habían apoyado. No sólo no los protegía: los repudiaba públicamente, dando carta blanca a la represión. No ignoraba que la Triple A había sentado sus reales en la Catamarca de Vicente Saadi, ni que la base aérea de El Chamical —a cargo de los vicecomodoros Lázaro Antonio y Luis Fernando Estrella— era uno de los centros de operaciones del aparato militar represor en el Noroeste. Pero él flirteaba con los militares, preocupado sólo por su seguridad personal y la de su familia.

El gobernador estaba también enfrentado con los dos senadores nacionales de La Rioja. Jorge Herrera lo impugnaba desde la izquierda, acusándolo por haber lanzado su candidatura presidencial pensando sólo en su salvación individual y abandonando a quienes lo habían llevado a la gobernación. Rubén Blanco criticaba su filiación con el "neoperonismo" en los sesenta y, desde la derecha, lo acusaba por su "inmoralidad".

Aislados por buena parte del mundo político riojano, los dos hombres de mayor confianza del gobernador no eran de su provincia: el mendocino Eduardo Bauzá, a cargo del Instituto de Colonización, y el cordobés Alberto Kohan, en la Dirección de Aguas Subterráneas. Los dos puestos eran claves. La tierra y el agua eran el centro de la problemática riojana, y los planes más ambiciosos y las inversiones más importantes se dirigían a intentar resolverlos.

Bauzá había llegado desde Mendoza, donde compartía con su padre la dirección de una fábrica de fideos a granel. Se había acercado muy joven a las filas del humanismo místico de Lanza del Vasto, un filósofo siciliano creador de una organización pacifista mundial a la que bautizó "Amigos del Arca". Con él había hecho votos de pobreza y veracidad, y por él se había dedicado a estudiar filosofía. En 1973 ese arranque juvenil ya había quedado atrás. Bauzá estaba entusiasmado con un proyecto de propiedad mixta de tierras que quería implementar en Mendoza, pero no tenía ningún contacto con el gobierno de su provincia. Un amigo de su padre, el empresario Juan Podestá, le sugirió que fuera a ver al gobernador riojano, que estaba buscando soluciones para el tema en su provincia. Bauzá llegó a La Rioja de la mano de Podestá y fue nombrado interventor del Instituto de Colonización.

Kohan recorrió un camino similar. Se recibió de geólogo en la Universidad de Córdoba y fue llevado a La Rioja por su amigo Raúl Caniggia, que encabezaba la Dirección de Aguas Subterráneas. El peronismo no había logrado atraparlo, ni siquiera en medio de la marea que cubría en aquel entonces la combativa Universidad de Córdoba. En 1973, cuando Ricardo Obregón Cano y Atilio López encabezaban las listas del Frente Justicialista en Córdoba, Kohan militó en un partido vecinal llamado Acción Comunal.

Bauzá y Kohan se involucraron rápidamente en la vida riojana. Se convirtieron en amigos inseparables de Menem, junto a Bernabé Arnaudo, Julio Corzo y Raúl Granillo Ocampo, un abogado con aires distinguidos que había heredado el lugar del gobernador en el estudio Cámera Gordillo. Granillo Ocampo era desde 1968 abogado del Banco Hipotecario de La Rioja. En 1971, la Comisión contra la usura presidida por Angelelli lo denunció como protagonista de una estafa contra el Banco: lo acusaban de comprar terrenos fiscales mediante un testaferro, Enrique Coutzier, y adquirirlos luego en nombre del Banco y con sobreprecio.

A medida que avanzaba el desgaste del gobierno, el grupo era el único sustento —personal más que político— de Menem en La Rioja, y el gobernador los defendía aun frente a lo indefendible. Una de esas oportunidades llegó cuando Bauzá fue detenido por orden de un juez: se había comprobado que en la colonia frutihortícola de la capital riojana, que él dirigía, las tierras se regaban con aguas cloacales. Los trabajadores señalaron que tenían orden de Bauzá o de Kohan. Menem no hizo distinción y se hizo cargo de la defensa de los dos.

El Independiente denunció luego a Bauzá por la contratación de una empresa mendocina (CONSERSA) para la construcción de una defensa en Bañado de los Pantanos, una población desértica que cíclicamente soporta inundaciones como consecuencia de los deshielos. Según el diario, la obra nunca se hizo, pero en cambio Bauzá cobró a nombre de la empresa los cheques por el importe total del contrato. Con el tiempo, se comprobaría también que CONSERSA era una empresa fantasma. Las acusaciones alcanzaban también a Kohan: había comprado a bajo precio buena parte de las minas de oro de Famatina y se había asociado con un joven y promisorio empresario, Omar Fassi Lavalle.

Dispuesto a conseguir fondos y contactos para su campaña presidencial, Menem inició también en ese año sus relaciones internacionales. Un militante de Guardia de Hierro, Héctor Basualdo, se convirtió en el nexo con los grupos fundamentalistas árabes y latinoamericanos: el líder de la Organización para la Liberación de Palestina, Yasser Arafat, en el primer caso, y el todavía ignoto panameño Manuel Noriega en el segundo. Basualdo llegó a Arafat a través de Jorge Antonio, quien gestionó un préstamo de diez millones de dólares de la OLP para el gobierno riojano. El crédito nunca llegó porque cuando debía efectivizarse —en diciembre de 1975— el entonces ministro de Economía, Antonio Cafiero, negó la garantía de la Nación para que el dinero ingresara al país.

Menem también intentó suerte con el gobierno militar de Paraguay, encabezado por el dictador Alfredo Stroessner. El contacto en este caso llegó por dos vías: su vecino Vicente Saadi y el entonces secretario de Prensa de José López Rega, Juan Carlos Rousselot. La Rioja y Paraguay comenzaron un peculiar intercambio comercial y de gestos de amistad recíprocos que culminó el 21 de febrero de 1975 cuando Menem le devolvió al gobierno paraguayo los muebles franceses que habían pertenecido al mariscal Francisco Solano López, cumpliendo un encargo "oficial" de la presidente Isabel Perón. Menem sacaba doble provecho de la situación: a cambio de unos sillones que sólo ocupaban lugar en el Salón Blanco de la gobernación riojana, lograba hacer un gesto simpático hacia Isabel y conocer personalmente a Stroessner.

La historia de los muebles data de la época de la Guerra de la Triple Alianza. El mariscal López los había encargado a Francia, dispuesto a engalanar al máximo el palacio que pensaba ocupar junto al río para vivir con su amante, madame Lynch. Pero en el tránsito entre la aduana de Buenos Aires y Asunción el gobierno argentino los confiscó, y los sillones quedaron depositados en un galpón fiscal porteño. Allí los descubrió veinte años después el riojano Joaquín V. González, quien se los llevó a su provincia.

Menem sentía que emulaba a Juan Domingo Perón, que había devuelto personalmente a Stroessner los trofeos, armas e insignias de la Guerra de la Triple Alianza. El gobernador riojano exaltó a más no poder la figura de Stroessner, y le pidió que lo acompañara a Cerro Corá, donde depositaron una ofrenda floral en homenaje a Solano López.

Quizá fue precisamente el viaje a Paraguay el que terminó de marcar para los riojanos el giro definitivo de Menem y su alejamiento de las posiciones progresistas que había intentado mantener. Menem ya no disimulaba. Se abrazaba con Stroessner como se había abrazado con Angelelli, y defendía su nueva posición con la misma vehemencia con que había defendido la contraria un año atrás. En vez de *El Descamisado* de los Montoneros, el órgano de difusión de su pensamiento pasó a ser *El Caudillo*, la revista que respondía a José López Rega.

En su edición de febrero de 1975, *El Caudillo* relató el viaje de Menem al Paraguay y entrevistó al gobernador.

"Carlos Menem dialogó extensamente con el presidente del Paraguay, General Alfredo Stroessner, sentados ambos en los sillones del mariscal Solano López que fueron devueltos por el pueblo riojano.

"Por esto el joven gobernador de La Rioja se ganó el cariño y la amistad de todo un pueblo, por su encendido nacionalismo auténtico, porque se juega, porque es un ejemplo para muchos que dialogan con los traidores por gustarles más el cargo o por traidores, ya que son cómplices del liberalismo o del marxismo.

"En la oportunidad, tuvimos ocasión de dialogar brevemente con el compañero Menem. Las preguntas más salientes son las que a continuación detallamos:

"—*¿Cree usted que el revisionismo histórico es un hecho en la Argentina?*

"—El revisionismo histórico en mi país ya es un hecho. Dios es justo.

"—*¿Qué opina de la participación del Ejército en la lucha antiguerrillera?*

"—En particular estoy profundamente de acuerdo. La participación de las fuerzas armadas es un hecho que no podía demorarse. Además, los comandantes de las fuerzas conjuntas y de seguridad están haciendo Patria con mayúsculas.

"—¿*Qué opina del desabastecimiento?*

"—Es otra clase de guerrilla, tan nefasta como el marxismo, pero guerrilla al fin, porque va en contra de lo más sagrado que tenemos: el pueblo y la Patria.

"—¿*Qué mensaje le daría usted a la juventud argentina y paraguaya?*

"—Que se unan en el nacionalismo eterno, para que el año 2000 nos encuentre unidos y no dominados."

Pese a lo complicado de la situación política nacional y provincial, Menem no se privó de veranear ese año, 1975, en Mar del Plata. Se mostró en los espectáculos, en las peleas de boxeo, en los partidos de fútbol. En las revistas de la farándula pedía que las elecciones se adelantaran para 1976 y reclamaba que se proclamara la fórmula Isabel Perón-Carlos Menem. Cantaba loas al ejército por su conducción de la lucha antisubversiva. Reclamaba la peronización del gobierno de las provincias y la expulsión de los infiltrados: un boomerang de las acusaciones que recibía en su provincia. La "guerrilla" comenzó a ser para él un invento de los comunistas que querían infiltrarse en el país. Tímidamente, respondiendo a invitaciones de dirigentes menores, comenzó a recorrer el país hablando en pequeños pueblos, dando conferencias o visitando sedes partidarias. Recorría las provincias pidiendo la reelección de Isabelita. Presidió un acto en San Martín, provincia de Buenos Aires, invitado por un amigo, el abogado Hugo Grimberg, que había llegado a La Rioja y rápidamente fue nombrado en el Tribunal Superior de Justicia de la provincia. Era ya Carlos Menem. Tenía patillas, piloteaba aviones, jugaba al fútbol y al básquet; dejaba una reunión de gabinete provincial por ir a mirar una pelea por televisión.

Cuando ya habitaba la Casa Rosada, en 1989, Menem recordaría ese año, 1975, como el momento del primer lanzamiento de su candidatura a la Presidencia de la Nación. El 28 de junio de 1975 Menem había sido invitado a hablar en un una acto en el local de la Unión Tranviarios Automotor de Rosario. Lo organizaba el Instituto Facundo Quiroga y el gobernador debía dar una conferencia sobre "El ser nacional". Cuando terminó su discurso, plagado de convocatorias a terminar con los yankis y los marxistas por igual y a defenderse de los dos imperialismos, alguien gritó "Menem presidente". Y su candidatura tuvo el tono de su giro a la derecha.

En Buenos Aires nadie daba demasiado crédito a ese gobernador que de repente intentaba convertirse en un numen de la política nacional. Es cierto que la crisis política del gobierno era tan grande que cualquiera podía tener ocasión de llegar a los primeros planos. Menem era bienvenido por Lorenzo Miguel y el almirante Emilio Eduardo Massera cuando esgrimía sus posturas a favor del alejamiento de López Rega, pero desconfiaban de él cuando intuían que detrás de sus llamados a las elecciones para 1976 y la reelección de Isabel se hallaba su intención de ocupar el segundo lugar de la fórmula. Menem no disimulaba: contrató al publicista David Ratto para que se hiciera cargo de su campaña.

A pesar de los conflictos en el matrimonio, Carlos y Zulema decidieron pasar las fiestas en paz. La confusión política era demasiado grande y la familia debía estar unida. Si todo salía como Carlos pensaba, en un año estarían viviendo en Buenos Aires. Dudaron durante algunas semanas acerca de dónde pasar la Navidad, hasta que un llamado telefónico despejó las dudas: el número dos de Catamarca, Ramoncito Saadi, nacido en Mar del Plata y criado en Buenos Aires, estaba organizando una de sus espectaculares fiestas en la residencia de Las Pirquitas, y su esposa, Pilar Kent, los invitaba a participar. Hacía allí marcharon el 24 de diciembre de 1975 a las nueve de la noche. Las botellas de champaña llenaban la piscina. Los lechones asados quedaban tirados sobre el parque y los perros corrían a comerlos. Luces, petardos, música, brindis. En el brindis de la medianoche, Carlos Menem se paró sobre la mesa y pidió un minuto de silencio. "Brindo por mí, el vicepresidente de la Nación", dijo, dio vuelta la copa sobre su cabeza y rió a carcajadas mientras el champaña le mojaba las patillas y se mezclaba con la transpiración de su rostro.

NOTAS

[1] El "utilitarismo" de Bentham pretendía calcular con exactitud matemática el alcance de una acción mediante la cantidad de placer que producía, su intensidad, su duración, su certeza y su lejanía o proximidad.

[2] Mosca y Pareto desarrollaron a principios del siglo XX la "teoría de las elites" en la que sostenían que en toda sociedad existen "dos clases de personas: la de los gobernantes y la de los gobernados. La primera, que siempre es la menos numerosa, cumple todas las funciones políticas, monopoliza el poder y goza

de las ventajas que lo acompañan; en tanto que la segunda, más numerosa, está dirigida y regida de un modo más o menos legal o más o menos arbitrario y violento por la primera que le proporciona los medios de subsistencia y los que se requieren para la vitalidad del organismo político".

Pareto enunció la "teoría del equilibrio social", que se basa en la forma en que se combinan y se integran las diversas clases dentro de los gobernantes. Mencionó entre éstas a las políticas, cuyos dos polos son los políticos que usan la fuerza (leones) y los que usan la astucia (zorros); las económicas, formadas por los especuladores y los rentistas, y las intelectuales, en que se contraponen continuamente los hombres de fe y los de ciencia. En la versión americana de la teoría, C. Wright Mills explicaría en 1957 que los países americanos estaban dirigidos por un "restringido grupo de poder" compuesto "por los que ocupan las posiciones claves en los tres sectores de la economía, del ejército y de la política y que constituyen una elite en el poder porque, contrariamente a lo que aparece o se hace creer, están por razones sociales, familiares y económicas ligados unos a otros, se sostienen y refuerzan recíprocamente, tendiendo cada vez más a concentrar su poder en instituciones centralizadas e independientes".

[3] Angelelli murió en un supuesto accidente automovilístico el 4 de agosto de 1976, cuando viajaba desde El Chamical a La Rioja. Había ido a presidir el entierro de Carlos Murias y Gabriel Longeville, dos sacerdotes asesinados por la dictadura militar por su trabajo en una cooperativa agraria.

DOS

CARLOS MENEM LLORO frente a los militares que lo detuvieron en la madrugada del 24 de marzo de 1976. Un sargento de la Guardia de Infantería de la policía provincial, que insistió a último momento en despedirlo con los honores de jefe de estado, lo imitó. Había anunciado por la radio que, en caso de golpe de estado, deberían sacarlo muerto de su despacho de la Casa de Gobierno. Cuando el teniente coronel Jorge Pedro Malagamba llegó hasta el comedor de la residencia a avisarle que estaba detenido, Menem se sobresaltó:

—No hacen falta tantos soldados. Soy un hombre pacífico. Si me llamaba por teléfono me hubiera presentado detenido.

La noche previa al golpe su gabinete había analizado hasta tarde la reforma de la constitución que posibilitase la reelección del gobernador.

De la residencia de la Avenida Juan Perón lo trasladaron detenido al Regimiento 15 de Infantería. La Junta Militar que ocupaba la Casa Rosada lo había incluido en el Acta de Responsabilidad Institucional, acusándolo de supuestas vinculaciones con la guerrilla. Una semana después lo llevaron a Buenos Aires, para encerrarlo en el buque *33 Orientales,* junto al resto de los dirigentes políticos y sindicales detenidos. Tres meses después, el 4 de julio, subió por primera vez a la cubierta del barco, pero sólo por un momento: lo suficiente para ver el cielo del invierno porteño antes de ser recluido nuevamente, esta vez en un calabozo del Penal de

51

Magdalena, una pequeña ciudad al sur de La Plata, famosa por su dulce de leche, sus presos políticos y su activa división de Ejército, protagonista de todas las asonadas militares de las últimas décadas.

El *33 Orientales* estaba anclado en el apostadero naval Buenos Aires, y fue el primer calabozo para los dirigentes políticos y sindicales detenidos en las semanas posteriores al golpe del 24 de marzo. Durante los primeros meses estuvieron totalmente incomunicados. Allí fueron recluidos todos quienes figuraban en el Acta de Responsabilidad Institucional, que igualaba a lopezrreguistas, isabelistas, gremialistas de cualquier sector y funcionarios de todo nivel. Eran los "presos oficiales", los que, por lo menos, eran detenidos a la luz del día, sus familiares conocían su paradero y el gobierno admitía su existencia. Había ex ministros como Jorge Taiana (Educación), Miguel Unamuno (Trabajo), José Dehesa (Defensa) o Pedro Arrighi (Interior); el ex secretario de Seguridad Social, Rafael Cichelo (tesorero de la UOM); Graciela Galán —sobrina de monseñor Galán y ex funcionaria de la Presidencia—; el ex secretario de Isabel Perón y asesor de José López Rega, Julio González; el sindicalista telefónico Carlos Gallo; el diputado Gabriel Labaké; el diplomático Jorge Vásquez; Pedro Eladio Vázquez, que había sido médico de Perón; el ex presidente Raúl Lastiri; el ex ministro Antonio Cafiero, y el periodista Osvaldo Papaleo. Estaban también los "popes" sindicales como Jorge Triaca, Diego Ibáñez y Lorenzo Miguel.

No podían recibir visitas. Tampoco cartas o llamadas telefónicas. Recién en mayo se autorizó la visita de familiares. Llegaron los libros y algunos juegos de mesa, naipes y ajedrez. Taiana y Unamuno se trenzaban en partidas interminables. Se obsesionaron tanto que pidieron libros de técnica para poder mejorar su juego. Los diarios llegaban cada tanto, y apenas a unos pocos les interesaban. Los parientes traían comida, vino y whisky, pero dependían del buen humor de los guardias, que sólo a veces les permitían pasarlos.

Menem protagonizaba dos momentos centrales. Las misas diarias, en las que oficiaba de ayudante del capellán Lorenzo Lavalle, y los "ranchos", especie de reuniones alrededor del mate y los fogones improvisados en los que payaban y actuaban. Compartía su camarote con Pedro Eladio Vázquez, que le contagió un poco de su misticismo, y Rodolfo Cichelo, que volvió popular la celda porque cebaba los mejores mates del barco. "A misa íbamos casi todos, pero más por tener una actividad que por devoción. En cambio Menem se la tomaba super en serio, estaba con un ataque místico", recuerda Unamuno. El ex ministro de Trabajo compartía un camarote polémico con el metalúrgico Lorenzo Miguel y el plástico Jorge Triaca: allí se centraban las discusiones políticas cada noche, dividiendo a los "isabelinos" de los "peronistas históricos". La interna quedó plasmada un día en que decidieron realizar una elección interna entre los referentes más claros del sector. Escoto Rosendo por los históricos y Julio González, un nacionalista católico al que José López Rega había colocado como secretario privado de Isabel, por los otros. Ganó Rosendo, pero Menem votó a González.

El "misticismo" de Menem fue poco a poco poniendo de mal humor a sus compañeros de cautiverio. El riojano se unió a Pedro Eladio Vázquez para enviar cartas al ultraconservador rector de la Universidad Católica, Osvaldo Derisi, pidiéndole que mediara ante los militares para conseguir su libertad. Cuando Derisi les respondía, los dos salían felices a la cubierta para mostrar las misivas, sin percatarse de la reacción de los políticos y sindicalistas que repudiaban por igual la figura de Derisi y la "flaqueza" de Menem y Vázquez, que no tenían problemas en rogar por su libertad.

El punto crítico llegó un domingo en que el presidente de la Conferencia Episcopal, Adolfo Tortolo, llegó a oficiar misa en el barco. Tortolo había apoyado el golpe militar, y era confeso amigo del dictador Jorge Rafael Videla. Durante la homilía les recordó que eran los únicos culpables de su situación y les anunció que "alguna vez nos volveremos a encontrar, si no en la Tierra será en el Cielo". Menem era monaguillo casi oficial, y también esta vez asistió en la misa sin inmutarse.

El riojano se llevaba particularmente mal con Lorenzo Miguel. "El Tordo", que se había ganado el respeto de sus compañeros por la forma en que enfrentaba diariamente a los guardiacárceles y por cómo había soportado las torturas casi sin una exclamación de dolor, diría mucho tiempo después que le resultaba "insoportable Menem en el buque, se pasaba el día llorando, era un maricón". Miguel se refugiaba en su camarote a pintar cuadros de un dudoso impresionismo y a reproducir telas y fotografías, que iban desde *El amanecer*, *Le Moulin* y *La catedral de Rouen* hasta los retratos de Augusto Timoteo Vandor o Juan Domingo Perón. Sólo se enfrascaba cada tanto en discusiones políticas con el sindicalista Adalberto Guimer, con quien se imputaban mutuamente la conducta de la CGT frente a la caída del gobierno de Isabel Perón.

Los entredichos se tornaban a veces virulentos, porque discutir sobre roles en el derrocamiento de Isabel era, en definitiva, poner nombre a los verdaderos culpables, más allá del gobierno militar, de la cárcel que soportaban en ese momento. Estaba demasiado fresca todavía la imagen de Lorenzo Miguel brindando con Dehesa en la Casa Rosada la noche del 23 de marzo. Unas horas antes de que los helicópteros llegaran para llevarse detenida a la presidente, Miguel le había asegurado a los periodistas que el ministro de Defensa tenía "información precisa", según la cual Videla había dado marcha atrás y todavía les quedaba margen de maniobra. Guimer, además, se había opuesto al plan de lucha de la CGT contra Celestino Rodrigo. Lorenzo Miguel había sido una de las cabezas de la oposición que desgastó a Rodrigo y todavía vociferaba que el ex ministro de Economía había sido uno de los mayores traidores al peronismo. Para Miguel, el golpe no se había precipitado por el empuje de la CGT ni por las conversaciones con los militares sino por el *lockout* patronal que había provocado el desabastecimiento. Sólo un tiempo después, ya en el Penal de Magdalena, Miguel aceptaría rever los hechos. El inicio de la autocrítica tiene fecha precisa. Una tarde de noviembre de 1977 llamó a Diego Ibáñez y con tono solemne le preguntó: "¿Nos habremos equivocado, Diego?".

La estadía en el *33 Orientales* duró sólo el tiempo necesario como para que los oficiales de la Junta Militar decidieran el lugar de reclusión permanente de cada preso. A partir de julio fueron abandonando el barco: todos los días, uno por la mañana, otro por la tarde. El grupo más numeroso volvió a encontrarse poblando los calabozos del Penal Militar de Magdalena, y esta vez Menem compartió su celda con el sindicalista petrolero Diego Ibáñez, a quien habían detenido en el aeropuerto de Mar del Plata acusándolo de "portación de armas de guerra" por cargar una 45 en un momento en que los locales de los sindicatos eran verdaderas fortalezas. En el calabozo de la derecha, el ex embajador Jorge Vásquez y el riojano Elías Adre. A la izquierda, Jorge Taiana y Raúl Lastiri, que molestaba a todos con sus aires de ex presidente.

La vida en el penal era más llevadera que en el barco. Todos los domingos llegaba Carmelo Díaz, con vino para presos y guardias por igual. Armando Gostanián repartía camisas de su fábrica, Rigar's, entre la población del penal. Zulema Yoma visitaba una vez por semana a su marido, y más de una vez el penal se alborotaba cuando la esposa del ex gobernador se hacía acompañar por su hermana menor: Amira, otra "turca" con imagen de odalisca en *jeans*, que taconeaba impúdicamente por los pasillos. Políticos y sindicalistas formaban entonces un coro unánime de aplausos y silbidos de admiración.

Menem se había convertido en un católico practicante durante su prisión, pero Zulema prefería seguir ignorándolo. Cumpliendo un código establecido en la pareja, las cosas no estaban ni bien ni mal, siempre y cuando el otro pudiera hacer de cuenta que no se enteraba. Por eso cada vez que el guardia anunciaba la presencia de Zulema, Carlos descolgaba de la pared el cuadrito en el que lucía orgullosa la bendición del Papa Pablo VI y la pasaba a la celda vecina.

—Don Elías, ¿me guarda la bendición?

Cuando Zulema se iba, la ceremonia se repetía al revés.

—Don Elías, ¿me regresa la bendición?

Y Elías Adre le retornaba el cuadrito para que lo volviera a colgar en la pared blanca del calabozo, justo encima de la mesita en que Menem guardaba la Biblia.

El 7 de noviembre de 1977 todos los compañeros de cautiverio del Penal olvidaron por un momento las diferencias que los separaban del ex gobernador riojano. Esa tarde, un guardiacárcel le anunció que su madre había muerto en La Rioja, pero que el presidente Jorge Rafael Videla le negaba el permiso para concurrir al funeral. Intentaron todo: un grupo llegó a proponer trasladar el cuerpo en un avión hasta el Penal, donde Menem pudiera verlo por última vez. Videla se opuso sistemáticamente a todas las variantes y Menem prometió que haría lo imposible para "verlo pudrirse en la cárcel". Un poco menos de doce años después firmaría el indulto que le permitió al ex general abandonar el Penal de Magdalena, donde purgaba una condena por múltiples violaciones a los derechos humanos durante los años de la dictadura.

El 29 de julio de 1978, Menem abandonó el Penal junto a Rogelio Papagno y Jorge Vásquez. Videla había firmado su libertad condicional unas semanas después de que la Argentina ganara el Mundial de Fútbol. La partida se demoró algunos días porque, cuando estaba a la firma el decreto correspondiente, los comandantes en jefe de las Fuerzas Armadas recibieron un informe reservado de la Fuerza Aérea, escrito por el entonces brigadier Carlos Salinas, en el que se transcribían documentos que comprometían a Menem con la guerrilla en su provincia. En realidad, los documentos eran copias de recortes periodísticos con versiones que se habían hecho circular durante la gestión de Menem en La Rioja. La acusación más contundente, con la habitual falta de rigurosidad que caracteriza los *papers* de los servicios de inteligencia argentinos, aseguraba que Menem concurría conduciendo su propio automóvil al Potrero Los Quinteros, donde se entrenaba la guerrilla montonera. El dato nunca llegó a ser comprobado, pero sirvió para que los riojanos se tomaran poco en serio a la SIDE: el Potrero Los Quinteros es una zona pantanosa a la que sólo algunas veces al año se puede acceder a pie o a caballo, pero nunca en automóvil.

Cuando le concedieron la libertad condicional, el Ejército pidió que no le permitieran regresar a la provincia para evitar su actividad política. Menem mantenía una buena relación con el interventor en La Rioja. Su hermano Amado, el mayor de los Menem, era intendente de Anillaco, nombrado por el gobierno militar. Pero los comandantes del Ejército no creían en su promesa de que se mantendría en silencio y no se dedicaría nuevamente a la actividad política. El entonces ministro del Interior, Albano Harguindeguy, le dio la opción de elegir un nuevo punto de confinamiento y Menem no dudó: dos días después llegaba a Mar del Plata. La decisión venía acompañada por una larga lista de fundamentos. Terminaba la década del setenta y la ciudad había dejado de ser hacía mucho tiempo el refugio de descanso de la oligarquía, para transformarse en el paraíso de la clase media y la "turcada", que a mediados de los sesenta había sentado sus reales en la Bristol, la playa más céntrica, atestada de carritos y bares en los que Menem era casi un invitado permanente. Mar del Plata era también la base de operaciones políticas más importante del poderoso almirante Emilio Eduardo Massera y su séquito en la Marina, la vinculación política más importante del menemismo con el poder militar.

Menem abandonó el penal acompañado por Carlos Guglielmelli y por Carmelo Díaz, quien se había convertido en una especie de secretario privado desde que el ex gobernador fue recluido en Magdalena. Manejaba su correspondencia, se ocupaba de la relación con los abogados que hacían las gestiones jurídicas por su libertad y se preocupaba por que no le faltara nada de lo que necesitaba. Guglielmelli había conocido a Menem en 1976, luego de una entrevista del ex gobernador con su padre, el coronel Enrique Guglielmelli. De familia aristocrática, los hijos del coronel dividieron sus inclinaciones políticas, aunque no sus vinculaciones con los servicios de inteligencia y los militares: mientras Carlos se sumó al grupo menemista y los que luego serían los carapintadas, Juan ofició como jefe de seguridad de la familia de Osvaldo Sivak, el empresario radical luego secuestrado y asesinado. Guglielmelli y Díaz seguían a Menem a todas partes, fascinados por el carisma del dirigente riojano. Menem, Guglielmelli y Díaz recorrieron la ruta dos desde Magdalena hacia Mar del Plata en un automóvil conducido por Luis Macaya, un joven dirigente político de Tandil que nada podía hacer en su distrito frente al eterno triunfo del referente radical del lugar, Juan Carlos Pugliese. Macaya mantenía una vieja relación con Menem desde que había integrado en los setenta los "Comandos Tecnológicos" del ex coronel Julián Licastro y rápidamente se hizo amigo de Guglielmelli, coterráneo de Tandil.

Llegaron a Mar del Plata de noche y esta vez pasaron de largo frente a los tentadores carteles luminosos de las cantinas y los teatros. El coche se estacionó en la puerta de una casa modesta, en la Avenida Luro 9779. Zulema abrió la puerta. Zulema Musse, algo mayor que la otra Zulema, la esposa del ex gobernador, pero con los mismos rasgos sirios marcados en los ojos misteriosos y la sonrisa seductora, era esposa de un viejo amigo de la familia Menem, René Batisteza, dueño del almacén de ramos generales "La Zulema". Durante un año Menem vivió en el comedor de la casa, hasta que terminaron de construirle un cuarto para él sólo en la terraza. Díaz se instaló con él en Mar del Plata, Guglielmelli viajaba una vez por mes, y Macaya permaneció en Tandil, desde donde llegaba los fines de semana.

Aquellos dos años de confinamiento en Mar del Plata transcurrieron en una permanente confusión de política, vida social y conflictos familiares. "El viejo Pop" y "El rincón vasco", dos cantinas tradicionales ubicadas en la zona del puerto y que todavía hoy guardan el prestigio, aunque no la calidad, de épocas pasadas, se convirtieron en puntos habituales de reunión. Las mesas de mariscos regadas de Calvet Brut comenzaban muy temprano con discusiones políticas y se prolongaban hasta la medianoche, esperando la llegada de quienes salían de espectáculos o teatros: políticos, sindicalistas, dueños de hoteles, teatros y restaurantes, productores, actrices, coristas o público. Hacia el amanecer cada cual elegía una compañía circunstancial para recorrer el camino de regreso a la próxima jornada.

Los cómicos Alberto Olmedo y Julio de Grazia, el boxeador Carlos Monzón y la vedette Susana Giménez no faltaban a las cenas. Olmedo y De Grazia llegaron una noche acompañados por un joven empresario: Héctor Fernández, dueño de la cadena de boutiques Medioevo. Fernández se hizo rápidamente del grupo. Su negocio quebró, según él por culpa de las medidas económicas de José Martínez de Hoz, y Fernández se decidió a hacer política. En 1989 fue designado secretario privado de la Presidencia.

Menem era el centro indiscutido de las reuniones. Sin embargo, distaba mucho de ser "El Jefe". Mar del Plata era entonces la mejor metáfora de la Argentina de la dictadura. Militares, sindicalistas y empresarios enriquecidos abruptamente que concentraban unívocamente el poder, rodeados de una corte formada por los principales personajes de la farándula y el *jet set* local. Todos se prestaban dócilmente para constituirse en extras de intrigas, traiciones e historias truculentas, en las que las amantes, los negocios y hasta la muerte se manejaban con discrecionalidad.

La ciudad era un territorio inexpugnable de la Marina y tenía la segunda base naval en importancia del país luego de la de Bahía Blanca. Por eso "El Negro" Massera la transformó en la base de sus operaciones políticas, seguro de que allí podía moverse con mayor tranquilidad que en la Capital Federal, el escenario de sus disputas con los comandantes del Ejército. La capital, confesaría años después el almirante, lo abrumaba por la difusión del poder. La sensación —compartida por buena parte de la dirigencia política llegada desde el interior, incluido el propio Menem— era que en Buenos Aires todas las operaciones políticas se multiplican hasta el infinito e, indefectiblemente, en algún punto escapan de su destino predeterminado y se vuelven inasibles para sus propios gestores. Aunque poderosa, no fue la única razón para que Massera eligiera Mar del Plata entre otros puntos evaluados: el tumultuoso movimiento de la ciudad en verano y su relativo aislamiento en invierno la convertían en un lugar ideal para mantener reuniones discretas, además de ser el punto de encuentro habitual de cierta dirigencia sindical y política con la que el almirante había comenzado a confraternizar en los inicios de su intento por convertirse en el sucesor de Juan Perón al frente del justicialismo y de los destinos del país.

El masserismo

Menem y Massera tenían tanta debilidad por las mujeres bellas como por el poder, pero fue por esta segunda razón por la que los dos intentaron alguna vez seducir a la viuda del General. Durante el verano de 1975, cuando todo hacía prever el golpe militar, los dos postulaban, con mayor o menor sinceridad, que la única solución eran las elecciones inmediatas. Y se autoproponían, cada uno por su lado, para secundar a la viuda en una fórmula hipotética. Es claro que los dos aspiraban a ser los primeros, pero creían que debían contener sus aspiraciones para tornar más creíbles sus respectivas estrategias. Volverían a hacerlo cinco años más tarde. En 1980 Menem pensaba en una fórmula integrada por dos riojanos —Isabel y él— y reinventó el "verticalismo", cambiando la figura de Perón por la de su viuda, para aglutinar al disperso movimiento justicialista; Massera, por su parte, creía en una salida populista para la dictadura: una sociedad entre los militares, la derecha peronista que respondía a la ex presidente y la cúpula montonera en el exilio.

Massera había sabido hacerse querer por la frágil Isabel cuando se preocupó por la calidad de su detención: logró que la trasladaran de la cárcel de Ushuaia a la quinta de San Vicente bajo libertad vigilada. Hasta allí podían llegar amigos y familiares: monseñor Antonio Quarracino concurría casi todos los domingos para llevarle su "auxilio espiritual". Cualquier gesto personal era importante para una mujer que a esa altura ya había comenzado a madurar la decisión de alejarse por completo de la política. Aunque no suponía todavía que su futuro sería un largo transitar por las playas europeas del *jet set* y fotografiarse para la españolísima *Hola*, Isabel se arrepentía de casi todas las decisiones públicas que había tomado en los últimos años.

Isabel nunca había sido demasiado hábil para distinguir amigos de enemigos, pero su situación la volvía especialmente débil y vulnerable. Viuda, abandonada por quienes la habían rodeado y adulado en los últimos años, consciente por momentos de la gravitación que había tenido en el inicio de uno de los períodos más negros de la historia e incapaz de razonar sobre los hechos, Isabel había vuelto a ser la indefensa mujer que Perón había conocido quince años atrás. Y allí se dirigió Massera, para hacerle sentir sus dotes de caballero y lograr que ella olvidara rápidamente lo sucedido en 1975, cuando el almirante fingió acompañarla mientras —en realidad— se encontraba preparando el golpe que la derrocaría. Massera volvió a ser el de los primeros meses de su viudez, siempre listo para estar a su lado en los trances complicados.

"Al finalizar 1974, las relaciones de Massera con Isabel y López Rega rozaban una respetuosa amistad. Aquél intentó llevarlas un paso más allá con una invitación a compartir juntos la Navidad, que fue aceptada y que, en las condiciones de reciente viudez de la presidente era, si no inevitable, por lo menos caballeresca. La Armada antiperonista terminaba así en 1974 como el arma más próxima al gobierno de Isabel Perón, mientras producía hechos y pasos concretos que daban muestra de su solidaridad. Era el momento del cenit de la influencia de Massera en el gobierno de Isabel, así como de la influencia en la Argentina de la Logia P2." La cita corresponde a la biografía de Massera escrita por Claudio Uriarte, en la que se encuentra también un pormenorizado detalle del posterior enfrentamiento de Massera con López Rega y su participación protagónica en el golpe del 24 de marzo de 1976.

A partir de entonces, los vínculos del masserismo con el peronismo reconocieron múltiples variantes. El almirante estaba decidido a encontrar un *plafond* para sus aspiraciones políticas, y los dirigentes justicialistas volvían a practicar el acercamiento con un gobierno militar, repitiendo las debilidades de quienes a finales de la década del sesenta fueron bautizados como "colaboracionistas" en lo político y "vandoristas" en el terreno sindical.

Habían sido desalojados del gobierno, muchos de ellos detenidos, los perseguían judicialmente, estaban proscriptos para la actividad pública y eran investigados en el terreno personal: ¿por qué aceptaban el diálogo? Había sin duda una primera razón, nacida de la debilidad propia de buena parte de ellos: creían que era la fórmula adecuada para resguardarse. En aras de esa seguridad dejaban de lado las diferencias políticas o ideológicas. Pero, también, eran incapaces de concebirse lejos del poder. Sólo la participación en el Estado les garantizaba su supervivencia, aun cuando éste estuviera regenteado por los militares.

Lo paradójico de las relaciones del peronismo con los militares, y en particular con el masserismo, fue que se dio incluso mientras muchos de los principales dirigentes políticos y sindicales se encontraban detenidos o incluidos en el Acta de Responsabilidad Institucional. En algunos casos, como los del propio Menem, Rogelio Papagno o Diego Ibáñez, la profundización de los vínculos comenzó inmediatamente después de que abandonaran sus lugares de detención y, muchas veces, se convirtió en un nuevo elemento de la interna interfuerzas en el seno del gobierno militar.

Massera estableció con Menem una relación de pares. Intuía mucho más de lo que sabía acerca de ese riojano que era incapaz de mantener un diálogo, autorreferencial en los monólogos con que llenaba los silencios pero tan seductor con los hombres como con las mujeres. También él era un pragmático, y recién comenzaba a construir sus nexos con el peronismo.

El contacto más fluido del almirante con el justicialismo durante la época de Isabel había sido el que mantuvo con el metalúrgico Lorenzo Miguel, su aliado fundamental cuando se trató de apartar del gobierno a José López Rega. Pero el almirante desanduvo rápidamente el camino. Un poco después se unió a los hombres que habían conformado el entorno de "El Brujo" y que, sin la presencia de López Rega, pasaban a ser un grupo de marginales con prácticas de poder y violencia, necesitados de un lugar político en el que asentarse.

Los verdaderos arquitectos de la relación del masserismo con el peronismo fueron el almirante Eduardo Fracassi, secretario general de la Marina en esos años, y Carlos Aurelio "Za Za" Martínez, un hombre de prestigio en el paquetísimo Centro Naval que tiene su sede en una de las esquinas más transitadas de Buenos Aires. Los dos frecuentaron las cenas y encuentros que tuvieron a Menem de protagonista durante su confinamiento en Mar del Plata y construyeron allí una sólida relación con el ex gobernador y su entorno. El vínculo quedaría plasmado quince años después, cuando todos ocuparon cargos relevantes en el gobierno menemista de 1989.

Fracassi tenía dos interlocutores privilegiados: el periodista Carlos Cañón (a quien designó como vocero del Partido para la Democracia Social, el intento político más serio de Massera) y Alfredo Vezza, un viejo dirigente del Movimiento de Integración y Desarrollo, quien pasó a ser el apoderado del grupo. En 1978, cuando Menem comenzó a frecuentar las comilonas en el puerto, ya estaban todos. "Za Za" Martínez era el apoderado de Massera en Córdoba, mientras Humberto Toledo, jefe de prensa en ese momento en la embajada de Irak —que sería luego vocero de Bittel y más tarde de Menem— aportaba el toque culto; Mario Caserta se acercó a través de Juan Carlos Rousselot, quien pasó en algunos días de portero a dirigente político con aspiraciones; Luis Santos Casale repartía su tiempo entre los negocios con empresas navieras privadas y sus relaciones con la Armada; Alberto Pierri daba sus primeros pasos en la política a través de la relación de la Papelera San Justo, en la que trabajaba, con *Convicción,* el diario del almirante; Julio César Aráoz llegaba algunos fines de semana desde Córdoba donde, como Rousselot en Chaco, debía sufrir la persecución de ser un hombre de la Marina en territorio del Ejército; los hermanos Samid aportaban la carne de los asados y la vinculación con el gremio de bañeros de Mar del Plata; el romántico Julio Bárbaro le ponía una cuota intelectual a los encuentros; tampoco faltaban Eduardo, el hijo del almirante, y sus dos amigos del alma y operadores de la financiera de la familia: Joaquín Alonso, cercano también al padre de Menem y que sería luego director del Banco Central en el gobierno menemista, y el juez Remigio González Moreno.

El caso de Diego Ibáñez era particular. Su vinculación real fue con Guillermo Suárez Mason, interventor en Yacimientos Petrolíferos Fiscales, el hombre del Ejército más cercano a Massera ya que compartían la afiliación a la P2. Sin embargo, "Don Diego", que se acercaba o se alejaba alternativamente de Lorenzo Miguel, nunca despreció los lazos con Massera y aguardó hasta último momento a que se definiera su situación antes de optar por el marino o el metalúrgico. Las versiones coinciden en señalar que buena parte de los negocios de venta de armas que se concretaron con la mediación de Licio Gelli y se firmaron en las habitaciones del Hotel Excelsior en Roma, se hicieron a través de YPF, y que Ibáñez tenía participación en ellos tanto como en la empresa petrolera Bridas con la que debía negociar muchas veces el salario de sus empleados.

Otro de los habitués de Mar del Plata era el luego senador conservador Julio Amoedo, electo por la Catamarca de Vicente Saadi. Amoedo llegaba a la ciudad acompañado de su esposa, Inesita Fortabat, hija de la empresaria cementera de Olavarría Amalia Lacroze de Fortabat y secretaria de Massera. Carlos Corach, apoderado del PJ y fogonero de la candidatura de Bittel en 1983, era el abogado de las empresas pesqueras. El "Padrino" Jorge Antonio llegaba cada tanto a visitar a su hijo, que presidía las empresas pesqueras de la familia. Las visitas de Antonio solían ser secretas, porque él había prometido no volver a la ciudad luego de que su casa de Los Troncos fuera incendiada en 1955, apenas triunfante la Revolución Libertadora. El mismo Antonio niega sistemáticamente haber vuelto a Mar del Plata hasta 1990, cuando llegó acompañando a Carlos Menem.

Diseminados en la rambla o tomando cerveza hasta el amanecer en el puerto, parecían sólo una alegre banda de sobrevivientes. Sin embargo, diez años después ocuparían lugares relevantes en el gobierno menemista y, por entonces, contaban ya con abultadas biografías. Vale la pena bosquejar brevemente sus perfiles.

Carlos Aurelio "Za Za" Martínez se convirtió con el tiempo en un refugiado periódico. Tuvo que huir en 1983, cuando en medio de una discusión matrimonial le disparó un tiro a su esposa. Lo había hecho antes. Al final del verano de 1976, desapareció durante dos semanas para dedicarse a preparar un particular operativo retorno: el de Jorge Antonio. Después de la muerte de Juan Perón, Antonio se fue del país a causa de su enfrentamiento con Isabel y López Rega. Reapareció en escena del brazo de Carlos Martínez el 25 de marzo de 1976, en la recepción ofrecida por las embajadas de los países árabes en el Hotel Plaza veinticuatro horas después del golpe militar.

Poco antes había tenido una intervención notable, el día en que ingresó al despacho del comodoro Luis Fautario, entonces comandante en jefe de la Fuerza Aérea, para pedirle la renuncia. Era diciembre de 1975 y la Base Aérea de Morón se había sublevado liderada por Jesús Orlando Cappelini, con el apoyo de civiles nacionalistas como Walter Beveraggi Allende. Pedían la renuncia de Isabel pero, en realidad, pretendían forzar la de Fautario para permitir la asunción por Osvaldo Agosti de la comandancia en jefe y tener así, junto a Jorge Rafael Videla y Emilio Eduardo Massera, a los tres comandantes a favor del golpe. Isabel no renunció, pero sí Fautario, y tres meses después asumió la Junta Militar. Ese día, las intenciones de Menem y Martínez estaban enfrentadas. Mientras el capitán participaba del alzamiento, el gobernador riojano y el dirigente bonaerense Manolo Torres recibían las noticias sobre el desarrollo de los hechos en la residencia de Olivos, al lado de Isabel.

En aquellos días marplatenses, Martínez lucía otro título fundamental para el grupo: había sido designado interventor del hipódromo de Palermo y allí solía acompañarlo algunas tardes el coronel (R) Simón Argüello, que se convertiría luego en el primer contacto de los carapintada con el futuro presidente. Argüello era segundo jefe de la unidad Patricios, la escolta del comandante del Ejército, en 1975, cuando Martínez era edecán naval de Isabel Perón junto a otro futuro miembro del equipo de campaña menemista, el coronel Juan Carlos Corral. Sería miembro de la Comisión de Defensa del menemismo y director nacional de Migraciones en 1990.

La historia de Juan Carlos Rousselot es más fácil de seguir en sus relaciones con la Marina que con el justicialismo. Se hizo locutor cuando no pudo ingresar por su condición social a la Escuela de Aviación Militar de su provincia: el riguroso examen de antecedentes a que eran sometidos los aspirantes a la Escuela revelaba que su padre era un obrero de La Forestal. En 1966, cuando se produjo el golpe que derrocó al radical Arturo Illia, regenteaba una agencia de publicidad contratista del gobierno y él pasó a ocupar un puesto de prensa en el Ministerio de Marina, que estaba a cargo del almirante Pedro José Gnavi. Chaqueño y peronista, no tuvo empacho sin embargo en ser secretario de Prensa de la Armada en 1972, cuando militaba por el regreso de Juan Perón. En 1973 volvió a su provincia para comprar el diario *El Norte* con un crédito del Ministerio de Acción Social de López Rega. Dueño del diario, volvió a Buenos Aires para ser interventor de Canal 7, y un poco después secretario de Prensa de "El Brujo" en el ministerio. Allí lo acompañaba Mario Caserta, un personaje al que bautizaron como "El Búfalo" por su manera intempestiva de ingresar a los despachos, y que había sido su segundo también en la conducción de ATC. Caserta, un hombre de estatura mediana que oculta su cultura y su capacidad para hablar cuatro idiomas —alemán, inglés, francés y español—, había sido uno de los fundadores de la Iglesia Católica Ortodoxa Argentina y uno de los impulsores de la construcción del Altar de la Patria (una idea faraónica de López Rega que pretendía construir un monumento en la Plaza de la República para reunir las tumbas de las grandes figuras históricas argentinas). Un poco después dejaría de lado sus creencias cristianas para desempeñarse como efectivo parapolicial durante el "Operativo Independencia" en Tucumán, según reconoció él mismo ante el círculo menemista. Caserta sería secretario de Recursos Hídricos del menemismo en 1989, y un año después fue procesado por su vinculación con una banda dedicada al lavado de narcodólares.

Con la huida de López Rega del gobierno las cosas se complicaron para Rousselot, que debió rendir cuentas por una denuncia de los propietarios de una radio de la ciudad bonaerense de Zárate, quienes lo acusaron ante una Comisión Investigadora de la Cámara de Diputados de haberlos obligado a vender la emisora bajo extorsión.

Un poco después fue Rousselot quien hizo una denuncia similar: acusó a la poderosa familia correntina Romero Feris, los caudillos políticos de la provincia, de haberlo extorsionado para quedarse con *El Norte*.

La trama era más compleja. Los inocultables vínculos de Rousselot con la Marina lo volvían un personaje poco grato para las autoridades chaqueñas. El padrinazgo de Bittel no alcanzó y tuvo que huir a Mar del Plata, previo paso por Rosario. Allí, ya integrado al círculo áulico que rodeaba al ex gobernador riojano, pasó a trabajar en el diario *El Atlántico* junto a Cañón, y fue profundizando su amistad con "Za Za" Martínez, Pierri y Caserta. Los cinco fundaron un poco después la revista *Visión Peronista* como primer antecedente del menemismo masserista bonaerense.

Rousselot pasó rápidamente a ser uno de los amigos personales preferidos de Menem, quizá porque en ese momento los dos se encontraban resolviendo complicadas crisis de pareja —Carlos con Zulema y Rousselot con su primera esposa, Marta— y compartían una particular facilidad para caer en crisis depresivas, que en el caso del locutor llegaron incluso a varios intentos de suicidio. Rousselot sería intendente de Morón en 1983 y 1991, y el candidato a gobernador bonaerense para 1995 apoyado por Carlos Menem.

El más divertido del grupo era, indudablemente, Luis Santos Casale. Amante de la buena comida y el buen vino, era la demostración más clara de la confluencia de la Marina con el peronismo. Asesor personal, íntimo amigo y operador político de Lorenzo Miguel, era también abogado y oficial de la Marina mercante. Había sido diputado en 1973 y administrador de la Flota Fluvial del Estado después, y entonces, en plena dictadura, ocupaba cargos importante en empresas privadas asociadas tanto con Diego Ibáñez como con Suárez Mason.

Casale formaba un extraño trío junto a Miguel y al empresario teatral Carlos Spadone, un viejo amigo del metalúrgico. Spadone refugió a Miguel en su casa en el golpe de 1976, pero también dejó que lo secuestraran de allí cuando las fuerzas parapoliciales fueron a buscarlo. Luis Santos Casale fue interventor de ELMA en 1989 y Spadone asesor presidencial y titular de la Comisión Nacional para la Paz en 1989.

Alberto Pierri comenzó su carrera política como proveedor de insumos para fábricas de papel. Hasta que en una maniobra por lo menos poco clara pasó a adueñarse de la Papelera San Justo, en la que se asoció rápidamente con hombres cercanos a Massera. Juan Carlos Durruti comenzó a ser su asesor, Juan Ferreyra Pino su contador, y la empresa donó el papel para ese intento periodístico del almirante en su incursión política: el diario *Convicción*. Cuando en 1991 se publicó la versión que circula insistentemente en La Matanza según la cual Pierri prestaba sus avionetas a la Marina para arrojar cuerpos al río de la Plata, Pierri reunió a sus asesores. Los esperó para lo que —pensó— sería una explicación contundente: un croquis de los aparatos.

—¿Se dan cuenta de que no puede ser cierto? Acá no entran más de dos personas, explicó.

—Sentadas sí... pero, ¿acostadas? —preguntó su asesora de prensa Laura Díaz.

Pierri cambió de tema. Desde 1989, Pierri fue el presidente de la Cámara de Diputados.

Uno de los masseristas de la primera hora fue sin duda el joven dirigente del Sindicato de Mecánicos (SMATA) Rubén Cardozo. El santafecino tenía una interna difícil en su provincia. Uno de los principales gremialistas de la CGT local, el dirigente de la carne Luis Rubeo, prefería frecuentar el edificio Libertador: se había convertido en uno de los contactos más fluidos entre el Ejército y el sindicalismo. Cardozo contaba con la presión que ejercía sobre Rubeo el secretario del gremio a nivel nacional, Lesio Romero, el anfitrión de Massera cuando llegaba a Mar del Plata. Rubeo lograba contactar con la Marina a todos los que tuvieran algo que ver con la industria de su gremio: propietarios de frigoríficos como Samid, el mismo Caserta o Alejandro Granados, de Esteban Echeverría, o dueños de estancias como Jorge Antonio o los Cappózolo.

Cardozo, luego apodado "Buscapié" cuando se convirtió en uno de los operadores menemistas, tuvo que rendir cuentas sobre su evidente relación con los militares cuando llegó por primera vez a La Rioja como invitado del gobernador. Desprevenido sobre el origen de la visita, el secretario de Prensa riojano Leo Guinzburg le echó en cara públicamente haber colaborado con la intervención militar en SMATA. Cardozo le respondió mandándolo a "revisarse la cabeza. Yo estuve mucho tiempo preso y él no sé que hacía". Es cierto que Cardozo estuvo preso, pero no durante tanto tiempo: fue casi al inicio de su actividad gremial y los delitos de que lo acusaban no eran políticos sino comunes. Durante la dictadura se convirtió en un ferviente devoto evangelista y, en pleno éxtasis, le regaló una Biblia dedicada afectuosamente al general Leopoldo Galtieri. Cardozo ya pertenecía a la escuela del "vale todo". Cuando compitió con José Rodríguez por la conducción nacional del SMATA le enrostró su relación con Massera. Cardozo no mentía: Rodríguez, tanto como él, habían sido conspicuos visitantes del almirante.

Cardozo terminó por aliarse con Rubeo en las internas de 1982. Pero al no lograr la mayoría en el congreso provincial para imponer su fórmula, acordaron con Miguel Gómez —el hombre de las 62 Organizaciones en Rosario— el nombre de José María Vernet. Vernet, entonces un contador desconocido, había sido asesor del capitán Roberto Ulloa en la intervención militar en Salta y un prolijo asesor político y económico de los metalúrgicos. Cardozo fue secretario de Acción Social en 1989, embajador en Paraguay desde 1991 y cónsul general en Miami en 1993.

Rubén Cardozo y Julio Bárbaro supieron construir una férrea amistad, que se mantuvo pese a que la capacidad de los dos para cambiar de lugar en la interna justicialista los llevó a estar en lugares aparentemente irreconciliables más de una vez. Considerado un intelectual del peronismo por su vocabulario florido y su pasión por el cine italiano y el perfume francés, Bárbaro coqueteó con los sectores cercanos al Frente Estudiantil Nacional en los setenta, formó parte del Grupo de Trabajo de la Cámara de Diputados que en 1975 pedía el juicio político a Isabel como forma de adelantar las elecciones, y tuvo una trayectoria difícil de seguir durante la dictadura: estuvo tan cerca del masserismo como de las organizaciones defensoras de los derechos humanos, fundó la izquierdista Intransigencia y Movilización en 1981 y se peleó luego con su socio político Vicente Saadi. Se acercó al radicalismo, fue renovador y menemista. Tuvo, sin embargo, una notoria ventaja frente al resto de los justicialistas con quienes compartió la facilidad para cambiar de compañeros de ruta: una verba impecable que le permitió en cada momento explicarlo todo de manera incontrastable.

Cuando se trató de explicar sus relaciones con la Marina dijo: "Hemos caído en una explicación conspirativa de la historia, en que nosotros mismos explicamos las conspiraciones. En este caso, tenemos el tema de mi vinculación con la Marina. Yo me rajo en el 76 y termino en París. Ahí, uno que es la relación con Marina de todos, Sobrino Aranda, me propone ir a ver a Massera... sólo eso. Algunos de Guardia me reprochan: vos conocías a un tipo... Y resulta que es alguien que alguna vez me vendió una quinta hace once años y dos años después me dijeron que era de la Marina. Pero para mí era el estanciero de al lado. Después me enteré de que era un capitán con vinculaciones con la Marina". Julio Bárbaro sería el secretario de Cultura del menemismo entre 1989 y 1990.

El grupo reunía demasiadas aspiraciones personales. Había en principio dos proyectos políticos globales claramente diferenciados, a los que se sumaban múltiples variantes cuando el tema iba desgranándose hacia abajo. Massera estaba en el clímax de su intentona política: viajaba por Europa, se enfrentaba a la política económica de José Alfredo Martínez de Hoz, nombraba delegados de su partido en las provincias, comenzaba un lento acercamiento a los organismos de Derechos Humanos, mantenía contactos con los dirigentes peronistas exiliados en Europa y Latinoamérica. Menem se reintegraba a la vida política, convencido de que esta vez había llegado la hora de concretar sus aspiraciones a la candidatura presidencial. Era inevitable que confrontaran.

Los hombres que los rodeaban estaban convencidos de que se trataba del mismo proyecto. Aunque respetaban la historia política de Menem y sus pergaminos como ex gobernador, se sentían mucho más atraídos hacia la figura del almirante como candidato. Menem era divertido. Massera era carismático. Quince años más tarde, Caserta recordaría esos años diciendo que "lo elegimos a Menem como podría haber sido yo el elegido. Lo importante éramos nosotros. Nuestra estructura. Nuestro proyecto. El candidato era un invento". El almirante los necesitaba porque, a diferencia del proyecto de algunos hombres del Ejército o la Fuerza Aérea, su idea no era erigirse en la continuidad del Proceso sino confrontar con él, diferenciarse y ganar como opción política. Para Massera la política no era una continuidad de la Marina, la Marina le había servido para llegar a la política. Había sido su Unidad Básica.

Digno de protagonizar la saga de Francis Ford Coppola, el misterioso y poderosísimo "capo" del Sindicato de Pesca y Puertos, Abdul Saravia, hegemonizaba el control de casi todo lo que ocurría en el aparentemente cándido mundo político de la zona y el intrincado submundo de negocios poco claros, denuncias jamás comprobadas y despliegue ostentoso de poder, que se convirtió ya en una leyenda a la que no faltan ingredientes de corrupción, narcotráfico, asesinatos, organizaciones paralelas y códigos mafiosos. Ya sentado en su despacho de secretario privado del presidente, en la Casa Rosada, Miguel Angel Vicco lo describiría fingiendo ingenuidad como un "hombre parco y reservado, que siempre anda rodeado de dos o tres más que no hablan, un poco misterioso...".

Abdul Saravia y Diego Ibáñez —enemistados entre sí pero unidos por la relación con Menem— eran habituales anfitriones de las cenas, en las que aquellos dirigentes políticos y gremiales se mezclaban con los mozos de la Bristol y las camareras del Hotel Hermitage —que llegaban de la mano de su dueño, Aldri Iglesias—, el empresario Armando Gostanián y las vedettes de moda en la temporada, aportadas por el empresario teatral Carlos Spadone.

Menem recordaría diez años más tarde esa época como los años en que se había completado su formación intelectual: "Leía mucho, estudiaba durante todo el día. Leía a los griegos. A Platón, Aristóteles y Sócrates". Aunque no consta que haya leído alguna vez un libro de filosofía, y la sola mención de Sócrates como escritor hace dudar de la veracidad de su afirmación, es cierto que la rutina de Mar del Plata incluía unas horas de lectura por la mañana, generalmente en la playa. Menem se levantaba muy temprano, escuchaba el informativo de Radio Colonia —una emisora uruguaya a la que los argentinos se habituaron durante la dictadura militar porque era la única que trasmitía información veraz sobre lo que ocurría, y que Menem privilegiaba sobre todo por el tono ameno y ágil de sus informativos—, leía las editoriales del diario *La Prensa*, propiedad de una familia conservadora y de derecha, los Gainza Paz, y cuando todavía tenía tiempo libre, antes de que se levantara el resto de la casa para compartir el mate, solía devorar novelas del escritor de *best sellers* Morris West.

El triángulo de actividades intelectuales compartía una premisa básica: la facilidad de acceso a la información, fundamental para una persona que, como Menem, contrarresta con una memoria prodigiosa un casi nulo poder de concentración. Menem conoció la guerra de Vietnam leyendo *El embajador* de West, o las intrigas de la diplomacia vaticana con *El abogado del diablo,* y tuvo su mayor contacto con los servicios de inteligencia de los dos bloques durante la guerra fría con *Arlequín,* de la que también consumió la versión cinematográfica protagonizada por el inglés Robert Powell. De la misma manera, el análisis de la política nacional e internacional durante el régimen militar surgía de las columnas de Jesús Iglesias Rouco o Carlos Acuña, dos periodistas acusados en reiteradas oportunidades de vinculaciones con grupos de derecha o servicios de inteligencia. En noviembre de 1985 el gobierno radical denunciaría al segundo como partícipe de una conspiración antidemocrática. Lo cierto es que ya por entonces, cuando los alcances de la represión militar eran públicamente incuestionables, *La Prensa* prestaba sus columnas de opinión al jefe de la policía bonaerense, Ramón Camps, uno de los más salvajes jefes de la tortura y la desaparición de personas durante la dictadura. Menem no sólo no ocultaba su predilección por estos escribas, sino que en varias oportunidades más adelante llegó a recomendarlos públicamente. Hacia 1985, Menem se entusiasmaría con un invento de Iglesias Rouco, *El Informador Público*, que pasó a ser su lectura de cabecera y en el que convivían como periodistas los principales cuadros de Guardia de Hierro y del masserismo. Víctor Lapegna, un militante chinoísta a fines de los sesenta que fue luego vocero del Partido para la Democracia Social del almirante, Ramón Vázquez, Luis Castellanos y Jorge Boimvasser formaban parte de su *staff* de editores.

Las casi diarias cenas se transformaban a veces en fiestas, pero esto sucedía sólo cuando llegaba a la ciudad el hijo de don Vicente Saadi, Ramoncito —luego gobernador de Catamarca—, dedicado por esos tiempos a disfrutar de la fortuna amasada por su padre y de la vida de jugador heredada de su sangre sirio libanesa. Ramón, Menem y el ex médico de Perón y asesor de López Rega, Omar Vaquir, eran los indiscutidos dueños de la Bristol por la tarde, la hora en que "la turcada" se juntaba a imaginar el mundo y a comer cornalitos.

Era inevitable que esta placentera vida llegara a su fin para Menem en medio de una cena multitudinaria. A las cinco de la mañana, cuando se prolongaba indefinidamente un asado en la quinta de Nicolás Gerardi, apareció un patrullero. Lo había enviado el presidente Roberto Viola, mucho menos condescendiente con Massera de lo que había sido su antecesor Videla, para deportar a Menem de Mar del Plata. La orden provenía de Harguindeguy, quien además de un odio casi personal y xenofóbico contra el riojano que no le preocupaba ocultar, aducía "razones de estado" para desarmar al grupo de la costa.

Una vez más, como a la salida del Penal de Magdalena, lo esperaban Guglielmelli, Díaz y Macaya, a quienes Menem bautizó por entonces "Los Tres Mosqueteros".

El viaje fue tan corto como suficiente. Pararon en Tandil, a sólo doscientos kilómetros de Mar del Plata. El nuevo destino ya no era territorio de la Marina, sino del Ejército, que lo comandaba desde el Quinto Cuerpo con asiento en Bahía Blanca. Menem se alojó en un hotel de la calle San Martín. Unas horas después llegó Macaya y lo trasladó hasta un departamento de tres ambientes, en el sexto piso de un edificio frente al mismo hotel. La vida se volvió un poco más aburrida. Menem cocinaba comida árabe todo el día, Carmelo limpiaba y por la tarde todos disputaban juegos de mesa. Un policía custodiaba día y noche el edificio. Sólo alguna vez les permitían viajar a Mar del Plata para ir al cine o a ver boxeo. La consigna era terminante: debían entrar cuando las luces ya estaban apagadas y retirarse primeros para evitar cualquier contacto con el público. Corría 1980 y el Ejército, que buscaba su propia salida política, cruzaba inevitablemente sus intereses con los de Massera y, a esta altura, la relación del incipiente menemismo con el almirante era imposible de ocultar. Ni el propio Eduardo Menem, de fluidos contactos con todos los militares heredados de su participación como ministro de Gobierno de la intervención a La Rioja de la Revolución Argentina, logró destrabar la situación. La charla con el comandante del Ejército, Leopoldo Fortunato Galtieri, fue amable, casi entre amigos, pero el general adoptó un tono de mando para terminar la conversación: "Vea, Eduardo, su hermano es un preso. No un actor de cine".

Menem aseguró después que el Ejército había ordenado matarlo en Tandil y que sólo la buena fortuna y su habitual intuición lo salvaron de la situación. Como parte del régimen de libertad vigilada en que se hallaba, Menem debía reportarse cada día ante el jefe militar de la guarnición local. Los encuentros terminaron en partidas de ajedrez regadas con ginebra, y en uno de ellos el militar se habría quebrado y le habría confesado que tenía orden de matarlo. "Si usted no me mata, yo le juro que cuando vuelva a ser gobernador de La Rioja lo llevo como jefe de Policía", le contestó Menem. La historia se volvió verosímil unos años después cuando el comisario Hugo Zamora fue nombrado al frente de la policía riojana. Zamora tenía entre sus funciones ser el árbitro de los partidos de tenis del gobernador.

En las tardes de Tandil solían convivir sin distinción peronistas y radicales. Macaya aseguraba que había aprendido las mañas políticas de Pugliese, y su mejor amigo, el luego concejal Roberto Ciappa, compartía los salamines y los asados con la cúpula de la UCR sin ningún prejuicio.

Menem se sumaba a veces a estas veladas, en las que se discutía de política, se planificaba el retorno luego de la dictadura y se seguía día tras día el folletín de sucesos internos en las Fuerzas Armadas, que allí se conocía como en ningún otro lugar por la cercanía de las familias patricias dueñas de las estancias del lugar.

Tandil fue a mediados de siglo el lugar de asentamiento de las familias más tradicionales argentinas, que compraron las mejores tierras de la zona. Los Larreta, los Anchorena y los Santamarina convirtieron al lugar en un refugio obligado de la oligarquía. Enrique Larreta solía pasar los fines de semana junto a un lago privado en su estancia "Acelain", cinco mil hectáreas con varias casas y capilla propia, pegada a la estancia de los Moreno y los Alchourrón. Jorge Blanco Villegas, el segundo de Francisco Macri en Sevel en 1990, habitaba una estancia descomunal, "La Carlota", herencia de la familia. Blanco Villegas fue en los últimos años de la década del ochenta uno de los contactos del grupo con el gobierno norteamericano. Los Macri tuvieron, en cambio, otras relaciones privilegiadas en el menemismo: Francisco Macri fue amigo casi personal de Carlos Grosso, y su empleador durante la dictadura, y de José Luis Manzano. Su hijo Mauricio prefirió frecuentar a Mario Caserta y a Juan Carlos Rousselot.

Pero Tandil no vivía sólo de sus estancieros, sino también de una fuerte estructura de juego clandestino. La "guita negra", denominación del juego clandestino en la jerga política, formó una verdadera red en toda la provincia durante la dictadura. Los jefes policiales la alentaron y la manejaron y los intendentes convivieron con ella. Paradójicamente, José Zanatelli, que fue jefe comunal de Tandil en esos años, basó buena parte de su campaña hacia la intendencia en 1991 en denunciar la estructura del juego clandestino y prometer que acabaría con él. Zanatelli ganó las elecciones en 1991 como candidato de una alianza de la Fuerza Republicana de Domingo Bussi y la Unión del Centro Democrático.

El 17 de marzo de 1981 hacía exactamente un año que Menem había dejado Tandil. Por eso, apenas se enteró por los diarios del estallido del escándalo que tenía como principal protagonista a su antiguo vecino, Licio Gelli. Una pesquisa policial en la residencia del líder italiano de la P2 en Castiglion Fibocchi había hallado una agenda con el nombre de 953 importantes hombres de la Iglesia, la política y las finanzas del mundo co-

71

mo miembros de la logia masónica. Entre ellos figuraban varios argentinos, desde Juan Domingo Perón hasta Emilio Massera o Guillermo Suárez Mason, y fue suficiente para que el tema cobrara notoriedad también en Buenos Aires. Sin embargo, sólo mucho tiempo después se tendría una dimensión real del poder manejado por Gelli y de la importancia de la "conexión argentina".

Juan Carlos Pugliese era en 1980, además de hijo de su homónimo y famoso padre dirigente radical, profesor en la Universidad de Tandil. Cuando llegó octubre fue reclutado para trabajar en el Censo Nacional y no le tocó la más fácil: tuvo que recorrer kilómetros y kilómetros de campo para censar estancieros y peones. Años después recuerda ese día: "Llegué a 'Don Alberto' y me abrió la puerta un señor sumamente amable y cortés, con obvio acento extranjero. Me dijo que era italiano, y entonces me quise ir porque el censo no incluía a los no argentinos. Pero él insistió en contestar las preguntas, nos hizo pasar, nos sirvió café, nos trató de mil maravillas". El italiano era Licio Gelli y su testaferro el ex canciller de Isabel Perón, Alberto Vignes. Pugliese vuelve a tener noticias de Gelli un año después, cuando un vecino de Tandil requiere sus servicios de abogado. Un fabricante de salamines, José Carnero, había sido administrador de la estancia durante muchos años y trabajaba con un contrato por el cual tenía participación en las ganancias. Cuando estalló el escándalo, Carnero se asustó tanto que quiso renunciar a su cargo y pidió el asesoramiento legal de Pugliese para rescindir el contrato. No fue fácil: la otra parte del contrato operaba a través del Banco Ambrosiano. Cuando Menem asumió la Presidencia, en 1989, la estancia pasó a manos de otro italiano, Carlos Rofredo, que la regentea desde su país con tanto éxito que en 1991 se presentó por primera vez en Palermo y sacó todos los campeones.

Tandil tenía por entonces otro vecino notorio. Mientras funcionaba legalmente en Punta del Este, trabajando en una inmobiliaria para el justicialista correntino Julio Romero y refugiado de los militares argentinos, Julio Mera Figueroa era, en realidad, el administrador de Miel Carrasco S. A., una exportadora de miel con sede en esa ciudad. Mera Figueroa comenzó asesorando legalmente a los hermanos Joaquín y Benancio Carrasco para quedarse finalmente con parte de la empresa. Las finanzas de los hermanos continuaron empeorando y, cuando ya había pasado por el gobierno menemista, Mera Figueroa se asoció con ellos en la estancia "La María".

No es extraño que Mera operase en Punta del Este y Tandil al mismo tiempo. Buena parte de los principales hombres de este grupo también lo hacía, uniendo la pertenencia a dos organizaciones diferentes formalmente pero con muchos puntos de contacto: la P2 en Buenos Aires y la "Orden de los Caballeros de Malta" en Uruguay. El diplomático Benito Llambí ofició de nexo entre los dos grupos. Llambí era un oscuro funcionario del Ministerio de Defensa en 1945: conoció al coronel Juan Perón y decidió ingresar al servicio diplomático. Llambí protagonizó una anécdota que ha hecho historia en el peronismo. En 1952 era embajador en la República de Siria. La Marina intentó un golpe para derrocar a Juan Perón. Llambí mandó un telegrama de adhesión. Cuando el golpe fracasó, el embajador mandó un nuevo telegrama: "Dése por no recibido el anterior". Héctor Cámpora recordó ese episodio en 1973 y tachó su nombre de las listas del Servicio Exterior del gobierno peronista. Pero el embajador ya se había hecho amigo inseparable de José López Rega y pudo regresar a la Cancillería. Llambí tenía más de ochenta años en 1989. Fue designado embajador en Uruguay del gobierno menemista.

Viejo compañero de militancia de Mera Figueroa, Llambí fue uno de los que lo recibió cuando llegó a Uruguay luego de haber sido "rescatado" por Emilio Massera y Guillermo Suárez Mason. Mera Figueroa asegura que fue el entonces ministro del Interior, Albano Harguindeguy, el que dio su permiso de salida. Sin embargo, todas las versiones de la época coinciden en que el Ejército había ordenado su detención y que fue el hombre de la Marina el encargado de organizar su salida del país. La conexión de Mera Figueroa y Llambí en Montevideo fue Raymundo Podestá, empresario vinculado a los supermercados Disco, Cambios Velox, Estancias Santa Rosa y otras firmas donde participan capitales uruguayos. Podestá había sido secretario de Desarrollo Industrial de Videla y oficiaba de embajador de la Orden de Malta en Montevideo, a pesar de tener fijado domicilio legal en Buenos Aires. El chalet "La Azotea" del Cantegrill Country Club de Punta del Este, propiedad de Llambí, solía ser escenario habitual de reuniones de los principales dirigentes de la dictadura uruguaya y los empresarios y políticos comprometidos con ella. La mansión de Umberto Ortolani, uno de los dueños del Banco Ambrosiano, segundo de la P2 y embajador de la Orden de Malta en Uruguay antes que Podestá, solía reunir a Massera padre e hijo, Suárez Mason, Mera Figueroa, Omar Rossi —administrador de los bienes de Gelli en Buenos Aires y compañero de hipódromo de varios notorios sindicalistas—, Federico Barttfled —embajador en Rumania durante el gobierno de Jorge Rafael Videla— y Aldo Alassia, representante del Ambrosiano en Buenos Aires y amigo íntimo del hijo de Licio Gelli, Mauricio, encargado de la "zona rioplatense" que comprendía Brasil, Uruguay, Paraguay y la Argentina. Algunas veces llegaba también Miguel Páez Vilaró, segundo de la Orden de Malta. Los Páez Vilaró establecieron una estrecha relación con Menem, al punto que los cuadros de Carlos Páez Vilaró, el pintor, adornan la modesta iglesia de Anillaco, vecina de la bodega familiar, y Menem no deja de visitar su mansión "Casapueblo" cuando se encuentra en la costa uruguaya.

Gelli había ingresado al peronismo por la puerta grande. En enero de 1971 Giancarlo Elia Valori, una suerte de embajador personal con acceso directo a Perón, lo invitó a pasar un fin de semana en Puerta de Hierro para presentarle al ex y futuro presidente y a su secretario privado, López Rega. Desde entonces, se convirtió en una persona fundamental de su entorno. Determinó su agenda en el viaje por Italia, lo acompañó en el charter de regreso a la Argentina y participó de la ceremonia de asunción del General en su tercera presidencia. El 18 de octubre de 1973 fue condecorado con la Orden del General San Martín, un poco después adoptó la ciudadanía argentina y luego fue acreditado como consejero económico de la embajada argentina en Roma. Participó de la misión de López Rega a Libia, en la que Argentina terminó comprando petróleo a muy bajo costo para revenderlo en Latinoamérica. Luego de la muerte de Perón y el ascenso de Isabel llegó a participar de reuniones privadas en las que se decidían, por ejemplo, los cambios de gabinete. El 6 de enero de 1976 se reunió con Isabel en Olivos para salvar a la presidente del golpe militar; para entonces Gelli tenía ya mejores relaciones con los uniformados que con la viuda de Perón. Gelli determinó que Guillermo de la Plaza fuera designado embajador argentino en Uruguay y logró que César de la Vega asumiera como subsecretario del Menor y la Familia en el Ministerio que comandaba López Rega. De la Plaza había sido jefe de gabinete de Vignes y mantenía una asidua correspondencia con Gelli. Esa documentación fue encontrada en el embajada argentina en Uruguay cuando se inició una investigación judicial. El fiscal entregó toda la documentación al canciller Juan Ramón Aguirre Lanari, y nunca más volvió a encontrarse con ella. Algunas versiones indican en la Cancillería que el fiscal eligió al interlocutor equivocado: Aguirre Lanari es yerno de Carlos Bulgheroni. Según distintas fuentes, Bulgheroni mantenía fluidos contactos con Gelli a través de Suárez Mason, Bridas y Diego Ibáñez. De la Plaza fue embajador en el Líbano en el gobierno de Carlos Menem.

La prueba más contundente de la influencia de Gelli sobre el gobierno peronista de entonces la dio unos años después el líder de la Democracia Cristiana italiana, Giulio Andreotti, cuando testificó ante la

Comisión parlamentaria que en su país investigó las actividades de Gelli: "Asistí a la toma de mando de Perón y participé de una cena íntima con él, su esposa y Gelli. Cuando éste llegó, Perón se arrodilló a sus pies y besó su anillo". El propio Valori, que había oficiado de presentador, aseguró ante la misma comisión que "Gelli era mucho más influyente en la Argentina que en Italia". Los archivos de esa comisión están organizados en *Le Guide Di Mafia Conection*. Los legisladores italianos que participaron de la investigación dedican un sobrio comentario al tema, cuando en la sinopsis cronológica del año 1973 señalan:

"Perón, Juan. Acompañado de Elia Valori retorna triunfalmente a la Argentina como presidente luego de la victoria del peronismo. Será el general Carlos Suárez Mason, piduista, uno de los organizadores del retorno de Perón".

Los negocios de Gelli en el Río de la Plata se incrementaron durante la dictadura militar y constituyeron otro de los puntos de reunión de los dirigentes políticos y sindicales que se acercaron a los funcionarios del Proceso, como el petrolero Diego Ibáñez, el metalúrgico Abel Fernández —un hombre de Miguel en la capital— o el sindicalista de la carne Lesio Romero. El mayor punto de encuentro eran las "operaciones" montadas por Massera y Suárez Mason para negocios en la compra y venta de armas, muchas de las cuales fueron denunciadas con posterioridad y nunca aclaradas. Esta es una síntesis de las investigaciones abiertas luego del estallido del escándalo de la P2 :

• Gelli afilió a la P2 al empresario italiano Lucien Sicuori. Un poco después, Sicuori se quedaba con la licitación del contrato para la realización de la central nuclear Córdoba.

• Loris Corbi, presidente de la empresa metalúrgica Condotte, recibió su apoyo cuando se trataba de negociar un importante negocio ferroviario en la Argentina.

• La justicia intentó dilucidar qué cuota de responsabilidad tuvo Gelli en el aumento de cinco millones de dólares de la deuda de la petrolera estatal YPF durante la gestión del piduista Suárez Mason.

• Gelli habría transferido a través de bancos paraguayos dinero destinado a las operaciones del "grupo de tareas" de Suárez Mason con sede en Miami en apoyo de la "contra" nicaragüense. El episodio tuvo una nueva alternativa cuando el azar lo vinculó demasiado al ex agente de inteligencia Leandro Sánchez Reisse, delegado de Suárez Mason en Miami: casualmente, compartieron abogado, el francés Dominique Poncet, y se convirtieron en los dos fugados más notorios de la cárcel de ultraseguridad suiza Champ Dollon. Quienes no creen en las casualidades en materia de política internacional aseguran que los dos estuvieron vinculados con la Agencia Central de Inteligencia norteamericana (CIA).

• En plena guerra de Malvinas, Gelli y Varoli operaron para que la Armada argentina adquiriera dos fragatas tipo "Lupo" de origen alemán a través de Rumania, país triangulador del negocio.

• Massera intentó una compra de equipamiento para fragatas a la empresa italiana Otto Mellara por catorce millones de dólares negociando directamente con Gelli y salteando al representante en la Argentina.

El 13 de setiembre de 1982 Gelli intentaba cobrar un cheque de 67 millones de dólares, producto de su intermediación en la venta de misiles Exocet a la Argentina durante la Guerra de Malvinas, cuando dos agentes federales suizos lo detuvieron. Un año después se fugó de la cárcel, según muchas versiones sobornando a un guardia con un millón de dólares. Desde entonces, su relación con Buenos Aires se volvió aún más fluida.

Gelli, Mera Figueroa y Massera eran habituales temas de conversación en el departamento de Luis Macaya, cuando no eran los anfitriones de Menem, quien salía a menudo de paseo por sus estancias. Los rumores del pueblo aseguran todavía hoy que en esa época era normal que llegaran aviones casi diariamente a la brigada de Tandil con "mercaderías" de todo tipo que se llevaban directamente hasta las casas de los patrones.

El grupo de Tandil se terminaba de conformar con Fernando Branca, dueño de una estancia vecina a la de Gelli y a la Brigada Aérea. El grupo se conmocionó a finales de los setenta con el asesinato de Branca y las versiones según las cuales habría sido Massera quien ordenó su desaparición, un poco porque el empresario lo había estafado en negocios comunes y otro poco porque en ese entonces el almirante estaba enamorado de la esposa de Branca, Marta.

Antes de dejar Tandil, Menem protagonizó su propio capítulo de telenovela. La relación de Menem con Zulema, siempre complicada y muchas veces escandalosa, había sufrido nuevos vaivenes durante la época de detención del ex gobernador. El hijo mayor de la pareja, Carlitos, diría años más tarde que durante esa época su madre "había sufrido mucho, no sabíamos si papá al otro diría estaría vivo, o dónde estaría". Los sufrimientos de Zulema distaban mucho de ser los que imaginaba Carlitos, un niño de edad preescolar en ese momento, y sus dudas no se referían a la suerte de la vida de su marido sino a las compañías con que pasaba las noches, en Mar del Plata primero y en Tandil después.

Constituida como una pareja típicamente árabe, Carlos y Zulema compartían un tácito código por el cual estaban permitidas las aventuras extramatrimoniales de ambos, siempre y cuando fueran circunstanciales y se guardaran las apariencias en familia. Pero esta vez el tema estalló a raíz de una aventura de Carlos con la hija de uno de los coroneles presos en el penal de Magdalena, Mercedes Sánchez Casaña.

Zulema enseguida supo de esta relación y la toleró durante la época en que Carlos estaba en el Penal, castigándolo sólo con el espaciamiento de sus visitas; sabía que la única debilidad real de su marido eran sus hijos y que ella manejaba la situación porque, llegado el momento, ellos se quedarían con ella. Pero la crisis se precipitó en Tandil, cuando Zulema llegó imprevistamente una tarde y encontró a Carlos con la hija del coronel que casi se había instalado a vivir en el departamento prestado por Macaya. En realidad, los amigos de Menem en ese momento aseguran que el propio gobernador decidió provocar la pelea con su esposa, porque sabía con anticipación que ella llegaría y no hizo nada para evitar el encuentro entre las dos mujeres. La discusión en el departamento se transformó en una batalla campal en la que no faltaron los jarrones por el aire (una debilidad de Zulema que se mantendría hasta cuando habitaban la residencia de Olivos, convertidos ya en la pareja presidencial) y las cachetadas que Carlos concebía como un signo de autoridad frente a las mujeres. Zulema amenazó con matarlo y llegó a argumentar que la ocasión era propicia porque nadie creería que había sido ella, teniendo en cuenta el conflicto de su marido con los militares. Zulema lo conminó a abandonar la política, las reuniones sociales y las mujeres, todo a un tiempo, como la única fórmula para preservar el matrimonio.

La situación conmovió a Carlos más de lo esperado. La relación con su familia era un tema sensible desde que un año antes, en medio de su estancia en Mar del Plata, su hija Zulema María Eva había enfermado gravemente de los oídos y no tenían el dinero para costear la complicada operación. En un primer momento, Menem había conseguido que un dirigente gremial de UTEDYC les permitiera realizar la intervención en la clínica del gremio, el Sanatorio 25 de Mayo, pero el director del hospital denunció ante las autoridades militares de la zona que el sindicalista había hecho operar gratuitamente a la hija del ex gobernador y hubo que reponer los 25 mil dólares que había costado.

Menem no quiso dar detalle a sus amigos acerca de la pelea con Zulema y sólo le confió a Macaya que no abandonaría la política "por ninguna razón, ni siquiera por la familia". Unos días después se organizó la partida de Tandil hacia Buenos Aires y una vez más Díaz, Guglielmelli y Menem subieron al automóvil de Macaya, esta vez rumbo al departamento del padre del ex gobernador en la calle Cochabamba al 2900, en pleno barrio del Once de la Capital Federal, donde apenas una semana más tarde, el 10 de febrero de 1980, recibieron la nota en la que se les comunicaba que le había sido otorgada una vez más la libertad condicional.

Empezó entonces la recorrida por sus habituales circuitos: Buenos Aires, La Rioja, Mar del Plata. Comenzaba a tener algunas reuniones políticas, y a sucumbir ante su debilidad por los micrófonos y las declaraciones periodísticas. Los militares intentaban los primeros ensayos de diálogo político, y Menem se opuso públicamente. Criticó al ministro del Interior, Albano Harguindeguy, por haberlo convocado, y al neurocirujano Raúl Matera por concurrir en nombre del justicialismo. Sus declaraciones fueron publicadas en varios diarios de la Capital. Unos días después, cuatro policías vestidos de civil llegaron en un Falcon verde al departamento de Cochabamba y lo obligaron a subir al automóvil. Con la fortuna que se convirtió en uno de los signos de su vida, Menem levantó el teléfono antes de dejar el lugar y logró que su amigo Amílcar Hugo Grimberg, desde el otro lado de la línea, comprendiera que algo raro ocurría.

Grimberg llegó al departamento justo para ver como cargaban a Menem en el auto y lo siguió hasta la central de Policía sobre la calle Moreno. Se presentó allí como su abogado y pidió ver al detenido, pero durante tres días le negaron su existencia. Era un viernes, y en todo el fin de semana no hubo novedades. El lunes, Grimberg fue notificado de la firma del Decreto 1.948 en el que se declaraba el confinamiento de Menem a Las Lomitas. "Tenemos que cambiar de planes", cuenta Menem que escuchó decir a sus raptores cuando estaba en el baúl del auto que lo llevó al Departamento de Policía. Una vez más, como en Tandil, Menem creía que el azar lo había salvado de la muerte.

LAS LOMITAS. GUARDIA DE HIERRO

Harguindeguy no dudó un instante cuando le preguntaron en una conferencia de prensa por qué había decidido confinar a Menem en Las Lomitas: "Porque es verano. Si fuera invierno lo hubiera mandado a Ushuaia". Era verano, y la temperatura media de Las Lomitas, un poblado en medio de la selva formoseña, roza en esa estación los cuarenta grados. El paisaje se completa con una humedad agobiante, lluvias casi ininterrumpidas, los accesos de tierra cortados la mayor parte del verano por los barrizales y un ejército de insectos montando guardia frente a las puertas de las casas día y noche. Menem llegó a Las Lomitas con un bolso de mano y sin conocer a nadie en el lugar. La orden del Ejército era alojarlo en el cuartel de la Gendarmería, pero un par de días después de su arribo un matrimonio radical de apellido Flores llegó a buscarlo para ofrecerle vivir en su casa. La mujer, una furiosa radical en esos tiempos, se convirtió luego incondicionalmente al peronismo, fue diputada provincial y, durante la presidencia de Menem, agregada económica en la embajada argentina en Paraguay. El matrimonio era dueño de un almacén de ramos generales y Menem se hizo allí experto cortador de fiambre. En un pueblo de unas pocas manzanas, la presencia del ex gobernador detenido se convirtió rápidamente en la noticia más conmocionante de los últimos tiempos, y llegó rápidamente hasta la capital formoseña. El ex intendente de la capital de la provincia, Luis Messa, llegó hasta Las Lomitas para pedirle a Menem que se alojara en su casa con una argumentación contundente: los peronistas de la zona no podían aceptar que un dirigente partidario parara en la casa de un radical.

Pero Menem se había encariñado con los Flores y decidió quedarse: viviría en casa del matrimonio Flores y todas las tardes iría a la finca de los Messa a tomar mate y conversar de política, convirtiendo ese lugar en el centro de la actividad social del ex gobernador. La situación se complicó inesperadamente cuando una tarde apareció Marta, la hija del matrimonio Messa, que trabajaba como maestra en el interior de la provincia de Buenos Aires. Carlos y Marta iniciaron un apasionado romance que culminó con la maestra embarazada y dispuesta a tener a su hijo. Carlos intentó convencerla de lo difícil de la situación, pero finalmente terminó aceptando con la condición de que Zulema no se enterara.

El trato se cumplió por las dos partes durante cinco años. Menem enviaba regularmente sus giros y Marta callaba su historia mientras seguía su vida como maestra rural. En los primeros meses de 1988 Messa volvió a vincularse políticamente con el caudillo justicialista local, Vicente Joga, adscripto al sector de la renovación, que le ofreció un trato: hacer diputada provincial a su hija a cambio de poder usar su historia personal como parte de la campaña por la candidatura de Antonio Cafiero, que disputaba la interna justicialista con Carlos Menem. Marta aceptó y comenzó a recorrer la provincia con su hijo de la mano y una pancarta con la leyenda "Si no le da de comer a su hijo, qué va a hacer por el país". Durante esos meses no aceptó hablar con él, ni recibió a ninguno de los emisarios que le envió, y soportó en silencio el repudio de Flores y el resto de las familias de Las Lomitas, que conocían la historia y la consideraron una deslealtad a todos.

Cuando Menem triunfó en las internas de 1988 se reestableció la relación con Marta y su hijo. Renovadores y menemistas olvidaron todo lo que había sucedido en los últimos meses y decidieron trabajar por la candidatura presidencial del peronismo: la tarea más difícil fue, indudablemente, conseguir que el radicalismo no reflotara los argumentos esgrimidos por ellos mismos durante la interna. Menem se ofreció para reconocer legalmente a su hijo, pero Zulema amenazó con un escándalo público y Marta se conformó con que el chico viera a su padre alguna vez al mes. Sólo después de la separación del matrimonio Menem en 1990, los Messa pudieron entrar en la residencia de Olivos, y en 1992 las visitas quedaron instituidas para el primer domingo de cada mes, en que incluso Carlitos y Zulema María Eva solían compartir la tarde con el medio hermano formoseño.

Menem pasaba sus tardes en Formosa jugando al fútbol y las noches cocinando. Por la mañana trotaba en el monte, mientras el policía encargado de su custodia lo seguía en bicicleta. Cuando llegó el otoño toda la provincia quedó cubierta por el agua, en una de las inundaciones más grandes del siglo. Menem tuvo que desalojar la casa de los Flores y durmió durante varias semanas en una camioneta.

Su única obsesión por aquellos días era lograr que su caso se difundiera en Buenos Aires. Si tenía que estar detenido, que sirviera al menos para ir ganando prestigio a nivel nacional. Todo quedaba claro en sus cartas. El 2 de octubre de 1980 le escribió a Armando Gostanián: "Nuevamente los que mandan se ensañaron conmigo, y para desahogar sus broncas por las verdades que uno grita, me enviaron aquí, a Las Lomitas, donde inmediatamente me vi rodeado de gente macanudísima. Ya ves, Armando, que el que siembra recoge, aun en los lugares más apartados del país... Son pocos los que como yo se vacacionan por decreto y son promocionados hasta alcanzar un alto grado de interés nacional, a nivel de opinión pública, a punto tal que no queda diario, revista, emisora de radio o canal de televisión que no diga algo sobre el tema. El mismísimo *Clarín* me dedica varios días de comentarios y, en uno de ellos, una página exclusiva, con foto y todo. ¿Cuánto hubiera necesitado para toda esta promoción? Por lo menos media Rioja, ¿no es verdad? Qué poca imaginación la de estos tipos, Dios mío...".

Mientras tanto, Guglielmelli, Díaz y Eduardo Menem gestionaban su liberación en reuniones con Galtieri y Massera, intentando imponerse a la feroz interna que los separaba. Fue finalmente un coronel, Ricardo Flouret, enemigo interno de Harguindeguy, el que convenció a Galtieri para que accediera al pedido de libertad de Menem.

Faltaba la firma de Viola, y allí marcharon Guglielmelli, Díaz y Macaya a entrevistarse con el vicepresidente a cargo de la titularidad del partido justicialista, Deolindo Felipe Bittel, para conseguirla. Cuando los tres llegaron a Resistencia para la entrevista, se encontraron con un mensaje anunciándoles que el encuentro se había trasladado para un día después en Santa Fe, en una dirección desconocida. Siguieron viaje, y al llegar al lugar convenido descubrieron azorados que se trataba de una estación de servicio. Bittel apenas los dejó hablar un minuto y los interrumpió: "No puedo hacer nada por ustedes, porque ésta es zona del Ejército y Menem es masserista. Arréglense con los masseristas".

En realidad, tanto Formosa como Chaco eran en ese momento territorio de nadie. Ninguna de las fuerzas había logrado montar allí un operativo particularmente fuerte, y la única autoridad ejercida medianamente era la del Tercer Cuerpo, con asiento en Córdoba y bajo jefatura de Luciano Benjamín Menéndez. La virtual anarquía reinante en el lugar en cuanto a fuerzas de seguridad constituía una de las preocupaciones o al menos fuente de curiosidad de Menem durante su estadía en Las Lomitas. En algunas notas escritas en esa época concluye que el lugar era una suerte de "campo de entrenamiento" de diferentes sectores pero, particularmente, de grupos progresistas de la Iglesia ligados a la Compañía de Jesús.

Tanto Formosa como un buen sector de Chaco pertenecen eclesiásticamente a las arquidiócesis del sur brasileño y no a las argentinas. Precisamente es en el sur de Brasil donde ejercen más fuerte influencia los jesuitas y los movimientos más progresistas de la Iglesia brasileña, ligados a la teoría de los Sacerdotes por el Tercer Mundo de Leonardo Boff.

Chaco y Formosa, provincias pobrísimas y teóricamente poco importantes en el escenario político nacional, reunieron en los últimos años una cantidad de peculiaridades que hacen que durante las tres últimas décadas hayan convivido allí los grupos más radicalizados de izquierda y la represión más virulenta de derecha, las revolucionarias Ligas Agrarias y el partido provincial que significó en la democracia la clara continuidad de la dictadura militar, la pobreza extrema con la moderna tecnología en comunicaciones.

El gobierno militar quiso mostrar como uno de sus máximos logros el intento de urbanización de "El Impenetrable", la zona boscosa de la selva chaco paraguaya, pero una buena parte de la región siguió siendo inexpugnable y territorio propicio para la construcción de pistas de aterrizaje clandestinas y para el contrabando desde los países limítrofes. La falta casi total de controles convirtió al lugar en el paraíso de los documentos falsos, el otorgamiento de ciudadanía casi sin trámites y el tráfico de influencias. En esa zona y en esos tiempos convivieron hombres que luego jugarían roles fundamentales en el menemismo como Rousselot, los aviadores José y Pedro Juliá, el marino Aurelio Martínez, el luego brigadier Andrés Antonietti o un personaje, entonces irrelevante y luego notorio, como Mario Anello.

Aunque la selva tropical otorgaba un fondo exótico a los encuentros, la base del triángulo de relaciones repetía el esquema de otros escenarios de la Argentina de la dictadura. Por el peronismo, los sectores ligados a Guardia de Hierro y la burocracia sindical. Por los militares, los marinos y los generales del Ejército. Por la Iglesia, el Opus Dei y Comunión y Liberación.

Mucho más relacionados con el gobierno del dictador paraguayo Alfredo Stroessner que con lo que pasaba en la Capital Federal, los políticos formoseños y chaqueños convirtieron la región en una isla en la que el cambio de gobierno casi pasó inadvertido. Los interventores convivían con los ex gobernadores, los funcionarios intercambiaban información y las reuniones nocturnas en los palacetes de la dirigencia seguían congregándolos a todos. En realidad, fue casi una continuidad con el signo formalmente cambiado. Primero los militares eran los visitantes y los políticos los que ocupaban los despachos. Luego se invirtió la situación, pero los protagonistas siguieron siendo los mismos. Floro Bogado, Vicente Joga o Florencio Tenev, hombres todos ligados a la estructura nacional de Guardia de Hierro, instauraron en sus provincias una suerte de feudalismo militarizado que iba luego a dar su impronta a un amplio sector del justicialismo. El interventor designado por el gobierno militar en Formosa, Juan Carlos Benie, había sido senador por Santa Fe durante el gobierno de Isabel y era considerado "tropa propia" por Guardia de Hierro.

A diferencia de otros grupos peronistas que cristalizaron a finales de la década del sesenta luego de procesos de formación de los que difícilmente puede rastrearse la génesis, Guardia de Hierro suele ser identificada con un nombre propio, casi como si se tratara de su "dueño": Alejandro "El Gallego" Alvarez, un peronista nacionalista y cristiano que hablaba un lunfardo de tono canyengue y se uniformaba con una campera de cuero negro, experto en repetir los discursos de Juan Domingo Perón y convencido de la necesidad de formar cuadros técnicos, políticos y de agitación capaces de hacer frente a cualquier tarea en cualquier momento. Alvarez se había iniciado en la política militando en el sindicalismo combativo de la Lista Marrón de Julio Guillán en telefónicos, y fue encargado de la juventud en el Comando Nacional del Justicialismo que integraban John William Cooke, Héctor Tristán (metalúrgico), Saúl Heker (del Partido Socialista de la Revolución Nacional) y Manuel Buzzeta (de la Alianza Nacionalista de Queraltó). En 1967 militó en la lista Gris de metalúrgicos que enfrentó al todopoderoso vandorismo, y un poco después fundó, junto a Eduardo Espil, que provenía del grupo "Praxis" de Silvio Frondizi, y al ex maoísta Flavio Bellomo, la "Guardia de Hierro". El grupo no demostraba en un principio una orientación ideológica determinada y el origen de izquierda de muchos de sus miembros contrastaba con las connotaciones del nombre, que remite a un grupo rumano ultranacionalista y ultracatólico liderado por Corneliu Zelea Cordreanu después de la Segunda Guerra Mundial.

Para la llegada de la nueva década, el grupo de Alvarez convivía con dos organizaciones similares: los Comandos Tecnológicos (CT), que contaban entre sus militantes a Carlos Grosso, Luis María Macaya y José Manuel de la Sota y respondían al coronel Julián Licastro, y el Frente Estudiantil Nacional (FEN) liderado por Roberto Grabois, que se autopresentaban ingenuamente como formadores de cuadros de conducción. Esa era precisamente la diferencia que esgrimían los militantes de Guardia: ellos no aceptaban cargos. Un año después era difícil distinguirlos. Sus dirigentes acordaban en el seno de la "Mesa de Trasvasamiento"; sus militantes confluían, y todos pasaron a ser llamados genéricamente "guardianes", reconociendo como líderes comunes a Alvarez y a Grabois. Si cabe una definición sintética para cada uno de los grupos, Guardia privilegiaba la vieja idea de Buzzeta de "enancarse y dar contenido", con lo que pretendían constituirse en los equipos que regentearan la labor de los dirigentes que ocuparían los lugares a los que ellos no podían llegar. El FEN se convirtió en el principal canal de peronización de la clase media a través de su tarea en los círculos universitarios e intelectuales, y viró desde su origen izquierdista de mediados de los sesenta al "ultraverticalismo" bajo Isabel y López Rega, después de haberse acercado durante algún tiempo a la CGT de los Argentinos de Raimundo Ongaro y los grupos revolucionarios de base de Gustavo Rearte. A diferencia de Guardia, se planteaba claramente como estrategia la obtención de lugares institucionales. Los Comandos Tecnológicos de Licastro, un coronel expulsado del Ejército por sus ideas nacionalistas marxistas, se proclamaban gestores del mandato de Perón de reunir a la "materia gris" para producir el trasvasamiento generacional.

La lista de los emergentes de aquella experiencia es larga y abarca a buena parte de la dirigencia nacional de finales de los ochenta. Estos son sólo algunos nombres (entre paréntesis figura el cargo principal que ocuparon durante el gobierno menemista):

Por los Comandos Tecnológicos, los mendocinos José Luis Manzano (presidente del bloque justicialista de diputados, ministro del Interior), Juan Mazzón (secretario de Interior), José Octavio Bordón (gobernador de Mendoza, senador nacional) y Rodolfo Gabrielli (gobernador de Mendoza). Por el FEN, Rodolfo Díaz (ministro de Trabajo) en Mendoza, Matilde Menéndez (secretaria de Salud, interventora en Tierra del Fuego, titular del PAMI) en la Capital, Víctor Reviglio (gobernador de Santa Fe), Liliana Gurdulich de Correa (senadora nacional), Antonio Vanrell (vicegobernador de Santa Fe) y Eduardo Cevallos (interventor en Obras Sanitarias) en Santa Fe. Por el viejo tronco de Guardia, los formoseños Vicente Joga (gobernador de Formosa, interventor del PJ en Corrientes), Floro Bogado (embajador en Paraguay), Miguel Limberg (operador de Vicente Joga), Florencio Tenev (gobernador de Chaco), Guillermo Seita (asesor político de Domingo Cavallo), Olga Flores (diputada nacional), Julio Díaz Lozano (diputado nacional), Alberto Melón, Rubén Contesti, Héctor Basualdo (asesor de Eduardo Bauzá), Mario Gurioli (asesor de Defensa), Antonio Guerrero (diputado nacional), Ricardo Díaz (presidente del PJ tucumano), Julio Bárbaro (secretario de Cultura), Jorge Rachid (secretario de Información Pública), Carlos Grosso (intendente de la Capital Federal), Miguel Angel Toma (diputado nacional).

Supieron estar cerca tanto de López Rega como de Isabel, y la mayoría corrió con mucha más suerte que el resto de los militantes de otros agrupamientos peronistas durante la dictadura. Fundamentalmente, ellos jamás podían ser confundidos con la izquierda peronista pero tampoco pertenecían directamente a la derecha lopezrreguista. Además, fueron desde siempre los principales interlocutores de los militares ya que parte de su concepción política era que las Fuerzas Armadas nacionales colaboraran con un gobierno popular. En 1977 Alvarez reunió formalmente a la dispersa conducción de Guardia para proponerles un acuerdo formal con el masserismo, pero el tema nunca pudo ser resuelto puntualmente porque la reunión terminó siendo un "pase de facturas" por la actuación de la dirigencia en los meses posteriores al golpe. Los jóvenes que comandaban el cuestionamiento —provenientes en su mayor parte de las provincias cuyanas— rompieron con la estructura del sector, mientras el resto se sintió habilitado para mantener de hecho la confluencia con la Armada (que se cristalizó a principios de 1978, cuando el capitán Carlos Bruzzone asumió parte de la conducción). Macaya se convirtió en uno los operadores fundamentales del acuerdo. En sus periódicos viajes a Las Lomitas para encontrarse con Menem aceitó la relación con los más notables de Guardia de Hierro en esa época, como eran Joga o Tenev, pero intentando siempre mantener una diferenciación de origen. En un momento, decidió reflotar los Comandos Tecnológicos bajo el nombre de su fundador, pero el "Grupo Licastro" parecía una reproducción patética de lo que había sido en sus orígenes: apenas lo integraban Macaya, Guglielmelli y Díaz. Licastro prefirió sumarse orgánicamente a Guardia y pasó a compartir las oficinas de Alvarez en Buenos Aires.

El tandilense Macaya guardaba todavía los aires doctorales de su paso como estudiante por la facultad de Sociología de la Universidad de El Salvador, en la que ahora era docente, y en la que el grupo tenía a un hombre fundamental: su rector, Francisco "Cacho" Piñón. Piñón, —también sociólogo y hombre ligado a la vez a Guardia de Hierro, al masserismo y a la Iglesia— le entregó a Massera el título de "doctor honoris causa" en una ceremonia pública, el 26 de noviembre de 1977.

Tanto los sindicalistas como Guardia de Hierro priorizaron los contactos en la Iglesia Católica con los sectores de Comunión y Liberación, que a partir de la Conferencia de Puebla en 1979 habían señalado a la Argentina como uno de los lugares elegidos para iniciar su desarrollo en Latinoamérica. Contaban para ello con una figura clave: el entonces obispo de Avellaneda y presidente del Consejo Episcopal Latinoamericano (CELAM), Antonio Quarracino, de sólidos contactos con el peronismo a través de Isabel. Quarracino operó en ese entonces para que Saúl Ubaldini fuera designado por la revista italiana *30 Giorni*, uno de los órganos de difusión del grupo, como "el Walesa argentino" pero, mientras tanto, profundizaba su relación con Jorge Triaca, Lesio Romero, Carlos Alderete y Armando Cavallieri.

Los cuatro gremialistas pasaron a formar parte de una fundación llamada "Laborem Exercens", en la que los sindicalistas acordaban estrategias junto a los empresarios como si se tratara de una paritaria. Comunión y Liberación contaba entre sus miembros en 1980 a dos obispos claves en la relación con el gobierno militar: el cardenal Raúl Primatesta y el obispo de San Juan, Italo Severino Di Stéfano. Un poco después el grupo compraría la revista *Esquiú*, que había dirigido Eduardo Luchía Puig, para convertirla en el órgano de difusión de sus idearios, y fue así como ésta dejó de ser una hoja mal impresa que compraban solidariamente las devotas mujeres a la salida de la misa dominical, para convertirse en un lugar de discusión política desde el que se sentaban posiciones relacionadas con la marcha de la situación política nacional e internacional.

Los entonces tímidos intentos de penetración en la vida secular se precipitaron con la muerte de Juan Pablo I y la asunción de Karol Wojtyla. La llegada del Papa polaco al Vaticano marcó un claro giro en las relaciones de la cúpula de la Iglesia católica con los países de América Latina y desplazó definitivamente el intento de los jesuitas —que habían apoyado los intentos de gobiernos populares en el continente— por constituirse en una barrera frente al avance de las doctrinas neoliberales. Una buena radiografía de la constitución del nuevo poder en el Vaticano por esos años es la del periodista italiano Maurizio Matteuzzi, experto en temas eclesiásticos:

"El Pontífice acostumbra rodearse de un círculo restringido, cerrado, exclusivo. Son sus 'pretorianos', como los llaman los monseñores de la curia, la burocracia vaticana. En el campo italiano los más pretorianos son los de 'Comunión y Liberación', una aguerrida, agresiva e influyente minoría de obispos, sacerdotes y laicos que practican con decisión y éxito la *estrategia de la presencia* en la sociedad civil. Estos, que ya han sido definidos como *los nuevos conquistadores,* están más alejados de la Acción Católica de cuanto lo hayan estado cristianos y protestantes. Se dice que Rocco Butiglione, el ideólogo de 'Comunión y Liberación', un profesor de filosofía de la Universidad de Urbino, almuerza con el Papa por lo menos una vez por semana. En cambio, entre los pretorianos de Wojtyla no puede contarse a los jesuitas, a pesar de que ya no están liderado por el viejo padre Arrupe, el Papa Negro. La orden inspirada en San Ignacio de Loyola está en crisis. El Papa polaco no quiere a la Compañía de Jesús y la tiene en la mira. Karol Wojtyla tiene varios latinoamericanos entre sus pretorianos: el cardenal de Medellín, Alfonso Pérez Trujillo, que casi todas las semanas va y viene de Colombia al Vaticano; el cardenal Eduardo Martínez Somalo, español, secretario de Estado sustituto, cercano al Opus Dei; el cardenal Angello Rossi, brasileño, ex prefecto de 'Propaganda Fide', y monseñor Jorge Mejía, argentino muy activo."

La segunda pata del poder vaticano durante el papado de Wojtyla está construida sobre el Opus Dei, fundamentalmente a partir del estallido del escándalo de la logia Propaganda Due. "La caída del Banco Ambrosiano y el escándalo de la P2 redundó en que la financiera del Vaticano, el Instituto per le Opere di Religione dirigido por el arzobispo norteamericano Paul Marcinkus, le quedara debiendo al Estado italiano 250 millones de dólares. Estos fondos los terminó pagando el Opus Dei."

La confluencia del Opus Dei con Comunión y Liberación se dio en la Argentina de la dictadura en la figura de dos obispos notorios: Pío Laghi, cercano a los primeros, y Ubaldo Calabressi por los segundos, los dos de profundos vínculos con el justicialismo primero y el menemismo después. Luego sería Quarracino quien se volvería fundamental en ese terreno, sobre todo desde que asumió el arzobispado de La Plata como sucesor del cuestionado monseñor Antonio José Plaza, acusado de colaborar con el gobierno militar y de conocer, por lo menos, los alcances de la represión. El tercer grupo fuerte en esos años en el país fue indudablemente la orden de los Mercedarios, que llegó a nombrar a Juan Perón como monje mercedario y a colocar una imagen de la Virgen de la Merced en la entrada de Puerta de Hierro, en Madrid. Los mercedarios eran particularmente fuertes en Córdoba, cercanos al obispo Raúl Primatesta, quien fuera acusado por organismos de derechos humanos de haber conocido los alcances de la represión en la provincia durante la dictadura militar. Primatesta tenía sólidos contactos con dos hombres que se volverían fundamentales en el menemismo: Domingo Cavallo y Guillermo Seita. Este último, militante de Guardia de Hierro, fue quien llevó adelante los principales esfuerzos para que el menemismo se integrase casi formalmente al grupo.

En 1973, los mercedarios lograron incluir dos de sus hombres en la lista de candidatos a diputados nacionales que acompañaba la candidatura a la gobernación de Ricardo Obregón Cano: Juan Labaqué y José Allende, por la Democracia Cristiana. La relación con los mercedarios fue una de las fórmulas usadas por el cordobés Julio César Aráoz para "blanquear" su reingreso a la política de la mano del jefe de policía de Córdoba durante la dictadura, Juan Choux.

¿Hasta qué punto Menem formaba parte de esta trama o sólo transitaba por los escenarios sin ver lo que ocurría y sin preguntar demasiado? La cristalización de muchas de estas relaciones en la función pública por lo menos demuestra que estaba agradecido. Cuando se trataba de recibir donaciones como candidato, primero, o inversiones como presidente, después, siempre prefirió no saber de dónde venían los fondos para no tener que negarse a aceptarlos: así recibió apoyos y estructuras sin involucrarse demasiado. Menem estaba signado a construir su poder al margen del partido —en ese momento en manos de la ortodoxia y luego de la renovación, igualmente adversa— y todo lo que servía para esto era bien visto. De derecha o de izquierda, militar o demócrata, inocente o culpable. Todo justificaba el objetivo final. Menem creía que imitaba a Perón, y muchos pueden entender que es cierto.

Guglielmelli y Díaz salieron desanimados de aquel encuentro con Bittel. Volvieron a Las Lomitas sin haber logrado su cometido y convencidos de que Bittel estaba dispuesto a permitir que la reclusión de Menem siguiera indefinidamente.

Como si el episodio de Santa Fe nunca hubiera ocurrido, Bittel llegó a Las Lomitas un mes después del encuentro en la estación de servicio para encabezar junto a Menem y Vicente Joga un almuerzo con caciques indios del lugar. La reunión terminó con una danza para detener la lluvia en medio de un descampado, y con Menem arengando a los indios para que lucharan por recuperar las tierras que les había confiscado la dictadura, mientras mujeres con el torso desnudo golpeaban fierros contra las mesas.

Bittel era en esos años, y lo ratificaría en los posteriores, uno de los dirigentes más difíciles de encasillar en el justicialismo. Político de provincia, de hablar cansino y trato amable, parecía no querer para su futuro más que lo que el Chaco pudiera ofrecerle. El golpe de 1976 lo sorprendió en su cargo de vicepresidente del PJ, que ocupaba sólo por su carácter de referente de los gobernadores del interior. Tuvo que ocuparse entonces de tareas que sin duda lo sobrepasaban: pedir ante los militares por la libertad de Isabel y los presos políticos, atender a la Comisión de Derechos Humanos en 1979 y firmar el documento en que el PJ hacía sus denuncias. "Asumió los riesgos. Aunque el terror que le produjo el hecho y sus imprevisibles consecuencias hicieron que se escondiera por algún tiempo. Pero el miedo no duró demasiado. En el fondo se sentía con las espaldas resguardadas. Se sabía un punto insoslayable para los dirigentes del interior a quienes sólo él atendía con deferencia y también para otros sectores que veían en él una referencia inevitable."

En realidad, Bittel fue mucho más pragmático para resarcirse de sus temores. Trabó rápidamente relaciones con los principales referentes de la represión en su provincia, que terminarían plasmándose cuando lanzó como candidato a gobernador a Florencio Tenev, el político más claramente asociado con el Ejército. Bittel descubrió de pronto que tenía aspiraciones nacionales, y que en la carrera debía dejar atrás nada menos que a Lorenzo Miguel. Y eligió entonces un socio y un amigo para que lo acompañaran en su carrera política: Carlos Corach y Herminio Iglesias.

La orden de liberación de Menem llegaría finalmente de una manera mucho más circunstancial que política. El último fin de semana de febrero de 1981, Díaz había viajado a Mar del Plata para controlar personalmente algunos de los negocios montados durante la época del confinamiento en esa ciudad. Se hospedaba en el hotel de José Logoluso, un político poco conocido dueño de la proveeduría "Los Tulipanes", que le contó a poco de su llegada que Viola estaba de visita en la ciudad parando en el Hotel Hermitage. Díaz llegó al *lobby* del hotel y, en medio de los periodistas que esperaban a Viola para una conferencia de prensa, le gritó: "General, usted firmó la libertad del doctor Carlos Menem hace treinta días y todavía sigue preso". Viola no tuvo más remedio que comprometerse a hacer valer su autoridad y prometerle que el lunes se cumpliría su orden. Dos días después Menem partía en camioneta hacia Santa Fe.

El ruido de la lluvia sobre el techo de chapa de la camioneta era más fuerte que la música de la radio a todo volumen. Los mosquitos fueron barridos por la lluvia. La densa cortina de agua transformaba a la ruta en un desierto impredecible. Los tres hombres estaban callados. Carlos Menem quiso mirar la hora y su respiración empañó el vidrio del tablero: jadeaba. Se miró al espejo. El sudor le empapaba el rostro. Semejante calor era el único indicio del mediodía. Apenas pudo distinguir el cartel a la vera del camino: Santa Fe, trescientos veinte kilómetros. Apretó en vano el acelerador. La camioneta se resistía a tomar velocidad sobre el asfalto resbaladizo. Volvió a intentarlo, pero esta vez no logró mantenerla sobre la calzada, pisó el pastizal y sólo a fuerza de añejos reflejos adquiridos en épocas de rally que ya creía olvidadas logró detenerla muchos metros más adelante, en medio de un improvisado pantano. Menem se recostó sobre el asiento, impotente y exhausto. Derrotado. Carlos Guglielmelli y Carmelo Díaz fueron en busca de ayuda y volvieron con un tractor, que cargó a los tres hombres en la cabina y remolcó la camioneta hasta Santa Fe.

Se durmieron pronto. El tractor se detuvo en una estación de servicio en las afueras de Santa Fe y los tres se apearon de un salto. "¿Sabe qué, jefe? En su tractor viajó el próximo presidente de la Argentina", le susurró Carmelo al conductor mientras le daba la mano. El hombre sonrió sin entender y siguió viaje. Antes de la curva se volvió una vez más para mirar a ese trío insólito. Empapados y embarrados, encorvados bajo el peso de dos valijas con los cierres rotos y un bolso sin manija, custodiando las bolsas de papel con pan y fiambre que habían sobrevivido al viaje, Carlos, Carmelo y Carlos Saúl seguían junto a la ruta agitando sus manos en señal de despedida.

Cuando el tractor desapareció detrás de la distancia y la llovizna, abandonaron la camioneta en la estación de servicio y se subieron a un taxi decididos a llegar cuanto antes al aeropuerto de Sauce Viejo. Pero la tormenta había obligado a cancelar los vuelos y una multitud de pasajeros demorados se amontonaba en la cafetería. No había lugar para sentarse. Guglielmelli comenzó a pasearse entre las mesas buscando una que estuviera a punto de desocuparse. De pronto escuchó que alguien gritaba su nombre, desde una mesa ubicada en un rincón, junto a la ventana.

—¡Carlitos, Carlitos! ¡Carlitos Guglielmelli! ¿Qué hacés acá?

Guglielmelli se acercó a la mesa sin lograr recordar el nombre de quien lo estaba saludando pero dispuesto a no perder la oportunidad de conseguir tres sillas para alivianar la espera.

—Vení, Carlitos, sentáte. Te presento a Raúl Vicco. Vení, vení con tus amigos.

—Carmelo Díaz, Carlos Saúl Menem... —comenzó Guglielmelli. Se interrumpió para dejar que el hombre que les ofrecía un lugar en la mesa se autopresentara.

—Encantado. Yo soy "Juanchi" Cappózolo. Vengo a ser una especie de primo de Carlitos Guglielmelli, por nuestras viejas, que son las dos correntinas...

En unos segundos, Carlos Menem recordó mucho más de lo que sus interlocutores —dos hombres casi desconocidos públicamente— sabían de él, un ex gobernador. Cappózolo era un estanciero importante de la provincia de Buenos Aires que criaba caballos de carrera. Vicco era entonces un empresario importante, un hombre vinculado al turismo y uno de los dueños de la tradicional empresa lechera La Vascongada.

—Mi hermano Miguel.

La voz devolvió a Menem a la realidad del aeropuerto y cuando alzó la vista se encontró con la figura de un hombre altísimo, precozmente encanecido que le extendía la mano mientras sonreía con generosidad.

—Miguel Angel Vicco, gobernador. ¡Qué gusto conocerlo! Había oído hablar tanto de usted...

—Ex gobernador, ex preso y futuro presidente —retrucó Menem, y ya no volvió a conceder el control de la conversación.

Cuando varias horas después anunciaron que el vuelo se había cancelado, el grupo partió feliz hacia el Hotel Santa Fe a dejar las maletas y luego cenó en el restaurante "Brigadier López". A la mañana siguiente, ya convertidos en amigos inseparables, los Vicco se ofrecieron a llevarlos a la capital en su automóvil y todos subieron a un BMW último modelo que no logró arrancar. De nuevo al taxi y a Sauce Viejo, al avión y a Buenos Aires, esta vez sin escalas.

Cuando el grupo llegó finalmente a la Capital Federal era el mediodía del 7 de marzo de 1981.

TRES

La interna peronista se difundió en el paisaje delimitado por las cuadras que rodean a la Plaza Lavalle, en Tribunales. Entre 1979 y 1980, cuando los dirigentes comenzaron a reunirse apenas levantada la etapa más dura de la veda política, las internas en el peronismo también dividieron a los abogados y los estudios se convirtieron en unidades básicas de lujo. Hugo Grimberg, Mario Hugo Landaburu —abogado de Raimundo Ongaro en el Sindicato Gráfico—, Norberto Pedrouzo, Francisco Paz, César Arias y Hugo Rodríguez Sañudo se reunían en los bares que rodean los Tribunales. Una cuadra más al norte, en Talcahuano entre Viamonte y Córdoba, sesionaban los abogados de Guardia de Hierro en el estudio Ferré-Gilardengui y, unas cuadras más cerca del río, en Paraguay y Montevideo, el estudio de don Vicente Saadi reunía a Julio Bárbaro, Nilda Garré, Miguel Unamuno, Paulino Niembro, Jorge Vásquez, Carlos Matrorilli, Walter Veza y Osvaldo Carrozo.

El estudio Grimberg. El protomenemismo

Nacido y criado en las barriadas de San Martín, Grimberg pertenecía a la vez a una vieja familia judía de la zona y a la Corporación de Abogados Católicos. Amigo personal de monseñor Antonio Quarracino, fue designado en 1974 ministro del Superior Tribunal de Justicia de La Rioja y allí profundizó su amistad con Menem. A principios de 1981 Grimberg compró el estudio de Rivadavia, un departamento señorial como todos los de la Avenida de Mayo construidos para la época del Centenario, con estilo europeo de finales del siglo pasado. Allí reunió a los abogados con quienes se encontraba hasta ese momento en los bares y las cafeterías. De los miembros iniciales del estudio de Rivadavia todos tendrían luego lugares relevantes en el gobierno menemista de 1989-95. Rodríguez Sañudo, Paz y Grimberg fueron primero asesores de Eduardo Menem en el Senado y luego del propio presidente. Paz fue además subsecretario del Ministerio del Interior en 1990, director nacional electoral en 1991, titular del INDER ese mismo año y secretario de Gobierno de la Municipalidad de Buenos Aires en 1992. Landaburu fue designado camarista en lo Penal Económico en 1989. Arias asumió como subsecretario de Justicia en 1989 y luego, en 1991, como diputado nacional, los dos cargos que también ocupó Rodríguez Sañudo.

Cada abogado tenía su despacho, además de una biblioteca, una sala de reuniones y una cocina. El estudio se convirtió pronto en un centro social y político, donde la práctica de la abogacía era sólo una excusa. Bohemio, recitador de poesías románticas, desordenado y gran contador de historias a pesar de su tendencia a tartamudear cuando hablaba apurado, Grimberg era el centro indiscutido de las veladas que se montaban alrededor de los *kepes* árabes aportados por la secretaria, una adolescente de indiscutible belleza "turca" que hacía casi de hija de todos, Nora Alí.

Nora, que tenía entonces diecinueve años, había nacido en el Chaco; conoció a Menem cuando acompañaba a su padre en sus frecuentes visitas a La Rioja por negocios. Menem la buscó cuando llegó a Buenos Aires —donde ella se había radicado— después de su detención en Las Lomitas. Todos los que frecuentaban el estudio aseguran que era la "niña mimada" y que nadie se hubiera permitido un romance con ella, desmintiendo las historias que indican que fue entonces cuando se convirtió en uno de los amores de Menem. Sólo una vez Rodríguez Sañudo intentó seducirla: le regaló un cinturón y la invitó a una fiesta. Sólo consiguió que el resto de los miembros del estudio le retiraran el saludo. La segunda secretaria era tan eficiente como Nora pero mucho menos pintoresca: "Pocha", la esposa de Carlos Martínez, hermano de la ex presidente Isabel Martínez de Perón, pesaba algo más de cien kilos. En un clima de camaradería, todos rendían obediencia a Andrés Citarelli, un italiano que controlaba vida, trabajo y amores de los habitantes del edificio, cascarrabias y desconfiado, suerte de sereno y mandamás, quien luego de vivir en el estudio varios años decidió volver a su país a pasar una vejez un poco más reposada.

Diez años más tarde, instalada en un despacho de la Casa de Gobierno y cuando ya formaba parte de la leyenda menemista que la mencionaba indistintamente como amante del presidente, operadora política, negociadora con los países árabes o encargada de negocios, Nora Alí seguía guardando el tono ingenuo de aquellos días para recordar las actividades en el estudio. "El grupo era muy unido. Formábamos una gran familia: al mediodía almorzábamos en una cocina enorme del estudio y Menem daba clases magistrales de política, siempre contaba sus experiencias de la cárcel. El estudio era como una gran unidad básica. A la noche nos juntábamos en la casa de Menem en Cochabamba. Hasta que una vez hubo problemas de humedad y nos tuvimos que mudar al Hotel Bauen. Fue un lugar de puertas abiertas para discutir política." Nora era la primera en llegar, y se encargaba de organizar la agenda de todos los que marchaban a Tribunales. En realidad, el único que se preocupaba por mantener el prestigio jurídico del estudio era Pedrouzo, uno de los abogados penalistas más reconocidos de Buenos Aires, que se ocupaba de traer los casos más redituables. Pedrouzo solía discutir con Grimberg por el tono cada vez más político que adquiría el estudio y por el desvío permanente de los fondos que entraban por las causas hacia actividades políticas.

Menem llegaba al estudio y se pasaba horas hablando por teléfono, durmiendo la siesta o atendiendo audiencias políticas. Nunca escribió una demanda, sólo algunas veces se encargó de patrocinar casos, que luego llevaba adelante Paz pero que él firmaba cuando la importancia del personaje lo requería, como cuando se trató de José María Rosa o los despidos masivos en la fábrica Rigolleau. Apenas se hizo cargo de un despacho colgó un retrato de Evita, uno de Juan Manuel de Rosas y otro de Facundo Quiroga. A veces tomaba el tren en Constitución para ir a charlar a lo de su amigo "Cacho" Riarte, otro de los abogados, que tenía también un estudio en Quilmes.

Después de la siesta comenzaban a llegar los amigos: Luis Macaya, Alberto Kohan, Carlos Guglielmelli, Alejandro Machaca, Eva Gatica, Juan Carlos Rousselot, Mario Caserta, Alicia Martínez Ríos, Angel Pérez, la "Negra Yolanda" de La Matanza, Víctor Hugo Rivas. Por la noche, Armando Gostanián, Miguel Angel Vicco y Richard Caletti, esposo de la cantante de tango Blanca Muney, lo pasaban a buscar. Los miércoles iban a ver boxeo al Luna Park, los domingos a River y los viernes a cenar a "Voz Tango", sobre la calle Arrazábal en Mataderos, una suerte de "aguantadero" de cantantes de tango de segunda que entonaban cada noche a cambio de la cena o la plata para el alquiler. Algunas veces Menem les amenizaba la jornada haciéndose acompañar por Hugo del Carril, "El Chacho" Acuña o Juan Carlos Ledesma. "Voz Tango" fue, sin duda, su sitio preferido de pasatiempo durante esos años, al punto que allí mismo festejó su cumpleaños en 1981, y volvió varios años después, cuando ya era presidente. Caletti, que fue director de la Casa de La Rioja en 1983, solía pasar a buscarlo con la vedette Sonia Grey para ir al cabaret árabe "Shark", sobre la calle Canning frente a la Iglesia San Jorge, o a "Horizonte", en Juncal y Ayacucho. Vicco, en cambio, prefería tomar café en "Exedra" y seguir la noche en "Karim", donde actuaba Eva Gatica. A veces Eva misma los llevaba hasta "Rugantino", donde ella oficiaba de presentadora de estrellas menores.

Eva no tenía todavía veinte años, pero se paraba sobre los escenarios con la prepotencia heredada de su padre, el legendario boxeador "Mono" Gatica, que supo alegrar las tardes de "los mejores años peronistas". El cabello corto, rubio, los labios carnosos muy rojos y los ojos enmarcados en pestañas postizas azules, Eva se reía de sí misma en las mesas de trasnoche asegurando que estaba llamada a ser la nueva Evita. No le interesaba la política, pero cargaba con orgullo el nombre que su padre le había puesto en honor a Eva Perón y se proclamaba visceralmente peronista.

Cuando Eva no actuaba en "Karim", el grupo inauguraba la noche en una pizzería del barrio de San Cristóbal que Menem solía preferir a cualquier otra porque preparaban una pizza con espinacas que figuraba en la carta como "Popeye".

Tanto Menem como Vicco estaban separados de sus primeras esposas. Menem vivía en un departamento en Cochabamba y Jujuy, y Zulema cerca del mercado de Abasto. Las relaciones después del episodio de Tandil eran tan tirantes que casi no se encontraban, ni siquiera para discutir sobre la situación de los chicos. El único de los Yoma que frecuentaba a Menem era Emir, que se sumaba a veces a Vicco y Caletti para ir a cenar a la Costanera. Menem tenía que vivir de la mensualidad que le pasaba Eduardo desde La Rioja, que nunca le alcanzaba para llegar a pasar la primera quincena del mes. Eduardo era el único que se mantenía en buena posición económica gracias a su amistad con el interventor en La Rioja, que le posibilitaba tener un sueldo del gobierno militar y conseguir prebendas para la bodega de los Menem en Anillaco. Pero, en cambio, no quiso intervenir cuando la curtiembre Yoma estuvo a punto de cerrar en 1980, y ése fue uno más de los motivos esgrimidos luego por Zulema para plantear su irreconciliable distanciamiento de Eduardo. La situación económica de Carlos era tan caótica que Armando Gostanián le prestaba plata para pagar el colegio de Carlitos y Zulemita. Una tarde, desesperado, decidió poner en venta su automóvil a través de un aviso clasificado en el diario *Clarín*. Cuando los posibles compradores comenzaron a llegar el estudio, Grimberg lo hizo recapacitar y le prestó dinero para mantenerse durante un tiempo más.

Norberto Pedrouzo solía llegar al estudio de la calle Rivadavia acompañado por su hijo Omar, un joven de diecinueve años que cursaba sus primeras materias en la Facultad de Derecho de la Universidad de Buenos Aires. Omar no iba solo: Gustavo Béliz, su mejor amigo y compañero de estudios, pasaba largas horas en el estudio de Carlos Menem escuchando historias del peronismo y de la cárcel. Las mujeres del estudio tenían especial debilidad por Gustavo, el joven sabía inspirar instintos de protección. Tenía entonces dieciocho años, pero un rostro aniñado y una vocación mística que lo hacían parecer un adolescente. Gustavo se hizo íntimo amigo de Luis María Macaya y se enfrascaba con él en largas discusiones sobre teología y doctrina peronista.

El juez Remigio González Moreno solía pasar por la mañana a tomar mate con Menem. Los dos cumplían rigurosamente el pacto: una vez cada uno llevaba las medialunas. A veces llegaban también Emilio, hermano de Remigio, y Eduardo, el hijo del almirante Massera y su socio en la financiera. Las medialunas fueron el vínculo que marcó la participación del entonces juez en el escándalo nunca demasiado publicitado de la Lotería de La Rioja, y uno y otro, medialunas y escándalo, parecen haber sido los motivos que llevaron a Devoto a González Moreno, acusado de extorsión en la causa del Hospital Güemes. Para algunos de los habitantes de aquel estudio fue, en realidad, una "cama" de la Secretaría de Inteligencia del Estado menemista para cortar por lo sano con otros intentos de extorsión más importantes que los del sanatorio: los que González Moreno estaba haciendo a Menem a raíz de la información recogida en aquellas mateadas.

La cuestión de la Lotería de La Rioja se desataría en 1984 por una causa aparentemente menor. La jugada del "Ta Te Tí" incluía una "raspadita" con premio especial; en un momento cambió el programa de juego y dejó de existir, pero la Lotería no lo comunicó públicamente y comenzaron las quejas de quienes se sentían ganadores y descubrieron luego que su billete no tenía valor. Las quejas se transformaron en una demanda presentada por un grupo de particulares liderados por un empleado de la SIDE, Antonio Barbará —novio de Graciela, la hermana de Nora Alí—, y representado por Aníbal Mathis, compañero de facultad de Remigio. Cuando se inició la causa, cuyos escritos se redactaban en las oficinas de Rivadavia y que fue radicada en el juzgado de González Moreno, el estudio Grimberg se presentó como representante de IPSAS, la repartición de la Lotería. El juez logró rápidamente que las partes conciliaran y la provincia de La Rioja le pagó a Barbará quinientos mil dólares.

Un año después, la Lotería de La Rioja, representada entonces por Carlos Iyanes y Raúl Chacón, llamó a licitación por la administración de su cuenta en la Capital Federal. Barbará y Graciela Alí acordaron firmar un contrato con Luis "El Ruso" Bassile, antiguo representante de casi todas las loterías en Buenos Aires, y Martín Oyuela, un joven que comenzaba a acercarse al menemismo y viejo amigo familiar de Bassile. Barbará y Alí les garantizaban que ganarían la licitación y aquéllos a su vez les pasarían el veinte por ciento de las ganancias que obtuvieran. Bassile y Oyuela ganaron la licitación, pero Chacón se enteró de que el verdadero impulsor era Barbará y amenazó con cerrarles la cuenta. Ellos rescindieron el contrato pero acordaron que los pagos se seguirían haciendo en negro, y mes tras mes depositaron el veinte por ciento de las ganancias en la cuenta bancaria de Barbará. Un poco antes de las elecciones de 1987 éste presentó una demanda contra Bassile y Oyuela por extorsión y amenazas, negó haber recibido los pagos y argumentó que había anulado el contrato bajo amenazas.

La situación comenzó a complicarse porque se acercaban los comicios en que la renovación jugaba su suerte y la posibilidad de quedarse con la conducción del PJ. Menem sabía que no podía arriesgarse a perder espacio frente a Antonio Cafiero y Carlos Grosso, los otros dos referentes del sector.

El 20 de agosto de 1987 Alberto Kohan llevó a Remigio hasta el departamento de Menem en Callao 240. El juez habló durante más de una hora con Menem, Kohan, Nora Alí y César Arias. Un mes después salió el sobreseimiento y el magistrado comenzó a soñar con su futuro político mientras acompañaba a César Arias en actos por toda la provincia de Buenos Aires, sin intuir que pasaría casi tres años en Devoto. González Moreno fue liberado en enero de 1993, después de haber anunciado más de una vez que estaba dispuesto a contar esta historia. Pero ya en libertad prefirió olvidarla y aseguró que "nunca en mi vida vi a Carlos Menem. No sé quién es".

El estudio de Grimberg fue también el centro del nacimiento político del menemismo. En 1981 se comenzaron a reclutar allí los primeros cuadros para trabajar en el territorio, fundamentalmente en la provincia de Buenos Aires, mientras Menem comenzaba a recorrer el interior. El financiamiento tenía cuatro fuentes principales: Luis Macaya, Antonio Palermo, Luis Viola y Juan Carlos Rousselot. Los Vicco y los Yoma aportaban esporádicamente, alegando siempre la situación de quiebra de sus empresas. Palermo puso los primeros diez mil dólares para afiches. "Minimo", como lo bautizó Zulema, llegó al menemismo a través de Alejandro Romay, el productor de televisión. Menem solía salir con él algunas noches, y allí conoció a Palermo, que era el dueño de la agencia de Seguros Chacabuco. Palermo puso la agencia al servicio de Menem y él mismo se convirtió en una suerte de secretario personal del riojano.

El "menemismo" era entonces una larga lista de nombres poco conocidos que quedaban fuera de las estructuras partidarias y no alcanzaban a figurar en las listas que armaban omnipotentemente los caudillos sindicales de las 62 Organizaciones. Pero los nombres que alguna vez fueron oscuros en el menemismo luego llegaron a las primeras planas del gobierno y los diarios, y por eso vale la pena hacer una enumeración, aunque sea mínima, de quienes frecuentaban el estudio de Rivadavia como "protomenemistas": Evaristo Rivas, Horacio Moreyra, Roque Acosta y Benjamín de los Santos, de Avellaneda; José Tarabilse, de Berisso. Víctor Hugo Rivas, Mario Galeote y Raúl Villanueva, de Cañuelas; Roberto Pipperno, Norberto Isola y Andrés Bevilacqua, de La Matanza; Domingo Purita, Damasco Fernández y Luis Ricardi, de Lanús; Miguel Félix y Carlos Sorrentino, de Lomas de Zamora; Carlos Bologna, Ana Lombardo y Eduardo Pereyra, de Magdalena; Marta Etcheverry, de Almirante Brown; Francisco Vitali, de Tandil; Rubén Cardozo, de Santa Fe; Guillermo Adre, de San Luis; María Luz Bustos, de Río Negro; Eduardo Bauzá, de Mendoza; Leonor Alarcia, de Córdoba; Carmelo Díaz, de Capital. El "protomenemismo" en realidad nunca llegó a presentarse a elecciones internas, y terminó por dispersarse cuando a último momento los dirigentes prefirieron sumarse a algunas de las opciones con posibilidades de triunfar. Menem no acertaba a conducir. Era capaz de liderar, pero su falta de metodicidad, su desapego al trabajo cotidiano abortaban toda posibilidad de encarar una construcción lenta y paulatina.

Menem explicaría luego su postura de entonces comparándola con la forma en que iría construyendo su camino hacia la Presidencia: "Había que hacer cosas hacia afuera, porque adentro del partido perdíamos seguro". Las discusiones que atravesaban al peronismo no le preocupaban, porque su obsesión era llegar al poder y ya entonces Menem estaba convencido de que esto podía hacerse tanto desde el peronismo como a través de cualquier otra estructura. Para justificarse, solía explicar que ésa era la verdadera definición del "movimientismo". Lo único esencial era que él lograría convertirse en un personaje notorio. Seguramente era ésa la razón de fondo por la que en aquellos años su vida nocturna le insumía mucho más tiempo que su actividad política. Una anécdota relatada por el ex ministro de Trabajo Miguel Unamuno cuenta que en una oportunidad decidió plantearle a Menem que "moderara" sus recorridas nocturnas en Buenos Aires porque "todo el mundo habla de eso. Nadie sabe que participaste también de un congreso de federalismo, o de alguna otra cosa". Menem intentó entonces explicarle la situación: "Mirá, Miguel, vos fuiste ministro, sos de Buenos Aires, tenés tu espacio natural. Yo soy de La Rioja, ¿entendés? Nadie sabe nada de los políticos riojanos. Si no hago lo que hago me muero en el silencio. Tengo que ganar el mundo de las luces, pero no porque sí, porque creo que sirve".

Y se decidió a ganarlo, con tanta o más pasión que si se tratara de una contienda política. En este terreno, Menem tuvo dos operadores fundamentales: el empresario artístico Carlos Spadone y el periodista Hugo Heguy le armaban cada vez una nutrida agenda que invariablemente incluía la cena con los protagonistas del espectáculo que iban a presenciar. El habitual desparpajo de Menem hacía que los encuentros fueran mucho más allá, y normalmente se repetían hasta que actores, actrices, vedettes, cantantes y productores terminaban formando parte del círculo de amigos del excéntrico político riojano.

Moria Casán, una escultural vedette que en aquellos años comenzaba a ser reconocida por trabajar junto al cómico Alberto Olmedo, recuerda que una noche se acercó a su camarín a saludarla luego del espectáculo. Tomaron champaña, bromearon e intercambiaron gentilezas. Algunas semanas después ella descansaba en su casa de Los Troncos, en Mar del Plata, cuando sonó el timbre muy temprano.

—¿Quién es? —preguntó asustada.

—¿Quién va a ser? Sólo los riojanos nos levantamos a las siete de la mañana. ¿Me invitás a desayunar?

Por Spadone conoció a la blonda Susana Giménez —que era en ese entonces mujer del boxeador Carlos Monzón—, al paraguayo Arnaldo André, a la cantante Marilina Ross, a Mirtha Legrand y a su esposo Daniel Tynaire y al productor Gerardo Sofovich, que se convertiría luego en su habitual anfitrión en la noche porteña. Los encuentros eran esporádicos y circunstanciales, salvo en los casos de Víctor Bo y Graciela Borges, que se convirtieron en amigos permanentes.

Deliberadamente sofisticada, con la melancolía y la suavidad impostadas, Graciela Borges supo convertirse en el paradigma de la mujer culta, sensual y refinada de los setenta, y en un *sex symbol* atípico, parado casi en las antípodas tanto de las pulposas mujeres de la televisión y el teatro de revistas como de las provocadoras jóvenes hijas de la liberación femenina. Quienes frecuentaron las veladas paquetas que la tenían como anfitriona en su época de esplendor coinciden cuando se trata de nombrar una peculiaridad: Graciela llama a todos por su nombre, y uno debe saber entonces que "Frank" es Sinatra y que esa "monada de Pablo" no es otro que Picasso.

"Carlos" es, por supuesto, Carlos Saúl Menem, que supo encontrar el estilo exacto para seducirla con mucho más éxito que los personajes de la farándula que se lo habían propuesto antes sin conseguirlo. Varios años después, ella aseguraría que se convirtió en su "mejor amiga" pero que nunca consintió sus reclamos amorosos. Algunas amigas sostienen, en cambio, que Graciela suele dar otra explicación del tema. "Es que, ¿sabés lo que pasa? Carlos en eso es un típico árabe. Se obsesiona con una mujer y la persigue y la persigue hasta que la consigue. Y al día siguiente no quiere saber nada más", dicen que explica.

En aquellos meses, los últimos de 1981, a Menem lo obsesionaba más su lugar en la política nacional que las mujeres, pero una cosa lo llevaba a la otra. Intentaba explicar su vocación por las salidas nocturnas hablando de "la nobleza de la noche", cuando en realidad buscaba premeditadamente un lugar en las revistas de actualidad como forma de instalarse en un nivel nacional que su lugar político no le concedía. El primer intento por construir una estructura política tomó forma en el invierno de 1981 y se llamó "Lealtad y Unidad". Constituyó básicamente un rejunte de dirigentes menores que habían quedado fuera del armado partidario que comandaba en ese momento la ortodoxia sindical. Pero los mismos elementos que jugaban a favor para hacerlo más popular y reconocido globalmente jugaban en su contra en la interna del partido. Para los dirigentes partidarios, Lealtad y Unidad era sólo el anclaje en la Capital Federal de un riojano aventurero. Ni siquiera generaba odios o rechazos, no tenía grandes enemigos, su nombre no era vetado de las listas que comenzaban a armarse. Simplemente nadie lo tenía en cuenta porque, en realidad, nadie lo tomaba en serio. Menem era el habitante de todas las anécdotas y ninguna decisión.

EL PACTO MILITAR SINDICAL

Menem se quedó solo. Cuando la inminencia de la salida electoral precipitó los realineamientos, todos los dirigentes que lo habían acompañado

101

hasta ese momento se apresuraron a encolumnarse detrás de los factores de poder interno más clásicos y las aspiraciones presidenciales del riojano parecían apenas poco más que bromas que habían servido para amenizar tardes de distensión. Quedaba claro que la única manera de posicionarse en la carrera era detrás de un sector militar o de los dirigentes sindicales y que Menem no tenía nada que ofrecer en este sentido.

La discusión que atravesaba al peronismo estructural poco tenía que ver con ese riojano excéntrico, propenso a las declaraciones altisonantes y a las fotografías escandalosas. Convertido durante el gobierno menemista de 1989-95 en el paradigma del operador político y sindicado como uno de los últimos referentes del viejo peronismo, el salteño Julio Mera Figueroa accedió a sintetizarlo así: "Después de Malvinas había dos proyectos para la transición. Uno, encarnado por el masserismo, consistía en recrear al peronismo como una nueva fuerza militar populista. El otro era el que llamábamos 'el buen peronismo'. Algunos ideólogos de las Fuerzas Armadas argumentaban que existía un peronismo potable, rescatable, que podía decantarse dejando de lado a la extrema derecha (la Triple A) y la izquierda (FAR, FAP, Montoneros) y en la que ellos serían los árbitros de quiénes eran potables y quiénes no para integrarlo".

Todo lo que habían construido durante tres años (entre 1979 y 1981) se desmoronaba cuando comenzaron las negociaciones serias. El riojano intentaba dar una complicada explicación política: sostenía que "la transición controlada es contraria a la práctica movimientista y antisistema del menemismo" y que ellos podían crecer sólo "fuera de la legalidad". Lo cierto es que los masseristas que lo habían acompañado y formado su primer estructura política estaban lanzados de lleno a lograr la fórmula Isabel Perón-Emilio Massera. Por otra parte, el acuerdo entre militares y sindicalistas privilegiaba a quienes se habían acercado al Ejército, y los masseristas tenían que adecuarse rápidamente al nuevo escenario intentando demostrar que eran el único canal de contacto con la ex presidente. Menem comenzaba casi a importunarlos con sus anhelos presidenciales. Bittel era la garantía de la "moderación" del peronismo en la nueva etapa, y el chaqueño mantenía las mismas malas y viejas relaciones con Menem que en la época de su confinamiento en Las Lomitas. Y, finalmente, Menem existía más en las revistas de la farándula que en la realidad política. El mismo se había convencido de su crecimiento y su poder porque se leía en titulares de las revistas, pero esto no lograba conmover a los sindicalistas y a los políticos del PJ que comenzaban a negociar el traspaso de la dictadura militar a un poder civil.

"Una noche en que Lorenzo alargaba su sobremesa con Iglesias y

Diego Ibáñez en su casa de Mataderos, los tres se rieron como si se refirieran a un subdesarrollado de la política. El riojano le había contado al periodista Mario Markic, de la revista *Siete Días*, que Sócrates escribió alguna vez que en un continente (que él no conocía) se iba a dar una raza de la cual surgirían las grandes soluciones de la humanidad. 'El la llamaba la raza piel canela, y esa raza piel canela somos nosotros, los latinoamericanos', decía Menem. Ninguno lo tomaba en serio", relatan José Antonio Díaz y Alfredo Leuco en *El heredero de Perón*.

Los que trajinaban, en cambio, eran sus amigos marplatenses. Carlos Cañón, Juan Carlos Rousselot, Alberto Pierri, Luis Santos Casale, Mario Caserta, Carlos Martínez, Humberto Toledo, Rubén Cardozo, Simón Argüello y Julio Bárbaro se convirtieron en infatigables operadores de Massera. El almirante llevaba adelante una estrategia abarcadora, intentando nuclear detrás de su liderazgo a los sobrevivientes de la izquierda peronista en el exilio y a la derecha lopezrreguista.

Desde 1978, Massera venía manteniendo reuniones en París con Héctor Villalón, un oscuro personaje del que en el peronismo se tejen historias cercanas a la leyenda. Lo cierto es que en ese año era, por lo menos, el representante designado por el Consejo Peronista en el Exilio, y en su condición de tal exigió a Massera una cantidad de condiciones públicas para el acercamiento: la libertad de Isabel y Lorenzo Miguel, la normalización sindical y el permiso de salida del ex presidente Héctor Cámpora, refugiado en la embajada mexicana en Buenos Aires.

Paralelamente a esos encuentros, cuyos resultados Villalón trasmitía al resto del Consejo, Massera organizaba otras reuniones que tenían como nexo a su "jefe" internacional, Licio Gelli. En este caso, a los encuentros se sumaba directamente el líder montonero Mario Eduardo Firmenich, y en algunos de ellos actuó como contacto Mario Rotundo, un hombre peculiarmente tan cercano a Massera como a Gelli y a Firmenich. Rotundo niega sistemáticamente estas relaciones, y sólo admite que se encontraba con Gelli por recomendación del propio Perón pero nunca aceptó sumarse a la P2. "Yo aprendí del General. El me decía: 'Ellos van a querer todo el tiempo que usted sea de ellos. Primero le van a ofrecer favores, uno atrás de otro. Después lo van a condecorar. Usted acepte todo. Pero no firme nada. Ellos van a decir que usted es de ellos. Y van a creer que usted es de ellos. Pero si usted no firma nada, usted no es de nadie'", explicaba luego en las oficinas que siguió manteniendo en pleno centro de Buenos Aires. La Comisión Nacional de Reparación Patrimonial creada por la dictadura secuestró todos los bienes de Rotundo acusándolo de ser un testaferro de López Rega. El empresario, en cambio, sostiene que él debió alejarse del círculo íntimo del general Perón por su enfrentamiento con "El Brujo".

Rotundo es un personaje tan misterioso para la política argentina como Villalón, y los dos han sido calificados por algunos grupos como simples aventureros y por otros como protagonistas indudables de organizaciones supranacionales. En alguna confesión entre amigos, Villalón supo simplificar al máximo la situación esquematizándola así: "A partir de la crisis del petróleo en el mundo había dos proyectos: la Trilateral y los otros. Nosotros estábamos con los otros".

¿Quiénes son los "nosotros" nombrados por Villalón? La respuesta es mucho más difusa. Si se trata de enumerar algunas situaciones que lo tuvieron como protagonista, la cuestión se vuelve compleja. Mientras él asegura que fue colaborador del "Che" Guevara en el Ministerio de Economía del gobierno revolucionario cubano, otros indican que fue solamente un comerciante del tabaco de ese país. A partir de la década de los sesenta, Villalón aparece alternativamente tan cerca de la derecha como de la izquierda peronista, aliado o enemigo de Jorge Antonio, acusado de agente de la CIA o de la KGB, operador de los grupos árabes radicalizados o contacto israelí. Villalón estuvo tan cerca del líder libio Muammar al Khadafi como de los Estados Unidos, ya que todos recuerdan su participación en la liberación de los rehenes yanquis tomados por el ayatollah Khomeini. Cuando Jorge Antonio se refugió en Marsella, luego de la muerte de Perón y a raíz de su enfrentamiento con López Rega, Villalón fue su interlocutor habitual y su contacto con el mundo árabe. Había fundado a fines de los sesenta junto a Gustavo Rearte el Movimiento Revolucionario Peronista como una forma de enfrentar al vandorismo, y fue acusado por John William Cooke de ser "un revolucionario de carnaval, la caricatura de un funcionario" y de haberse quedado con fondos que Fidel Castro enviaba para la causa peronista. Supo ser nexo de Montoneros para la compra de armas y habitual visitante del panameño Manuel Noriega. Pero no abandonó sus negocios de tráfico de armas durante la dictadura, sino que los profundizó y aprovechó su relación con los mandos militares. Las versiones llegan a sindicarlo al mismo tiempo como contacto del gobierno de la revolución sandinista en Nicaragua y como partícipe de la ayuda argentina a la "contra", y alguna vez su nombre se mencionó con ocasión del estallido del "Irangate". En una extensa entrevista hecha por Viviana Gorbatto durante la investigación de su libro *Vandor o Perón*, Villalón asegura que tanto Tacuara como Montoneros fueron "es-

104

tructuras creadas por las Fuerzas Armadas. Tacuara se entrenaba en campos militares detrás del Aeropuerto de Ezeiza. Se relacionaba con Aeronáutica. Montoneros fue una creación de un sector del Ejército". Lo cierto es que hoy Villalón es un hombre que recorre el mundo con pasaporte de varias nacionalidades, se presenta como socio de capitales árabes y habla de líderes internacionales como Charles de Gaulle en el tono reservado para los íntimos, fuma habanos casi sin parar y cuando llega a Buenos Aires se instala en una *suite* de lujo del Alvear Palace Hotel.

En cuanto a Rotundo, un episodio relatado por él mismo alcanza para dar la dimensión del personaje.

A principios de 1977, un grupo de desconocidos allanó el campo "La Victoria", propiedad de Rotundo, en Paso de los Libres, Corrientes. El 29 de abril de 1977 Rotundo fue secuestrado por un comando paramilitar de su casa de Vicente López. El grupo destrozó la vivienda, robó todos los objetos de valor que encontró, tomó como rehén a su madre y exigió cinco mil dólares como rescate. Después de entregar esa suma, el empresario fue liberado. Rotundo se contactó con militares y organismos de seguridad para intentar encontrar a los autores. Comenzó a participar en la investigación el jefe del Comando de Operaciones Tácticas, mayor Carlos Hilger. Un grupo de oficiales del Ejército —a quienes Rotundo no identifica en su relato— le explicó entonces que ellos no podían hacer nada, pero que estaban dispuestos a ayudarlo en lo que él quisiera.

"Lo único que necesito es un pasaje a Roma", dijo. Le consiguieron un pasaje para el 11 de mayo a las seis de la tarde. Rotundo llegó a Roma y se trasladó desde el aeropuerto Fiumiccino al Hotel Excelsior, sobre la Vía Veneto. Cuando llegó, encontró a Licio Gelli en el *lobby* del hotel. Esta es la transcripción textual del relato que Rotundo hizo sobre este episodio:

"Licio se paró, me abrazó, se alegró mucho por verme.

"—¡Mi querido Mario! ¡Qué alegría! ¿Cómo están tus cosas?

"—Licio, yo nunca te pedí nada. Pero ahora necesito que me ayudes.

"Y entonces le expliqué rápidamente lo que me estaba sucediendo. Licio me pidió que lo esperara quince minutos y subió a sus oficinas. Bajó sonriente.

"—Todo arreglado. Volvé a la Argentina. No vayas a Buenos Aires. Bajá en Brasil, entrá por la frontera y quedáte en Paso de los Libres. En quince días va a ir una patrulla a avisarte que está todo arreglado, que encontraron a los culpables.

"Yo volví esa misma noche. Me quedé en Paso de los Libres y esperé que se cumpliera lo que me había prometido Licio. A los quince días apareció una comisión militar del Regimiento 5 a avisarme que estaba todo en orden. Por eso le debo eterna gratitud a Licio."

El periodista Humberto Toledo escribió la historia, por pedido de Rotundo, en un libro que nunca fue publicado. El viaje a Italia es relatado así: "El 11 de mayo, Rotundo viaja a Europa, donde considera que exponiendo el problema frente a factores de poder que gravitaban sobre hombres claves de la Argentina posibilitaría el rápido esclarecimiento, como sucedió efectivamente, retornando diez días después. Ingresa a la Argentina por la frontera brasileña y se instala en Paso de los Libres, aguardando el desenlace de los acontecimientos. Días más tarde, una comisión militar del Regimiento 5 de Infantería llega hasta el campo de Paso de los Libres para comunicar a Rotundo que el asalto y saqueo en la vivienda de Vicente López había sido esclarecido, según podía leerse en un radiograma recibido de Campo de Mayo, remitido por el Comando de Institutos Militares cuyo comandante era entonces el general Omar Riveros".

No parece casual que Villalón y Rotundo se unieran a Massera en la confrontación con el ministro José Alfredo Martínez de Hoz y que levantaran como bandera una suerte de "nacionalismo" económico. Al menos en lo que a negocios se refiere, siempre se encontraron frente a las grandes trasnacionales de origen norteamericano y prefirieron centrar su accionar en los gobiernos tercermundistas, en muchos casos dictaduras militares, o en empresas italianas, españolas o del sur francés relacionadas con los gobiernos socialistas de esos países. Rotundo, Villalón y Montoneros formaban parte de una intrincada red de negocios internacional que tenía contactos con los gobiernos árabes y los socialistas, las dictaduras militares de los países latinoamericanos y los contactos por todo el mundo de la P2.

El almirante confiaba en sus gestiones para acercarlo al peronismo. Sus declaraciones públicas de entonces lo testifican.

"—*Parece que usted va a ser uno de los candidatos a la Presidencia de la República. Con sinceridad, almirante, ¿qué resultados espera?*
"—Tengo toda la esperanza.
"—*¿Quiere decir que espera ganar?*
"—Sí, espero ganar.
"—*Señor, un cálculo simple dice que usted no puede ganar si no*

106

recibe el apoyo de importantes sectores del peronismo. ¿Está logrando ese apoyo?

"—Vengo de Trelew y Bahía Blanca. Vengo sorprendido por el entusiasmo de la gente. No esperaba tanto...

"—*¿Está logrando ese apoyo?*

"—Creo que sí. Que estoy logrando ese apoyo y mucho más."

Mientras Massera aceitaba estos contactos, los impulsores del "buen peronismo", según la caracterización de Mera Figueroa, dejaron las negociaciones en manos del entonces ministro de Trabajo, Héctor Villaveirán, y del comandante del Ejército, Cristino Nicolaides. El grupo eligió a sus interlocutores de una forma ortodoxa: siguiendo el viejo paradigma militar-peronista se dedicaron a dialogar con los burócratas sindicales. El acuerdo había funcionado de hecho con la convivencia de las intervenciones en los sindicatos y los gremialistas desplazados de esas mismas conducciones, pero se cristalizaría todavía con más formalidad cuando se trató de nombrar las "comisiones normalizadoras" que debían instrumentar la devolución de los gremios a los dirigentes de las 62 Organizaciones. Jorge Triaca, Diego Ibáñez, Ramón Baldassini y Rogelio Papagno transitaban por los pasillos del Ministerio de Trabajo como en las mejores épocas de un gobierno peronista. Las conversaciones no eran sólo políticas; gremialistas y militares se reunían con los principales empresarios y les reclamaban fondos para la futura campaña electoral a cambio de garantizarles la continuidad de los negocios emprendidos durante la época de José Martínez de Hoz y proponerles nuevos acuerdos para el futuro. La cuestión de lo actuado durante la represión ni siquiera se discutía. Era ocioso desde que los jefes militares sabían que el mejor reaseguro contra la "subversión de izquierda" era la burocracia sindical, y los gremialistas no estaban dispuestos a plantear la investigación de un tema que podría terminar involucrándolos.

Los "dialoguistas" se encontraban mayoritariamente nucleados en la Comisión de Gestión y Trabajo, el grupo creado por Triaca en 1978 como forma de acercamiento al gobierno al que se sumó desde el sector político Angel Robledo (uno de los dirigentes justicialistas más claramente sindicado como "procesista"). Un año después se le sumaría un sector de las 62 Organizaciones y sindicatos independientes como la Unión Tranviarios Automotor y La Fraternidad, y conformarían la Comisión Nacional de Trabajo. Casi paralelamente nació la Comisión de los 25, integrada por gremios combativos como Tabacaleros o la Asociación de Trabajadores del Estado, junto a ex 62 como taxistas y camioneros.

Gestión y Trabajo y los 25 intentaron unirse formalmente en septiembre de 1979 en la Conducción Unida de Trabajadores Argentinos (CUTA), pero las negociaciones de los primeros con Harguindeguy y Villaveirán hicieron fracasar el acuerdo. Mientras tanto, Miguel reflotó las 62 Organizaciones —ubicando como sus segundos a Lesio Romero y Diego Ibáñez—, mientras que un grupo de gremios menores, como Vidrio, Vestido y Curtidores, se agrupó en la Comisión de los 20, supuestamente disconformes con el intento de unificación.

Las negociaciones entre los militares y los sindicalistas no se limitaban a cuestiones coyunturales ni eran —como creyó la imaginación de los políticos— encuentros en que se trocaban indultos por obras sociales. Se trataba, en los hechos concretos, de la batalla definitiva protagonizada por la alianza de la derecha peronista, la burocracia sindical, los militares y la Iglesia para adueñarse de la herencia justicialista. Un proceso que puede tener como arbitraria fecha de nacimiento el 1º de julio de 1974 con la muerte de Juan Perón, pero que sin duda reconoce como antecedentes esenciales el inicio de la violencia política con el albor de la década y el nacimiento de "vandoristas" y "colaboracionistas" a mediados de los sesenta. Los "dialoguistas" de uno y otro lado constituían la versión más contemporánea de la alianza entre militares, empresarios y dirigentes sindicales que Rodolfo Walsh describió con maestría en la caracterización del vandorismo con que cierra *Quien mató a Rosendo:* "Patrones y dirigentes han descubierto por fin que tienen un enemigo común: esa es la verdadera esencia del acuerdo. Para llevarlo a la práctica, el gremio se convierte en aparato. Todos sus recursos, económicos y políticos, creados para enfrentar a la patronal, se vuelven contra los trabajadores. La violencia que se ejercía hacia afuera ahora se ejerce hacia adentro. Al principio el aparato es simplemente la patota, formada en parte por elementos desclasados de la Resistencia, en parte por delincuentes. A medida que las alianzas se perfeccionan, a medida que el vandorismo se expande a todo el campo gremial y disputa la hegemonía política, el aparato es todo: se confunde con el régimen, es la CGT y la federación patronal, los jefes de policía y el secretario de Trabajo, los jueces cómplices y el periodismo elogioso".

Desde 1981, cuando la mayor parte de los sindicatos comenzaron a ser entregados a las "comisiones normalizadoras", las negociaciones se volvieron más arduas y los asados más periódicos. La alianza de Guardia de Hierro con los militares y la Iglesia se propuso conseguir que Lorenzo Miguel aceptara convertirse en la figura aglutinadora de los pactistas. Lesio Romero, Roberto Ares, Humberto Romero (secretario de Defensa en 1989), Simón Argüello, Carlos Martínez, monseñor Antonio Plaza, el miguelista y amigo de Ubaldo Calabresi, Hugo Franco (testaferro de Raúl Primatesta que sería interventor en SOMISA en el gobierno menemista), Luis María Macaya y Vicente Joga se convirtieron en los principales impulsores de la idea.

Lesio Romero logró llevar a Miguel a una reunión en el Hotel Provincial de Mar del Plata de la que participaron también Diego Ibáñez y el subsecretario general del Ejército, Jorge Ezequiel Suárez Nelson, para iniciar el diálogo. Miguel dejó de lado a los mediadores y Suárez Nelson comenzó a visitar asiduamente su casa de Villa Lugano. La residencia del jefe de la policía bonaerense, que ocupó primero Ramón Camps y luego Fernando Verplaetsen, se convirtió también en un lugar habitual de encuentros. Pero en este caso se incluía en la negociación la figura de Herminio Iglesias. Miguel era buscado por todos como si se tratara de la concentración misma del poder, y eran esas expectativas las que contribuían a alimentar el mito alrededor del "todopoderoso" jefe de las 62 Organizaciones.

Es que Lorenzo era él, pero además el fetiche de la "patria metalúrgica", la herencia de Vandor y el producto de los temores y las ansiedades del resto. Había nacido en el porteñísimo barrio de La Paternal el 27 de marzo de 1927, pero desde los seis años vivió en Villa Lugano. Soñó con ser historietista y pasaba horas copiando los dibujos de Divito mientras se ganaba la vida como obrero metalúrgico en la fábrica Camea. El golpe de 1955 lo encontró como delegado gremial y, aunque no participó activamente en la Resistencia, se formó a la sombra de los dirigentes que harían de la UOM una leyenda en el movimiento obrero y el país: Augusto Timoteo Vandor, Rosendo García, Paulino Niembro y José Ignacio Rucci. Rosendo García fue asesinado en Avellaneda, en el episodio narrado por Walsh en el libro antes citado mientras Miguel era tesorero de la UOM y protegido de "El Lobo". Tanto que no dudó en sentirse su heredero cuando en 1969 un comando terrorista lo fusiló en su propio despacho. Su ascenso no fue sencillo y tuvo el signo de la época: el secretario administrativo, Avelino Fernández, se postuló para la Secretaría General. Un tiroteo, un muerto, dos heridos, cuarenta contusos, Fernández preso y proscrito y la lista Marrón de Miguel triunfante. Lorenzo se convirtió así en el jefe de los metalúrgicos mientras Rucci ocupaba la secretaría general de la CGT. Pragmático, prefirió pactar con la rebelde seccional de Villa Constitución liderada por Alberto Piccinini creyendo que así podría aislarla, pero contempló impasible cómo la represión más cruenta se abatía sobre ella de la mano de López Rega. Se alió a Massera para enfrentar a "El Brujo" y quiso sumarse al entorno más íntimo de Isabel, pero llegó tarde: unos días después sobrevino el golpe y su detención en el *33 Orientales*. Algunas versiones sostienen que la orden del Ejército era matarlo, y fue la intervención de Massera la que lo salvó y lo convirtió en un preso legal. Tanto que, según esos dichos, "El Negro" lo habría visitado a bordo para brindar por su buena suerte.

Con la sinceridad adquirida por la cercanía de los setenta años y la tranquilidad de sentirse en un mundo donde la proclamada muerte de las ideologías parece garantizarle no tener, por lo menos, el trágico final de sus otros tres compañeros de la UOM —Vandor, García y Rucci—, Miguel dibuja su perfil mejor que nadie. "En el '75 teníamos que haber medido mejor las consecuencias, porque el enemigo no era la compañera Isabel, el enemigo estaba en el monte tucumano por un lado y Videla y Cía. por otro", acusa. "Yo, cuando habla la Iglesia me callo la boca. Porque los obispos, todos, son gente sabia", admite.

Cultor del anacrónico concepto de la lealtad peronista, Miguel convertiría a Lesio Romero en su ladero en las 62 Organizaciones porque recordaría siempre que fue uno de los pocos dirigentes que lo visitaba en su casa de Villa Lugano cuando cumplía arresto domiciliario. Tenía absolutamente registrados los nombres de sus cinco habituales visitantes: Romero, Cichelo, su compañero en la UOM y en el *33 Orientales*, el telefónico Carlos Gallo, Herminio Iglesias y Carlos Ruckauf. Los cinco se trasladaron luego a Mar del Plata cuando el gobierno militar decidió devolverle a Miguel la casa de vacaciones que poseía allí, luego de no haber podido comprobar las acusaciones de enriquecimiento ilícito, y más tarde a Mar de Ajó, donde el sindicalista veranea cada año con su familia. No fue casual, entonces, que la Marina y el Ejército eligieran al sindicalista de la carne para usarlo de nexo en el intento por convencer a Lorenzo de sumarse a sus proyectos.

A pesar de aparecer como el precandidato de la "izquierda radical", Raúl Alfonsín mantenía en realidad una relación cordial con "El Tordo". Había llegado a visitarlo una vez junto a Germán López apenas salió de la cárcel y los dos acordaban en que el mayor error histórico de los últimos años había sido presionar a Perón para que no compartiera la fórmula presidencial con el radical Ricardo Balbín. "Aquel Congreso del Cervantes... —recordaba Miguel—, esa manía bien peronista de cerrar todo; apareció el nombre de Isabel y todo listo. Pensábamos que Perón iba a ser eterno..., qué sé yo. Sabíamos que Perón había hablado como tres veces con Balbín, en Gaspar Campos, aquí en la UOM, en el Comité Capital, en la calle Tucumán, y ellos estaban de acuerdo en todo. Perón estaba amortizado, como él siempre decía, sabía que se iba a morir, y pensaba que Balbín podía llevar adelante la transición, la reconstrucción que él dejara pendiente. Porque el General no quería ser presidente, pero ocurre que Cámpora se paralizaba, no podía contestarle cuando recibía algún consejo, y Lastiri... bueno, mejor me callo la boca. Entonces no había muchos caminos. El había aprendido a querer a Balbín y a respetarlo como político, como hombre de bien. Balbín era un fenómeno." En aquellas tardes, Miguel se arrepentía hasta de la actuación de Vandor en el derrocamiento de Arturo Illia: "Pobre Don Arturo, pobre viejo... fue tan buen presidente, lástima que nos dimos cuenta muchos años después".

Alfonsín prefería recordar otra anécdota: después de que Perón echó de la Plaza a los Montoneros el 1º de mayo de 1974, Balbín había reunido en una oficinita de la calle Uriburu a "El Negro" Quieto, Mario Firmenich y Dante Gullo para rogarles que no pasaran a la clandestinidad. Alfonsín narraba que presenció el encuentro y se conmovió cuando el anciano Balbín, su enemigo histórico en la interna radical, casi lloró implorándoles: "Por favor, ¿qué van a hacer? ¿Van a cometer una masacre? Los van a matar a todos, van a llevar a la muerte a millones de pibes". La soberbia, acordaban Miguel y Alfonsín, no había sido la mejor consejera.

Los sindicalistas ocupaban casi todo el espacio del peronismo. Sólo una agrupación política tomó forma en aquel año: Intransigencia y Movilización, una confluencia de objetivos tan disímiles como el origen y los recuerdos de los grupos que la formaban. Había nacido en un estudio jurídico —como casi todas las agrupaciones políticas de ese momento—: el de Vicente Saadi, en la esquina de Paraguay y Montevideo. Hasta allí llegaban, unos meses antes del Mundial de Fútbol de 1978, Miguel Unamuno, Paulino Niembro, Jorge Vásquez, Julio Bárbaro y Nilda Garré. La idea de lanzar la corriente surgió a fines de ese año y la conducción quedó integrada por Bárbaro, Garré, Carlos Matrorilli, Osvaldo Carrozo y Walter Veza. Saadi no pertenecía formalmente a la corriente pero mantenía una suerte de "idilio" basado fundamentalmente en la relación personal con todos los fundadores. La idea primigenia era formar un grupo que se convirtiera en una suerte de "izquierda moderada" dentro del peronismo.

Hacia mediados de 1981 también Vicente Saadi había comenzado a rearmar su estructura política y dio forma a una doble alianza: por un lado, acordó con la conducción montonera en el exilio y, por otro, con los empresarios liderados por Amalia Fortabat a través de la "sociedad" con el yerno de la empresaria, Julio Amoedo. Saadi se convirtió así, de la nada, en el dirigente político con mayor poderío económico. El acuerdo con Montoneros implicaba la posibilidad de "blanquearlos" en su regreso al país a cambio de la administración del dinero que mantenían en el extranjero. Saadi enmarcó sus dos alianzas dentro de Intransigencia y Movilización, que pasó a convertirse en la expresión posdictadura de Montoneros.

La cuestión del dinero real que los montoneros manejaban en el exilio se convirtió casi en parte, una más, de la leyenda colectiva de aquellos años. El grupo acababa de sufrir dos escisiones importantes. La primera, liderada por el ex líder de la JP Rodolfo Galimberti y el poeta Juan Gelman, se produjo cuando la conducción encabezada por Mario Firmenich propuso a finales de 1979 una "contraofensiva" que, nadie podía dudarlo, conducía en ese momento a enviar a la masacre a los pocos militantes que habían logrado sobrevivir y todavía formaban parte de la organización. La orden, sabrían los militantes algunos años después, constituía también una obra maestra del cinismo, teniendo en cuenta que en ese momento el propio Firmenich negociaba con Massera su reinserción en la vida política del país. Gelman y Galimberti rechazaron la posibilidad de la contraofensiva en una carta en la que criticaron el "concepto elitista de un partido de cuadros", la burocratización de la dirección del partido, las "prácticas conspiradoras" y "la absoluta falta de democracia interna, lo cual sofoca cualquier intento de reflexión crítica, a la que desechan como deserción o traición, escondiendo la ausencia de respuesta política tras un irresponsable triunfalismo que no convence a nadie".

Aunque firmaron juntos al pie de aquella carta-renuncia, los caminos de Gelman y Galimberti se bifurcarían notoriamente. Diez años después, Galimberti se convirtió en el jefe de seguridad de Jorge Born, el empresario al que su organización había secuestrado a principios de los setenta. En 1990 logró que el gobierno menemista lo amnistiara de las causas que todavía tenía abiertas gracias a las gestiones del propio Born y a su colaboración con los servicios de inteligencia: en enero de ese año le ofreció al titular de la SIDE, Juan Bautista Yofre, "liquidar" a José Luis Manzano —en ese momento enfrentado en la interna del gobierno con el sector de Yofre— por cincuenta mil dólares. Gelman, en cambio, ya no quiso regresar a radicarse en un país que lo había expulsado y que se había convertido sólo en el paisaje de sus más bellos poemas y sus más inmensurables dolores. Durante más de diez años buscó sin pausa ni descanso alguna señal que le permitiera saber sobre la suerte corrida por su hijo y su nuera, secuestrados por la dictadura, y su nietito, presuntamente nacido en cautiverio. El equipo de antropólogos forenses que colaboró con los organismos de Derechos Humanos en la Argentina posterior a la dictadura reconoció los restos entre otros varios hallados en fosas comunes. El poeta enterró en Buenos Aires el cadáver de su hijo asesinado y decidió no olvidar ni perdonar.

En aquella ruptura con Firmenich en 1979, Galimberti informó que se llevaba consigo 68. 750 dólares y anunció que la organización contaba todavía con otros treinta millones. Los datos más precisos sobre el tema son recogidos por el investigador británico Richard Gillespie en *Soldiers of Perón: Argentina's Montoneros*. Allí sostiene que en el exilio "los fondos de que disponían aún los montoneros para la lucha eran los adecuados a sus necesidades. Aquéllos habían sufrido una hemorragia en agosto de 1976 al estrellarse el avión particular de David Graiver en la ladera de una montaña cuando se dirigía a Acapulco desde Nueva York. Iban presumiblemente con él los diecisiete millones de dólares cuyos beneficios e intereses, procedentes de inversiones en bancos, industrias y fincas, habían rendido 130.000 dólares mensuales, destinados al mantenimiento de Montoneros y su infraestructura. Pero la precaución había aconsejado a los secuestradores de los hermanos Born desviar, en 1975, cincuenta millones de dólares hacia Cuba, donde, aun cuando no rentaban nada, estaban absolutamente seguros. A principios de 1979, les quedaban todavía unos treinta millones de dólares".

La segunda ruptura de Montoneros, casi inmediatamente posterior al alejamiento público de Gelman y Galimberti, fue protagonizada por el secretario de Prensa de la organización, Miguel Bonasso, y un pequeño grupo casi desconocido para el resto de los militantes. Las acusaciones eran similares a las de los primeros, pero las críticas centrales se referían a la lectura que la conducción había hecho de los resultados de la "contraofensiva": Bonasso tuvo la ingrata tarea de escribir los comunicados que día a día expresaban el nivel feroz de las bajas junto a los análisis triunfalistas de la dirigencia. Bonasso se radicó en México y se dedicó al periodismo. Escribió allí una conmovedora crónica de la militancia y la represión, *Recuerdos de la Muerte*, y no regresó a la Argentina.

Las consecuencias de la "contraofensiva" se midieron así en todos los planos: la conducción liderada por Firmenich quedó aislada, después de haber perdido a sus principales cuadros políticos como consecuencia de las dos escisiones; las bajas fueron tan importantes en número como en calidad de los militantes; la opinión pública los condenó cuando volaron la casa del secretario de Planificación y Coordinación Económica,

Guillermo Walter Klein, en un operativo desordenado e indiscriminado en el que murieron atacantes y custodios; los intentos por acercarse al movimiento sindical fracasaron cuando los gremialistas se preocuparon por separar las actividades de protesta que comenzaban a nacer de la actividad de los guerrilleros.

En ese marco de catástrofe que presentaban Montoneros en 1980 se inscribe el acercamiento con Julio Mera Figueroa —uno de los viejos líderes de la JP y diputado nacional en 1973— y el reencuentro con Vicente Saadi primero y con Carlos Menem un poco después. Firmenich comenzaba a dudar de la viabilidad de sumarse al proyecto de Massera, cuya imagen se deterioraba más velozmente en Europa que en Buenos Aires, y prefería apostar a un retorno a las filas del peronismo.

La primera maniobra en la búsqueda de un retorno al partido fue encumbrar en la conducción a dos hombres históricos: el ex gobernador cordobés Ricardo Obregón Cano y el ex gobernador de Buenos Aires Oscar Bidegain. Sin haber pertenecido formalmente a la organización, Obregón Cano y Bidegain habían acompañado a Montoneros, y éstos los habían proclamado siempre como propios. Llegar a Julio Mera Figueroa no fue difícil: los contactos eran múltiples y el pasado, común.

Como Carlos Menem, también Mera Figueroa llegó al peronismo desde los conservadores. Hijo de una tradicional familia salteña, a los dieciséis años fundó la Juventud Conservadora de su provincia. En 1970 pasó a integrar la conducción nacional de la JP como asesor de Juan Manuel Abal Medina; de ese modo se acercó a Montoneros y fue uno de los protagonistas del corto período de gobierno de Héctor J. Cámpora: asumió en 1973 como diputado nacional por Salta. Su alejamiento de la conducción de las organizaciones armadas se produjo en enero de 1974, con el ataque guerrillero de la Fuerzas Armadas Peronistas (FAP) y el Ejército Revolucionario del Pueblo (ERP) al cuartel de Azul. Perón mandó entonces al Congreso una legislación especial para la lucha contra el terrorismo que consistía en una reforma al Código Penal para crear la figura de la "asociación ilícita" política. Cuando la Cámara de Diputados aprobó el proyecto, todos los diputados del minibloque de la JP renunciaron. Todos menos Mera Figueroa y su amiga Nilda Garré. Desde entonces, Mera se movió sinuosamente, convertido en una suerte de nexo entre el gobierno y Montoneros cuando éstos pasaron a la clandestinidad.

Firmenich lo encontró en Punta del Este cuando regenteaba la inmobiliaria de Julio Romero, protegido por el almirante Emilio Eduardo Massera. A fines de 1980, Mera Figueroa volvió a Buenos Aires y comenzó a rearmar sus contactos políticos. Una noche cenaba en "La Emiliana" cuando desde una mesa cercana lo llamó Vicente Saadi. "Pase por mi estudio. Tenemos que hablar", fue todo lo que le dijo. Mera Figueroa y Saadi tenían viejas historias de confrontación. Se habían enfrentado en la interna catamarqueña de 1973 —Saadi apoyaba a Arnaldo Saadi y Mera Figueroa a Casas Noglegas— pero, además, todos los dirigentes que habían sido jóvenes en los setenta desconfiaban del viejo caudillo catamarqueño que jamás había logrado construir una relación fluida con Perón. Pero Mera Figueroa necesitaba reinsertarse en la política, y escuchó atento cuando Saadi le pidió que fuera su operador para reaglutinar a la dispersa izquierda peronista.

El viejo político catamarqueño no buscaba sólo el aporte económico de Montoneros. Con la derecha partidaria copada por Herminio Iglesias y los popes sindicales ortodoxos, y sin poder siquiera apostar al isabelismo por su malísima relación personal con la ex presidente, Saadi intuía que el único lugar desde el que sería posible aglutinar poder era la izquierda, abandonada a su suerte por sus dirigentes en el exilio y sin referentes políticos concretos. En algún lugar, escondido, retraído o latente, tenía que quedar algo del poder que había movilizado multitudes diez años atrás. Por otra parte, el triunfo de la revolución sandinista en Nicaragua en 1979 actuó para buena parte de los dirigentes políticos de ese momento como una suerte de Cuba para sus antecesores. Creían ver la posibilidad de un reflejo continental del fenómeno, al que se sumaba el triunfo del socialismo en Europa, en países como España, Francia e Italia. Saadi se encontró con los dirigentes montoneros en el exilio durante una reunión de la Comisión Interamericana de Derechos Humanos en Caracas y, con Julio Mera Figueroa como nexo, selló rápidamente el acuerdo.

El único intento desde la izquierda en el peronismo era el de Intransigencia y Movilización de Julio Bárbaro, y allí decidieron sumarse. Saadi logró que los montoneros financiaran el lanzamiento de *Noticias* y acordó un senador para cada una de sus alianzas políticas: Mera Figueroa y Amoedo serían los representantes por Salta. El ingreso formal de los montoneros a Intransigencia y Movilización provocó la primer fractura en 1981. Bárbaro sostenía por entonces lo que dos años más tarde se transformaría —durante el gobierno radical— en la teoría de los dos demonios: la izquierda peronista debía estar tan lejos de los militares como de las organizaciones armadas, los dos polos de la guerra que se había librado en el país durante la década anterior.

La segunda ruptura de Intransigencia y Movilización se produciría en 1984, cuando los montoneros que seguían proclamando la conducción de Mario Firmenich se escindieron formando el Peronismo Revolucionario.

La primavera de 1981 no fue fácil para Carlos Menem. No estaba dispuesto a volver a gobernar La Rioja, pero veía cómo sus caminos se cerraban en Buenos Aires. Volvió a usar del renombre que le daba el único cargo político que había ocupado realmente y decidió buscar su propio espacio en la "Liga de los doce gobernadores", que desde mediados de 1981 nucleó a los mandatarios depuestos por el golpe militar de 1976. Lo hacía como haría política siempre: iba poco, se aburría, pero en cada encuentro se convertía en el personaje notorio por alguna razón extra política. La primera reunión de la Liga fue en San Luis y la última en La Pampa, y para entonces el peronismo ya comenzaba a perfilar el enfrentamiento que culminaría en la derrota de 1983. Bittel, Vicente Saadi —que participaba a pesar de no ser ya gobernador en 1976— y Julio Romero centralizaban las decisiones, mientras el resto de los gobernadores optaba por discutir poco y marcharse a hacer política en sus propios distritos o por sumarse al trío que mantenía el contacto más fluido con el sindicalismo ortodoxo.

Menem no lograba transformar en respuestas políticas su protagonismo en las revistas del corazón; no encontraba el camino para hacerse reconocido entre los hombres del poder. La Argentina que salía de la dictadura arrastraba todavía las mañas y las formas de los setenta, donde la política era una construcción lenta y que devenía sólo dentro del partido. Menem deambulaba por la noche porteña por placer y por necesidad: comenzaba a padecer el insomnio que lo acompañaría por el resto de su vida. Vicco, Spadone, Grimberg y Caletti se turnaban para acompañarlo. La posibilidad de estar solo lo angustiaba. Se resistía a volver al departamento de Cochabamba y prolongaba las salidas hasta el amanecer. Un amigo de esa época cuenta una anécdota insólita: una madrugada, a las cuatro de la mañana, sonó el timbre de su departamento; atendió por el portero eléctrico, asustado, porque sus hijos habían salido a bailar.

—¿Quién es?
—Soy yo, Carlos.
—¿Quién?
—Carlitos, Carlitos Menem.
—Sí... ¿Qué pasa, loco?
—Es que necesito fijador... Perdóname, pero necesito fijador.

Su mujer creyó que se trataba sólo de una excusa ridícula para salir a esa hora de la madrugada y el amigo debió volver a la cama. Nunca supo dónde había terminado esa noche Carlos Menem.

Comenzó a tomar sedantes, pero su hígado delicado no los toleró. Grimberg fue su mejor compañía en esos casos. Su familia ya no recuerda la cantidad de veces que dejó su casa en San Martín para correr a socorrer a su amigo. Hacia fines de 1981 se preocuparon tanto por sus pozos depresivos que todos tenían llaves del departamento. Cuando no contestaba el teléfono durante algunas horas iban para allí. A veces lo encontraban acurrucado en la cama, en posición fetal, repitiendo el nombre de sus hijos, como en un murmullo. Otras veces llamaba por teléfono a La Rioja, a la casa de su ex novia Ana Luján, y mantenía extensas conversaciones sobre el pasado, la adolescencia y la vida que no había podido ser. No había vuelto a ver a Zulema desde la separación en Tandil. El régimen de visita de los chicos que habían conciliado no se cumplía: ellos estaban en La Rioja y Carlos viajaba demasiadas pocas veces. Zulema se negaba a que vinieran a Buenos Aires, y Carlitos y Zulemita no admitían separarse de su madre.

Algunas noches salía a caminar solo por Corrientes mientras esperaba que llegara el sueño. O se subía al auto y manejaba a toda velocidad por la Costanera hasta que le dolían las manos de tanto apretar con fuerza el volante. Eva Gatica se convirtió en una de sus compañías más permanentes. Nunca llegó a considerarlo un romance formal, pero durante los últimos meses de 1981 recurría a ella inevitablemente cada vez que se sentía solo. Menem la esperaba a la salida de "Karim" y de allí solían cruzar al Hotel Presidente, del otro lado de la Avenida 9 de Julio, un conocido refugio de los dirigentes peronistas del interior en la capital. De tanto ir, Menem se hizo amigo de uno de los recepcionistas: Alberto Meiriño, que sería años más tarde el intendente de la Residencia Presidencial de Olivos.

Uno de sus entretenimientos favoritos era pasear por Corrientes o Lavalle sumergido entre los carteles luminosos de los cines y los teatros de revistas. Los intentos por ver películas terminaban invariablemente en rotundos fracasos: no tenía paciencia, se aburría y se levantaba antes del final. Algunas noches llegaba al primer piso del teatro Astros, donde tenían sus oficinas los hermanos Carlos y Lorenzo Spadone, y tomaba whisky hasta que después de la función subían las vedettes y los actores a saludar. Cuando las sobremesas se hacían muy largas aceptaba un cigarrillo, pero la mayor parte de las veces prefería los caramelos de chocolate que llenaban sus bolsillos.

Menem dormía a veces en el piso 22 de Avenida Libertador 2423. Su amigo Armando Gostanián le había acondicionado allí un dormitorio, decorado con estilo árabe. Luis Santos Casale vivía en el mismo edificio, en el piso 18. Emilio Eduardo Massera era el tercer vecino notorio del lugar. Vivía en el piso 12. En 1990, Gostanián le regaló a Carlos Menem el tercer piso del edificio.

"Adán" era el refugio favorito del riojano para la hora de la siesta. La peluquería de la esquina de Tucumán y Uriburu en que se cortaba el pelo desde los setenta había incorporado un moderno sauna y bellas masajistas. Menem se hacía atender directamente por su dueño, Enrique Kaplán, a quien nombró asesor en La Rioja en 1973. "Adán" fue reconocida en Buenos Aires porque se trató de la primera peluquería masculina atendida por mujeres. Kaplán regenteaba también "Temporalis", una empresa que se encargaba de seleccionar promotoras para eventos especiales. En el gobierno menemista, Kaplán fue jefe de Ceremonial de la Presidencia y subsecretario de Relaciones Institucionales de la Secretaría del Medio Ambiente.

La única estructura política de Menem en esos años era un local de la calle Humberto Primo al 900 en el que cada noche se reunían Julio Repetto, Angel Pérez, Alejandro Machaca y Carlos Guglielmelli. A veces llegaba "La Negra" Yolanda, una morocha de un metro cincuenta y más de cien kilos, labios carnosos y escote pronunciado, dirigente del gremio de la Sanidad en La Matanza, que nunca logró separar su amor incondicional hacia Menem de su adscripción política a la causa. Las consignas de la agrupación eran dignas de una organización militar: verticalismo, trabajo territorial, movimientismo, penetración de la periferia al centro. La explicación de Guglielmelli es bastante más sencilla: "En el partido no podíamos hacer pie porque estaba todo copado, en la capital nos despreciaban por provincianos. La única que nos quedaba era trabajar en la periferia".

Menem los dejaba hacer. Ese verano, Vicco le preparó un bautismo de fuego: subieron a un avión monomotor 182 en Aeroparque y bajaron en Carrasco. Allí los esperaba Armando Gostanián para hacerles conocer Punta del Este. Pararon en el Hotel Palace y gastaron las noches en el casino, una de las pasiones de Menem. Juega a casi todo: barajas, cartas, lotería, quiniela, prode, ruleta... En Buenos Aires pasaba tardes enteras en "Los Billares", sobre la Avenida Rivadavia, pero cuando estaba en su provincia prefería las bochas y la taba, o jugar al tute en el Club Sirio Libanés.

Se quedaron cuatro días en Punta del Este y decidieron volver. Menem extrañaba a sus hijos. Quería convencer a Zulema para que se radicaran definitivamente en Buenos Aires, y que los chicos fueron a la escuela en la capital. Escuchaba por la mañana *El Rotativo del Aire* de Radio Rivadavia para saber cómo seguían las negociaciones entre los sindicalistas para relanzar las 62 Organizaciones y la CGT. Todos hablaban de un paro nacional. Nunca se había sentido tan al margen de la situación política. Nadie lo consultaba. No participaba de ninguna reunión. Hasta lo habían excluido de los encuentros que hacía su amigo Jorge Antonio en su casa de la calle Paraná para rearmar la mesa del Consejo Nacional del PJ: sólo estaban invitados Julio Romero, Vicente Saadi, Antonio Cafiero, Italo Luder, Lorenzo Miguel, Diego Ibáñez y Raúl Matera. Jorge Antonio sostenía que debían armar un "Comando Superior" peronista que reuniera a los notables de otras épocas y que se convirtiera en la máxima autoridad partidaria. En realidad, la idea formaba parte del viejo enfrentamiento de Antonio con Isabel Perón: no estaba dispuesto a reconocer su jefatura.

Antes de que comenzara el verano de 1981, Miguel se alejó definitivamente de los sindicalistas de Gestión y Trabajo que comandaban Jorge Triaca (plásticos), Pedro Goyeneche (textiles), Rubén Pereyra (Obras Sanitarias) y Carlos Alderete (Luz y Fuerza) y se unió a la Comisión de los 25 para formar la llamada CGT Brasil. La conformación de una central sindical contrariaba la veda política impuesta por la dictadura y era por sí misma una señal de confrontación. Miguel se cuidó de mantener un juego a dos puntas: integró la CGT, pero no aceptó ponerse a la cabeza. En cambio, apoyó para su Secretaría General a Saúl Ubaldini, un dirigente joven y casi desconocido, que había estado cerca de los sectores participacionistas en los sesenta y lideraba el inocuo gremio de los cerveceros.

Miguel había pensado en un principio en postular para la Secretaría General a Hugo Curto, un dirigente de la UOM de la provincia de Buenos Aires, pero Lesio Romero y Diego Ibáñez lo convencieron de que era preferible no involucrarse directamente en la conducción de la nueva CGT para no romper el diálogo que venían manteniendo con los funcionarios del gobierno. Al mismo tiempo, desde la central sindical, se convertirían en el único elemento aglutinador del disperso peronismo y en la única referencia concreta de oposición a la dictadura.

Entre los militares se imponía cada vez más la tesis del "buen peronismo" y se avanzaba en las conversaciones. "Ustedes pongan los hombres y nosotros los votos", llegó a decirle Dehesa, el ex ministro de Defensa de Isabel, al general Reynaldo Bignone. Los sindicalistas de Gestión y Trabajo redactaban en el Ministerio de Trabajo la Ley de

Reorganización Sindical. Desde la CGT Brasil comenzaron a impulsar movilizaciones sectoriales, que primero se desarrollaron tímidamente frente a los lugares de trabajo y luego aumentaron su número y su confrontación con las fuerzas de seguridad que pretendían dispersarlas. En los primeros días de diciembre, un golpe de estado interno provocó el alejamiento de Roberto Viola de la Presidencia y asumió Leopoldo Fortunato Galtieri. El verano estuvo plagado de rumores. Galtieri parecía dispuesto a endurecer la situación y a suspender la apertura política hasta que se garantizara la continuidad del Proceso, o de él mismo. Los miguelistas pedían "moderación" en el seno de la CGT Brasil, pero Ubaldini, convencido de su nuevo liderazgo, avanzaba decidido al frente de los dirigentes más combativos. El 30 de marzo de 1982, la oposición comandada por la CGT Brasil convocó a una protesta nacional contra la dictadura para reclamar por el retorno de la democracia. Habían pasado seis años y una semana del golpe militar que derrocó al gobierno de Isabel Perón.

Nadie intuía siquiera que dentro de la Casa de Gobierno los análisis tenían que ver con el desembarco que dos días después se concretaría en las islas Malvinas, Georgias y Sandwich del Sur, dando inicio a la guerra con el Reino Unido. La dictadura, encabezada por un general poco carismático pero con ansias de proyectarse hacia la vida política, parecía terminada. Los argentinos comenzaban a sentir las consecuencias de la política del ex ministro de Economía, José Alfredo Martínez de Hoz, después de haber gastado a más no poder con el dólar barato sin preguntar mientras tanto qué había de cierto en las denuncias internacionales sobre las violaciones a los derechos humanos.

Con la vieja pasión argentina por juzgar la vida a través del prisma del salario y el consumo, los dictadores empezaron a serlo cuando se acabó la plata dulce. El general Leopoldo Fortunato Galtieri había convocado a un ostentoso asado en Victorica, La Pampa, el más grande que se recuerde en la historia argentina, para dar por iniciado su camino hacia la consolidación en el poder. Sólo un grupo de mujeres que reclamaban la aparición con vida de sus hijos desaparecidos, las Madres de Plaza de Mayo, habían hecho frente al férreo poder militar.

Ese 30 de marzo de 1982 la dirigencia política y sindical y los militantes dispuestos a volver a recuperar la calle a pesar de la segura represión marcharon frente a la Casa de Gobierno. El gobierno prohibió la marcha y las fuerzas policiales y de seguridad apalearon a diestra y siniestra, tiraron gases lacrimógenos y detuvieron a los manifestantes sin distinguir entre adherentes, simpatizantes o dirigentes de primer nivel.

Las corridas comenzaron en la Plaza de Mayo apenas cayó el sol, pero se fueron multiplicando a medida que pasaban las horas, y por la noche la Avenida Rivadavia, desde el Bajo hasta el mítico café "Las Violetas" en Medrano, era el escenario de una batalla campal entre manifestantes, tropas del ejército y policías. En pleno barrio de Once, el cuarto piso del edificio de Rivadavia 2625 donde funcionaba el estudio Grimberg se convirtió en un bunker para recibir heridos, refugiados, parientes y los primeros abogados que comenzaban a escribir los pedidos de habeas corpus por los detenidos.

En la oficina más chica, el dueño del estudio insistía discando ininterrumpidamente el número de las comisarías más cercanas para preguntar por César Arias. Junto a él, Carlos Menem escribía ya el texto del habeas corpus por Saúl Ubaldini y Amanda Itatí Guerreño de Pérez Esquivel, la esposa del Premio Nobel de la Paz. A esa altura, las cifras manejadas por la CGT hablaban de mil quinientos detenidos, y el ministro del Interior, Ibérico Saint Jean, aseguraba frente a las cámaras de televisión que la ciudad presentaba un clima de "total normalidad".

Dos días después las tropas argentinas desembarcaron en Malvinas. La situación se tornó compleja para el peronismo en su conjunto, pero mucho más para Carlos Menem. Su nacionalismo le indicaba que debía estar junto al gobierno militar que recuperaba las islas Malvinas. Menem solía usar términos como "a sangre y fuego" en su discurso, no escapaba a las convocatorias a batallas y hazañas heroicas y era de los que solía decir que los argentinos debían vivir una guerra para entender de qué se trataba el sacrificio. Pero conocía lo suficiente sobre el liderazgo como para saber que la nueva situación fortalecería a quien se encontraba al mando en ese momento. El mismo 2 de abril se reunió con Macaya y Guglielmelli, que apoyaban eufóricos el ingreso en la guerra con Gran Bretaña, para discutir si marcharían a la manifestación convocada para esa tarde en la Plaza de Mayo. Decidieron encontrarse en la casa del ex diputado Angel Parra, que era en realidad un local con una fotocopiadora ubicada junto al café "Usía", el punto de encuentro de los abogados porteños. "Estaría bien si fuera yo el presidente, pero no ahora. Porque la guerra despierta los más bajos instintos, y la gente necesita amucharse alrededor de quien tiene el poder", argumentaba. Guglielmelli admitía que esto frenaba la caída del gobierno militar, pero aducía que el peronismo tenía que aprovechar cualquier lugar de concentración masiva que se presentara. Finalmente, decidieron marchar a Plaza de Mayo.

Fueron primero a la CGT Brasil, para sumarse a la columna que encabezaban Lorenzo Miguel y Saúl Ubaldini. Entraron a la plaza por la izquierda de la Casa de Gobierno, y se ubicaron frente al Banco Nación. Los manifestantes silbaban las banderas peronistas. Menem estuvo unos minutos y se marchó.

La guerra de Malvinas terminó por alinear definitivamente a los peronistas junto al gobierno militar. Es cierto que ningún político se opuso públicamente a la guerra, pero los dirigentes del justicialismo y los sindicalistas aprovechaban la ocasión para terminar de negociar los acuerdos sobre los que venían conversando en el último año. La unidad frente al ataque exterior se constituyó en la fórmula para legitimar las conversaciones. Un claro ejemplo de la conjunción de intereses es el relato hecho por Jesús Iglesias Rouco, el editorialista preferido de Menem, en su columna del diario *La Prensa* del 29 de abril de 1982:

"El jueves de la reciente Semana Santa un mensajero del Ministerio del Interior se trasladó en un coche oficial a la quinta del señor Vicente Saadi, en Tortuguitas, para pedirle que se reuniera con el coronel Menéndez al día siguiente en la municipalidad, donde se realizaría el acto de asunción del señor Del Cioppo. El señor Saadi le respondió que como se trataba del país no tenía inconvenientes en hablar con Menéndez. Así lo hizo.

"Al iniciarse la charla, Saadi reclamó la libertad de todos los detenidos sin proceso, y también el regreso de los exiliados y ofreció una amnistía general para militares y civiles. Menéndez dijo entonces que debería empezar por ayudar al gobierno y a la Argentina en el conflicto por las Malvinas, para lo que le sugirió que viajara a los países de América Latina en los que Saadi dispone de buenos contactos ideológicos, como México, la República Dominicana y Costa Rica. Saadi reiteró sus convicciones patrióticas y convino en viajar. Señaló también la conveniencia de que a la República Dominicana fuera el señor Jorge Vásquez, a causa de su amistad con el señor Peña Gómez, secretario general del Partido Revolucionario y vicepresidente de la socialdemocracia."

Vicente Saadi y Jorge Vásquez viajaron, pero no fueron los únicos. Las delegaciones de políticos y sindicalistas peronistas se dispersaron por el mundo para explicar ante la comunidad internacional la legitimidad de los reclamos argentinos sobre las islas Malvinas y tratar de revertir el clima de rechazo mundial a la invasión. Italo Luder y Antonio Cafiero viajaron a Estados Unidos; Vásquez, después de pasar por República Dominicana, marchó a Francia. Entre los sindicalistas, Fernando Donaires (papeleros), Juan José Taccone (Luz y Fuerza), Lesio

Romero (carne) y Alfonso Millán (empleados del vidrio) partieron hacia Washington; Carlos Roldán (empleados del Automóvil Club), hacia Venezuela; Roberto García (taxistas), José Rodríguez (mecánicos) y Ricardo Pérez (camioneros), hacia Bruselas, Italia y España; Ramón Antonio Baldassini (telepostales) y Hugo Barrionuevo (fideeros), a Lima, Perú.

CUATRO

MALVINAS. LOS ARABES. LOS ANCESTROS

Carlos Menem acercó sus labios al oído de la joven morena: *Laila sa'yda* (Buenas noches). En un segundo, un grupo de mujeres mayores los rodeó. Herminio Iglesias se reverenció ante cada una, exagerando el esfuerzo por contener la risa. Las mujeres les dieron la espalda al unísono y se fueron murmurando algo ininteligible mientras empujaban a la joven hacia el otro lado de la acera. Era junio, y Trípoli ardía bajo el calor sahariano. Los dos amigos argentinos recorrían el clandestino barrio de las *almeas* (bailarinas) y las *ghawazies* (prostitutas). El puerto se había quedado ya sin luces y ni una mínima brisa se insinuaba desde el Mediterráneo. En las puertas de las casas, mujeres con babuchas de satén y capas de gasa ofrecían lujuriosamente vasijas con esencia de trementina azucarada y agua de rosa. Los argentinos no tuvieron demasiado éxito: las *ghawazies* los confundían con árabes por el tono aceitunado de sus rostros y preferían buscar los dólares más seguros de los europeos. Ellos caminaban embriagados y alegres. Ajenos a los comunicados del Estado Mayor Conjunto que ese 14 de junio de 1982 daban cuenta en Buenos Aires de que las tropas argentinas se habían rendido en las islas Malvinas ante los comandantes de las fuerzas inglesas.

Carlos Menem y Herminio Iglesias llegaron a Trípoli el 12 de junio de 1982. Habían sido invitados por la embajada de Libia en Buenos Aires para participar como observadores del "Primer Congreso Internacional

125

de Lucha contra el Imperialismo y el Racismo" organizado por los Comités Revolucionarios del gobierno de Muammar al Khadafi. La delegación argentina estaba integrada por Menem, Iglesias, el secretario del Consejo Nacional del PJ, Néstor Carrazco, y el contacto libio-argentino, Horacio Calderón. Durante los dos días del viaje la imagen de la guerra los persiguió. Viajaron en el mismo avión de Alitalia que había trasladado al papa Juan Pablo II en su visita a Londres y a la capital argentina una semana antes: mantenía todavía el escudo del Vaticano sobre la cabina del piloto y los asientos enfundados de diferentes colores, de acuerdo con el rango de la jerarquía eclesiástica de quien los había ocupado.

La participación de los justicialistas en este congreso no fue meritoria. La presidencia era rotativa y cuando le tocó el turno a la Argentina, la delegación no dudó y le encomendó a Menem la tarea de pronunciar el discurso: todos confiaban en su dominio del árabe. Recién entonces descubrieron que el riojano desconoce el idioma de sus padres y debieron resignarse a no pronunciar las palabras que habían programado. Iglesias y Menem se aburrieron rápidamente y salieron a recorrer las calles de Trípoli, mientras Calderón y Carrazco cuidaban el prestigio argentino participando de las comisiones en que se debatía la estructuración del partido de gobierno en *mathabas*, comités barriales similares a las unidades básicas del PJ, y los lineamentos básicos de la política exterior libia.

La convulsión política provocada por la invasión de Israel al Líbano abortó un encuentro entre los visitantes argentinos y el presidente Khadafi. El motivo fundamental de la reunión era que los peronistas agradecieran las donaciones de armamento que el gobierno libio había hecho a las Fuerzas Armadas argentinas apenas desatado el conflicto por las Malvinas. El puente aéreo entre Trípoli y Buenos Aires funcionó durante un mes —entre el 25 de abril y el 25 de mayo— en forma casi ininterrumpida. Los aviones partían de Libia llevando misiles portátiles Sam 7 y repuestos para los buques de guerra. Cinco hombres fueron los encargados de gestionar desde Buenos Aires la donación libia: Horacio Calderón, Jorge Antonio, el brigadier Andrés Antonietti, el brigadier Teodoro Walner y el padre Aníbal Fosberi, rector de la Universidad Santo Tomás de Aquino en Tucumán y presidente de la Confederación de Universidades Privadas. Por diferentes razones, los cinco contaban con buenos contactos entre los vendedores de armas del Medio Oriente y, particularmente, en el gobierno de Trípoli. La ayuda fue tan inocultable que el gobierno argentino decidió reconocerla oficialmente y, además, el presidente Reynaldo Bignone le envió una docena de caballos de regalo a Khadafi como señal de agradecimiento. Los caballos fueron entregados por el general José Dante Caridi, quien piloteó el avión que los llevó.

Pero Carlos Menem y Herminio Iglesias estaban esa noche en Trípoli tan lejos de la guerra como de la diplomacia. Herminio se dedicó a demostrar que su potencia sexual se mantenía intacta a pesar de haber perdido un testículo diez años atrás en medio de una balacera en Avellaneda. Menem estaba molesto por los piojos, las pulgas y los perros callejeros que casi no los dejaban caminar, y algo obsesionado con la posibilidad de contraer enfermedades venéreas. Pero nada le impidió disfrutar fumando en un chibuquí negro y lucirse ante Herminio contoneándose en medio de las *almeas* que les ofrecían sus velos. Mientras una luna mágica encendía por igual las pedrerías de las cúpulas y el mar que presagiaba a Occidente, los dos amigos dejaron que las bailarinas danzaran sobre sus espaldas.

Calderón estaba indignado. Era él quien había propuesto el nombre de Menem para integrar la comitiva. La embajada libia había extendido cuatro invitaciones, dos de ellas con nombre: Herminio Iglesias y Rubén Sartori, otro dirigente bonaerense cercano al hombre de Avellaneda. Calderón "bajó" a Sartori del grupo y sugirió a Menem y a Carrazco porque los dos solían ir periódicamente al Círculo del Plata en el que Calderón dictaba conferencias sobre Libia. Además, siempre habían proclamado su adhesión a la causa árabe. Los libios aceptaron a regañadientes, y sólo el cónsul honorario de Kuwait en la Argentina se quejó abiertamente: "Mire, Calderón, usted va a ser el culpable de introducir a un simpatizante sionista en el mundo árabe".

Calderón no hizo mayor caso y creyó que se trataba sólo de la típica paranoia imperante en ese momento entre los árabes fundamentalistas. Los servicios de inteligencia de la embajada libia no tenían mayores datos para sostener la acusación del kuwaití: sólo recordaban que, siendo gobernador de La Rioja, Menem concurría a darse baños turcos en la Hebraica y que había tenido como funcionario de su gobierno a Alberto Kohan, un hombre tan ligado al Mossad como a la CIA norteamericana. Por su parte, Calderón esgrimía un argumento contundente. Los Akhil, la familia materna de Menem, figuran en la genealogía árabe como descendientes del profeta Mahoma. En ese momento, además, un primo hermano de Menem, Abdur Salam Akhil, era embajador sirio en Buenos Aires.

El recuerdo de Calderón de aquel viaje es entre calamitoso y divertido. "No dejaba ofensa por cometer. Desconocía todas las reglas de cortesía árabe: se cruzaba de piernas, agarraba los vasos con la mano izquierda, hablaba en los momentos inadecuados. Además, cuando se me ocurrió presentarlo como descendiente de Mahoma él aclaró que se había convertido al catolicismo." La mayor desilusión fue comprobar que Menem apenas podía pronunciar en árabe algunos saludos o palabras sueltas que recordaba de su madre o que aprendió de su esposa Zulema Yoma. Aunque suele citar entre sus textos de cabecera al Corán, Menem no sabe siquiera cómo está organizado el libro sagrado de los musulmanes. Por otra parte, no existe un ejemplar del Corán en ninguna biblioteca de las casas que ocupó tanto en Buenos Aires como en La Rioja, y sus compañeros de cautiverio en Magdalena recuerdan que había una Biblia de Jerusalén sobre su cama pero están seguros de que nunca hubo un Corán.

Con relación a su supuesta descendencia de Mahoma, Menem protagonizaría en 1988 una divertida anécdota. El empresario Mario Falak le había organizado una cena con cuatro bellas mujeres integrantes de la nobleza española. Menem estaba fascinado. La princesa Beatriz de Orleans dirigía sobriamente la conversación, mientras la princesa Smilja Smiljanovich y la condesa de Montarco acotaban comentarios elegantes. Pero Menem se había enamorado de la españolísima Charo Palacios, y fue tan directo en su intento por seducirla que ella terminó declinando con gentileza las galanterías mientras se retiraba a su habitación. Todos creían que el encuentro había naufragado y Falak no lograba recomponer la cena, cuando Beatriz de Orleans comenzó a explayarse sobre la cultura árabe en Europa.

—Es que mi marido —explicó— es descendiente árabe por parte de la condesa Blanca de Navarra, que en su genealogía llega hasta el profeta Alá.

Menem dejó los cubiertos sonriendo feliz ante el hallazgo.

—¡Ah, entonces somos primos!

En realidad, los más notorios representantes de la comunidad siria en la Argentina aseguraron que no existe ningún indicio por el cual se pueda concluir que los Akhil descienden del profeta Mahoma. Se trata sí de una familia con una vieja tradición jurídica: Yalal Akhil, hermano de Mohibe, fue fiscal general en Siria; un primo de Menem fue en los setenta intendente del distrito de Kalamud, que comprende los pueblos de Yabrud, Nabek, Daratie y Yreier; Abdur Salam Akhil fue embajador sirio en la Argentina y secretario privadísimo del vicepresidente Abdel Halim Kadam, quien sucedió a Rifat al Assad.

Tampoco es cierto que Mohibe, la madre de Carlos, se haya convertido al cristianismo el día en que nació su hijo. Según la leyenda familiar, Mohibe estuvo a punto de morir; cuando despertó vio la imagen de la Virgen del Valle al pie de su cama y se convirtió desde entonces en una devota cristiana. Probablemente Mohibe haya adquirido en la Argentina y La Rioja su devoción por la Virgen, pero los Akhil y los Ibrahim son dos de las familias cristianas maronitas más antiguas de Yabrud.

Ese 14 de junio de 1982, después de haber paseado por las calles de Trípoli, regresaron en la madrugada al hotel sobre Overlooking Sea. Los mensajes desde Buenos Aires anunciaban la rendición en Malvinas y mencionaban algunos disturbios en Plaza de Mayo. Menem despertó a Calderón. Quería volver inmediatamente. Tuvieron que convencerlo de que era imposible. Los pasajes tenían fecha fija y las reglas del protocolo indicaban que debían aguardar al final de la reunión. Quedaban todavía cinco días más en Trípoli. Nada podían hacer en Buenos Aires hasta que la situación no estuviera algo más clara. Al día siguiente volvieron a las sesiones y recibieron la solidaridad del resto de las delegaciones. El congreso aprobó una declaración que condenaba al imperialismo británico y reafirmaba la soberanía argentina sobre las Malvinas. Ninguno intentó explicar que la guerra había sido sólo el último intento de una dictadura militar agonizante por perpetuarse en el poder.

El 19 de junio partieron de Trípoli rumbo a Buenos Aires. El grupo ya había olvidado la urgencia de unos días antes y decidió parar una semana en Madrid, a descansar. El dirigente del Sindicato Gráfico, Raimundo Ongaro —presidente de la Comisión de Argentinos exiliados en España— los esperaba en Barajas y los llevó a hospedarse en el Hostal Felipe V.

Como en octubre de 1964, cuando conoció al general Juan Perón, Menem caminó por La Castellana hasta la oficina de Jorge Antonio. Habían vuelto a verse sólo una vez, a fines de 1981, durante una reunión de la Liga de Gobernadores, en La Pampa. Menem sabía de las reuniones que Antonio organizaba en su casa y pretendía que lo invitara. Llegó hasta La Castellana 56, subió a las oficinas, pero no lo encontró: Antonio estaba en París, supuestamente negociando el apoyo de Yasser Arafat para la Argentina en la guerra de Malvinas, respondiendo a un pedido de su amigo Leopoldo Fortunato Galtieri. Casi diez años después, en 1990, Antonio recordó esa entrevista: "Arafat me dijo una frase importantísima. Me dijo: 'Yo no voy a ayudar a un general pero sí voy a ayudar a todo el pueblo argentino'". Antonio no pensaba lo mismo en aquel junio de 1982, cuando declaró a una revista de actualidad que "si yo fuera asesor de Galtieri le diría que suba al balcón de la Casa Rosada y le pida al país entero que lo acompañe en un sincero proceso de reconstrucción social y absoluta. Eso por la vía legal. Si no, yo produciría un 17 de octubre del 45 en el 82, que también tendría vigencia".

En junio de 1982, cuando Menem llegó a España después de haber paseado con Herminio Iglesias por las calles de Trípoli, y mientras las tropas argentinas en las islas Malvinas se rendían ante las inglesas, Madrid ya no era la aldea anacrónica que Menem había conocido en octubre de 1964. Siete años después de la muerte de Franco los españoles se descubrían europeos e integrantes del Primer Mundo y se lanzaban a disfrutar de la reconstrucción del país. La Castellana dejó de ser la ruta de los desfiles militares para convertirse en el escenario de la "movida". Menem tomó bíter helado en las terrazas y bailó flamenco en los patios. Sus cuñados Emir y Karim Yoma lo pasearon por los mejores restaurantes árabes y lo acompañaron a comprar trajes en "El Corte Inglés". Karim era entonces el embajador de Qatar, un insignificante país asiático. Emir mantenía contactos con empresarios españoles para organizar la apertura de una filial de la curtiembre de la familia en España.

"Yomka" se constituiría finalmente un año más tarde, en Marbella. Según los libros de sociedades comerciales del gobierno español, los Yoma ingresaron formalmente al comercio peninsular el 6 de marzo de 1983. El escribano Luis Oliver Sacristán registró la formación de una sociedad constituida así: presidente, George Mardo, con 99 acciones de mil pesetas cada una; secretario del Consejo de Administración, Ernesto García Orozco, con 900 acciones de mil pesetas (los dos ciudadanos españoles), y vocal Monika Scheik (ciudadana alemana), con una acción de mil pesetas. Capital total de la empresa: un millón de pesetas. El 13 de abril de 1984 el Consejo de Administración nombró como encargado único del negocio a Carlos Ramón Bruno, un argentino que le concedió a Karim Yoma un poder especial para maniobrar en nombre de la sociedad. El 31 de octubre de 1988 Karim Yoma pasó a ser presidente, Ana Lía Gema Cogiola fue nombrada secretaria y José Luis Evangelista Area, un argentino residente en España, administrador general. El 11 de febrero de 1986 la empresa se mudó a Madrid y se instaló en la calle Ortega y Gasset número 5.

Los Yoma llevaron a Menem hasta Marbella para pasar unos días en la casa de verano de la familia. Había una discusión central que llevar adelante: se avecinaba la apertura democrática y Menem buscaba el apoyo de su familia política. Ellos podrían convencer a Zulema y acordar la reconciliación si quedaban claramente delimitados los espacios de poder político y económico de cada uno. Los Yoma tenían todas las cartas en sus manos, porque no sólo le ofrecían a Menem, sin ningún apoyo económico en ese momento, la estructura de sus empresas para usarlas como centro de futuros negocios, sino también el codiciado ingreso al mundo de los magnates árabes. Por eso eligieron cuidadosamente la escenografía, y la reunión se concretó mirando el mar desde la casa de los Yoma en la Costa Azul.

Marbella era en 1982 casi una colonia árabe. Fue tradicionalmente uno de los lugares elegidos por los industriales de Medio Oriente para instalarse como forma de ingreso a Europa y salida al Atlántico. Allí también se formó la principal colonia de sirios maronitas que huían de la guerra civil de su país y llegaban a una ciudad con una sólida tradición cristiana: desde que el rey Fernando recibió las llaves de la ciudad de manos de Mohamed Abuneza el 11 de junio de 1485 y nombró a Pedro Villandrado, conde de Ribadeo, como primer alcalde de la villa, varias órdenes cristianas se establecieron en la zona. Casi quinientos años después, los árabes parecían dispuestos a reconquistar la ciudad andaluza. Antonio intentó explicarlo en su autobiografía, mencionando las similitudes del paisaje y el clima con el de su país de origen. La misma explicación que da la comunidad siria en la Argentina para fundamentar por qué las familias que llegaron a principios de siglo se instalaron en La Rioja y Catamarca.

Antonio construyó un verdadero palacio en Torremolinos, un balneario cercano a Marbella, en el que recibió alguna vez al general Juan Perón durante su exilio. También Héctor Villalón residía allí. Antonio y Villalón supieron frecuentar a los hermanos Al Kassar en su palacio de Miraflores y al rey Fahd de Arabia Saudita. El ex dictador cubano, Fulgencio Batista, vivió en Marbella hasta su muerte, en 1973, y fue vecino de Rafael Leónidas Trujillo. En Marbella encontraría refugio Rifat al Assad, hermano del presidente sirio, expulsado de Suiza en 1986. Lo acusaban, entre otros cargos, de tenencia ilícita de armas, coacción a empresarios y falsedad de documentos de identidad. La oposición lo acusó también de haber dirigido la represión de Hamma, donde murieron veinte mil civiles. El jefe de relaciones públicas de Al Assad es Jaime de Mora y Aragón, un curioso personaje que se jacta de haber empapelado una pared de su mansión con sus cheques sin fondo y que es íntimo amigo de los hermanos Al Kassar.

Las historias del lujo y de la extravagancia de los árabes en Marbella llenaron las páginas de las revistas del *jet set* europeo.

Los Ibrahim siempre descollaron por sus anécdotas. En 1984 compraron el Palacio del Mar por trescientos millones de pesetas. En el pasaporte de los nueve hermanos figuraba "hombre de negocios" como profesión. Llegaban a Marbella en aviones privados y el gasto medio de cada noche de diversión, según los cálculos de las revistas especializadas, llegó a ser de cinco millones de pesetas. La Guardia Civil se ocupaba de conseguirles mujeres para esas noches: la actividad principal de los jeques era mirarlas nadar desnudas en la pileta del palacio, cuyas paredes laterales transparentes daban a la discoteca. En una oportunidad, porque se había terminado el arroz, enviaron a su cocinero en un avión particular para que trajera dos sacos desde Arabia Saudita. Los Ibrahim son hermanos de la tercera esposa del rey Fahd y uno de ellos, Abdul Azis al Ibrahim, se encarga habitualmente de acompañarla en sus salidas. La familia Ibrahim es numerosa y sus miembros no sólo se dedicaron a divertirse en Marbella. Khalid Ibrahim fundó en 1950 la empresa multimillonaria libia Mateal Property. Hafiz Ibrahim fue el mejor representante de la cultura revolucionaria egipcia, y a principios del siglo XX publicó en El Cairo un tratado de política que sintetizó las ideas sociales de la época, que cristalizaría Nasser cincuenta años más tarde. En 1990, Ibrahim al Ibrahim sería nombrado como Director de Aduanas al frente del Aeropuerto Internacional de Ezeiza, en Buenos Aires.

Menem pasó una semana, la primera del verano europeo de 1982, en esas fiestas y en esas playas. Tras la derrota argentina en las Malvinas, la salida democrática era inminente. Menem quería ser presidente, y su familia política tenía mucho que ver en esto. Emir y Karim le garantizaron apoyo económico para su campaña, y aseguraron que convencerían a Zulema para que volviera a su lado. Un candidato a presidente debía mostrar una familia en orden, y la pareja llevaba ya más de un año de separación, desde aquel episodio de Tandil. Los hermanos Yoma conocían a Zulema, y sabían que era casi tan ambiciosa como ellos. Tampoco ella querría dejar pasar la oportunidad de ser la Primera Dama. No se trataba de una mera cuestión de formalidad: la curtiembre de los Yoma era próspera en España pero necesitaba de franquicias especiales en la Argentina. Estaban a punto de abrir una filial en Avellaneda por la que se habían endeudado con el Estado argentino, y necesitaban una relación política sólida. Si Menem no llegaba a ser presidente, al menos quedaría en buena posición como para influir en determinados niveles.

Convinieron que se encontrarían en Buenos Aires en dos meses y todo quedaría arreglado. Mientras tanto, ellos hablarían con Zulema.

El 1º de julio, catorce años después de la muerte del general Juan Perón, Carlos Menem estaba de regreso en Buenos Aires. El desenlace de la guerra había producido un cataclismo político. Leopoldo Fortunato Galtieri tuvo que renunciar a la Presidencia y a sus deseos de perpetuación. Reynaldo Benito Bignone asumió en su lugar y dio inicio al Proceso de Normalización que debía culminar en el llamado a elecciones un año más tarde.

La silbatina fue tan impresionante que Carlos Menem tuvo que abandonar cabizbajo el escenario. Vicente Saadi lo acompañó hasta la puerta de la Federación de Box, sobre la calle Castro Barros.

Era el 26 de julio de 1982. Intransigencia y Movilización Peronista había organizado un acto con la excusa formal del aniversario de la muerte de Evita y la decisión real de presentar al grupo en sociedad. Menem, que buscaba por entonces algún sector al que pertenecer, se autoinvitó al acto del 26 de julio, después de acordar con Saadi y Mera Figueroa. Los había buscado a su regreso del viaje a Trípoli para trasmitirles un mensaje de Raimundo Ongaro, el jefe de los exiliados en Madrid, que confluían por aquel entonces con Intransigencia y Movilización. Las tribunas de la Federación de Box estaban ocupadas por ex militantes de la izquierda peronista que volvían, por primera vez después de seis años, a cantar viejas consignas revolucionarias. El clima era denso y emotivo. Algunos se reencontraban de vuelta del exilio. Otros salían de las cárceles. Se volvían a ver compañeros que creían que el otro estaba muerto o desaparecido.

Menem comenzó un discurso inflamado contra la dictadura. Relató su cárcel y su cautiverio. Nadie lo escuchaba, pero se sucedían los cánticos y los aplausos de un público que se ovacionaba a sí mismo. Hasta que Menem nombró a Isabel. Una silbatina generalizada cubrió el estadio. Menem no se amedrentó: "Porque soy macho, voy a reivindicar a la compañera Isabel". Los silbidos no lo dejaron seguir hablando. Se acercó al micrófono: "Soy de La Rioja, la tierra de Facundo Quiroga y el 'Chacho' Peñaloza, la tierra de Isabel Perón". Esta vez la silbatina fue tan fuerte que Saadi acompañó a Menem hasta la salida del estadio y el riojano escuchó el final del acto a través de los altoparlantes ubicados en la calle y, más tarde, mientras tomaba una ginebra en "Las Violetas", el café de la esquina de Rivadavia y Medrano.

133

La rechifla en el acto de la Federación de Box marcó el alejamiento definitivo entre Menem y la izquierda peronista, y cristalizó la distancia que en su propia provincia había comenzado a mediados de 1974. Cuando el intento de sumarse a Intransigencia y Movilización abortó, Menem volvió a encontrarse huérfano de estructura política. Lealtad y Unidad era un grupo de pocos, que sólo tenía representación en La Rioja. Menem seguía buscando un espacio en el cual referenciarse. En agosto de 1982 se lanzó en Córdoba la *Propuesta Justicialista para la Nación Argentina*, impulsada por la Comisión Nacional de Gestión y Enlace para la Unidad del Movimiento Nacional Justicialista. El encuentro fue encabezado por el ex ministro del Interior de Perón, Benito LLambí, quien cumplía en ese momento un arresto domiciliario por disposición del Comando en Jefe del Ejército, después de haber sido funcionario del gobierno de Roberto Viola. La Comisión estaba integrada por Roberto Ares, Ricardo Guardo, Alejandro Alvarez, José Rodríguez, Miguel Unamuno, José María Castiñeira de Dios y Andrés Framini. Llegó la adhesión del general (RE) Ernesto Fatigatti. Y la de Carlos Saúl Menem.

Menem basó su estrategia del resto de ese año 1982 en convertirse en el más furibundo verticalista, espacio que compartía con el correntino Julio Romero y el salteño Humberto Martiarena. En realidad, el "verticalismo" aparecía disperso frente a las dos únicas agrupaciones que se movían como tales en ese momento. Intransigencia y Movilización prefería obviar el tema para evitar una interna entre quienes llegaban de la vieja JP Lealtad (la que había decidido en 1974 guardar fidelidad a la entonces presidente, cuando los montoneros pasaron a la clandestinidad) y los sobrevivientes de la "Orga". El Movimiento de Reafirmación Doctrinaria y Coordinadora de Acción Justicialista, encabezado por Raúl Matera y Angel Robledo, era declaradamente antiverticalista, sobre todo porque así lo exigía su connivencia con los jefes militares.

En setiembre de 1982, en Bariloche, un sector liderado por Deolindo Bittel, Antonio Cafiero, Miguel Unamuno y la Comisión de los 25 del sindicalismo lanzó el Movimiento Unidad, Solidaridad y Organización (MUSO), una agrupación que podría ser caracterizada como verticalista porque reconocía a Isabel Perón como la "jefa del movimiento" y reclamaba su inmediata habilitación para hacer política. Lorenzo Miguel adhirió en un primer momento, pero desertó cuando conoció la participación de los 25. Menem llegó a Bariloche, firmó el documento de fundación del MUSO y volvió a Buenos Aires. Una vez en la capital se reunió con Herminio Iglesias, quien le advirtió que si participaba del MUSO perdería su apoyo para integrar la fórmula presidencial junto a Italo Luder. Menem llamó por teléfono para pedir que su nombre fuera sacado de la lista, pero ya era tarde. Una vez más, los dos sectores quedaron heridos con él. Menem cosechaba dirigentes descontentos con su accionar: todos desconfiaban de quien estaba a su lado, porque en ese momento en que las lealtades eran efímeras y las agrupaciones se estaban conformando el riojano superaba los límites más absurdos. Adhería al mismo tiempo a sectores encontrados, se multiplicaba en mil reuniones a la vez, prometía su voto o su participación en todas las listas y todas las campañas, se ofrecía tanto para ser candidato como cual prenda de unidad. La "imprevisibilidad" que él había convertido en su fuerza política se convertía en irritativa para todos.

La provincia de Buenos Aires era la expresión más clara de que el enfrentamiento interno en el peronismo iba a ser cruento. Herministas y cafieristas eran enemigos declarados. Nadie dudaba que no habría acuerdo y que la lucha interna sería feroz. Menem era el único que intentaba mantener buenas relaciones con uno como con el otro. Desde 1981 recorría los distritos junto a Herminio Iglesias, que había comenzado a rearmarse con el apoyo de Bittel y Diego Ibáñez. Pero también mantenía estrechas relaciones con Manolo Torres, un dirigente de Lomas de Zamora que se alineaba junto a la candidatura de Cafiero. En realidad, la mayor parte de su grupo de confianza se alineaba con Herminio: allí estaban Luis María Macaya, Carlos Spadone, César Arias, los hombres de Guardia de Hierro y un buen sector de los dirigentes barriales de Lealtad y Unidad. Pero Menem sabía que no podía jugar directamente en ese sector, porque allí estaba Lorenzo Miguel. El metalúrgico nunca ocultó su desprecio por el riojano y lo vetaba de cualquier reunión o diálogo. Recién cuando Ibáñez comenzó inocultablemente a separarse de Miguel y éste empezó a dudar entre el apoyo a Herminio o Cafiero, Menem pudo trabajar más abiertamente junto al ex intendente de Avellaneda.

Las dos CGT, Azopardo y Brasil, convocaron a una huelga general para el 3 de diciembre de 1982. El país se paralizó: los políticos no querían perder la iniciativa frente a los gremialistas, y la Multipartidaria, que agrupaba a los partidos políticos mayoritarios, convocó a una movilización por el retorno de la democracia para el 16 de ese mes. A poco de marchar, en un típico operativo de los tiempos de la represión, dos hombres bajaron de un Falcon verde y ametrallaron por la espalda a un trabajador, Dalmiro Flores. En febrero de 1983 el gobierno militar inició el diálogo político para concertar la fecha de las elecciones. Salvo el Partido Intransigente liderado por Oscar Alende, concurrieron todos los partidos, incluido el Partido para la Democracia Social de Massera. Los políticos plantearon formalmente la cuestión de los desaparecidos y la guerra de Malvinas, y el gobierno se comprometió a dar un informe completo sobre los dos temas antes del 30 de marzo.

El 28 de febrero de 1983 el presidente Bignone anunció que las elecciones se realizarían el 30 de octubre y que el poder sería entregado el 30 de enero. Todo se precipitó. Los partidos políticos tenían tres meses para reorganizarse, y el peronismo era un caos. Menem sintió que había llegado el momento de pelear a todo o nada, y allí se lanzó, decidido a conseguir que se proclamara la fórmula Isabel-Menem.

Se sentaban en el café de México y Rincón, y elucubraban operaciones y estrategias para tomar el poder. Eran tardes en que Saúl Ubaldini le levantaba el ánimo a Carlos Menem. Ubaldini anotaba nombres sobre las servilletas, y aseguraba que él lograría el apoyo de todo el sindicalismo. Menem lo dejaba hacer. Una noche del otoño de 1983 se entusiasmaron con la propuesta de un grupo de dirigentes barriales de Berazategui: lanzarían la fórmula Saúl-Saúl.

Si Ubaldini y Menem se parecían en algo era en la capacidad para imaginarse destinos de gloria a partir de la nada. Menem era un dirigente que por todo mérito político arrastraba dos años de gobierno en La Rioja. Ubaldini era un gremialista desconocido al que Lorenzo Miguel había "inventado" para no tener que confrontar directamente con la dictadura. No tenían estructura política, carecían de una oratoria locuaz (es más, ninguno de los dos era capaz de hilvanar un discurso encendido), no tenían un carisma privilegiado. Pero se soñaban arengando a las masas desde el balcón de la Casa Rosada. Y no estaban dispuestos a aceptar un destino menor.

Las charlas de café eran sólo eso. Con el ritmo impuesto por el proceso de democratización, el tiempo comenzó a pasar aceleradamente, y Menem se desesperaba al comprobar que no lograba siquiera participar de alguna negociación. Tenía micrófono, prensa y la gente lo paraba en la calle para saludarlo, pero no existía dentro del partido. El inicio de la apertura democrática hizo que cada uno quedara rápidamente reducido a su verdadera dimensión, y parecía que Menem debía volver a La Rioja, a ganar la interna para llegar a la gobernación.

En medio del paisaje de desolación, Macaya convenció a Menem de que intentara una alianza con los cuadros de los reflotados Comandos

Tecnológicos. Carlos Grosso, José Manuel De la Sota y José Octavio Bordón acababan de lanzar Convergencia Peronista. Convocaron a un acto para el 7 de marzo de 1983 en el Luna Park, pero inmediatamente después de tomar la decisión comenzaron las disputas para ver quién sería el orador de fondo. La decisión recayó sobre Grosso, teniendo en cuenta que la estructura de movilización era de los Comandos Tecnológicos. Menem quería protagonizar el acto y argumentaba que así debía ser porque ellos aportarían más de la mitad de la gente presente. Pero nadie lo quería de orador central, y los menemistas decidieron entonces llevar adelante una técnica que se convertiría en un clásico del grupo: aprovecharían el espacio que les daban y romperían inmediatamente después. Díaz, Kaplán, Guglielmelli y Vicco se distribuyeron en la tribuna y después que terminó de hablar Menem le ordenaron a la gente que se retirara del acto.

Pero Menem decidió insistir en un acuerdo con el grupo. Se sumó entonces a promover la candidatura de Italo Luder, convencido de que podría ocupar el segundo lugar en la fórmula, y comenzó a recorrer el Gran Buenos Aires, en actos que encabezaban Grosso y Lorenzo Miguel. Carmelo Díaz entendió que se trataba de una traición al grupo, que había nacido para impulsar su candidatura presidencial y lo expulsó de Lealtad y Unidad.

El 25 de abril el candidato radical Raúl Alfonsín denunció la existencia de un "Pacto militar-sindical" en el que involucró a los generales Cristino Nicolaides y Jorge Trimarco y a los sindicalistas Lorenzo Miguel, Herminio Iglesias, Diego "Ibarra" (por Ibáñez) y Rogelio Papagno. La acusación de Alfonsín era sólo el inicio de su campaña electoral, y se convirtió rápidamente en un slogan, impactante y efectivo, pero vacío de contenido. Alfonsín no podía profundizar en su acusación porque podía volverse en su contra: también el radicalismo había conversado en los últimos años con los militares, muchos de sus principales asesores —como Ricardo Yofre o Facundo Suárez— habían formado parte del gobierno del Proceso y, también es cierto, nadie podía denunciar nada específico ni concreto sobre las conversaciones entre sindicalistas y militares. Si Alfonsín pensaba con eso remitir a la alianza militar-sindical que derrocó a Arturo Illia, era una apuesta intelectual demasiado precisa. Si, en cambio, se trataba de agitar juntos los dos principales fantasmas que flotaban en ese momento sobre la sociedad, tuvo resultados inmediatos. Pero debido al afán publicitario para sacar ventaja, la denuncia no tuvo efectos concretos. El radical no logró precisar los alcances del acuerdo, que en realidad no era tal sino la prosecución del proyecto de "peronismo potable" que alentaban los militares desde 1966. No hubo nombres ni pruebas, y todo quedó consumido por el fragor de la campaña electoral. Los militantes peronistas creyeron que se trataba sólo de una nueva maniobra del antiperonismo, y los militares y sindicalistas siguieron adelante con sus conversaciones como si nada hubiera sucedido.

Los menemistas creyeron encontrar un camino sumándose a la denuncia del "Pacto militar-sindical". Ellos no tenían interlocutores entre la burocracia sindical y sus contactos militares se reducían a la Marina, y no al Ejército. Pero la maniobra era demasiado arriesgada y podía volverse en su contra. Menem decidió entonces seguir el camino contrario y buscar el apoyo de los militares. Comenzó a renovar sus viejos contactos en la Marina y se acercó al Ejército. Esta última tarea se volvió difícil porque una de sus maniobras publicitarias a principios de ese año —cuando intuyó, correctamente, que las denuncias sobre las violaciones a los derechos humanos conmoverían a una sociedad anestesiada hasta ese momento— fue entablar juicio contra Jorge Rafael Videla y su gabinete por privación ilegítima de libertad. Un sector de militares del Ejército liderado por el teniente coronel Rodolfo Meritello y los generales Ezcurra y Fatigatti, comenzó a impulsar la fórmula Luder-Menem. Fatigatti, Ezcurra y Meritello lograron el apoyo de los ultraverticalistas Julio Romero, Humberto Martiarena y Carlos Juárez, con quienes conformaron un grupo que decía actuar en nombre de los generales Jorge Trimarco y Cristino Nicolaides. Cuando los cuestionamientos al "Pacto militar-sindical" se hicieron más públicos, Romero, Martiarena y Juárez intentaron abrirse del grupo y buscaron un acercamiento con las 62 Organizaciones de Lorenzo Miguel. El intento dejó fuera de juego a Menem, que seguía sin conseguir un canal de comunicación directa con el metalúrgico, el camino casi inevitable para participar de las negociaciones por la candidatura presidencial.

Después de tres años de crecimiento de su popularidad y de sus contactos (entre 1979 y 1982), Menem se quedaba absolutamente solo, sin nada que ofrecer y sin nadie que lo respaldara. Había adquirido dimensión nacional por su confinamiento, pero el cambio en las reglas de juego lo había dejado al margen de las negociaciones. No sabía moverse en la legalidad. Podía ser un hábil francotirador, bueno para pelear desde afuera de las estructuras, pero era incapaz de someterse a la rutina democrática.

Sólo aquellos que no tenían ningún otro lugar político al que pertenecer se quedaron junto a él: Hugo Grimberg, Enrique Kaplán, Miguel Angel Vicco, Carlos Guglielmelli y Eduardo Bauzá.

Menem intentaba no resignarse. Estaba dispuesto a pelear hasta el último momento todas las posibilidades. Pasaba de la depresión a la euforia en cuestión de horas. Se automedicaba para contener la ansiedad o la angustia. Hugo Grimberg se volvió imprescindible en este terreno: tenía siempre a mano una pastilla distinta para cada ocasión. A principios de junio Menem reclamó por primera vez las "internas abiertas" para la elección del candidato presidencial por el justicialismo. Estaba convencido de que había logrado construir más legitimidad fuera que dentro mismo del partido y que jamás lograría ni siquiera los avales necesarios para competir en una elección interna convencional, pero, en cambio, podía imponerse tranquilamente en una elección abierta. Menem ejemplificaba la situación comparándose con el músico de rock Charly García: "Somos como Charly García, llenamos un estadio pero no nos votaría nadie".

Para justificar su idea de las internas abiertas, una innovación en un justicialismo que todavía elegía su fórmula de manera indirecta y a través de congresales que respondían al aparato partidario, el riojano hablaba del "movimientismo". Claro que no lo hacía en los términos en que lo había concebido Juan Domingo Perón, sino pensando en la popularidad que él había adquirido a través de su convivencia con la farándula y su aparición en las revistas de actualidad. Perón proclamaba al movimientismo como confrontación con la idea del partido político tradicional, y lo definía integrado por tres ramas: la masculina, la femenina y la CGT. Menem le daba el nombre de "movimiento" a lo que había construido desde la marginalidad: sus relaciones con algún sector de la Iglesia y los militares, su acercamiento a actrices de temporada y su capacidad para aparecer en las revistas de actualidad.

Por primera vez comenzó a hablarse de "menemismo", no sólo como un espacio político determinado sino como un conjunto de enunciados. Menem intentaba darle trascendencia enmarcándolo en elaboraciones teóricas, y delineó una serie de puntos que pueden entenderse como una primera plataforma virtual del sector. Declamaba algunas ideas básicas: hablaba de la "negritud" como una virtud del peronismo —después lo amplió al concepto de la "América morena"— y entre amigos lo mencionaba irónicamente como "la mersacracia" o "gobierno de los mersas". Para teorizar sobre su destino mesiánico apelaba a su ascendencia siria: algunas investigaciones de aquellos años aseguraban que el inicio de la historia de la humanidad podía registrarse en Damasco. En un documento interno de 1983 definió que "el menemismo es hijo de la tensión y no de la rutina de la legalidad liberal-burguesa", en una exégesis propia de los movimientos revolucionarios. A pesar de sus esfuerzos teóricos, no resultaba demasiado claro de qué estaba hablando.

La convicción de Menem de que su destino era ser el número uno lo volvía contradictorio cuando se trataba de negociar. Decía que buscaba el acuerdo, pero en cada negociación enviaba exactamente al hombre incorrecto al lugar equivocado. Guglielmelli y Díaz pretendían negociar con Julio Romero, quien les hacía un desplante tras otro. Menem mandaba a Hugo Grimberg a entrevistarse con Saadi, que tenía una vieja disputa —casi de interna jurídica— con él, y lo llamaba "ese judío comerciante de mierda".

Finalmente fue Guglielmelli quien que se encontró con Saadi. El catamarqueño había dicho que Lorenzo Miguel era un "botón". Menem quería saber si ésa era la señal que indicaba que el poder del metalúrgico comenzaba a desmoronarse, y mandó a que le preguntaran a Saadi por qué lo había dicho. El respondió: "Mire, mi hijito, yo le voy a explicar para que aprenda. Este Lorenzo es una porquería y es un cagón. Cuando digo que es un botón, lo digo con conocimiento de causa. Es como el guapo del barrio, anda rodeado de matones hasta que alguien le moja la oreja y los chicos del barrio lo corren a monedazos".

Menem tenía un problema fundamental en esos primeros tiempos de recorridas por el país y el Gran Buenos Aires. No lograba organizar un discurso público. Intentaba ensayar algo de oratoria en sesiones con sus amigos en el estudio de Grimberg, pero todo terminaba en un fracaso. El tema lo acomplejaba. A veces desistía a último momento de los actos porque se avergonzaba de su incapacidad. Sobre todo si quien lo precedía en la tribuna había hecho un discurso destacado. Ese invierno, Julio Assef los invitó a un acto por la "Causa Palestina". Cuando llegó su turno, delegó el discurso en Guglielmelli aduciendo que estaba afónico. Esa noche llegó al departamento de Cochabamba con un pico de depresión. Creía que debía dejar la política si no lograba superar su falencia, pero, a la vez, se negaba a aceptar formalmente la idea de un profesor de oratoria. Prefería pasarse horas frente al espejo ensayando, o estudiar de memoria frases de la Biblia o de Perón para llenar su discurso de citas.

Las dificultades de los menemistas para negociar con los líderes políticos y sindicales tomó por fin la forma caricaturesca de un desplante frontal. Habían planificado una reunión cumbre en "Félix", una cantina de Avellaneda, en la que definirían la estrategia frente a las internas bonaerenses. La fecha fijada era el 2 de junio. Estaban convocados Antonio Cafiero, Italo Luder, Miguel Unamuno, Diego Ibáñez, Rodolfo Ponce, Herminio Iglesias y Norberto Imbelloni. Menem telefoneó a Bittel una semana antes para pedirle que lo sumara al encuentro: "Si antes te afeitás las patillas", le contestó, sobrador, el chaqueño.

En esa cena quedó casi definida la fórmula del peronismo: se consumó el acuerdo entre Italo Luder, impulsado por Lorenzo Miguel, y Deolindo Bittel, que había pactado con Herminio su apoyo a la vicepresidencia a cambio del impulso de la candidatura del caudillo de Avellaneda a la gobernación de Buenos Aires. En realidad, esa parecía ser la discusión más profunda. Cafiero había planteado sus aspiraciones en dos términos: la Presidencia primero, la gobernación bonaerense luego. Cuando Luder consiguió el apoyo de las 62 Organizaciones, Cafiero se replegó a la provincia, donde creía contar con el apoyo de Lorenzo Miguel. Lo que el ex ministro de Economía de Isabel no comprendía todavía era que el brazo sindical del peronismo no era monolítico ni mucho menos. Lorenzo podía apoyarlo, pero se encontraba con la presión que el triángulo integrado por Diego Ibáñez, Rodolfo "Fito" Ponce y Fernando Donaires estaba ejerciendo desde la provincia. Y éstos estaban dispuestos a apoyar a Herminio precisamente para recortar el poder del líder metalúrgico.

Por otra parte, Herminio era el dueño real de la estructura de base del peronismo provincial. Las denuncias posteriores a las elecciones internas partidarias intentarían impugnar su triunfo desde distintos ángulos, pero lo cierto es que Herminio y Menem venían recorriendo pueblo por pueblo la provincia desde mucho antes de que se anunciara el período electoral. Cafiero nunca privilegió el contacto con la gente, y desconocía casi el complejo sistema de unidades básicas y lealtades piramidales que el mismo Perón había construido para mantener un férreo control del aparato partidario. Un tejido integrado por líderes barriales, asados, dirigentes distritales, promesas de futura injerencia y repartija de prebendas posibles, que tenía como contrapartida el apoyo incondicional para que alcanzaran el gobierno, la única garantía de que esas promesas se cumplirían.

Sólo había una manera de que la fórmula se modificara: la aparición de Isabel. La viuda del General se había convertido en una obsesión. Buena parte de la dirigencia se plegaba al verticalismo sólo como una forma de supervivencia. Para los sindicalistas, la situación era aún más compleja. En realidad, confiaban en el silencio de Isabel, pero temían que en el momento más inesperado ella decidiera volver al país o designar a su sucesor. Criados en el justicialismo del "dedo rector" de Juan Perón, su viuda se había convertido en una suerte de fetiche. Los dirigentes probaban todas las variantes para acceder a ella. Los llamados entre Buenos Aires y Madrid eran ininterrumpidos. La búsqueda de mediadores y gestores también. Pero Isabel no recibía a nadie. Algunos inventaban historias y versiones según las cuales ella los había recibido en privado, o le había dicho a un tercero que en realidad el mejor candidato era tal o cual. Pero estaba claro que sólo una comunicación pública de la ex presidente podía ser válida, y todos tenían además el temor de ser desmentidos. Le había pasado una vez al propio Menem, cuando el periodista Jesús Iglesias Rouco anunció en su columna de *La Prensa,* en el verano de 1981, que Isabel le había enviado una carta al ex gobernador riojano apoyando sus aspiraciones a la Presidencia. Isabel lo desmintió primero y Menem después. Como siempre, Menem fue más pintoresco: "A mí me extrañó —explicó— porque la carta estaba encabezada 'Estimado Gobernador', pero Isabel siempre me dijo 'Querido Carlitos'".

El escenario terminó de complicarse a finales de julio. Isabel había recibido al almirante Emilio Eduardo Massera. Distaba de ser una bendición política, pero ella no lo explicaba y nadie aclaraba la cuestión en un mundillo político que sólo había esperado un gesto de este tipo durante meses. Isabel devolvía las atenciones que había recibido de Massera durante su cautiverio, pero, además, reclamaba nuevos favores. El dinero en efectivo que le había legado el general Perón había sido depositado en el Banco Ambrosiano, que estaba siendo investigado en ese momento por su vinculación con Propaganda Due. Massera hizo gestiones ante Gelli para que destrabara dos millones de dólares que Isabel necesitaba con urgencia.

Parecía que Massera se saldría finalmente con la suya: sería el candidato presidencial del peronismo. El almirante aspiraba a más: ahora no sólo pretendía encabezar la fórmula sino que fuera la ex presidente en el segundo lugar. Pero tanta ambición terminó por volverse en su contra. El instinto de supervivencia de los popes del justicialismo les indicaba que el primer presidente democrático luego de la dictadura militar tenía que ser un hombre del partido. El tejido que el almirante había armado pacientemente se desmembró, y un importante sector de los hombres que lo habían acompañado comenzó a acercarse a los generales del Ejército y a los sindicalistas que negociaban con ellos. "Italo Luder, figura preelectoral emergente, temía que Massera lo desplazara y promoviera el lanzamiento de un populismo irresponsable; Lorenzo Miguel, líder del sindicalismo, sabía que cualquier avance del ex comandante sólo podía ir en desmedro de su poder. Militares y peronistas aguardaron, pues, con ansiedad, envidia y temor, los resultados de sus misteriosas gestiones en Madrid", explica Uriarte en su biografía de Massera. A pesar de que se iba convirtiendo en un fantasma para los dirigentes justicialistas, la situación de Massera era complicada. El banquero Roberto Calvi había aparecido muerto en un puente de Londres y, aunque la versión oficial hablaba de suicidio, nadie dudaba de que se trataba de un ajuste interno de cuentas de la P2. El escándalo del Banco Ambrosiano estalló también en la Argentina y diarios y revistas comenzaron a llenarse con las supuestas vinculaciones argentinas con la logia. Massera intentaba explicar que Gelli había brindado "importantes servicios en la lucha contra la subversión", pero se negaba a dar más detalles. Los sindicalistas y los hombres del Ejército estaban obsesionados. Creían que su figura crecía con los escándalos y se desvivían por saber cuál era la realidad de su vínculo con Isabel. Había que parar a Massera de alguna manera, y lo consiguieron. El juez Oscar Salvi ordenó la detención de Massera, acusándolo del asesinato del empresario Fernando Branca.

Menem vivió esa detención casi como un golpe de suerte personal. Había llegado a admirar al almirante, pero estaba convencido de que se le presentaba la oportunidad de ponerse al frente del masserismo: se trataba por entonces de una estructura importante, con apoyo económico, contactos internos e internacionales, pensada para una candidatura presidencial que se encontraba de pronto sin rumbo y sin jefe.

El estaba en ese momento inmerso en otro operativo prioritario para su carrera política. En el invierno de 1983 quedó acordada la reconciliación con su esposa. Zulema manejaría sus asuntos políticos, personales y económicos con dos representantes, uno en la Capital Federal y otro en La Rioja. Antonio Palermo ocupó el primer lugar y Jorge Mazzucheli, un médico riojano que había compartido junto a Menem la pertenencia al Club Facundo de La Rioja, el segundo. La pareja vivió una suerte de luna de miel en Bariloche, que tuvo como objetivo fundamental convencer a sus hijos, Carlitos y Zulemita, del acuerdo. Los Yoma acordaron también que el contador de la empresa, Antonio Erman González, sería el futuro director del Banco de La Rioja y que su hermana se haría cargo de Acción Social en la provincia. Carlitos enfermó oportunamente de apendicitis haciendo que el encuentro pareciera casi una reconciliación seria junto a su lecho de enfermo.

Lealtad y Unidad, la reflotada línea interna del menemismo, cerró su campaña para la interna riojana el 8 de julio. Los oradores centrales fueron Carlos Menem e Italo Luder. En la primera presentación pública de la reconciliación familiar, Menem apareció flanqueado por Zulema y sus hijos. Menem hablaba para su candidatura presidencial: "Con muchos compañeros de La Rioja llevamos años recorriendo nuestra Patria y hemos podido constatar sobre el terreno cómo nuestro Movimiento ha prendido a sangre y fuego en el alma y el corazón de nuestro pueblo. El Justicialismo no es un partido político más, es además una religión. Una mística y una religión basada en los principios fundamentales que hacen a nuestra nacionalidad, que hacen a nuestro auténtico ser nacional".

Los peronistas riojanos votaron el 9 de julio. Lealtad y Unidad alcanzó el 84,4 por ciento de los votos. Ese mismo día, todos los ultraverticalistas ganaron en sus provincias: Julio Romero triunfó en Corrientes y Julio Humada en Misiones. El camino para la nominación de Italo Luder se complicaba con las invocaciones a Isabel. Los verticalistas comenzaron a levantar el argumento de la proscripción de Isabel para oponerse a la nominación de la fórmula. La ex presidente tenía varias causas abiertas por el gobierno militar y figuraba en el Acta Institucional de políticos inhabilitados. Reclamaban que cualquier definición se postergara hasta que el gobierno levantara la inhabilitación de la ex presidente.

Los isabelinos comenzaron a dividirse. Gabriel Labaké formó la Comisión Pro Retorno de Isabel y reclamó el retiro de las precandidaturas proclamadas. En un acto denominado grandilocuentemente "Asamblea Permanente por la Rehabilitación, Regreso y Conducción de Isabel Perón" formaron un secretariado integrado por Labaké, Lázaro Roca, Pedro Arrighi y Carmelo Amerise, un hombre cercano a Herminio Iglesias. Iglesias y Raúl Bercovich Rodríguez "adhirieron" pero no aceptaron participar de la conducción. Menem anunció que él estaba "trabajando por el retorno de la señora de Perón, pero totalmente desvinculado". Todos anunciaban que tenían "el mensaje secreto" de Isabel y que cualquier candidatura que intentase proclamarse sería nula. Lorenzo Miguel intentó ordenar la situación: le envió un telegrama en el que le rogaba que "si es necesaria alguna directiva la haga conocer para garantizar su fiel cumplimiento".

El invierno fue difícil y conflictivo. La Mesopotamia estaba aislada por las inundaciones. La inflación estallaba y se volvía incontenible. Se sucedían las denuncias por violación a los derechos humanos durante la represión a la subversión y los militares aceleraban las definiciones en torno a una ley de autoamnistía. Los sindicalistas reclamaban el retorno de las obras sociales a cambio de no realizar huelgas durante el período preelectoral. El 13 de agosto se concretaron las internas bonaerenses. Licio Gelli, buscado por la policía internacional después de haber fugado espectacularmente de una cárcel de extrema seguridad suiza, descansaba en su estancia "Don Alberto", en Tandil. Los comicios se llevaron a cabo simultáneamente también en la Capital Federal, Santiago del Estero, Jujuy y Salta, pero lo crucial era, como siempre, Buenos Aires. Herminio marchó junto al ex intendente de Lanús, el isabelista Manuel Quindimil, con la lista Azul. El MUSO liderado por Cafiero se presentó como lista Celeste. Guardia de Hierro y el masserismo se agruparon en la lista Azul y Blanca que impulsaba al empresario de derecha Manuel de Anchorena. El antiverticalismo de Raúl Matera y Angel Robledo se agrupó en la lista Amarilla que impulsaba a Alberto Roccamora, en tanto que la lista Marrón respondía a Italo Luder y proclamaba la candidatura de René Orsi.

Menem pasó el día de los comicios internos en Mar del Plata. Había recorrido toda la provincia haciendo campaña, participando tanto en actos de la lista Azul de Herminio como de la Azul y Blanca de Manuel de Anchorena. Allí se agrupaban buena parte de sus contactos en la provincia. Estaba convencido de que los congresales del interior que llegasen a la reunión del Congreso Justicialista, convocado para el 3 de setiembre en el Teatro Cómico, elegirían a un hombre del interior y que él sería el ungido. Los ultraverticalistas reclamaron que el congreso fuera presidido por Isabel, como una forma de rechazar la inhabilitación que pesaba sobre ella. Se trataba, en realidad, de forzar la situación de manera tal de poder ampararse en que la justicia declarara la ilegalidad del congreso, o que ellos mismos reclamaran la no presentación en las elecciones ante la proscripción de Isabel. El ministro de Justicia, Lucas Lennon, advirtió que el Congreso Justicialista no tendría validez jurídica si lo presidía Isabel, dándoles el argumento que necesitaban.

El congreso del peronismo bonaerense proclamó el 24 de agosto la fórmula Herminio Iglesias-Carmelo Amerise, después de que el MUSO se retiró de las deliberaciones. Menem se reunió en el salón Colonial del Hotel Presidente con Antonio Cafiero, René Orsi, Angel Cano, Manolo Torres, Macaya y Guglielmelli. La consigna común era impedir la realización del congreso en el Teatro Cómico e impugnar los comicios bonaerenses para impedir la candidatura de Herminio. Pero Menem negociaba con todos. Su única aspiración era integrar la fórmula presidencial. Junto a Luder o junto a Isabel, daba lo mismo.

La Rioja estaba conmovida por otra versión. Bernabé Arnaudo había vuelto desde Buenos Aires para anunciar que Carlos Menem no sería el candidato a gobernador porque ocuparía o la candidatura a la vicepresidencia o "un importante cargo en el próximo gobierno nacional" y, por lo tanto, la fórmula provincial se integraría con Libardo Sánchez y Bernabé Arnaudo. El ex gobernador dirigía su provincia desde Buenos Aires: "Menem anuncia que el 5 de setiembre estará en la provincia", informaba *El Independiente*. El 30 de agosto, dos días antes del inicio del congreso, Menem seguía mostrándose confiado en alcanzar la fórmula Isabel-Menem: "En eso estamos, estamos luchando. Y vamos a pelear hasta las últimas consecuencias esa postura porque hace al federalismo". Los ultraverticalistas aseguraban que Isabel llegaría el 3 de setiembre a Paraguay y que allí se reuniría con los dirigentes peronistas para digitar la fórmula. Menem y Romero comenzaron a criticar la posible conformación de la fórmula Luder-Bittel, que había sido casi anunciada en los diarios. "No estoy contra los hombres, sino contra la metodología. Porque aquí no se ha consultado a los hombres del interior", explicaba el riojano.

Las negociaciones continuaron durante toda la noche del 2 al 3 de setiembre. Romero reunió en su casa a la "Liga Federal", que habían integrado los ex gobernadores y que lideraban él, Menem, el santiagueño Carlos Juárez y el jujeño Humberto Martiarena. Sabían ya que la designación de Luder era inevitable, a menos que se lograra la presentación de Isabel, pero peleaban entonces por el segundo lugar en la fórmula. Saadi les había prometido el apoyo de sus delegados, y contaban con los de Guardia de Hierro y los del Comando de Organización.

El congreso comenzó a sesionar el 3. Inmediatamente la Junta de Poderes se abocó a resolver la impugnación a los 236 congresales bonaerenses del sector de Iglesias hecha por el cafierismo. Se decidió pasar a un cuarto intermedio. Mientras los congresales de Herminio no estuvieran asegurados, todas las negociaciones quedaban habilitadas. Bittel apostaba a conseguir la vicepresidencia con esos votos, y por lo tanto ese espacio quedaba vacante. Enancada en el pleito entre Cafiero y Herminio, la Liga Federal planteó que se retiraría del congreso en caso de que faltaran los bonaerenses. Era, en realidad, una presión para buscar que un "hombre del interior", que no fuera Bittel, ocupara el segundo lugar de la fórmula.

Con aquella expresión abarcativa intentaban dejar claro que podían llegar a negociar para que no fuera Menem el hombre señalado. Se mencionaba insistentemente el nombre del hijo de Julio Romero, Humberto.

Isabel operaba desde España a través de su hermana Araceli. La consigna enviada a los verticalistas era lograr que se pospusiera el congreso hasta que se levantara la inhabilitación política que pesaba sobre ella para que pudiera venir a hacerse cargo del partido. Había que desbancar a Luder, y con él a Lorenzo. La idea era lograr el apoyo de los congresales bonaerenses, aunque para esto fuera necesario apoyar a Herminio. El caudillo de Avellaneda estaba dispuesto a escuchar cualquier oferta que le significara no perder su candidatura. Durante la tarde del 4 parecía que Miguel y Luder estaban decididos a aceptar la impugnación de los congresales y dejar fuera de juego a Herminio.

Isabel se comunicó con sus hermanos Carlos y Araceli. Claudio Naranjo, un joven que trabajaba con ellos y que comenzaba a frecuentar el estudio Menem de la mano de Hugo Grimberg, corrió entre el bunker de Menem en el Hotel Bauen y el de Herminio trasmitiendo el pedido de Isabel para que se reuniera. Los dos aceptaron en principio. Pero un poco después, Herminio se reunió con Lorenzo Miguel y cambió su postura: "Si Menem quiere verme, que venga". Menem fue.

El riojano parecía convencido de que ocuparía el segundo lugar de la fórmula a cambio de su apoyo a Herminio. Pero las instrucciones de Lorenzo Miguel habían sido otras y Menem, ante la derrota inevitable, no quería quedar afuera del armado aunque para esto tuviera que traicionar a la propia Isabel. Menem participó de una reunión en el teatro Lola Membribes en la que la comisión de poderes le pidió apoyo a los gobernadores para que se aceptara sin pronunciamientos en contra la admisión de los delegados de Buenos Aires y de Salta, donde Roberto Romero mantenía un pleito con Carlos Caro. Las posiciones de Romero, Martiarena y Menem comenzaron a diferenciarse. Menem aseguraba que había que "desarmar los acuerdos previos y dejar en libertad a los congresales para que voten", Romero anticipaba que aceptaría lo que pensara la mayoría, pero que "cualquier candidatura perderá fuerza si no está rehabilitada Isabel", y Martiarena se oponía directamente a la reunión del congreso.

Este se reunió finalmente en la tarde del 5. La Junta de Poderes aceptó los diplomas de los congresales herministas. Cafiero envió una carta explicando que acataría lo que allí se resolviera pero sin por esto renunciar ni a las impugnaciones ni a la candidatura partidaria por la provincia de Buenos Aires. Menem pidió que se pasara a un cuarto intermedio hasta el 12 de setiembre y que se postergara para entonces la definición de la fórmula presidencial, a la espera de la habilitación de Isabel. La moción perdió la votación. Los congresales de Jujuy y Corrientes se retiraron del recinto, y pretendieron que Menem hiciera lo mismo. Menem salió junto con todos los congresales verticalistas, pero a medianoche, unos minutos antes de votar, volvió al teatro. Se sentó en su butaca y apoyó la proclamación de la fórmula presidencial. Juárez también: fue electo vicepresidente segundo del partido. Manuel Quindimil quedó como secretario general y Carlos Spadone como secretario político.

El congreso proclamó la fórmula Luder-Bittel para la Nación y avaló la de Iglesias-Amerise para la provincia de Buenos Aires, además de nominar a Lorenzo Miguel como vicepresidente primero del partido y a Vicente Saadi en la mesa del Congreso. Esa misma tarde, el gobierno militar indultó a Isabel y le levantó su inhabilitación para ejercer cargos políticos.

Menem había apostado hasta el final a que los congresales provinciales se dividieran en el momento de la votación y que el azar lo pusiera entonces en el lugar del "candidato de la unidad". O, en cualquier caso, no estaba dispuesto a quedar afuera del acuerdo. Tenía asegurada la candidatura a la gobernación por La Rioja y no quería ser un político marginal. Se trataba, en definitiva, una vez más, de estar junto a quienes ganaban.

Menem regresó a La Rioja, donde la interna había vuelto a desatarse luego que los dirigentes que durante algunos días habían soñado con llegar a la fórmula para gobernador y vice vieron frustradas sus expectativas. Menem contemporizó: "Todo está balanceado y armonizado", explicó. Intentó decir que él nunca se había opuesto a Lorenzo Miguel sino a su "metodología", y que sus congresales no habían apoyado a Bittel sino a Luder, "y como lógica consecuencia tuvieron que votar por el chaqueño". Algunas versiones sostenían que Luder le había ofrecido hacerse cargo del Ministerio de Acción Social cuando el Partido Justicialista fuera gobierno, pero nadie dudaba ya de que Menem había traicionado a los verticalistas y debería pagarlo.

Julio Corzo comenzó a distanciarse de Menem, porque Lorenzo Miguel le reclamaba apoyo. "Con Lorenzo Miguel hemos tenido una larga y cordial entrevista después del congreso y nuestra amistad de años sigue intacta y estamos decididos a luchar por el país, por el movimiento y por el pueblo argentino", explicaba Menem sin convicción. Dos días después, Corzo firmó un comunicado en el que sostenía que "Menem significa para las 62 Organizaciones un reaseguro para continuar la lucha contra el centralismo capitalino" y que "desvirtuaban las versiones que desnaturalizan la vieja amistad y coincidencias políticas y de conducción entre los compañeros Carlos Menem y Lorenzo Miguel". Y agregó algo que sorprendió a todos: "Hay que resaltar lo que se hizo y no se dijo de la actuación del compañero Menem y los congresales riojanos que con profundo fervor peronista propusieron la fórmula Luder-Bittel apaciguando los exaltados ánimos y salvando al justicialismo de la fractura propiciada por el régimen".

El Partido Justicialista riojano convocó a una conferencia de prensa el 8 de setiembre para anunciar que Carlos Menem sería candidato a gobernador, Libardo Sánchez a senador y Julio Corzo encabezaría la nómina de los diputados. Zulema se sentó junto a su marido presidiendo la mesa, y frunció el ceño cuando Carlos Menem anunció que "desde ya les doy un nombre que no puede estar ausente en las listas y que es el compañero Luis Basso". Claro que no era Basso lo que la preocupaba, sino lo que ella sabía que se acababa de decidir y que no sería anunciado todavía. Esos eran los nombres "puestos", los que no estaban en discusión para el congreso del PJ riojano; la disputa real era por el nombre del candidato a vicegobernador y el segundo senador. El seguro candidato a vicegobernador era Antonio Cavero, un viejo militante del partido. Los riojanos habían bautizado como "los chetos" al grupo de dirigentes que acababan de incorporarse al justicialismo y que eran mencionados para los restantes cargos: Omar Rodríguez como candidato a diputado por la capital riojana y Eduardo Menem como senador. Eduardo no quiso afiliarse al partido; no ocultaba su amistad con el interventor, el brigadier Angel Piastrellini, de quien su íntimo amigo Jorge Maiorano era Fiscal de Estado, y acababa de regresar de Buenos Aires a donde había viajado para participar de la fiesta de casamiento de la hija del brigadier. Eduardo era un confeso conservador, con alguna simpatía por el radicalismo de Línea Nacional. Gracias a su amistad con Piastrellini había logrado que su hermano Amado fuera designado intendente de Anillaco.

El congreso se reunió el domingo 10 de setiembre. Pocas veces habían sido vistas en La Rioja tales medidas de seguridad. Como los periodistas no pudieron ingresar, la Juventud Peronista se instaló en la puerta al grito de "peronismo sí, trenzas no", y Carlos Menem invitó a todos a presenciar las deliberaciones. La fórmula Carlos Menem-Alberto Cavero fue elegida por aclamación, igual que la nominación de Libardo Sánchez y Eduardo Menem como candidatos a senadores. La discusión llegó en el momento de nominar la lista de candidatos a diputados: ganó la apoyada por Menem por 24 a 23 votos. Uno de los electores de la lista perdedora, Zenón Bazán, no pudo votar porque había salido justo en el momento en que su voto se volvía decisivo. El congreso nombró también a Elías Nader y a Teresa Cavero (hermana de Alberto) como candidatos suplentes a senador, y a Julio Corzo, Arturo Grimaux, Eligio Herrera, Délfor Brizuela y Marta Salinas de Brizuela como candidatos a diputado.

Era un típico cóctel menemista. Eduardo Menem era el mejor representante del "peronismo cheto", que integraba junto a otros abogados como Raúl Granillo Ocampo y Jorge Maiorano. Tanto Alberto Cavero y Délfor Brizuela como su esposa Marta habían pertenecido a Montoneros en los setenta, fueron diputados nacionales por La Rioja y estuvieron al frente de la población de Aminga en la lucha por la colectivización de la finca. Julio Corzo había estado cerca de la CGT de los Argentinos y era entonces un miguelista furioso.

Menem intentó conciliar todas las posiciones en su discurso de cierre del congreso. "Nadie debe sentirse menoscabado porque no lo eligieron para alguna candidatura. Habrá un puesto de lucha para cada uno. Como en toda contienda quedan algunos resentimientos pero deben deponerse, porque como decía el general Perón para un peronista no hay nada mejor que otro peronista." Allí volvió a repetir su visión sobre los partidos políticos tradicionales: "Este justicialismo no es un mero partido político, integrante de la partidocracia liberal, responsable de casi todos los males que azotan al país, sino que es un movimiento puramente nacional, popular, humanista y cristiano".

Lo más conflictivo fue la designación de Eduardo como candidato a senador: "Su nominación fue conseguida en una lapidaria práctica del más crudo y denigrante nepotismo, en un falaz congreso justicialista que burló la voluntad popular. Yo tuve que caminar buscando fondos para el partido cuando estábamos proscriptos, y recuerdo perfectamente que jamás logré un aporte del ahora flamante afiliado Eduardo Menem, que sólo me respondía en esos casos: 'Yo no soy ni fui peronista, el peronista es Carlos'". Roque Antonio Vergara, un antiguo dirigente del PJ riojano, no cabía en sí de la indignación. Rodolfo Blanco, ex senador y dirigente del partido, decidió actuar: mandó telegramas a Isabel Perón, a Vicente Saadi y a Humberto Martiarena explicándoles la situación.

"Eduardo Menem es un infiltrado, y esto es una verdadera afrenta al justicialismo. Cuando fue ministro de Gobierno de una intervención federal durante la dictadura de Onganía, ordenó la detención de una serie de afiliados y dirigentes cegetistas después de la desconcentración de un acto en el atrio de la Catedral de La Rioja donde los asistentes a una homilía del obispo Angelelli, fustigando los innumerables actos de usura contra el pueblo riojano, se habían reunido a comentar las palabras del mencionado sacerdote, que había calificado a La Rioja como la 'capital de la usura'. Es de hacer notar que en 1971 el juez federal y altos funcionarios de la DGI de Córdoba realizaron un operativo antiusura en el estudio de los Menem, con secuestros de documentación y otros elementos que determinaron la clausura del mismo", explicaba Blanco.

De todos modos, la conmoción por el congreso pasó rápido y no superó los límites de la provincia. Menem logró contrarrestarla con una información mucho más jugosa: ese mismo lunes partió rumbo a Buenos Aires para embarcarse hacia Madrid donde, anunció, lo esperaba Isabel. Jorge D'Onofrio, un dirigente de la provincia de Buenos Aires que había sido candidato a intendente por San Isidro, lo había entusiasmado. Le aseguró que Isabel quería tener un panorama más claro de la situación del justicialismo después del congreso y que él era la persona indicada para hacerlo: había sido el único de los verticalistas que había permanecido hasta el final de las negociaciones. D'Onofrio estaba lejos de la realidad: precisamente por esto Isabel había pasado a considerar a Carlos Menem como un traidor a su postura. Menem creía, en todo caso, que era una buena manera de buscar la reconciliación con Isabel y posicionarse. A pesar de su acuerdo con Herminio había vuelto a ser un oscuro dirigente provincial, ni siquiera había alcanzado un mínimo cargo en la conducción partidaria. Isabel todavía era la viuda de Perón y era, además, la presidente formal del partido.

D'Onofrio había viajado, una semana después del congreso del Teatro Cómico, a Madrid y le había dejado a Isabel una carpeta con documentación sobre la interna justicialista bonaerense, en la que explicaba los motivos por los que Cafiero impugnaba la candidatura de Herminio. El gesto hacia la viuda de Perón no alcanzó para calmar la animosidad que Isabel tuvo siempre hacia Cafiero, y D'Onofrio no fue recibido. Pero una semana después Araceli, la hermana de Isabel, le avisó que quería verlo para analizar la documentación que le había presentado. D'Onofrio se entusiasmó y planificó el viaje invitando a Menem, que sintió renacer sus posibilidades de proyección nacional. Para presionar sobre Herminio y la conducción nacional, D'Onofrio anunció que había traído tres cartas desde Madrid, "una para Antonio Cafiero, otra para Carlos Menem y otra, quizá, para Luder... Pero la señora está muy disgustada con la nueva conducción".

"Fui invitado por la señora de Perón y voy a entrevistarme con ella para brindarle toda la información que me requiera. Tengo muchos deseos de saludarla porque no nos vemos desde 1976. Supongo que en algún momento también invitará a la conducción del partido. Yo espero regresar con ella a la Argentina." Menem estaba confiado y disfrutaba de su flamante protagonismo. D'Onofrio dijo que traía una carta de Isabel que nadie vio nunca. Pero anunció que volvería a Madrid para sumarse a una delegación integrada por el apoderado del cafierismo, Rodolfo Decker, el platense Enrique Cano, Alberto Fernández y Raúl Gastaldi, a la que se agregaría también en España, dos días después, Carlos Menem. "Vamos a participar de una cúspide en Madrid", explicaba Cano, y adelantaba con tono misterioso que regresarían en un par de días acompañados por "la Señora que viene a ponerse al frente del Movimiento". Cuando pasó por Buenos Aires, se enteró de que D'Onofrio partiría hacia Madrid unos días después. "Estoy tratando de convencerlo a Humberto", dijo, refiriéndose a Martiarena, cuya presencia había sido anunciada en Madrid por el propio Menem.

Menem dudó sólo un momento. Llamó a Carlos Guglielmelli, le pidió que lo acompañara a Madrid y le avisó a su cuñado Karim que lo esperara en el aeropuerto de Barajas. Menem fue recibido por una delegación diplomática de la embajada de Qatar y se alojó en el Hotel Escultor. D'Onofrio no llegó nunca ni se comunicó desde Buenos Aires. La delegación encabezada por Cano intentó entrevistarse con Isabel y el portero les anunció que la señora no recibía visitas. Le enviaron un ramo de flores, y la custodia de la puerta del edificio —en que vivía también un general de renombre— las tiró en la esquina por razones de seguridad. Un fotógrafo de una revista argentina registró la escena y Buenos Aires se deleitó con los detalles del papelón relatados por el corresponsal español de Radio Mitre:

"La señora de Perón no se ve con nadie y sale muy de vez en cuando, muy bien vigilada, a pesar de que muchísimos peregrinos y muy nerviosos esperan conversar con ella, a pesar de que aún nada han podido conseguir. Los argentinos que llegaron aquí están haciendo el ridículo. Cano afirmó que estuvo reunido con la señora de Perón, lo cual no es cierto, pero la prensa española publicó las declaraciones de Cano en tal sentido y posteriormente los mismos dirigentes debieron negar esas afirmaciones y señalar que esperaban a otras personalidades más importantes para conversar con la señora de Perón. Claro que lo más desagradable vino después: estos mismos señores se acercaron con un extrañísimo y muy feo ramo de flores, donde había gladiolos, cosa que a la señora de Perón no le gusta, y luego de entregar el ramo al portero de Moreto 3 aguardaron la respuesta a una tarjeta que llevaban junto con el ramo. Diez minutos después asistieron a un espectáculo bastante decepcionante, ya que tuvieron que ver cómo el portero regresaba con el mismo ramo y lo colocaba al lado de un árbol junto a un automóvil, en la misma calle Moreto. Los dirigentes justicialistas corrían mientras ocultaban sus rostros y se escondían detrás de los árboles, en una típica secuencia de película italiana. Posteriormente tomaron un taxi y regresaron a su hotel. Lo único cierto es que Isabel no abre la boca, no recibe a nadie, no prepara valijas y no viaja."

En realidad, Isabel viajaba, pero a la Costa Azul. En pleno verano madrileño, la ex presidente se había refugiado en Fuengirola, una playa en el sur de España, y desde allí concedía a la revista *Nueva Gaceta Ilustrada* su primer entrevista periodística en siete años, en la que declaraba que a los argentinos "los quiero mucho". En un reportaje publicado esa semana en Madrid, Isabel dijo que estaba "disgustada porque el Partido Justicialista no atrasó el comienzo de su convención en Buenos Aires hasta que ella pudiera ser indultada por el gobierno militar por malversación de fondos públicos, con lo que hubiera podido presidir la reunión". Según la revista, Isabel tenía una "sonrisa triste" cuando dijo: "No estoy enfadada con el partido. Ya todo ha pasado, yo estoy muy tranquila. Creo que el odio y el rencor hacen más daño a quien los siente. Regreso a la Argentina como una humilde mujer más".

Menem leyó las declaraciones en la habitación de su hotel. D'Onofrio no aparecía. Menem y Guglielmelli fueron hasta la clínica en que trabajaba Florencio Florez Tascón, el médico de la viuda de Perón. El les confirmó lo que suponían: Isabel no quería ver a nadie. Menem le dejó su mensaje con el número del hotel: esperarían el llamado. Durante dos días no se movieron de al lado de la conserjería a la espera de un mensaje. Finalmente decidieron ir a conocer el Alcázar de Toledo y a un partido de fútbol en el estadio Santiago Bernabeu. Menem paseó con Karim y Emir, visitó a dos amigos riojanos y se encontró con Raimundo Ongaro, el ex dirigente de la CGT de los Argentinos.

Pensaba en el regreso. ¿Cómo explicar el papelón? Había perdido credibilidad y prestigio. Tenía noticias del clima generado en Buenos Aires por su supuesta entrevista con Isabel. Cano y Decker no contribuían a bajar el tono de la situación. Su hermano Eduardo lo llamó el 16 para contarle lo que decía *El Independiente:*

"Persistía anoche la incógnita acerca de si Carlos Saúl Menem fue recibido o no por la ex presidente María Estela Martínez de Perón. Según las declaraciones formuladas por el dirigente Rodolfo Decker, el caudillo riojano confiaba en entrevistarse con la jefa del Movimiento Nacional

Justicialista el sábado último, previendo luego formular declaraciones a la televisión y la radio españolas con importantes anuncios. Sin embargo, nada informaron al respecto las agencias periodísticas internacionales."

El infructuoso viaje de Menem duró una semana. Cuando llegó al aeropuerto de Buenos Aires desgranó definiciones:

• "Sobre Isabel Perón existen toda clase de presiones. Presiones norteamericanas, presiones rusas y, por supuesto, presiones argentinas. Y me remito a lo que ocurre en Centroamérica, en el Líbano, en Afganistán."

• "Evidentemente ha habido grandes errores. No quiero creer que he sido engañado, pero algo falló en las personas que estuvieron encargadas de concertar mi encuentro con la señora de Perón. Me costaría poco decir que me entrevisté con Isabel, pero yo no puedo engañar a mi pueblo."

• "No hay un entorno argentino, sino un entorno de neto corte español. Uno es Florez Tascón, a los demás no los conozco. Puede ser que esté también ese coronel croata, pero no me consta."

Menem pasó un día en Buenos Aires y voló a La Rioja para iniciar la campaña electoral. Era el 21 de setiembre, comenzaba la primavera, los militares habían anunciado finalmente la Ley de Autoamnistía y faltaba apenas un mes para los comicios generales.

EL GOBERNADOR

Antonio Erman González se indignó cuando leyó las declaraciones. El era amigo desde la infancia de Carlos Menem. Juntos cantaban serenatas y boleros, pero esto era demasiado. Decidió escribir a mano el comunicado de respuesta. El 25 de setiembre, en su primer acto en La Rioja, Menem había anunciado que "todo lo que no es peronismo es antipatria" porque "no hay otro partido que trabaje para la dignidad del pueblo".

"El Negro" González era el candidato a gobernador por el partido Demócrata Cristiano. Intentó ser cuidadoso. "Si esa afirmación es cierta —escribió— deberíamos plantearnos maduramente si el diálogo constructivo es posible, si la convivencia democrática será pacífica, si la unidad en el marco de objetivos comunes dará los frutos que esperamos, si la libertad ha de servir para exaltar las virtudes morales del hombre." La campaña parecía insinuarse duramente.

Recién el 17 de octubre, en el acto por el Día de la Lealtad, Menem volvió a hablar, esta vez desde una tribuna, del episodio madrileño. Después de llamar a Eva Perón "el hada de carne y hueso de los humildes", narró: "Estuve en España intentando entrevistar a la presidente del partido. Pero así como en 1945 fue puesto en prisión el general Perón, ahora la titular del Movimiento está presa de los imperialismos de turno". Llamaba públicamente a Raúl Alfonsín "el candidato de las multinacionales y la Coca Cola" y en privado arremetía contra la conducción partidaria.

Recorrió toda la provincia, pueblo por pueblo. Dos actos, a veces tres, por día. El 26 de octubre llegó a Chilecito, un pueblo donde hacían sentir su influencia los Yoma. "Nos vienen a endilgar el mote de patoteros. Pero yo les digo desde esta Rioja macha y valiente que es mejor ser patotero y no vendepatria. Mal puede hablar de la constitución de un nuevo movimiento el hombre que admite el apoyo de uno de los personajes más siniestros y funestos: (Alvaro) Alsogaray, que cuando fue ministro hambreó al pueblo."

Menem no tenía casa en La Rioja. Vivía en el Hotel Plaza, frente a la Plaza 25 de Mayo. Allí había montado su residencia personal y su cuartel político. Allí esperó el 30 de octubre los resultados de las primeras elecciones democráticas luego de siete años junto a Zulema. A las ocho de la noche, cuando comenzó a insinuarse la tendencia a favor del radicalismo, apostó y le envió un telegrama a Raúl Alfonsín: "Felicitaciones por su triunfo. Desde La Rioja lucharemos por el federalismo y la consolidación de la democracia social. Afectuosamente. Carlos Menem".

El 31 de octubre Raúl Alfonsín se abrazó con Italo Luder y Carlos Menem con Raúl Galván. Menem las emprendió contra la conducción nacional del PJ. "Hay que replantear la conducción nacional del PJ. La conducción tiene que estar en manos de un político", advirtió. Menem acusó a Lorenzo Miguel de haber encabezado un proceso que "no fue tanto como una alvearización, pero sí un olvido de lo que Perón había dicho. Las tribunas políticas se deben alzar para dar cátedra en cuanto a lo que es política, en el extenso sentido de la palabra. Pero esta vez, algunos candidatos del justicialismo en distritos muy importantes han levantado tribunas para insultar al circunstancial adversario y eso en nuestra comunidad, que está muy politizada, no ha caído bien, los resultados están a la vista".

—Nos cobraron todo el fuego: desde la quema de las iglesias en 1955 hasta la quema del cajón de Herminio.

Antonio Cafiero no podía escapar a sus viejas obsesiones. Había renunciado al gobierno de Juan Perón en 1955 por el enfrentamiento con la Iglesia, y la derrota le traía viejos recuerdos. Carlos Campolongo, ex vocero de Italo Luder, lloraba sin pudor. Osvaldo Papaleo apeló a un tono historicista.

—Va a ser difícil... Estamos igual que los federales después de la batalla de Caseros. Viendo quiénes se suman a los unitarios triunfantes y si nos queda alguno para seguir luchando.

Menem prefería ser más terminante.

—Yo ya lo había dicho. Con Herminio como candidato perdíamos. Lo que más bronca me da es que lo sabíamos todos y no hicimos nada.

La reunión fue convocada por Menem y se llevó a cabo en el departamento de Guglielmelli, un piso sobre Avenida del Libertador con vista al Hipódromo. Hablaron hasta la madrugada del 8 de noviembre, día fijado para el primer encuentro de la conducción justicialista posterior a la derrota. Menem llegó convencido de que el triunfo en su provincia, un distrito chico pero donde la diferencia de votos con el radicalismo había sido la mayor del país, le daba autoridad para reclamar cambios. El primer encontronazo fue con Bittel. Y Menem, como siempre, dirimió la cuestión públicamente. Abandonó la reunión y reclamó por televisión que la conducción "dé un paso al costado". El justicialismo creía que todavía podía disimular algo de sus luchas intestinas y Bittel y Romero desmintieron que hubiera existido tal pedido del riojano. "Para nada. Nosotros no escuchamos decir nada."

Menem apeló a su estilo campechano. "Entonces que se hagan revisar por un médico, porque están sordos. Yo pedí formalmente un paso al costado de la conducción, lo que por mayoría fue rechazado", explicó. Menem había postulado también la formación de un Consejo Federal con carácter ejecutivo que estuviera integrado por representantes de todas las provincias y que se convirtiera en una suerte de conducción alternativa. Se trataba de formar una alianza con los gobernadores triunfantes para restarle poder a la conducción liderada por Miguel. Ese Consejo se formó, pero sólo con carácter asesor. Miguel "delegó" sus "funciones políticas" en el santiagueño Carlos Juárez. Menem exigió "un paso atrás, un renunciamiento" y Bittel le contestó que "todo está tranquilo, aquí no hay ninguna crisis, nadie tiene derecho a pedir renuncias".

El peronismo parecía destinado a desaparecer de la vida política del país. El mismo día de la reunión del Consejo, un juez federal ordenaba la detención del general (RE) Carlos Otto Paladino, acusado de ser uno de los fundadores de la Triple A. Por primera vez se discutía públicamente la existencia de la organización terrorista de derecha como brazo armado del gobierno de Isabel Perón. La Cancillería canceló la inscripción en el Registro Nacional de Cultos de la Iglesia Católica Apostólica Argentina, fundada por el ex ministro José López Rega, de quien comenzaban a conocerse sus extrañas prácticas religiosas y su vinculación con la astrología y las ciencias ocultas.

Menem estaba decidido a ganar la interna del partido a través de los diarios. Si no tenía fuerza para hacerlo dentro de la conducción, lo haría sumándose a la crítica al descrédito público de los dirigentes. Miguel se indignó. "En ningún momento de la reunión del Consejo alguien me pidió la renuncia. Al contrario, recibí un voto de confianza de los gobernadores electos. Me enteré por radio del pedido unilateral de un compañero al que prefiero no identificar. Ahora va a tener que someterse a los cuerpos orgánicos", explicaba. Miguel se negaba a cualquier tipo de autocrítica: "Cuando llegue el momento de la verdad veremos que no existen los argumentos que algunos quieren hacer sentir. Seis millones de votos es una cifra para respetar. Seguramente lo que pasó es que ante la ausencia de Isabel y por bronca muchos peronistas cortaron sus boletas".

Ese fin de semana, Menem se recluyó con su grupo más cercano para pensar la estrategia a seguir. El cónclave se llevó a cabo en un departamento ubicado en Avenida del Libertador y República de la India, propiedad de Demetrio Vázquez, hermano de Pedro Eladio, el médico de Isabel, que se encontraba todavía exiliado en Suiza. La derrota a nivel nacional y el triunfo en La Rioja habían logrado reunir nuevamente al menemismo primigenio. Los nombres que se habían desperdigado durante la campaña y las negociaciones volvían a quien se había convertido ahora en un punto de referencia. Estaban todos: César Arias, Hugo Grimberg, Hugo Rodríguez Sañudo, Nora Alí, Luis Macaya, Carmelo Díaz, Miguel Angel Vicco, Francisco "Pancho" Paz, Richard Caletti, Alejandro Machaca, Juan Carlos Senna, Mario Hugo Landaburu, Alicia Martínez Ríos y Carlos Guglielmelli. Uno por uno fueron dando la explicación personal de la derrota y la estrategia a seguir. Menem se reservó para el final.

Repitió el análisis que había hecho durante la reunión del Consejo Nacional, pero anticipó lo que vendría: el único líder político del país era Raúl Alfonsín, y había que jugarse allí. Los radicales necesitarían mostrar a un peronista cerca y serían flexibles. Había que refugiarse en La Rioja mientras se conseguía que el partido permitiera las elecciones internas con distrito único.

—Hay que aprovechar a los heridos y a los traidores. Hay que darle soga a todo el mundo. Que se sumen todos los que no tienen a dónde ir. Hay que crear agrupaciones por todos lados, aunque sean sellos. Y salir a caminar. Somos los únicos que podemos hablar de victorias, y en el peronismo nadie se suma a los derrotados.

Fue el preámbulo para anunciarles la decisión que había tomado. Al día siguiente, 11 de noviembre, se reunía el Consejo Nacional para formar el Consejo Federal que el riojano había propuesto. Pero Menem no fue. A esa misma hora se entrevistó con Alfonsín. "En el peronismo nadie se suma a los derrotados". En realidad, Menem estaba repitiendo un viejo esquema: se había resguardado bajo el paraguas de monseñor Enrique Angelelli, bajo el de Isabel, bajo el de Massera, y ahora bajo el de Alfonsín. La decisión fue difícil de explicar, aun en el círculo más íntimo de colaboradores. En aquella reunión en la casa de Demetrio Vázquez, sólo quienes no constituían el grupo puramente político, Vicco y Caletti, apoyaron rápidamente la iniciativa. El resto desconfió, pero nadie planteó una crítica frontal ante la evidencia de que por el momento no había otro lugar detrás del cual encolumnarse.

A las seis de la tarde vieron la escena por televisión. Menem llegó al Hotel Panamericano y subió al piso 17 en que había instalado sus oficinas Alfonsín. Casi al mismo tiempo, Bittel anunciaba que había quedado conformado el Consejo Federal con las únicas ausencias de La Rioja y Jujuy. Menem y Alfonsín se abrazaron frente a los fotógrafos. "Este encuentro no está exento de simbolismo. Es el comienzo de la Nueva Argentina", dijo el presidente electo. "Estamos dispuestos a trabajar para la democracia y consolidar el pregonado federalismo", siguió Menem. El riojano explicó que había respondido a una invitación de Alfonsín, y los radicales aclararon que Menem había pedido la entrevista. En realidad, esas minucias no importaban. Ahora se necesitaban mutuamente. Alfonsín comenzaba su camino hacia la idea del "Tercer Movimiento Histórico". Menem necesitaba acercarse al único referente político claro del país.

Todo se confundía. Isabel le envió un telegrama de felicitación a Raúl Alfonsín y la conducción partidaria creyó que se trataba de una traición al justicialismo. La ortodoxia sindical se defendía atacando: mientras Lorenzo Miguel tenía que responder por la derrota frente a las agrupaciones opositoras de su gremio que le reclamaban la renuncia, los caudillos de las 62 Organizaciones no estaban dispuestos a ceder espacios. El mismo día del encuentro Menem-Alfonsín, la conducción ortodoxa de la Asociación de Trabajadores del Estado suspendió la afiliación de los principales dirigentes de la oposición interna: Germán Abdala,

Víctor de Gennaro, Manual Sbarbati, Andrés Pérez, Carlos Cúster y Juan Galván, en el primer paso antes de reclamar su expulsión. Los dirigentes pertenecían a ANUSATE, la principal agrupación interna que amenazaba con ganar la conducción del gremio.

Menem seguía en Buenos Aires, y tenía que explicar en La Rioja que no estaba "haciendo turismo" sino "buscando apoyo, porque sin apoyo nacional nunca podremos sacar a La Rioja adelante". El cordobés Raúl Bercovich Rodríguez pidió la expulsión de Menem del partido por su acercamiento con Alfonsín. El riojano utilizaba hasta las críticas para promocionarse: "Todos los que están cuestionando este encuentro son muy pocos. Además causamos un revuelo impresionante en Buenos Aires. Los cuestionadores son los vencidos, los que han sido derrotados. Entonces se sienten un poco molestos. Alfonsín dijo que simboliza las épocas que corren en la 'Nueva Argentina' y es cierto. ¿Hasta cuándo nos vamos a seguir peleando?".

Mar del Plata volvió a ratificar su rol de escenario de los grandes hitos menemistas. La organización corrió por cuenta de Abdul Saravia. El viernes 25 de noviembre toda la ciudad estaba empapelada con el rostro de ese riojano, exótico para algunos pero familiar para la mayor parte de los marplatenses. Menem llegaba a Mar del Plata a festejar su triunfo. Era casi una provocación: una fiesta en medio del duelo bonaerense. Los herministas no estaban dispuestos a permitírselo. Lo esperaron en el aeropuerto de Camet, y sólo contribuyeron a su fama. Cuatro matones lo rodearon apenas bajó del avión y comenzaron a insultarlo. "Te vas a callar la boca o te vamos a matar, cabrón", le gritaban. Menem esperó en vano que le pegaran. Hubiera sido la gloria. Pero pasó en medio del grupo y enfrentó los primeros micrófonos que le pusieron adelante:

—Si me he bancado tantos años a la dictadura no tengo por qué callar mis críticas a los malos peronistas. Hay una crisis de identidad, de conducción y de hombres. Todo es producto de los errores que se han cometido en estos últimos tiempos a partir del Consejo Nacional del partido. Hay que cambiar la conducción del partido.

—Pero la conducción actual todavía es poderosa... —le contestaron.

—No es poderosa. Está integrada por compañeros que tienen su trayectoria, nadie lo pone en duda. Fueron perseguidos, sufrieron la cárcel. Pero llegó el momento de recomponer las cosas y tratar de recuperar lo perdido a partir del 30 de octubre. Los compañeros de la rama sindical avanzaron porque hubo complacencia de la rama política. Entonces lo que vamos a hacer es tratar de que la rama sindical que avanzó por la complacencia y la ingenuidad de algunos políticos vuelva a su punto de origen.

Pasó la tarde en la Bristol, como en las viejas buenas épocas, y se preparó para el acto de la noche que había organizado Lealtad y Unidad. El peculiar escenario había sido levantado en el Torreón del Monje, sobre la costa, y Menem aprovechó el fondo del mar y la noche para volver a su identificación religiosa con Facundo. "Me amenazaron de muerte, para hacerme callar. Salvando las distancias, hubo hombres ilustres en mi tierra que también fueron mandados asesinar por haber defendido al pueblo, como Facundo Quiroga. No me quiero equiparar con él, pero seguiré en la lucha que también ha sido la de ellos. El hombre no tiene nada a que temer, al único que debe temer es a Dios. Porque el hombre nunca muere en la víspera, sino cuando el destino lo determina. El Justicialismo no puede perder tiempo: o cambiamos el rumbo para volver a Perón o corremos el riesgo de la disgregación."

Menem volvió a La Rioja. Se envolvió en un poncho, montó su caballo y partió rumbo al cerro. Allí, en Sierra de los Quinteros, en una suerte de "retiro espiritual" y de contacto más directo con el alma de Quiroga, decidió el gabinete de su provincia y sus próximos pasos en la política nacional.

Apenas volvió, comenzó a construir lo que sería el "eje del Noroeste": La Rioja, Catamarca y Salta. El gobernador salteño, Roberto Romero, llegó en su avión particular a La Rioja y allí esperaron a Vicente Saadi. Se trataba de conseguir una modificación a la Ley de Reconversión Vitivinícola para permitir mejores condiciones de negociación de los productos locales en el resto del país. Los tres viajaron a Buenos Aires para entrevistarse con el ministro de Economía entrante, Bernardo Grinspun. Menem ya no volvió a su provincia: esperó en la capital la asunción de Raúl Alfonsín.

Arturo Frondizi, María Estela Martínez de Perón e Italo Luder, en su condición de ex presidentes constitucionales, presidieron la ceremonia en que Raúl Alfonsín recibió la banda y el bastón, dando inicio al gobierno democrático. En un intervalo de los festejos, Menem invitó a la viuda de Perón a presenciar su asunción en La Rioja, pero Isabel ni siquiera contestó. El riojano no se inmutó: la ex presidente se reunía en Buenos Aires, en el Hotel Bauen, con los peronistas derrotados, mientras él asumía, triunfante, un nuevo período de gobierno. "No vine a cortar cabezas, pero sí vine a tirar orejas, a los que están y a los que no están", dijo Isabel con su nuevo tono admonitorio de maestra de campo.

Unas horas después de asumir ante la legislatura riojana, Menem dio su primer conferencia de prensa como gobernador constitucional por segundo período. En ella le preguntaron:

—Existe un movimiento en el peronismo del interior del país hacia la Capital Federal. ¿Podría crearse en forma paralela al Movimiento Justicialista y desplazar a la cúpula?

—El movimiento existe —respondió Menem—. No son conducciones paralelas porque esto evidentemente tendería a disgregarlo. Pero sí estamos trabajando en el reemplazo de la cúpula del Movimiento Nacional Justicialista. Perón decía que la política es para los exitosos y no para los vencidos. Este Consejo Nacional Justicialista ha sido vencido, y tendrá que dar un paso al costado y, como decía Perón, formar cola para ganar el espacio perdido. Pero mientras tanto, los que han triunfado tienen que conducir al Movimiento para recuperar lo que hemos perdido en estas elecciones, y ese movimiento del interior tiende a conseguir ese objetivo. Pero serán las bases las que elegirán a sus dirigentes y ese movimiento ha puesto sus ojos en La Rioja. No hay dudas en eso. La Rioja se ha convertido en la capital del Movimiento Nacional Justicialista.

CINCO

—LOCA DE MIERDA... Te voy a matar...

Zulema alcanzó a dar vuelta la cara para esquivar el puño de su marido pero Carlos Menem se lanzó sobre ella y la tomó por el cuello.

—Vos no me vas a cagar más la vida... Yo te voy a matar...

La tiró sobre el escritorio de su despacho y comenzó a pegarle en todo el cuerpo. El entonces presidente del Banco de La Rioja, Bernabé Arnaudo, que había esperado en la sala contigua en un intento por no participar en la pelea conyugal, entró alarmado por los gritos.

—Carlos, pará, se va a enterar todo el mundo, pará, es una locura... —le rogó mientras lo separaba.

Zulema salió corriendo, con el cabello revuelto y la ropa rasgada, sin soltar una lágrima. Le pidió al chofer que la llevara a la casa de su amigo, el jefe de policía Héctor García Rey. Allí pasaría la noche. A la mañana siguiente los dos se presentaron en el cuartel general. García Rey le dictó a su secretaria un despacho: "Siendo 30 de enero de 1984 el Jefe de Policía de la provincia de La Rioja manifiesta que siendo las 10 horas del día se presenta ante el suscripto la señora esposa del gobernador de la provincia, doña Zulema Fátima Yoma de Menem quien manifiesta lo siguiente: que el día de ayer, día 29, en el despacho del señor gobernador doctor Carlos Menem, en presencia del presidente del Banco de la Rioja, señor Bernabé Arnaudo, su esposo le gritaba: loca, loca, te voy a matar, y le pegaba en diversas partes del cuerpo. Presenta lesiones, hematomas de brazo derecho e izquierdo, un bulto en el cuero cabelludo y golpes en la espalda.

Todo fue comprobado por el médico de esta repartición doctor Enzo Herrera Páez; se procede en levantar este acta a pedido de la señora Menem para preservar su vida y o las consecuencias que la situación familiar en que vive pudiera afectar su integridad personal. Es todo. Doy fe".

Armando Torrealba, convertido en una suerte de mayordomo de la residencia de los Menem, dividía su fidelidad entre Zulema y Carlos. Esa mañana del 5 de febrero de 1984 ayudó a la señora a poner la ropa de su marido dentro de los bolsos y un minuto después llamó por teléfono a la Casa de Gobierno para avisarle a él lo que estaba sucediendo. Carlos Menem abandonó apresurado una reunión de gabinete y manejó como un loco devorando las veinte cuadras de distancia. Tuvo que frenar de golpe: sus valijas, amontonadas en medio de la Avenida Juan Perón, cortaban el tránsito. Nadie sabe, o nunca nadie se atrevió a relatar, qué pasó en la siguiente media hora. Carlos Menem volvió a su coche, subió las valijas, y partió hacia la casa de su hermano Eduardo. Zulema lo acusó luego por "abandono del hogar conyugal". El explicó públicamente que "ante las desavenencias del matrimonio acordamos vivir separados. Ella permanecerá en la casa del centro".

Menem se instaló en la casa de La Quebrada, una residencia que mandó construir Juan Perón en 1950 para que Evita pasara su temporada de descanso. Evita murió antes de poder utilizarla, y la casa se convirtió en el refugio de los gobernadores riojanos cuando querían huir del sofocante calor de los veranos provinciales. Durante los primeros días de separación, Eduardo estaba dispuesto a terminar con el tema definitivamente y pergeñó un certificado médico que declaraba que Zulema sufría de "delirios místicos" y sugería su internación en un centro de recuperación. Carlos dudaba. Prefería seguir manteniendo las apariencias públicamente, no tanto por los costos o beneficios políticos de dar la imagen de una familia unida sino porque estaba convencido de que lo único que podría limitar a Zulema sería su propia ambición de poder. Si ella quería regentear la Secretaría de Acción Social, como lo venía haciendo, y mantener las prebendas de su cargo de primera dama provincial, debía guardar discreción.

Menem no tuvo tiempo de meditar su decisión. La Rioja es un pueblo grande, y la esposa del médico —con solidaridad de mujer provinciana— alertó a Zulema sobre la existencia del certificado. El 7 de febrero la Casa de Gobierno estaba engalanada como en los días festivos. Los gobernadores de Catamarca, Ramón Saadi, y de San Luis, Adolfo Rodríguez Saá, llegaban a la provincia para firmar la ratificación del Acta de Reparación Histórica que otorgaba el beneficio de la promoción industrial a esas provincias, una de las bases de sus deterioradas economías. Zulema llegó hasta la secretaría privada de su marido hecha una furia y gritando que iba a matar al gobernador. El secretario general, Luis Basso —uno de los primeros dirigentes del peronismo provincial, que en 1984 tenía casi ochenta años—, la paró en la puerta y le pidió silencio. Estaban en medio del acto y las cámaras de televisión registraban la escena para la cadena oficial.

—Si no me deja pasar lo mato a usted también, viejo de mierda... —gritó ella.

—Señora, la voy a hacer sacar con la policía. Usted no puede molestar al gobernador...

—Es mi esposo y yo acá hago lo que quiero. Usted me renuncia ya, entendió, le ordeno que renuncie...

—Metida de mierda, déjese de joder...

Zulema le arrojó un cenicero de vidrio por la cabeza, y Basso tuvo que tirarse al piso para esquivarlo. Una empleada lo ayudó a levantarse mientras Zulema se iba dando un portazo. Cuando bajaba apresurada la escalera central de la gobernación se cruzó con un periodista de *El Independiente,* y no dudó:

—El señor Basso le acaba de faltar el respeto a la primera dama y se tiene que retirar inmediatamente de este lugar.

El gobernador siguió hasta el final del día con los actos oficiales, y nadie se atrevió a preguntarle por lo sucedido. Carlos durmió esa noche en la casa de su hermano Eduardo y jugó hasta tarde con sus sobrinos. Los hijos de Eduardo y Susana eran su refugio cuando extrañaba a Carlitos y Zulemita. Zulema siempre se había llevado mal con Eduardo, pero todo se precipitó después de la muerte de Mohibe, la madre de los Menem. Zulema y Susana Valente, la esposa de Eduardo, disputaron por la herencia de las joyas de la mujer. Zulema se las quedó finalmente, pero luego denunció que habían desaparecido y acusó a Susana de ser la culpable. Susana era amiga de Armando Gostanián y la representante de su fábrica de camisas Rigar's en La Rioja. Mientras Carlos estuvo detenido durante la dictadura, Gostanián se ocupó de mantener a su mujer y a sus hijos. Después de lo sucedido en Tandil, Gostanián dejó durante unos meses de hacerle llegar el dinero. Zulema aseguraba que había sido por influencia de Susana.

En medio de las discusiones, Zulema acusaba a Eduardo de proteger a Carlos para que se encontrara con Ana María Luján. Todo se complicó en el verano de 1983. Raúl Granillo Ocampo regresó a La Rioja y se instaló junto a su hermano Alfredo en el estudio de Eduardo. Alfredo se casó con la hija mayor de Ana María, aquella que había llamado "tío" a Carlos en las siestas riojanas de fines de los cincuenta.

Menos de una semana después del episodio en la Casa de Gobierno, el día de la ratificación del Acta de Reparación Histórica, Granillo Ocampo asumió como miembro del Superior Tribunal de Justicia de La Rioja. Eduardo y Susana se ubicaron en primera fila para presenciar el juramento. Cuando estaba por comenzar el acto, llegó Zulema. Sin saludar, se paró un paso más adelante. Susana gritó y salió corriendo del lugar. Se cruzó con los periodistas y alcanzó a decirles que Zulema le había pegado un codazo en la boca del estómago y le había advertido que iba a matar a sus hijos. "Voy a casa a verlos, porque tengo miedo de lo que pueda pasarles", dramatizó.

Zulema sacó esa tarde un comunicado de prensa: "Desmiento totalmente esos hechos porque yo, en mi condición de señora, de dama que soy, gracias a Dios, no lo voy a permitir". La desmentida pública llegó acompañada de una advertencia privada. Zulema amenazó primero con matar a su esposo y a su cuñado en el mismo acto y luego con dar una conferencia de prensa en Buenos Aires contando detalles oscuros del pasado reciente de los dos. Por supuesto la segunda amenaza fue más creíble y efectiva que la primera, y Carlos decidió descomprimir la situación: le pidió la renuncia a Basso, le rogó a su hermano y a su cuñada que no se hablara más del tema y decidió tomarse un mes de vacaciones en Mar del Plata mientras pensaba qué hacer con Zulema.

Carlos llevaba una semana en Mar del Plata cuando un llamado telefónico del ministro de Gobierno, Délfor Brizuela, lo alertó. La situación era inocultable: desde que el gobernador había abandonado la provincia, el comisario García Rey dormía en la residencia. Los rumores hablaban de un romance entre García Rey y Zulema, pero lo cierto es que el comisario tenía mucha más vocación para el poder que para el amor. Su acercamiento a Zulema, del que participaba también su esposa, era sólo una apuesta a mantenerse en el área de mayor influencia del gobierno.

García Rey había sido un oscuro miembro de la guardia personal del general Juan Perón en Gaspar Campos. Pero le alcanzó para construir una sólida relación con José López Rega, quien lo designó casi personalmente como jefe de policía en Tucumán en 1973. Un año más tarde lo

166

convocó el brigadier (RE) Raúl Lacabanne, interventor federal en Córdoba, y allí García Rey supo forjar su amistad con Julio César Aráoz. No dudó en ponerse al frente de la represión con tanto salvajismo que las manifestaciones callejeras coreaban su nombre en señal de repudio durante 1975. García Rey tuvo que abandonar la provincia cuando la presión de todos los partidos políticos fue unánime, y se refugió en el Paraguay de su amigo personal Alfredo Stroessner.

Los vínculos con Stroessner y Lacabanne fueron suficiente antecedente para Menem, que lo convocó como jefe de la policía de su provincia en 1983. (Cuando arreció la interna en la renovación, Menem diría que lo había recomendado José Manuel de la Sota). Todos los organismos de Derechos Humanos se ocuparon de alcanzarle la documentación que contenía las denuncias que se habían sucedido durante los últimos años. Menem no se inmutó. El obispo de La Rioja, Bernardo Witte, un moderado en comparación con su antecesor Enrique Angelelli, y el radicalismo se opusieron en vano. Fue la versión riojana del "Pacto militar-sindical". Menem le debía los favores que García Rey le había prestado a sus amigos, pero también creía en él como fórmula para aventar, a la vez, los fantasmas del resurgimiento de la subversión de izquierda y las posibles intentonas de levantamiento militar.

Cuando Brizuela se comunicó con Menem a Mar del Plata para avisarle de los rumores sobre la relación entre García Rey y su esposa, no estaba interesado, en realidad, en preservar la armonía familiar del gobernador. Brizuela, un ex militante de la izquierda de la JP en los setenta y uno de los impulsores de la colectivización de la finca Azzalini, se venía enfrentando con el comisario desde la asunción de sus funciones en el gobierno. García Rey no aceptaba la autoridad de su superior político y no se subordinaba a sus ordenes. Apenas Menem se ausentó de la provincia, cada uno comenzó a disputar su espacio. El episodio desencadenante del escándalo fue casi una anécdota.

Brizuela removió al director del Instituto de Rehabilitación Social, Casimiro Heinrich, y para acordar una salida discreta lo adscribió a la jefatura de policía como comisario mayor. García Rey aprovechó la oportunidad: convocó a una conferencia de prensa para anunciar que desconocía esa designación. "En la policía no va a entrar nadie por la ventana. Todos aquellos que dan órdenes fuera de la ley están en contra del general Perón. Y todos aquellos que me han atacado son aquellos que Perón echó de Plaza de Mayo", anunció.

El 14 de marzo de 1984 el ministro de Gobierno consiguió el OK del gobernador para pedirle la renuncia a García Rey. El comisario se negó a renunciar y el gobernador lo destituyó. Zulema anunció que refugiaría en su casa al matrimonio García Rey y a sus hijos, y los periodistas fueron convocados a una conferencia de prensa en el comedor de la residencia del gobernador. Brizuela intimó a los García Rey a abandonar la residencia por orden del gobernador y les advirtió que si no lo hacían en veinticuatro horas serían sacados con la fuerza pública.

Los periodistas llenaron el salón principal de la residencia. Se desparramaron sobre los sillones ocres y morados, sobre las alfombras persas y entre los adornos de cerámica. Zulema les sirvió café. García Rey esperó que se encendieran las cámaras de la televisión. La siguiente es la síntesis que hizo el diario *El Independiente* de sus declaraciones ese día:

• "Desconozco al señor Brizuela como firmante de este comunicado, porque tendría que haberlo firmado el gobernador."

• "Quiero saber qué opinión tiene el gobernador Carlos Menem y sus ministros y demás funcionarios de Firmenich, Vaca Narvaja, Gorriarán Merlo, etc., como así también qué se opina a nivel de gobierno de las granjas colectivas."

• "Los nombramientos que se están haciendo últimamente están identificados con la Tendencia. Esa Tendencia que Perón echó de la Plaza de Mayo. Se lo advertí al señor gobernador y él me dijo que estaba equivocado."

• "Esta misma situación que se vive ahora es la que se vivió en el año 1973, y que empezó en Tucumán."

• "Hay funcionarios, muchos, que están identificados con esa Tendencia y que en épocas pasadas tuvieron contactos con la subversión."

• "Estoy con el gobierno nacional que está amparando la democracia."

• "Denuncio la destrucción sistemática de las policías provinciales, como pasó en el caso de Catamarca, Tucumán y otras provincias."

• "Yo hago la advertencia para prevenir una escalada terrorista. Hay que prevenirla. No reprimirla."

• "Yo doy esta conferencia de prensa en esta casa, la residencia del gobernador, porque soy amigo de la señora del gobernador. Del primer mandatario, doctor Carlos Saúl Menem, era amigo. Ya no lo soy más."

• "Yo sé que ante el juez Anzoátegui hay una acusación de parte de un empleado de la Financiera Independencia contra varios candidatos a gobernadores, de que allí se les entregó dinero para la campaña proselitista, y la Financiera ahora está quebrada."

• "Hay una caja de seguridad en Buenos Aires que tiene papeles donde están escritos nombres. Son papeles que incriminan a los personajes cuyos nombres están allí consignados. Incriminan a Firmenich, Vaca Narvaja, Gorriarán Merlo y compañía."

• "Si el senador Saadi tiene el derecho de decir que Firmenich es un héroe nacional yo le digo que Firmenich es un desestabilizador, un subversivo."

• "Conmigo no iba a tener libertad de movimientos ninguno que esté en la parte subversiva, ni aparentemente subversiva ni nada que se le parezca."

Los diarios más cercanos al gobierno relataron que la conferencia de prensa se había hecho al pie del lecho conyugal. Zulema aseguraba que eso era "una infamia. Es una acusación fácil para hacerle a una mujer". En realidad, la relación entre la esposa del gobernador y el jefe de policía era mucho más de interés que de afecto. Zulema siempre creyó que su matrimonio con Carlos Menem la habilitaba para hacer política junto a su marido. Fusionando su visión musulmana de la vida con sus pocas ideas políticas, ella creía —citando al Corán— que, como todo hombre con poder, Menem era propenso a estar rodeado de "elementos satánicos" y que ella era la enviada para rescatarlo. Además, siempre tuvo un costado más nacionalista —de derecha si se quiere— que su marido, y por eso siempre estuvo ligada con los elementos del Ejército, la Policía y cierto sector de la Iglesia. Zulema estaba dispuesta a construirse su destino político como una nueva Evita, sacando de al lado de su marido a traidores y ventajeros y haciendo su propio camino desde los despachos de Acción Social. Había sido formada en el nacionalismo conservador de su madre, que había inculcado en sus hijos la vocación política. Cuando volvió de Siria luego de la muerte de su marido, Chaha se convirtió en una militante radical seguidora de Ricardo Balbín al punto de recorrer toda su provincia para participar en todos los actos que aquél lideraba. Fue uno de los motivos de disputa con Carlos durante esos años. Chaha sufría de continuos ataques de asma, que se incrementaban cuando volvía tarde y empapada de los actos. "El asma se lo debo a Don Ricardo", bromeaba la mujer. Y Carlos le pronosticaba que se iba a morir por culpa de Don Ricardo. Zulema se convirtió en una militante justicialista, tal vez más que su marido, y en una ferviente nacionalista. Aunque nadie pudo determinar nunca precisamente cuánto de su pasión política no era en realidad una forma de resolver sus cuestiones personales. En los momentos de mayor crisis del matrimonio, ella se alió con quienes estaban exactamente en la vereda opuesta a la del gobernador. La Unión de Estudiantes Secundarios la nombró "guía espiritual", los viñateros la designaron "Madrina de la uva". Algunas unidades básicas la consideraban su "Conductora".

El episodio terminó con la destitución de García Rey y su alejamiento de la provincia y precipitó el enfrentamiento público de Menem con Zulema. En cuanto al primer tema, Menem no dudó en desdecirse de todos sus dichos de los últimos tiempos en relación con García Rey. Menem había desconocido todas las denuncias que le habían acercado sobre la actuación de aquél durante la dictadura y se había negado a escuchar a quienes lo criticaban. Cuando finalmente lo destituyó, descubrió de pronto todo su pasado. "Ahora tengo las pruebas", dijo. Cuando le preguntaron a qué pruebas se refería contestó vaguedades: "Bueno, pruebas de allanamientos llevados en forma violenta en algunos locales políticos de Córdoba, fotos de revistas de difusión masiva en las que se lo veía a él en una habitación llena de armas en el '75 y también antecedentes que venían de Tucumán sobre su actuación al frente de la policía.

"Por un error del que me hago cargo, designé a García Rey. Pero ahora quedará marcado para siempre como un elemento perturbador. Enemigo de la democracia y la libertad, un hombre que está totalmente desequilibrado. No descansaré hasta que sea enviado a un psiquiatra y luego dado de baja de la policía. Su pertenencia a las filas de la Policía Federal es una vergüenza sólo comparable al paso de López Rega por esa institución. Esto enloda a toda la policía y a todos los argentinos. Es un fascista, sedicioso, miembro de la Triple A, que se entrevistó en Córdoba con militares golpistas como Luciano Benjamín Menéndez.

Menem tuvo que regresar antes de lo pensado de Mar del Plata y ponerse al frente del gobierno cuando los diarios locales ya hablaban de una crisis de gabinete. Para rechazar las imputaciones de García Rey, Menem distribuyó un comunicado oficial en el que afirmaba que Mario Firmenich y Fernando Vaca Narvaja "son tan terroristas y sediciosos como los que tomaron por asalto el poder el 24 de marzo de 1976". Su preocupación era despegarse por igual de los represores y los montoneros. "En nuestra ideología nacional, popular y cristiana no tienen lugar desviaciones de izquierda ni de derecha, ni pensamientos totalitarios", aseguraba. No se trataba sólo de las imputaciones de García Rey. Su vinculación con Vicente Saadi era por entonces muy fluida, y el catamarqueño había salido en defensa de Mario Firmenich —a quien acababan de detener en Brasil y esperaba la extradición a la Argentina— y había acusado al presidente Alfonsín de estar persiguiendo "por igual a los represores y a los sobrevivientes de la dictadura". El radicalismo agitaba en ese momento la "teoría de los dos demonios" por la que pretendía equiparar a reprimidos y represores como los integrantes de dos bandos en lucha durante una guerra que se habría librado a principios de los setenta.

Cuando Menem creyó que la situación estaba solucionada en su provincia viajó a Buenos Aires para buscar el respaldo del presidente Alfonsín. El ministro del Interior, Antonio Tróccoli, citó a García Rey a la Jefatura Central de Policía. El comisario (R) quedó detenido en dependencias de la Policía Montada y Menem tuvo a su disposición todos los canales estatales para explicar cómo había sorteado con éxito la situación.

Zulema no estaba dispuesta a darse por vencida tan fácilmente. También ella viajó a Buenos Aires y comenzó a recorrer los estudios de las radios capitalinas. Menem estaba en su departamento de Cochabamba cuando escuchó la inconfundible voz de su mujer a través de Radio Mitre: "No voy a opinar sobre lo de García Rey. Yo no entiendo de ese tema. Además yo no vivo con el gobernador, porque él hizo abandono de su hogar. Nos abandonó a sus hijos y a mí. No sabemos dónde está. Yo creo que esto no le hace bien a su imagen, porque si hace esto con su familia qué hará con el país...". No quiso escuchar más. Tomó una pastilla para dormir y se despertó al día siguiente.

Menem dejó el tema en manos de su hermano Eduardo. El ya no podía resolver la situación. Emir Yoma intentaba en vano mediar, pero Zulema no escuchaba razones. Estaba dispuesta a destruir la imagen pública de su marido si él no accedía a volver a la residencia, desagraviarla públicamente y nombrarla al frente del Ministerio de Acción Social. Zulema sabía que Eduardo seguía obsesionado con la idea de hacerla internar en un psiquiátrico, y se adelantó. Publicó un certificado médico en el que se aseguraba que se encontraba en perfecto estado psíquico y mental. Comenzó a denunciar complots contra ella y su familia: aseguró que le habían hecho tomar una pastilla que le provocaba palpitaciones; luego, que habían tirado víboras en su dormitorio para que la picaran. Una anécdota similar había ocurrido unos meses antes, pero se trataba entonces de un cocodrilo.

A poco de asumir la gobernación Menem había convertido la residencia en un verdadero zoológico. Aves exóticas, cotorras y loros, tres perros —un pastor alemán, un manto negro y una husky siberiana—, algunos monos y un león. Ninguno de los animales se caracterizaba por su tranquilidad. El manto negro, el preferido de Zulemita, se excitaba con sólo escuchar ruido de metal, y Zulemita se paseaba con él por la residencia mientras huéspedes y servidumbre debían esperar que no tintinearan sus llaves o sus lapiceras.

Algún visitante le regaló un cocodrilo. Menem lo tiró en la piscina de la residencia sin avisarle al resto de la familia. Zulema se zambulló como casi todas las mañanas y se encontró al animal nadando junto a ella. Una criada tuvo que llevarla desmayada hasta su habitación. Zulema despertó gritando que llamaran a su marido. Cuando el gobernador llegó lo acusó de haberla querido matar y de haber tirado el animal a propósito dentro de la piscina. Carlos no se amedrentó: al día siguiente el cocodrilo descansaba en la bañera de la *suite* principal de la casa.

Zulema decidió finalmente soportar la situación. Como siempre, sabía hasta donde podía llegar. Ella empujaba, provocaba, peleaba, pero no estaba dispuesta a separarse. Cuando todo se complicaba, callaba y esperaba a que la situación mejorara. Dos días más tarde, Carlos entró a su dormitorio hecho una furia:

—Dónde está. Sos una bruja. Dónde está mi cocodrilo. Vos lo robaste.

Zulema juraba que no sabía nada: ya ni salía al patio por temor a encontrarse con el animal. Carlos llamó al jefe de policía y movilizó a la policía provincial para que encontraran el bicho, mientras Zulema permanecía encerrada en su dormitorio a la espera de que se probara su inocencia. La policía recorrió toda la ciudad, investigó, averiguó. Hasta que el cocodrilo apareció atado en la puerta de la casilla de un cartonero: el bicho se había escapado y él lo había encontrado y adoptado como mascota. El cartonero terminó en un calabozo, y el cocodrilo volvió a la residencia. Cuando murió, Carlos lo hizo guardar embalsamado en el dormitorio como muestra de su autoridad.

La cuestión de los animales y las acusaciones de Zulema eran sólo una parte del clima de violencia interna que imperó siempre en la familia Menem. Si hay una caricaturización de esa situación, es la que ocurrió varios años más tarde, cuando Carlitos puso una pistola en la sien de su padre advirtiéndole que iba a matarlo si volvía a pegarle a su madre. Pero las peleas campales, las bromas límites y los juegos de riesgo fueron una constante: los Menem podían haber cenado jugando a la ruleta rusa, y nadie se habría sorprendido. Zulema solía mostrarle a sus visitas las marcas de humedad en la pared provocadas por los jarrones que arrojaba por la cabeza a su marido. Carlitos era un niño de diez años cuando se enojaba con sus padres y salía conduciendo su propio automóvil a casi doscientos kilómetros por hora por la montaña. Zulemita obligaba al servicio doméstico de su casa a pasarse las noches en vela por si ella tenía miedo a la oscuridad. Con un dormitorio repleto de elefantes de raso y ositos de peluche, su divertimento favorito era ver cómo su manto negro cazaba pájaros en el jardín.

Los chicos crecieron en medio de ese clima de violencia entre el padre y la madre, soportando sus desventajas y gozando de sus réditos. Zulema los utilizaba para extorsionar a su marido en medio de las peleas, y él, a veces, prefería dejar de verlos porque aseguraba que "ella les hace un lavado de cerebro diario". Los chicos se criaron en la cultura musulmana, respetando al padre más por su capacidad política que por su persona pero convencidos de que la jefa del hogar era la madre.

"El Islam no menosprecia a la mujer, sólo distingue rigurosamente entre los dos sexos, adjudicando su rango a cada uno de los dos: como ser humano, dotado de un alma inmortal, la mujer no es, desde el punto de vista islámico, inferior al hombre; si no, no podrían existir en el Islam mujeres veneradas como santas; como hembra, sin embargo, queda sujeta al hombre, debe obedecer al hombre, no porque éste haya de ser necesariamente mejor que ella, sino porque la naturaleza femenina encuentra su realización en la obediencia, al igual que el hombre tiene que hacerse cargo del deber de mandar; la naturaleza humana está por encima de los sexos, pero el hombre se realiza por medio de su hombría y la mujer por medio de su feminidad. Según esto, el Islam separa decididamente el mundo de las mujeres del mundo de los hombres. A la mujer le pertenece la casa; en ella el hombre no es más que un huésped. Sin embargo, este enfrentamiento polar entre los sexos y la subsiguiente separación de los ambientes vitales constituye la condición psíquica previa tanto de la poligamia como de la veneración caballeresca de la mujer, por contradictorio que esto pudiera parecer a primera vista. La condición previa externa para la poligamia es que en un pueblo guerrero siempre existen más mujeres que hombres y que es necesario procurar protección y hogar a las mujeres sobrantes. Mas en un plano psíquico la poligamia origina justamente aquel distanciamiento entre los sexos que, si se da el caso y aparecen otros motivos adicionales, sirve de incentivo para una transfiguración amante de la mujer. No hay nada más ajeno al concepto islámico del amor sexual que el compañerismo entre el hombre y la mujer. De hecho, la relación entre ambos sexos es siempre más o menos que eso, por muy próxima que la mujer esté al hombre, siempre seguirá siendo para él en lo más profundo de su feminidad algo lejano y misterioso. El menosprecio de la mujer, mejor dicho: su descuido espiritual, es un fenómeno que se da en la vida urbana decadente de los países islámicos;

siempre va unido a la tiranía de las hembras dentro del marco de la familia." La explicación corresponde a *La civilización hispano árabe,* de Titus Burckhardt.

Con los primeros días del otoño de 1984 Zulema partió, una vez más, junto a sus dos hijos hacia Buenos Aires, dispuesta a poner distancia con su marido y a reclamarle la parte de los bienes que le correspondía. Ninguna de las dos partes del matrimonio Menem trató ingenuamente el tema. Las reconciliaciones se sucedieron en los momentos en que podían redituar políticamente, y las separaciones fueron en medio de álgidas discusiones sobre el patrimonio de los dos. Es cierto que Zulema, a través de las empresas Yoma, había aportado en cantidad a la campaña política del gobernador, pero también que sus bienes se habían incrementado notoriamente a partir de su función pública.

El primer intento por no mezclar las continuas peleas matrimoniales con discusiones de patrimonio se había producido diez años antes, en octubre de 1973, cuando todo hacía presagiar la primera separación. Fue Eduardo Menem, como abogado, el encargado de hacerle firmar a Zulema un extraño documento en el que ella aceptaba la separación legal de bienes: "Declaran ambos esposos que desde este momento cesan para el futuro los efectos de la sociedad conyugal, con relación al patrimonio, será materia de acuerdo la división de los bienes que lo integran hasta este momento; consecuentemente, las adquisiciones que en un futuro hiciera cada uno, tendrán el carácter de bienes propios. La esposa retendrá el uso del automóvil, el esposo retirará del hogar conyugal sus libros y efectos privados". El acta es curiosa porque fue hecha en 1973, cuando se aceptaba judicialmente que se realizaran convenios sobre los bienes de la sociedad conyugal, al no estar aceptado legalmente el divorcio. Para justificar la disposición sobre el patrimonio, el documento especifica en su primer punto que "ambos esposos reconocen la existencia de su separación matrimonial de hecho, de común acuerdo, la que se mantendrá en lo sucesivo".

La separación de marzo de 1984 parecía definitiva. El escándalo de García Rey había trascendido a los medios nacionales y Menem creía que ya comenzaba a mellar su imagen y a complicar su carrera hacia la Presidencia. Zulema se enfrentó con el secretario de prensa de La Rioja, León Guinzburg, y denunció que en la provincia gobernada por su marido existía "censura de prensa". Pidió espacio en los medios para reclamar la "purificación del gobierno" riojano y aseguró que no volvería jun-

174

to a su esposo si no se echaba del gobierno a los montoneros y a los corruptos. La prensa riojana intentaba tocar el tema con mesura. El canal estatal ni siquiera lo mencionaba y *El Independiente* hacía malabares para no complicar al gobernador. "Esta editorial entiende que las cuestiones personales deben quedar reservadas a ese ámbito y que no merecen su publicación. La comunidad riojana espera que los esposos Menem resuelvan sus diferencias en el marco que les es propio y cabe reclamar que sus efectos permanezcan circunscriptos al ámbito familiar. La provincia tiene cuestiones sustanciales que debatir", expresaba en su editorial del lunes 19 de marzo.

Menem no dejó pasar la oportunidad de sumar centimil en las revistas de farándula, y también el escándalo, la separación y García Rey le sirvieron para promocionarse. Aceptó hablar con todas las periodistas de revistas femeninas que se interesaban por su situación. Unos meses después, la separación de Zulema se convirtió en una suerte de guerra definitiva. Chaha murió en La Rioja, y Zulema aseguró que, más allá del asma crónica y de un cáncer fulminante, habían sido los pormenores de su separación los principales causantes de esa muerte.

Menem no se inmutó. Comenzó a pasearse con Thelma Stefani, una escultural y bellísima vedette a la que había conocido diez años atrás, en sus primeras incursiones porteñas. Los encargados de presentarlos fueron Nicolás de Vedia y Marta Spinelli, una pareja amiga, y en aquel tiempo solían encontrarse con asiduidad. Dejaron de verse durante la dictadura, y se reencontraron en 1982, ella de la mano de Carlos Spadone. Iniciaron entonces un apasionado romance que no ocultaban frente a Zulema. Ella llegaba a La Rioja y él la llevaba manejando su auto hasta Anillaco, para pasar la noche en la hostería del Automóvil Club. Después de la separación de Menem y Zulema la relación se volvió más estable y tumultuosa, al punto que en octubre de 1984 todas las revistas de la farándula hablaban de ella y Guinzburg debió dar un comunicado oficial de la gobernación desmintiéndola. "El gobernador Menem vio dos veces en su vida a la señora Stefani", decía el comunicado, que Menem mismo se encargó de contradecir aclarando que hacía diez años que la conocía, que era su amiga y que se veían normalmente.

En realidad, fue la vedette quien se tomó más en serio la relación. Ella hablaba ante sus amigas de su noviazgo con el gobernador, y llegaba a fantasear con la posibilidad de estabilizar su complicada vida afectiva. Atravesaba en ese año una profunda crisis depresiva, provocada entre otras razones por sus sucesivos fracasos en los teatros de revistas y por su desplazamiento de los primeros planos por otras vedettes y actrices más jóvenes. Thelma Stefani había pertenecido, junto a Nélida Roca, Nélida Lobato, las hermanas Rojo (Ethel y Gogó) y las hermanas Pons (Mimí y Norma) a la generación de las "reinas de la calle Corrientes", en el momento de mayor esplendor de la revista. Después de la dictadura, el lugar de modelo femenino comenzó a ser ocupado por jovencitas mucho más menudas impulsadas por las revistas, o por quienes accedían a la televisión, un espacio casi vedado para aquéllas. La Stefani, blonda, de cutis blanquísimo y labios encarnados, había sido la imagen venerada por los hombres argentinos a principios de los setenta. Y en 1984 luchaba contra su decadencia física y el olvido. Había comenzado a beber toneladas de cerveza por noche, y cuando amanecía vaciaba cajas de somníferos para dormir todo el día.

Su relación con Menem era uno de los temas centrales de consulta con Jorge, un tarotista que leía su destino en las cartas pero que solía oficiar también de amigo y psicoanalista. El recuerda todavía que ella llegaba a veces golpeada, y que le contaba entonces que su relación con el gobernador era muy violenta, pero esto era casi admitido como normal entre los personajes de la farándula que solían establecer este tipo de acercamientos particulares y lo consideraban como una de las formas de la pasión.

Menem la visitaba en su departamento de la Capital Federal en sus continuos viajes a Buenos Aires. Era 1984, y el gobernador riojano se convirtió en uno de los protagonistas del conflictivo proceso interno de reordenamiento del justicialismo: para eso debía ineludiblemente estar en Buenos Aires. Dos años después, cuando la relación ya hacía tiempo que había terminado, la vedette se suicidó arrojándose desde un balcón.

EL PERONISMO DE LA DERROTA

Durante Semana Santa, Menem se instaló en Mar del Plata. Había que estar en los centros turísticos en el momento de mayor actividad, porque allí estaría la prensa nacional. Ese fin de semana largo de abril de 1984 Mar del Plata era, como siempre, el paraíso de los sindicalistas. Como en las épocas en que Menem cumplía su libertad vigilada, también ahora Diego Ibáñez era el anfitrión de las reuniones nocturnas. Ibáñez y Lorenzo Miguel esperaban a Saúl Ubaldini y a Vicente Saadi para discutir qué hacer frente a la convocatoria al diálogo político lanzada por Raúl Alfonsín. Ubaldini prefirió pasar las Pascuas en el Valle de Punilla y Saadi en su Catamarca. El poder de Miguel e Ibáñez estaba inocultablemente cuestionado. Ubaldini no pensaba acordar con los radicales y sabía que construiría su poder convirtiéndose en el líder de la oposición. Pero tampoco quería quedar referenciado como el dirigente de las alicaídas 62 Organizaciones. Saadi pretendía construir su propio espacio dentro del peronismo, y sabía que podía ser la alternativa política cuando la disyuntiva planteada fuera entre la rama sindical y la política.

Menem anunció que se reuniría con sus "amigos" Ibáñez y Miguel. Pero unas horas después inauguró la Casa de La Rioja en Mar del Plata en un acto encabezado por el gobernador radical Alejandro Armendáriz y el intendente marplatense, también radical, Miguel Angel Roig. "Debemos valorar la importancia de este presente democrático que debe ser respaldado por la unidad nacional por la que luchó Perón, que hoy reclama Alfonsín y por la que bregaron los caudillos del pueblo argentino", dijo durante su discurso. Miguel aprovechó el primer micrófono que le acercaron para decir que no pensaba conversar con Menem porque "parece que se encuentra más cómodo con Alfonsín que con los peronistas". Citó a Perón para recordar que "compañero que critica a un compañero se pasó al bando contrario", y acusó a Menem de no ir a las reuniones del Consejo Nacional partidario porque "sabe que pierde con sus posturas".

Fue uno de los picos del enfrentamiento entre Menem y Miguel. El riojano se ufanó porque "yo los contactos con Alfonsín los mantengo de frente, y en cambio él se reunía a oscuras con los tiranos del Proceso". Dijo que "ellos sus audiencias las tienen que hacer en forma secreta, porque tienen miedo de dar la cara al pueblo argentino", y le reprochó a Miguel no tener "autoridad moral" para estar al frente del justicialismo.

"Ojalá que esta Pascua de Resurrección marque la resurrección de nuestra Patria y también la de nuestro Movimiento. El Movimiento necesita una reforma de su carta orgánica para lograr la directa participación de sus afiliados. Y esta reforma se va a llevar adelante con Isabel o sin Isabel." La ruptura con la cúpula justicialista parecía definitiva. Sólo los bonaerenses, empeñados en recuperar el partido de manos de Herminio Iglesias, lo acompañaban en la confrontación pública. Ese mismo fin de semana la mayoría del Consejo partidario bonaerense firmó un acta separando a Iglesias de su cargo y autoproclamando una nueva conducción. Miguel respondió a los bonaerenses y Menem por igual: "Esta es la conducción más representativa que tuvo el peronismo en mucho tiempo".

Menem y Alfonsín seguían construyendo una relación basada en el pragmatismo y el beneficio mutuo. Desde Mar del Plata, Menem pasó por Buenos Aires antes de volver a La Rioja. No se trataba sólo de discutir política: después de reunirse con el presidente en el despacho principal de Balcarce 50 cruzó la calle y se entrevistó con el secretario de Hacienda Norberto Bertaina. Alfonsín mismo le había telefoneado para acordar la entrevista con Menem. El riojano no creía en las promesas. Cada vez que conseguía una concesión de Alfonsín, hacía que él mismo convocara al funcionario que debía otorgársela para que concretase la operación: créditos para la provincia, redescuentos al Banco de La Rioja, planes de vivienda y salud, redistribución especial de las cajas del Plan Alimentario Nacional. No era poco lo que Menem ofrecía a cambio: Alfonsín necesitaba fortalecer la idea del "Pacto Democrático", del acuerdo con el principal partido de la oposición. Todavía no era fuerte la idea del Tercer Movimiento Histórico en el que los alfonsinistas soñaron hacer confluir a peronistas, radicales y socialistas, pero, en cambio, la consolidación de la imagen de hegemonía de poder planteada desde la Junta Coordinadora Nacional hacía necesario mostrar un entendimiento al menos con algunos dirigentes del PJ y algún sindicalista.

Menem se cobijaba por convicción a la sombra del poder. Finalmente, por esa misma convicción había ingresado al peronismo. "La política es de los que tienen éxito...", decía recordando al General. Su meta era llegar al poder, y el poder era una ecuación cero: se construía sacándole un poco a todos, se construía desde dentro mismo del poder.

Menem pasaba dos días en La Rioja, dos en Buenos Aires y tres recorriendo el interior del país. "Fue ovacionado en un festival de Box en Tucumán", anunciaba *La Gaceta* de esa provincia. Un día después estaba en Concordia para una reunión de intendentes justicialistas entrerrianos. Al día siguiente en Merlo, San Luis, en un Congreso de la Federación de Empleados de Correos y Telégrafos, para luego encabezar una caravana en Moreno, provincia de Buenos Aires. En la Capital Federal se reunió con el ministro de Economía, Bernardo Grinspun, el titular del Banco Hipotecario y el secretario de Deportes. Apareció en dos canales de televisión y varias revistas de la farándula. Seguía construyendo su propia estructura, recorriendo pacientemente el país y ocupándose de ganar espacio en la prensa. Llegaba a cada fiesta, en cada pueblo. Estaba un día en la Fiesta del Ternero, en Ayacucho, y al siguiente en la Feria de las Flores, en Escobar. Por la mañana en una conferencia de un Club Revisionista en la Capital Federal y por la tarde en Gualeguaychú, Entre Ríos. Estaba en todos lados menos en La Rioja. En un pequeño avión y acompañado sólo por un secretario recorría el país. Rubén Cardozo le organizaba actos en Santa Fe. Bauzá en Mendoza. Alberto Kohan se instaló en la Casa de La Rioja en la capital y desde allí se ocupaba de contactar empresarios. Hugo Heguy, un cronista de espectáculos, hacía de una suerte de jefe de prensa. "Intensificación de la campaña por la proyección nacional", explicaba *El Independiente* cuando los riojanos se preguntaban qué hacía el gobernador fuera de La Rioja.

Más allá de las declaraciones públicas, no era el momento oportuno para que Menem planteara la pelea interna dentro del justicialismo. Quería construir una imagen desde fuera del partido, para no ser salpicado por la ola de desprestigio que abarcaba a casi todos los dirigentes partidarios. Para la opinión pública, el radicalismo gobernaba y el peronismo se autodestruía. La única oposición a los planes del gobierno era la que representaba la CGT encabezada por Saúl Ubaldini. Pero el ritmo de la política del país, aun el de la interna justicialista, lo marcaba el gobierno. Apostaba obviamente a la fractura del peronismo, y pretendía elegir a sus interlocutores.

En un momento en que la conducción miguelista se negaba a sumarse al diálogo político y el resto de los dirigentes no eran representativos formalmente como para tomar otra decisión, Alfonsín zanjó la situación invitando a la ex presidente Isabel Perón a venir a Buenos Aires a firmar el acuerdo entre los partidos mayoritarios.

El anuncio de que la invitación había sido enviada logró desconcertar a la cúpula justicialista, que comenzó con las reuniones y las negociaciones para acordar la forma en que reaccionaría frente a la novedad. Menem llegó el 4 de mayo a la quinta de Tortuguitas en la que don Vicente Saadi reunía cada tanto a la dirigencia partidaria. Alrededor de la gran mesa de madera del quincho ya estaban acomodados otros seis hombres del interior: Arturo Puricelli (Santa Cruz), Carlos Juárez (Santiago del Estero), Julio Romero (Corrientes), Carlos Snopek (Jujuy), José María Vernet (Santa Fe) y Floro Bogado (Formosa). Un poco más tarde llegaron Manuel Quindimil, Eduardo Vaca y Rodolfo "Fito" Ponce.

Ese almuerzo fue la expresión más clara del "síndrome Isabel". Toda la dirigencia política protagonizó la transición democrática sin alcanzar a comprender la profundidad de los cambios que se habían operado en la sociedad durante los años de la dictadura. Los peronistas, pero también los radicales y la propia Isabel, seguían depositando en la figura de la ex presidente la capacidad de salvar o destruir al peronismo, de unificarlo o dispersarlo. Como si ella conservara el poder que había heredado de Perón diez años antes.

Lo que no entendían era que la viuda del General no quería ni podía convertirse en un elemento con trascendencia para el peronismo. La *débâcle* de su gobierno, la prisión y la dictadura la habían quebrado. Durante los tres primeros años de detención, en Neuquén y Tierra del Fuego, sufrió catorce simulacros de fusilamiento y dos intentos de asesinato en Ushuaia (en uno de estos intentos quisieron hacerla despeñar por las rocas y fallaron en la operación). Cuando luego la instalaron en la quinta de San Vicente, donde estaba recluida en una habitación de servicio, el general panameño Omar Torrijos presionó a la Junta Militar para conseguir una línea directa con ella. Cada mañana la llamaba para ver si todavía vivía. María Estela Martínez llegó a Madrid en una crisis depresiva que se extendió por años. Incapaz de volver a establecer relaciones personales, sólo se comunicaba con algunas amigas que oficiaban de secretarias.

Los emisarios que llegaban a Madrid no eran sólo políticos. La herencia en disputa del General no era sólo su alma sino también, y fundamentalmente, sus bienes. Mario Rotundo la hizo presidente de la Fundación para la Paz y Amistad entre los Pueblos, una sociedad internacional de ayuda mutua. Carlos Amar, un oscuro buscavidas que en los cincuenta había sido beneficiado junto a Jorge Antonio por la política económica de Juan Domingo Perón, se ubicó a su lado. Hugo Franco, el testaferro del cardenal Raúl Primatesta, se sumó a su círculo áulico. Sin embargo, en poco tiempo se dieron cuenta de que los bienes a administrar, en realidad, eran bien pocos. Isabel heredó el juicio que las hermanas de Eva Duarte habían iniciado contra el General y tuvo que entregar la residencia de Puerta de Hierro en Madrid, la casa de Gaspar Campos y la quinta de San Vicente. Le quedaba algo del dinero en efectivo que había dejado Perón y su pensión de presidente y de teniente general.

La devolución de esos bienes de Perón sería más tarde uno de los ejes de la relación de Isabel con el gobierno radical. El otro, el fundamental, fue el acuerdo político entre los partidos mayoritarios para no profundizar en la búsqueda de responsables de lo acontecido en 1975. Se juzgaría la represión militar, pero se dejaría en el olvido a la Triple A. La teoría de los dos demonios, alentada también por algunos justicialistas como Julio Bárbaro, ponía en un plano de igualdad a los militares y a los montoneros y repartía entre los dos grupos por igual las culpas de lo acontecido en la Argentina durante la década del setenta.

El radicalismo había invitado a la viuda de Perón para poner el broche de oro a su estrategia del "Diálogo Político": llegaría para firmar un "Acta de la Democracia" que intentaba convertirse en una garantía contra los golpes militares. Esta era, además, una cuidada operación en la que participaría también Arturo Frondizi en su calidad de ex jefe de estado.

Menem fue cauto. En la víspera de la llegada de la ex presidente re-

180

solvió que estaría en La Rioja en el momento del arribo de Isabel a Buenos Aires. Todavía estaba demasiado presente en la opinión pública el difundido episodio de las flores rechazadas en setiembre de 1983. Menem tenía, además, otros problemas de los que ocuparse en su provincia: Zulema parecía empeñada en una embestida feroz contra su marido. Aparecía en los medios de comunicación contando detalles de la separación y acusando a su ex marido de haberla golpeado y de estar rodeado de un "entorno nefasto". Desde la revista femenina *Para Ti* reclamaba la renuncia de Eduardo Menem y Délfor Brizuela. "Fue una falta de discreción de parte de mi esposa. Está mal asesorada", contestaba Menem. También sus ministros lo reclamaban en La Rioja. Los empleados públicos no cobraban hacía meses, y la única manera de parar el clima de descontento que se estaba generando era con la presencia del gobernador.

Juan Ramírez de Velasco se había equivocado aquel 20 de mayo de 1591. Quería fundar una ciudad al pie del cerro Famatina para convertirla en la capital americana del oro. Cuando llegó al valle de Yacampis y vio un gran cerro al oeste creyó que había encontrado el lugar. Fundó la Ciudad de Todos los Santos de la Nueva Rioja sin reparar en que el cerro no era el Famatina y no tenía ni oro ni metal en su entraña.

Raúl Alfonsín y Carlos Menem subieron juntos al balcón de la Casa de Gobierno riojana el 20 de mayo de 1984 para festejar un nuevo aniversario de aquella equivocación. Ese mismo día, Isabel llegó a Buenos Aires. "Con la compañera Isabel me puedo reunir en cualquier momento. Pero no puedo cambiar el día del aniversario de La Rioja", explicó Menem. Los dirigentes justicialistas no estaban dispuestos a creerle. "Compañeros y correligionarios", arrancó Menem, mientras la banda tocaba el Himno Nacional y el gobernador, sin escucharla, intentaba imponerse a la voz de quienes desde la Plaza entonaban la marcha peronista. Les tiraron arroz y flores, y los dos se abrazaron en el balcón y se elogiaron mutuamente. Después entraron abrazados a la Catedral. "Se siente, se siente, la unión está presente", cantaban en la calle. De allí se fueron en un auto conducido por el gobernador, y el presidente no pudo ocultar su asombro cuando escuchó a Menem susurrarle al cura párroco que los despidió en la puerta de la Catedral: "El martes jugamos el partido que suspendimos el sábado. Vaya con sotana porque lo voy a llenar de caños". Menem intentaba zafar de las acusaciones de sus copartidarios. "No me molesta que me digan alfonsinista. Eso es producto de mentalidades pequeñas. Los que dicen eso actúan con egoísmo, maldad y diría que hasta envidia." Era la primera salida del presidente Alfonsín al interior del país, y los beneficios eran mutuos. Menem creía encontrar en el Tercer Movimiento Histórico de Alfonsín la fortaleza que su propio partido no le daba. Intuía por entonces que la fuerza del radicalismo duraría muchos años, y su voracidad de poder no le permitía plantear cuestiones ideológicas. Su madre fue radical, su hermano conservador, él había flirteado con la democracia cristiana: ¿cuál era el inconveniente de sumarse a un partido que parecía garantizarle la llegada a la Casa Rosada? El peronismo era una gran confusión que no tenía nada para ofrecer.

Menem y Alfonsín coincidieron en esa jornada riojana en su visión de la interna partidaria: el justicialismo terminaría fraccionado en varias partes y tendría por delante muchos años de exilio del poder. La sociedad argentina parecía instalada en una suerte de socialdemocracia, con vocación por las formas de la democracia, la paz social y un tinte de izquierda en las cuestiones culturales. Menem estaba convencido de que el Partido Intransigente de Oscar Alende estaba destinado a convertirse en la segunda fuerza en el país. Era el tiempo en que los derechos humanos parecían una de las banderas ideales para hacer política, al menos públicamente y aunque las medidas concretas que se tomaran fueran en detrimento de lo que se proclamaba.

Menem y Alfonsín inauguraron los cursos de Derechos Humanos en la policía provincial. Menem se había presentado junto al obispo neuquino, Jaime de Nevares, para promover una causa por la muerte del obispo Enrique Angelelli, al que pasó a mencionar en sus discursos como un "mártir de La Rioja". El radicalismo apostaba a sumar al riojano como forma de terminar de fracturar al peronismo. Sus principales referentes llegaron ese 20 de mayo a La Rioja. En la mesa de la residencia de la calle Juan Perón se sentaron los radicales Ricardo Barrios Arrechea, Felipe Llaver y Alejandro Armendáriz, gobernadores por entonces de Misiones, Mendoza y Buenos Aires, respectivamente. Para los postres se sumó Leopoldo Bravo, el bloquista sanjuanino que lideraba los partidos provinciales que formaban la tercera pata del Tercer Movimiento que pretendía encabezar Alfonsín. Bravo había llegado a La Rioja a raíz de una "confusión" que fue en realidad una maniobra del gobierno riojano: se había invitado a todos los gobernadores anunciando que Alfonsín convocaba a una reunión de mandatarios provinciales en La Rioja. El Ministerio del Interior tuvo que desmentirlo —"ante las noticias que hacen mención a una convocatoria del Señor Presidente, se aclara que dicha invitación proviene del gobernador de la provincia de La Rioja"—, pero ya era tarde, y Bravo marchaba hacia allí.

El radicalismo era una marea incontenible, y Menem sabía lucrar con ella. Algunos hombres de la Junta Coordinadora Nacional comenzaron a soñar con la fórmula Alfonsín-Menem para 1989. El riojano los dejaba hacer, convencido de que a último momento no conseguirían reformar la Constitución para alcanzar la reelección y de que la fórmula sería entonces Menem-algún delfín de Alfonsín. Mientras tanto, aprovechaba todo el rédito que podía extraer de esa relación.

"Si es necesario, los peronistas arriaremos nuestras banderas en pos de la unidad nacional. Marchamos por senderos distintos, pero en busca del mismo objetivo que Raúl Alfonsín", declaró el riojano. Menem admiraba a Alfonsín. Siempre había despreciado esa "tibieza" del radicalismo en el momento de ocupar el gobierno y ahora creía intuir que el presidente compartía su misma vocación de poder. Estaba convencido de que los dos únicos hombres poderosos en el país en los siguientes veinte años serían él y Alfonsín.

Menem volvió a Buenos Aires una semana después que Alfonsín. El presidente lo había invitado a encabezar una reunión de gobernadores justicialistas en la que haría anuncios sobre aumentos en los montos de la coparticipación federal. Faltaba un día para la firma del Acta de la Democracia. Isabel estaba en Buenos Aires, en donde se había reunido con la conducción justicialista. El riojano apenas habló con la ex presidente. En realidad, su presencia le incomodaba. En principio porque para el peronismo significaba volver a agitar fantasmas de un pasado conflictivo y sin resolver pero, sobre todo, que la sociedad no había digerido.

Si los radicales querían mostrar que habían quebrado a su histórico oponente al punto de atraer hacia la UCR a las figuras más notorias del PJ, nada mejor que la ex presidente, la viuda del General. Y en ese juego, Isabel era un símbolo mucho más potente y claro que el gobernador de una pequeña provincia del interior.

Isabel se fue a mediados de junio, anunciando su pronto regreso. (Les pidió a las mujeres de la rama femenina que organizaran un gran acto para su retorno.) Fue una partida accidentada: algún grupo colocó una bomba en el avión que, aunque no estalló, dejó la marca en la sociedad de las luchas internas del peronismo.

Con el invierno, Menem se instaló en Buenos Aires y renacieron los viejos tiempos de *play boy* de provincia en la Capital Federal. Durante la tarde atendía a sus amigos en la Casa de La Rioja y cuando comenzaba a oscurecer salía con Vicco y Caletti hasta la madrugada. Se hizo inseparable de Spadone y comenzó a disfrutar de un nuevo circuito. Si en el 80 sus recorridas eran por lugares marginales, de fácil acceso, ahora las comilonas eran en restaurantes caros. Se hizo habitué del carrito "Los Amigos" en la Costanera y "El Oso Charly", nombre del dueño de una cadena de restaurantes homónimos, se convirtió en su anfitrión: pizzas y ñoqueadas para una multitud. Gerardo Sofovich lo recibía en "Fechoría", donde confraternizó con Alberto Olmedo, Jorge Porcel y las vedéttes de moda: Adriana Brodsky, Amalia "Yuyito" González, Susana Giménez. Comenzó a usar zapatos blancos de taco alto y sacos con solapas anchas. Era la época de auge de John Travolta en *Saturday night fever,* y él copiaba el jopo engominado, el traje blanco de raso y la camisa negra. Volvió a jugar, aunque esta vez eran partidas de poker y tute en las sobremesas regadas de champaña. Menem disponía de una chequera personal de la gobernación de La Rioja que solventaba todos los gastos. Cada tanto los amigos eran trasladados en un charter para pasar el fin de semana en La Rioja, donde las fiestas duraban cuarenta y ocho horas corridas. Comenzaban al mediodía del sábado y terminaban cuando todos regresaban a Buenos Aires el lunes siguiente.

El grupo político se dispersó. Algunos no entendían su relación con Alfonsín, y otros cuestionaban su vida noctámbula. "El tema de la noche comenzó a pesar mucho", recordaría después Vicco. "Pancho" Paz y Francisco Landaburu pasaron a trabajar como asesores de Eduardo Menem en el Senado. Allí y en los despachos ocupados por los diputados riojanos se concentraba la actividad política. Menem nombró a Caletti al frente de la Casa de La Rioja y a Nora Alí como su secretaria privada; allí se concentraba la diversión.

Nora Alí pasó a ser su compañía más permanente y Zulema la convirtió en el objeto de sus celos y sus planteos. Nora no era ya la inocente niña a la que todos mimaban en las épocas del estudio Grimberg. Era una morena de rasgos finos y pechos generosos, con andar sensual y mirada ingenua. Tampoco esta vez Menem ocultó su relación. En realidad, aparentaba más de lo que sucedía. Menem era capaz de levantarse en medio de una reunión si una mujer le interesaba, o mandar a alguno de sus amigos a buscar a una señorita a la que había divisado desde la tribuna durante un acto. En unas horas se convertía en un enamorado obsesivo: sólo quería lograr lo que buscaba. Era capaz de comprar regalos, prometer viajes, jurar amor y apasionarse como un adolescente. Ya hacía mucho que había olvidado las caricias de esa mujer cuando todavía reinventaba la historia ante sus amigos y se preocupaba porque se reprodujera la anécdota y se fomentara el mito.

Vicco y Caletti eran los encargados de las presentaciones. Antes de una reunión o un acto le avisaban: "Va a estar parada de este lado, con una pollera así y el pelo suelto para atrás...". Cuando él la descubría tenía que sonreír. Era el visto bueno para que ellos la esperaran a la salida, y para que ella llegara acompañada de sus amigas.

Cuando la relación con Nora Alí se hizo demasiado pública y Zulema amenazó con utilizarla como parte del juicio de divorcio que estaba entablando, Menem acordó con Karim y Emir nombrar a Amira como "encargada de Relaciones Públicas" de la Casa de La Rioja. No sirvió. Nora y Amira no lograban convivir. Cuando se trataba de organizar y manejar actividades, sus funciones se superponían. Amira se presentaba como la secretaria privada del gobernador y la representante de Zulema en Buenos Aires. Intentaba mediar en los conflictos entre los esposos y si la situación se tornaba muy caótica le reprochaba a Nora su injerencia.

Las peleas entre las mujeres que lo rodearon fueron una constante en la vida de Menem. Ellas competían por él públicamente, recriminándose a los gritos o a los golpes, planificando venganzas y tendiendo celadas. Zulema utilizó todos los medios a su alcance: sus hijos, que llegaban a las oficinas de la Casa de La Rioja llorando por el abandono del padre; el dinero de su familia, o los secretos que conocía; el chantaje político amenazando con el escándalo público o la alianza con los enemigos circunstanciales de su esposo. La magia y el vudú tampoco estuvieron ausentes: algunas mujeres iban a ver brujos para que separaran a Carlos de Zulema; ella, a su vez, para hacerle "un daño" a Nora Alí o Thelma Stefani, o a la amante circunstancial de su marido.

Carlos disfrutaba de la situación, premiaba a la ganadora de las batallas convirtiéndola en la "elegida" por un tiempo. Boabdil, el último sultán de la Alhambra, hace en sus memorias la mejor descripción de una situación similar. "¿Que qué es un harén —exclamó ante mi insistencia—. Ya lo sabes, y si no, te lo imaginas: un batiburrillo de mujeres que arden por pasar el mayor número posible de noches con su dueño. No por amor (en un harén no lo hay, si lo hubiera, lista estaría la que lo sintiese) sino por conseguir una preferencia, un favor, o simplemente un tarro de ungüento o de perfume, o un velo nuevo. A la que intriga en contra de la voluntad del amo se le corta la cabeza, o desaparece una noche sin dejar huella alguna; a la que incordia, se la echa; a la que es repudiada, porque fue una de las esposas permitidas, se le proporciona una habitación fuera, a no ser que se resigne a su declive. En un harén las únicas contentas son las que aspiran sólo a acicalarse, gulusmear y estar ociosas, sin cuidarse de hijos, ni de comidas, ni de maridos, ni de suegras; las que aspiran sólo a chacharear, a oír música y canciones. Y a aguardar engordando al dueño o al que traiga sus mensajes".

En el año 1984 el peronismo incrementaba su confrontación con el radicalismo, y Menem profundizaba su acercamiento. Saadi, presidente del bloque de senadores, se opuso a la creación de la Comisión Nacional de Desaparición de Personas (CONADEP) que, presidida por el escritor Ernesto Sabato, recibía denuncias sobre la represión militar. El argumento era patético: aseguraba que se trataba de una "réplica" de las comisiones investigadores creadas por la Revolución Libertadora luego del golpe de 1955. Como si se pudiera comparar al gobierno peronista derrocado en aquel entonces con la dictadura militar. Fue quizá el error político más importante de esa conducción justicialista. El clima de la opinión pública argentina en 1984, sacudido de pronto por las informaciones sobre lo sucedido durante la dictadura militar, bombardeado con las denuncias y las exhumaciones de cadáveres, no admitía argumentos de ese tipo.

El 27 de julio de ese año, el radicalismo puso al justicialismo ante la segunda encrucijada. Convocó a una consulta popular para votar sobre el acuerdo de paz firmado con Chile para solucionar el conflicto del Beagle. Se había llegado al acuerdo luego de la mediación del Papa Juan Pablo II y en el clima antimilitarista reinante cualquier opción que quitase protagonismo a los jefes de las Fuerzas Armadas era bien vista. Menem lo intuyó, y el mismo día apoyó la consulta y el acuerdo. También lo hicieron otros justicialistas que luego serían el germen de la renovación, como Carlos Grosso, José Luis Manzano o Julio Bárbaro. Pero Menem fue más allá: el primer acto por el "Sí" al acuerdo con Chile se concretó en La Rioja, y él ocupó el balcón de la Casa de Gobierno junto al canciller radical Dante Caputo. Se sumó a la campaña, y recorrió el país reclamando el voto afirmativo.

La conducción ortodoxa se opuso primero a la consulta y luego decidió la abstención. Saadi protagonizó un histórico debate con Caputo en el que los dos caricaturizaron la situación de los movimientos a los que representaban en ese momento: el canciller impostó el tono intelectual, con manejo de las cámaras de televisión y las innovaciones en imagen que pronunciaban su perfil democrático y pacifista. Saadi se perdió en su diatriba, sus acusaciones y su rol de violento, militarista y anacrónico.

Era exactamente la oposición que el radicalismo necesitaba. Por otro lado, los jóvenes dirigentes que intentaban apartar a la conducción ortodoxa encontraron un nuevo escenario donde hacer pie.

La batalla principal seguía concentrándose en la provincia de Buenos Aires. El 6 de octubre Herminio Iglesias convocó a un congreso en el Club Wilson, de Valentín Alsina, para reformar la Carta Orgánica partidaria incorporando más garantías aún para la ortodoxia y verticalizando aún más el poder en el partido provincial. Se trataba de modificar el artículo 47, según el cual las autoridades permanecerían al frente del partido hasta un año después de las elecciones nacionales. Herminio Iglesias no estaba dispuesto a ceder la conducción de la provincia de Buenos Aires a pesar de los cuestionamientos que había recibido desde la derrota del 30 de octubre de 1983. Antonio Cafiero decidió no concurrir. El intendente de Lomas de Zamora, Eduardo Duhalde, que comenzaba a perfilarse como uno de los líderes de la renovación provincial, se coló en el congreso para, dijo, "gritar mi verdad". Cuando comenzaron las sesiones se paró, cuestionó a Herminio y reclamó elecciones internas democráticas. Apenas terminó de hablar, tuvo que salir apresuradamente del recinto. Los hombres de Herminio Iglesias lo cercaron pero un grupo de amigos personales logró rescatarlo.

El aniversario del 17 de octubre reflejó la atomización del peronismo. El acto oficial fue encabezado en Atlanta por Saúl Ubaldini, el líder de la CGT, que se había convertido en el único dirigente que podía exponerse a hablar desde un escenario sin provocar la silbatina de ningún sector. La Juventud Peronista Unificada convocó a un acto en la Plaza Once, al que adhirieron Luis María Macaya, Carlos Menem y Vicente Saadi. El tercer acto porteño fue organizado por el Peronismo Revolucionario —los ex montoneros que se habían escindido de Intransigencia y Movilización— en la cancha de Platense; Luder habló en Paraná y Antonio Cafiero en Córdoba.

Menem estaba en Europa. Había sido invitado por el alcalde de Logroño, en La Rioja española, y de paso visitaba a su cuñado Karim. Viajó con el dueño de "Adán", Enrique Kaplán, a quien había nombrado asesor en La Rioja, y con Nora Alí. Pasearon por España y luego recorrieron Roma y Milán. Compraron ropa, sedas y perfumes. Kaplán recorrió centros de belleza para elegir los mejores productos para el pelo y el cutis de Menem, especialmente encomendados a su cuidado. Cuando estaban en Milán, prontos a regresar a Buenos Aires, Menem supo que Alfonsín había partido hacia París en una visita de Estado. No dudó un instante: los tres amigos viajaron hacia allí, alquilaron trajes de gala y se presentaron en la embajada Argentina la noche de la recepción. Alfonsín se sorprendió primero y se alegró después: su perfil democrático sólo se intensificaba si podía mostrarse en compañía de un gobernador del principal partido opositor. Menem se fotografió junto a Alfonsín y lo acompañó cuando tuvo que pronunciar su discurso ante la UNICEF.

En ese viaje a Europa, Menem empezó por primera vez a escribir sus memorias. Fueron sólo algunos papeles manuscritos en los que iba anotando anécdotas de su presente y ambiciones de su porvenir. Esos papeles están hoy guardados en el escritorio de Nora Alí. Menem se los entregó como símbolo de la estrecha relación que por entonces mantenían, pero nunca más volvió a preocuparse por ellos.

El 9 de diciembre se creó el Frente de Renovación Peronista. Lo integraban el MUSO de Cafiero, Convocatoria de Grosso, el Frente de Unidad Peronista de Eduardo Vaca, la Comisión de los 25 y los azopardistas de la CGT. Faltaba sólo una semana para la reunión del Congreso Nacional que la conducción partidaria había convocado para el 15 de diciembre en el Teatro Odeón. Mientras tanto, Menem congregó en su residencia de La Rioja a un grupo de dirigentes de distintas provincias que lo proclamaron candidato a presidente del PJ a nivel nacional y reclamaron elecciones internas directas y por distrito único.

Viajes, mensajes, teléfonos. Los dirigentes peronistas disidentes debían decidir si concurrían o no al Odeón. Menem anunció públicamente que iría, y los herministas le avisaron —discretamente primero y a través de la radio después— que en ese caso "iba a cobrar". Esa amenaza lo alentaba: Menem quería ser un mártir de la democracia, su nuevo perfil se lo reclamaba. No se trataba de rescatar al peronismo. Era la oportunidad para que el peronismo presidido por los fascistas y autoritarios lo expulsara. De cualquier forma, estaba a punto de serlo a raíz de sus pronunciamientos por el "Sí" en la consulta popular por el Beagle y por su relación con Alfonsín. Era mucho mejor que fuera echado públicamente y luego de una actitud heroica. Además, Menem sabía también que nada llegaría demasiado lejos: a pesar de estar ocupando circunstancialmente distintas veredas políticas, Herminio Iglesias seguía siendo un amigo importante y Menem no sólo anunció que iría, sino que dijo exactamente la hora en que ingresaría al Teatro Odeón. Era un aviso para la prensa, y era una manera de resguardar su seguridad personal. Todos los focos estarían iluminándolo. Los herministas, torpemente, creyeron que se trataba sólo de una provocación.

Los dirigentes disidentes se reunieron en el Hotel Rochester. No se trataba, ni mucho menos, de renovación y ortodoxia. La mesa estaba presidida por Vicente Saadi, Raúl Bercovich Rodríguez y Oraldo Britos. Menem llegó caminando por Esmeralda hasta el teatro. Fue recibido al grito de "traidor, radical, hijo de puta". La policía, que había decidido no intervenir, tuvo que rescatarlo de las barras bravas. Menem se sentó en una butaca rodeado por León Guinzburg, Julio Corzo, Délfor Brizuela, Vicente Narbona y Teresa Cavero. Norberto Imbelloni presidía las deliberaciones. Los votos eran cantados por las barras bravas. Los congresales levantaban sus manos en bloque para votar lo que les ordenaban desde la mesa de conducción. La violencia y el descontrol fueron tales que superaron incluso las previsiones de Lorenzo Miguel, que estaba intentando manejar el congreso para nombrar al santafecino José María Vernet en la conducción y "blanquear" así la cara del herminismo. En una hora, hasta Vicente Saadi formaba parte de los disidentes. Casi la mitad de los congresales abandonaron el teatro, incluyendo a la mayor parte de los gobernadores y de los legisladores provinciales. Sin quórum, el congreso siguió funcionando con los hombres de las 62 Organizaciones, los herministas y Guardia de Hierro. Menem se levantó para marcharse y un grupo de la barra se abalanzó sobre él. Intentaron golpearlo, lo escupieron y lo amenazaron: "Ojo con lo que contás a la salida, cabrón". Rodeado por sus amigos y la policía logró salir del recinto cuando el congreso aprobaba una mesa de conducción encabezada por el santafecino José María Vernet (Vicepresidente primero), al que sucedían Lorenzo Miguel (Vicepresidente segundo), Herminio Iglesias (Secretario General), Saúl Ubaldini (Secretario Gremial), Raúl Matera (Secretario de Planeamiento), Torcuato Fino (Asuntos Institucionales), Rodolfo Ponce (Secretario de Prensa), Carlos Spadone (Secretario de Economía y Finanzas) y Vicente Joga (Secretario de Interior).

La crisis se precipitó. Menem intentaba reivindicar a Vernet diciendo que el santafecino había caído en "una trampa", pero Vernet no estaba dispuesto a dejarse reivindicar. Tenía claras razones para asumir ese cargo y estaba dispuesto a cumplir con su nuevo rol en su meteórica carrera dentro del justicialismo. Herminio se quejaba porque no entendía bien por qué lo cuestionaban: "¿Quién es la renovación? —se preguntaba—. A ver si Cafiero, Menem o Grosso son la renovación...". Menem salió del congreso y aprovechó todos los micrófonos que pusieron a su alcance. "Semejante barbarie fue desatada por quienes tienen la fuerza como única ra-

189

zón. Son los mismos que promueven la violencia en el fútbol. La situación y las afrentas se hicieron insoportables y los peronistas honestos nos tuvimos que retirar. Y yo quiero advertirles a estos señores que son ellos y no nosotros los que le hacen el mejor favor al radicalismo porque están desprestigiando al justicialismo, que es un movimiento para fomentar la paz y no la violencia." Esa noche festejó en "Karim" junto a Miguel Angel Vicco. A la mañana siguiente partió hacia 9 de Julio, un pequeño pueblo de la provincia de Buenos Aires, para inaugurar un busto de Facundo Quiroga. Recorrida de pueblos y prensa. Su estrategia central en ese año.

Menem estaba convencido de que ahora sí había llegado el momento de lanzar la gran ofensiva. Era imprescindible diferenciarse del resto de los disidentes para quedarse con el rédito de la renovación o, en caso contrario, aglutinar fuerzas para una ruptura. El objetivo era 1989, pero estaba claro que para alcanzarlo no bastaba con sumarse al radicalismo. La UCR sería imbatible en los años siguientes, esto estaba claro, pero el peronismo debía fortificarse si quería ser opción en las siguientes elecciones presidenciales. Ya fuera para compartir la candidatura con Alfonsín o para marchar como cabeza del peronismo, había que hacer resurgir al PJ.

Menem pasó las fiestas de fin de año en La Rioja, deprimido. La casa estaba invadida por una multitud, Menem nunca soportó estar solo. En el amplio gimnasio de la residencia, una mesa como para una comilona estuvo permanentemente servida y los mozos del lugar asaban diez chivitos al mismo tiempo y con sólo una hora de aviso. Pero el clima de fiesta y el jolgorio de los invitados no rescató a Menem de su depresión. Zulema no le permitía ver a sus hijos, su madre había muerto hacía siete años y ni siquiera la sensación de triunfo político le servía para salir de ese estado. Todo le parecía tenebroso. Recordaba entonces que su madre, con lógica pueblerina, le había pedido que talara los dos inmensos gomeros que hacen de arco de entrada a la residencia. Los gomeros, lo sabe todo el mundo en los pueblos, traen mala suerte. El 31 fue a Anillaco con su hermano Amado y buscó en sus sobrinos algo de la alegría que le negaba la ausencia de sus hijos. Jugó al fútbol, fue a misa, comió empanadas y naranjas. Y, después de varios meses, durmió más de quince horas seguidas.

El 4 de enero la residencia recobró su ritmo político. Su hermano Eduardo, Rubén Cardozo, Antonio Vanrell, Eduardo Bauzá, Alberto Kohan, Juan Carlos Rousselot, Arturo Grimaux, Julio Corzo y Délfor Brizuela conformaron formalmente el primer Comando de Conducción del menemismo, dispuesto a alcanzar sus objetivos en el menor plazo posible. La primera tarea era reclamar elecciones directas y por distrito único y así diferenciarse en la oposición al Consejo Nacional Justicialista. La lógica de los congresos siempre actuaría en contra. Se prestaba a las negociaciones y acuerdos de dirigentes, y Menem tenía mucha más fe en lo que pudiese conseguir con su carisma y el voto de la gente que en su capacidad para convencer a sus pares. Al fin de cuentas, tenía muy poco que ofrecer a los dirigentes: nadie creía demasiado en él, que había apoyado a todas las agrupaciones en su origen y que variaba de posición con demasiada facilidad.

La segunda misión era conformar una línea a nivel nacional, que se preparase para disputar la interna en todos los distritos cuando, inevitablemente, llegaran. Lealtad y Unidad había desaparecido. Un intento menor, una línea llamada "Restauración" que fue impulsada por un grupo de históricos y revisionistas, no pasó de concretar algunos actos y unas cuantas cenas. Menem sabía acomodarse a los nuevos tiempos. En el flamante clima de institucionalización que vivía el país, la nueva línea debía partir de lo más legítimo que podía ostentar el menemismo: sus legisladores en el Congreso de la Nación. Fue entonces cuando los senadores Eduardo Menem y Libardo Sánchez y los diputados Julio Corzo, Délfor Brizuela y Arturo Grimaux lanzaron "Federalismo y Liberación".

Todo estaba encaminado y Menem se decidió a pasar el verano con sus amigos en Mar del Plata. Allí estaba la diversión, pero también las revistas, las cámaras de televisión, y la gente. Caminaba sonriente por la playa Bristol dejándose besar por los niños y acariciar por las mujeres.

El riojano se mantuvo al margen de las idas y vueltas de los disidentes del Odeón que planificaban realizar un congreso opositor: finalmente lo convocaron para fines de enero en Río Hondo. Llegaron a Santiago del Estero 351 congresales de los 685 que componían el partido. La renovación cuidaba al máximo la cuestión formal, convencida de que el radicalismo apostaba al fortalecimiento de la ortodoxia para terminar definitivamente con las posibilidades de resurgimiento del PJ. Allí se nominó una conducción de 96 miembros que integraban entre otros Oraldo Britos, José Luis Manzano, José Manuel de la Sota, Carlos Corach y Olga Flores. Pero el congreso volvió a nombrar como presidente a Isabel Perón, en un intento por no romper la cohesión interna. Es que la torpeza de Herminio Iglesias y la debilidad de Lorenzo Miguel habían logrado empujar a todos a la vereda de enfrente, pero el rejuntado era demasiado heterogéneo y las ambiciones políticas y personales, inconciliables. La única obsesión que los unía era no perder la sigla del PJ y la imagen de Perón y Eva como identificación. Todavía no estaba en discusión la metodología ni los temas de fondo, y mucho menos las cuestiones doctrinarias. Se trataba lisa y llanamente de una pelea por la estructura partidaria. Río Hondo dispuso la intervención del PJ bonaerense y nombró a Luis Salim para el cargo. Apenas asumió, Salim se abrió de las directivas de Río Hondo y comenzó a negociar con Herminio.

Lorenzo respondió llamando a la unidad. Pero no pudo frente a Imbelloni e Iglesias, que decidieron aliarse en la conducción como única forma de supervivencia. El 21 de febrero de 1985 Isabel dio a conocer públicamente su renuncia a la presidencia del partido, mediante una carta que envió al mismo tiempo a la conducción de Río Hondo y a Lorenzo Miguel. El conflicto se trasladó a todos los ámbitos y provocó la renuncia de Diego Ibáñez y José Luis Manzano, presidente y vice del bloque de diputados, respectivamente. El santafecino Rubén Cardozo convocó desde la vicepresidencia segunda a los legisladores y el bloque parlamentario justicialista se dividió en dos: uno mayoritario que terminó presidiendo Manzano y uno por la minoría comandado por Ibáñez.

La Justicia avaló el congreso de Río Hondo. Saadi volvió a sus asados en Tortuguitas y Jorge Antonio a las comilonas que convocaba en Guernica para fomentar la unidad, mientras que Lorenzo Miguel renunciaba a la vicepresidencia segunda que todavía ejercía. Julio Romero y Vicente Saadi comenzaron a apelar a la lógica de la unidad, y terminaron socavando el poder de la renovación. Los caudillos provinciales que se habían unido a Río Hondo por necesidad pero que no estaban dispuestos a separarse del tronco miguelista encontraron la veta para dar marcha atrás. Saadi, con sus escasos congresales y su casi nulo poder interno partidario, comenzó a ofrecerse como instancia superadora. Miguel volvió a unificar a las fuerzas sindicales dejando afuera sólo a los 25. Los renovadores vieron como, sin explicación coherente, perdían de repente todo su poder sólo por sus indefiniciones, y comenzaron a integrarse a las tertulias de Romero y Saadi.

Los más duros de cada sector decidieron seguir adelante. Herminio convocó a un congreso en San Luis y Britos a otro en Santiago del Estero. Saadi decidió construir su poder convirtiéndose en la piedra de unidad. Convocó a lo más granado de los dos sectores a una reunión en Tortuguitas. Allí llegaron Lorenzo Miguel, Diego Ibáñez, José María Vernet y Herminio Iglesias, por la ortodoxia, y Oraldo Britos, Eduardo Vaca, José Luis Gioja y Carlos Corach por la oposición. Acordaron las renuncias de las conducciones definidas en el Odeón y Río Hondo para facilitar la unidad partidaria y convocaron a un congreso de unidad para julio en La Pampa. No había demasiado tiempo: las elecciones legislativas habían sido convocadas para noviembre, y había que acumular poder en los distritos y armar las listas para no soportar una andanada de votos radicales.

El radicalismo parecía consolidarse en el poder y comenzó a influir certeramente en la vida interna partidaria del PJ. El proyecto del Tercer Movimiento contaba con la disolución del justicialismo y la absorción del sector aliancista más debilitado, encabezado por el propio Menem. Sin embargo, con el correr de los días quedaría claro que la transformación no devendría en una fractura, y los radicales decidieron convertir a los ortodoxos casi en sus únicos interlocutores para fortificarlos y debilitar a la renovación.

Los dos sectores llegaron a La Pampa dispuestos a confrontar fuerzas. La ortodoxia contaba con las delegaciones mayoritarias de Buenos Aires, Capital Federal, Formosa y la mitad de Santa Fe. Las dos terceras partes de Córdoba se alineaban detrás de Raúl Bercovich Rodríguez en tanto que el tercio restante decidió quedarse afuera con José Manuel de la Sota. Chaco, Salta, Catamarca, Tucumán y Santiago del Estero se encolumnaron detrás de Saadi. Los congresales de Mendoza, Chubut y Río Negro se dividieron entre los dos sectores. Solamente San Juan, Jujuy, Neuquén y Tierra del Fuego quedaron completamente bajo el control renovador. Los congresales de Misiones, Entre Ríos y Corrientes se retiraron del cónclave, porque no lograron participar en las negociaciones de ninguno de los dos sectores.

La derrota renovadora se intuía desde un principio, y los principales referentes de este sector abandonaron la provincia antes de que se reuniera el congreso. El nuevo Consejo Nacional reeligió a Isabel Perón como presidente del partido, y esta vez Vicente Saadi alcanzó la vicepresidencia primera. El resto del cuerpo estuvo integrado así: Jorge Triaca en la vicepresidencia segunda, Alberto Rodríguez Saá en la tercera, Herminio Iglesias en la secretaría general y Luis Salim en la secretaría política, además de Délfor Giménez, Oscar Lescano, Liliana Gurdulich de Correa y Vicente Joga como vocales.

LA RIOJA

Menem tuvo que volver a su provincia. La Rioja era un caos. El radicalismo riojano no estaba dispuesto a aceptar la connivencia de la conducción nacional con el gobernador y, por otra parte, no podía pasar por alto la situación que se vivía en la provincia. El Banco de La Rioja debió cerrar su sucursal en Buenos Aires. El déficit superaba los 150 millones de australes. A partir de octubre de 1984 los empleados públicos comenzaron a cobrar con atraso y a mediados de 1985 se sucedían las manifestaciones públicas reclamando el pago de haberes y retroactividad. En el invierno de ese año estaban con sus actividades paralizadas los trabajadores estatales, los de sanidad, los municipales, los judiciales y los docentes.

El malestar se acrecentaba porque los dirigentes de la oposición que viajaban a Buenos Aires volvían anunciando que en el Ministerio de Economía aseguraban que las partidas requeridas como "socorro financiero" habían sido enviadas en fecha. Todos pedían la presencia del gobernador en la provincia. Los mismos ministros le reclamaban a Menem que se pusiera al frente de la situación. Menem llegaba cuando la situación era caótica. Reunía al personal en el patio de la Casa de Gobierno y lo amonestaba por haber dejado que la crisis llegara hasta ese punto cuando él estaba luchando por algo mucho más importante: la Presidencia de la Nación, que sacaría para siempre a La Rioja de la postración y el atraso.

Cuando la situación parecía insostenible, Erman González (ahora ministro de Economía provincial) ideó la forma de paliar momentáneamente la crisis. El gobierno emitió bonos por diez mil millones de pesos argentinos para cancelar sus deudas. Los bonos tenían poder cancelatorio de deudas y podían también ser cambiados al cien por ciento de su valor en el Banco de La Rioja. Para incentivar a los tenedores a no canjearlos, el gobierno estableció premios por sorteo. La sola emisión era una violación a las leyes nacionales, según las cuales "la facultad de emitir billetes es exclusiva del gobierno federal, por medio de su banco, porque compromete el crédito de la Nación y todos los poderes que a él se refieren son nacionales, como los que versan sobre la moneda, su régimen y su valor", pero el gobierno nacional decidió pasar por alto el tema. Lo único que tuvo trascendencia fue que la figura elegida para imprimir en los bonos era un curioso retrato de Facundo Quiroga: el único sin barba y sin bigotes, con un notorio parecido con el gobernador Menem.

El otro "invento" del gobierno riojano no dio mucho mejor resultado. La Lotería de La Rioja se vendía en todo el país, con abundante publicidad televisiva. Pero en seis meses alcanzó un déficit de casi un millón de australes —la moneda corriente en ese momento—. Dentro de las deudas que contribuían a conformar ese déficit figuraban 17.200 australes de "gastos indirectos" (aquellos que no se debían explicar), dos millones y medio de australes de publicidad y veinte mil australes de viáticos de los funcionarios del área. La quiebra de la Lotería llevó a la suspensión del pago a los jubilados de la provincia, pero siempre la excusa aducida era la misma: no llegaban los fondos de la coparticipación federal.

El gobierno respondía aumentando el número de empleados públicos. En dos años la cifra creció un 203 por ciento. Esa medida era una suerte de subsidio al desempleo, pero de dudosa efectividad ya que la mayor parte de los empleados tenían el trabajo pero no cobraban sus sueldos. Era, de todos modos, la única manera que tenía Menem de calmar el descontento general y el arma utilizada por los dirigentes para aumentar su clientelismo electoral. El historiador riojano Ricardo Mercado Luna, el mismo que había bautizado a La Rioja como la ciudad de los "hechos consumados", fue más allá en su investigación sobre las causas y consecuencias del incremento del empleo público en provincias como La Rioja. Estas son algunas de sus conclusiones:

"El problema no sólo es —o no lo es tanto— el nivel explosivo de incremento de puestos públicos, sino el producido por la falta de diagramación de tareas, asignación de roles y fijación de objetivos a cumplir. El verdadero drama lo constituye el tedio producido por el sometimiento a una simulación de tareas inexistentes; el tedio que degrada al hombre generando reacciones patológicas autodestructivas de la propia estima personal; el tedio grotesco y despiadado que se arroja sin miramientos todos los días sobre los indefensos hogares de los miles de empleados sobrecargados de frustraciones. De pronto, casi toda la población de La Rioja convive con la subcultura del tedio. Y esta convivencia borra las huellas de una personalidad apacible y cálida, dibuja muecas de hosquedad en las calles, frunce los ceños y lubrica los resortes de la intolerancia en el trato diario."

La apelación a la creación de empleos públicos —una constante del "feudalismo" de los caudillos del interior— introdujo a la población en una maquinaria perversa. Una gran trampa colectiva en la que el empleado hace como que trabaja y el Estado hace como que le paga. El sueldo estatal no alcanza, o muchas veces no llega, pero es lo único que hay. Las manifestaciones y la oposición tienen un límite, porque no se pueden quedar sin empleo. Es más: a la hora de votar, aunque el voto sea secreto —en algunos casos—, siempre prima la sensación de que cualquier cambio puede repercutir en la preservación de su puesto de trabajo. Y por eso es preferible el no cambio.

En La Rioja, los empleados paraban cuando Menem estaba en Buenos Aires, pero no se animaban a hacerlo si él estaba en la provincia. Las manifestaciones duraban hasta que él se asomaba al patio de palmeras de la Casa de Gobierno. Pero los problemas de La Rioja no eran solamente económicos. El gobierno de Menem se vio permanentemente jaqueado por denuncias sobre la actuación de los jueces en las causas relacionadas con el gobierno (en muchas oportunidades no ocultaban que esperaban instrucciones antes de proceder), o la relación que los magistrados mantenían con los miembros de las empresas que contrataban obras con el Estado. El primer cuestionamiento acerca de la falta de autonomía de la Justicia en la provincia se planteó apenas había asumido Menem. Durante la campaña electoral él se había comprometido a remover a todos los jueces que habían actuado en la provincia durante la dictadura. Sin embargo, en la sesión inaugural de la Legislatura en que se trató el tema, la bancada radical se retiró mientras los diputados oficialistas prestaron su acuerdo a diecinueve jueces y removieron sólo a trece. Ese mismo día, Menem propuso el nombre de Raúl Granillo Ocampo para presidir el Superior Tribunal de Justicia riojano.

Raúl Granillo Ocampo, su hermano Alfredo y Eduardo Menem habían trabajado juntos en los últimos años. En el primer gobierno menemista, entre 1973 y 1976, la provincia contrató a ITEM Construcciones para que construyera una planta disecadora de frutas y hortalizas en el departamento de San Blas de Los Sauces. Granillo Ocampo era en ese momento asesor en temas hipotecarios del gobierno riojano y formaba un trío inseparable con Eduardo Bauzá y Eduardo Menem. La mencionada ITEM Construcciones era uno de los clientes fundamentales de su estudio.

El contrato firmado estipulaba que la empresa podía reclamar que la provincia la liberara del compromiso y la indemnizara en caso de que la inflación determinara mayores costos y éstos no le permitieran ejecutar el proyecto. ITEM nunca comenzó la construcción de la planta: después del golpe militar demandó al gobierno provincial por ocho millones de dólares por el aumento de los costos del proyecto. Eduardo Menem y Granillo Ocampo llevaron adelante la causa desde su estudio. El tribunal riojano demoraba la sentencia. Cuando Granillo Ocampo asumió en el Superior Tribunal provincial, sentenció que el Estado debía pagar por lo menos el cincuenta por ciento de esa suma. La primera reacción pública de Menem fue una declaración periodística en la que prometió "hacer tronar el escarmiento". El ministro de Economía, Erman González, y el de Interior, Jorge Yoma, explicaron ante la legislatura provincial que las cláusulas del contrato habían sido establecidas por la dictadura militar. Menem admitió que se trataba de una "pesada herencia recibida" y que debía pagarse. La provincia no tenía los fondos, y el gobierno nacional terminó pagándole a ITEM cuatro millones de dólares. El escándalo envolvió a toda la provincia y Granillo Ocampo debió renunciar a su cargo y abandonó el país.

Las denuncias por corrupción habían comenzado después del verano de 1984, y se sucedían ininterrumpidamente. El gobierno no podía ocultar que, mientras no había partidas para pagar los salarios de los estatales, se llevaban a cabo fiestas, banquetes, reuniones, congresos y viajes costeados por la provincia. La residencia del gobernador era un gran hotel en que permanentemente estaban alojados artistas, vedettes, deportistas: en el mes de junio de 1984 se consumieron sesenta tubos de gas y mil litros de champaña. Un mes después se celebró la "Semana de La Rioja" en la que participaron Carlos Monzón y Susana Giménez, aunque ya hacía un tiempo que no eran pareja, y a la que llegaron delegaciones invitadas —y traídas en el avión del gobernador— desde Paraguay y la Capital Federal. Se abrían en todo el país delegaciones de la Casa de La Rioja que constituían en realidad bases políticas del menemismo y sucursales de los negocios particulares de los funcionarios.

Las cuentas públicas eran demasiado alevosas como para que la situación no se prestara a críticas y denuncias. En los primeros seis meses de 1984 el gobierno riojano presentaba 150 millones de dólares de déficit en el Tesoro Provincial; 140 de descapitalización del Banco de La Rioja; 38 millones recibidos en préstamos en bonos de Tesorería; 14 millones de deuda con el Fondo Nacional de Vivienda. A estas cifras había que contraponerle que La Rioja era una de las pocas provincias que conseguía que los fondos girados legalmente por coparticipación llegaran puntualmente, además de los adelantos recibidos a raíz de la buena relación de Menem con el gobierno central y de los fondos que no se registraban en blanco. Las acusaciones más concretas señalaban que buena parte de estos fondos eran destinados al crecimiento de la Curtiembre Yoma en Nonogasta y de empresas relacionadas con los funcionarios del gobierno.

La situación estructural se prestaba al descontrol. El gobernador nunca designó a los miembros del Tribunal de Cuentas de la provincia y, por lo tanto, éste nunca se formó. La representación en la Legislatura no seguía el sistema proporcional del resto del país y se manejaba de manera tal que el radicalismo, a pesar de tener el 30 por ciento de los votos, tenía sólo un representante en la Cámara. El Superior Tribunal de Justicia estaba conformado por hombres ligados al gobierno. En 1986 se reformó la Constitución provincial para posibilitar la reelección de Menem y terminar de cerrar el aparato de control de la provincia. La maniobra más cuestionada estuvo, precisamente, relacionada con el tema judicial. La Constitución establecía que los jueces serían designados por concurso en la magistratura y tendrían acordada de la Cámara, y que durarían seis años con la posibilidad de ser reelectos por otro período de seis. Puntualizaba que, para el caso de quienes estaban en ejercicio, terminarían su mandato en forma conjunta con el gobernador.

Cuando el artículo fue aprobado, todos los jueces presentaron sus renuncias. Menem no dictaminó sobre ellas hasta que se proclamó la nueva Constitución. Entonces los nombró a todos nuevamente por un período de seis años, alegando que la magistratura todavía no había tenido tiempo de reglamentar los concursos y que, si el Ejecutivo no nombraba los nuevos jueces, la provincia quedaba al borde de la intervención federal. Al ser todos ellos nombrados luego de que la Constitución fuera proclamada, ninguno de ellos tendría que renunciar cuando lo hiciera el gobernador sino que ganaban seis nuevos años de mandato.

Hubo, entre todos los casos judiciales escandalosos, un episodio que conmocionó a la provincia. Juan Carlos Juncos, un joven preso en una cárcel del sur del país, fue trasladado a Buenos Aires para prestar declaración en una causa en la que se investigaban las actividades de la Triple A. Antes de viajar a la capital, Juncos remitió una carta al juez Lucio Somoza en la que, para instrumentar su defensa, se declaraba autor de delitos que ya habían prescripto. Entre ellos, del asesinato de una mujer riojana, Leonor Tello de Reynoso, ocurrido en enero de 1972 y por el cual había sido condenado su esposo.

Juncos explicaba en su carta que había logrado "zafar" del hecho porque en aquel momento se desempeñaba como guardaespaldas de Menem y el gobernador decidió hacerse cargo de su defensa. La gestión de Menem fue fácil, porque el juez que entendía en la causa, Omar José Rodríguez, era un amigo personal de la familia. En 1984, cuando estalló el escándalo, Rodríguez era presidente de la Cámara de Diputados por el menemismo. El gobernador aseguró que Juncos era un "fabulador, un mentiroso" y que todo el episodio formaba parte de "una campaña orquestada para desprestigiar a alguien que ha transitado con toda lealtad y honestidad los caminos de la política". El argumento se repetiría como una constante en la vida política de Menem y pasaría a constituir su principal defensa frente a cualquier tipo de acusación.

LA RENOVACION Y EL TERCER MOVIMIENTO HISTORICO

Después del Congreso de La Pampa, que había dado un renovado margen de acción a la dirigencia ortodoxa, Herminio Iglesias inició la que sería su última batalla en el peronismo bonaerense. En un intento por anticiparse a la posibilidad de que la Conducción Nacional del PJ decidiera finalmente intervenir el partido en la provincia, Iglesias convocó a elecciones internas para el 25 de agosto y montó una estructura electoral que intentaba limitar al máximo la presentación de listas opositoras. En el marco de ese intento, se estableció un requisito por el cual cada lista debía presentar como aval el 10 por ciento de afiliados de cada uno de los 125 distritos, lo que significaba 115.000 firmas. Pero el problema central no estaba centrado en la cifra, sino en la distribución geográfica, lo que obligaba a contar con una estructura de dirigentes en toda la provincia. Cafieristas y menemistas se unieron en una campaña de afiliación y firma que logró recolectar en menos de un mes más de doscientas mil firmas. Ante la evidencia de que existían posibilidades de perder la conducción del partido si se realizaba finalmente la interna, Herminio Iglesias buscó un artilugio legal para impugnar la candidatura de Antonio Cafiero, acusándolo de "inconducta partidaria", y suspendió los comicios internos.

Los renovadores decidieron llevar adelante una suerte de "internas abiertas de hecho" y se presentaron con el nombre de Frente Renovador, escindidos del Partido Justicialista, para las elecciones legislativas del 3 de noviembre de 1985, las primeras en que debían renovarse diputados y senadores desde el restablecimiento del gobierno democrático. Aunque el radicalismo se impuso abrumadoramente en todo el país, los renovadores festejaron esa noche como si se tratara de un triunfo: habían cosechado el triple de votos que los ortodoxos, que habían marchado con el nombre, los símbolos y los emblemas históricos del peronismo.

La Renovación se terminó de consolidar tres meses después, en un congreso llevado a cabo en Parque Norte entre el 22 y el 23 de marzo de 1986. Pero ya entonces las rivalidades internas comenzaban a vislumbrarse en el grupo triunfante: el congreso no pudo elegir una conducción y debió conformarse con nominar como "referentes nacionales" al bonaerense Antonio Cafiero, el porteño Carlos Grosso y el riojano Carlos Menem.

En ese mismo escenario de la costanera, el complejo Parque Norte, Raúl Alfonsín había pronunciado el 1º de diciembre de 1985 un discurso en el que convocaba a una concordancia nacional alrededor de la idea de la "Etica de la solidaridad". Se trataba de un discurso fundacional, en el que el radicalismo intentaba darle el marco político e ideológico a su accionar de gobierno y a través del cual pretendía adecuar los postulados doctrinarios vigentes desde principio de siglo. En lo esencial, los postulados esbozados por Alfonsín constituían una modernización del discurso que Juan Domingo Perón pronunció ante el Congreso de la Nación el 1º de mayo de 1974 al dar a conocer el "Modelo Argentino". Alfonsín sostenía que la sociedad era básicamente injusta y que, por lo tanto, sus miembros carecían de la igualdad de oportunidades proclamada por el liberalismo. A partir de esa situación objetiva, era necesario que los gobiernos generaran un piso de justicia a través de los impuestos. En el Tercer Movimiento Histórico que Alfonsín convocaba a formar, la "Etica de la solidaridad" reemplazaría a la "Justicia Social" que había constituido una de las banderas básicas del peronismo. El resto del andamiaje del Tercer Movimiento estaba formado por la convocatoria a la participación, la solidaridad, la unidad nacional, la democracia, la paz y la libertad.

Alfonsín había hecho su campaña electoral convocando a "los radicales de Irigoyen, los peronistas de Perón y Eva Perón, los socialistas de Alfredo Palacios y Alicia Moreau de Justo". Los ideólogos de la Coordinadora pensaban ya entonces en la formación del Tercer Movimiento Histórico: una confluencia de los sectores más democráticos y "progresistas" de los principales partidos populares del país. Cuando la derrota electoral de 1983 sumió al justicialismo en la confusión, la idea fue tomando forma concreta: el peronismo terminaría fracturado o disperso, y en cualquiera de los dos casos el radicalismo absorbería al grupo de dirigentes más proclive al acuerdo. Algunos renovadores, como Manzano y Grosso, se sumaron a la idea desde una óptica diferente, e imaginaron la posibilidad de un "reordenamiento horizontal" de los partidos políticos argentinos: la renovación, la Coordinadora y los partidos socialistas se aglutinarían en una nueva fuerza política de tinte socialdemócrata, en tanto que los liberales, el sector más conservador de la UCR liderado por Eduardo Angeloz y Fernando de la Rúa y los ortodoxos como Raúl Matera o Angel Robledo formarían la "nueva derecha".

Pero cuando la convocatoria radical dejó el plano del discurso para instalarse en el terreno político en la forma de operaciones políticas tendientes a conformar nuevas alianzas, la cuestión introdujo una nueva nota de confusión en el peronismo. Los dirigentes se realinearon alrededor del tema. El sector más proclive a acordar, el que lideraban Angel Robledo y Raúl Matera, anunció la muerte del peronismo y su compromiso con el radicalismo. Los sectores más ortodoxos liderados por Vicente Saadi y Lorenzo Miguel consideraban blasfemos a los impulsores de la idea. Menem se situó en un punto intermedio. Le interesaba la cuestión, no por un problema ideológico sino porque estaba convencido de que la única manera de crecer era a la sombra del poder. Y el poder estaba en

Alfonsín. El gobernador riojano admiraba la inescrupulosidad de los jóvenes de la Coordinadora tanto como la vocación de poder de Alfonsín, pero tenía claro que el Tercer Movimiento (o cualquier otra forma que tomara la alianza con el radicalismo) era un camino y no un objetivo: el espacio desde el cual construir su propio liderazgo. Esa fue quizá su diferencia fundamental con otros eternos dialoguistas del justicialismo que habían recorrido un camino de alianzas similar al de él, como Robledo y Matera, y que se habían acercado paulatinamente a Perón, Isabel, Massera y Alfonsín. Menem fue siempre consciente de que cualquier liderazgo ajeno era el camino para su crecimiento personal y se movía pragmáticamente en sus opciones. Con cada uno de sus circunstanciales aliados actuaba en forma similar: exprimiendo cuanto rédito podía obtener de ellos, vampirizándolos. Como a las mujeres bellas, a quienes frecuentaba convencido de que ellas le trasmitirían su belleza y su cultura.

El método de Robledo y Matera, desde los sesenta (en que acordaban con el vandorismo) hasta los ochenta (en que fueron interlocutores privilegiados de los gobernantes militares), consistía en desideologizar el signo del poder de turno y sumarse a quien lo detentara. Menem, en cambio, no olvidaba las diferencias hasta personales que lo separaban de sus aliados. Pero el poder de los demás lo fascinaba, y la forma de experimentarlo e incluso ejercerlo consistía en estar con ellos. Sumarlos a él, lo supieran o no, y sólo restarles brillo cuando hubiera absorbido todo lo que pudiera sacarles. Tanto a Isabel, como a Massera, como a Alfonsín.

Cuando se trataba de explicar públicamente su relación con el radicalismo, él prefería marcar otras diferencias. Entre 1984 y 1986, su acercamiento con Alfonsín y la viabilidad del Tercer Movimiento Histórico fueron una de las obsesiones recurrentes de los periodistas que lo entrevistaron. Esta es la síntesis de uno de esos reportajes, en el que una vez más intentó dejar claro para sus propios seguidores dentro del peronismo cuáles eran sus diferencias con el radicalismo:

"—Se ha hablado mucho de la formación de un Tercer Movimiento Histórico que englobaría a Menem y Alfonsín.

"—Para que se piense en la creación de un Tercer Movimiento Histórico es necesario que haya una conjunción ideológica profunda. No puede ser una simple reunión de hombres, una mera alianza táctica. Ese para nada es el caso. Tengo profundas diferencias políticas con el radicalismo. Por ahora, yo estoy muy cómodo donde estoy y Alfonsín está muy cómodo donde está.

"—¿Cuáles son las críticas que le haría al radicalismo?

"—Ahora se ha puesto de moda decir que 'hay que achicar el Estado para agrandar la Nación'. Ese es el planteo de Martínez de Hoz. Al final, lo que hicieron fue achicar como nunca a la Nación y dejar nuestra economía en manos de las multinacionales. En países como el nuestro la economía debe orientar la economía nacional. Esa es la filosofía del justicialismo. Eso hace que el hombre sea hermano del hombre. Y no como quiere el liberalismo, que el hombre sea el lobo del hombre.

"—*¿Cuál es el capital político de Menem fuera de La Rioja?*

"—Mi único capital es mi conducta. No haber tenido desviaciones. Por eso sufrí cárcel y persecuciones. Mi ortodoxia peronista hace que parte de los seguidores de Perón sean hoy seguidores de Menem.

"—*Pero no todos los seguidores de Perón son seguidores de Menem.*

"—Justamente, eso es lo que digo. Parte."

Las relaciones de Carlos Menem con el gobierno nacional no se limitaban a sus vínculos personales con el presidente Alfonsín. Menem mantenía también una estrecha relación con el ministro del Interior, Antonio Tróccoli, a raíz de que el número dos de esa cartera era el líder de la UCR riojana, Raúl Galván. Menem concurría a todas las reuniones de gobernadores, pero permanecía en silencio durante todo el encuentro. Cuando terminaban, se acercaba a Tróccoli o al funcionario que correspondiera para hacerle el pedido en forma personal. Tróccoli aseguraba que Menem les salía "barato" porque las demandas que tenía que resolver eran las de una provincia chica y porque, al fin y al cabo, nunca era demasiado lo que pedía. Tróccoli se refería fundamentalmente a las negociaciones con el riojano y con el catamarqueño Vicente Saadi para conseguir los votos necesarios para reformar la constitución cordobesa, en las que Saadi había sido notoriamente más exigente que su colega. También es cierto que lo que Menem podía ofrecer tenía límites: era una voz dentro del peronismo, pero sólo una voz. A pesar de haber apoyado el "Sí" en la campaña por el Beagle, tanto Eduardo Menem como Libardo Sánchez votaron en contra del acuerdo en la Cámara de Senadores.

La relación de Menem con Alfonsín no fue sólo política. La Secretaría de Hacienda de la nación enviaba con regularidad al Banco de La Rioja fondos y redescuentos que eran utilizados en muchos casos para el salvataje financiero de empresarios amigos del gobierno o por los hermanos Yoma, que necesitaban levantar a la curtiembre de Nonogasta para alejar la posibilidad de una quiebra. El Banco de La Rioja refinanciaba periódicamente las deudas de la curtiembre y le otorgaba nuevos créditos desviando las partidas que llegaban para el pago de sueldos. Cuando la situación se volvió demasiado caótica, Erman González, ex contador de la curtiembre pero en ese momento director del Banco, decidió suspender las refinanciaciones. Los hermanos Yoma presionaron primero a los gerentes del Banco y luego al propio gobernador, pero no lograron su cometido. Una noche, González fue despertado a la madrugada por hombres de la gobernación que lo sacaron de su casa, lo subieron a un automóvil oficial y lo llevaron sin explicaciones a la residencia.

Cuando llegó allí, Zulema estaba parada frente a la mesa del comedor, en la que se amontonaban los expedientes reservados del Banco, que incluían los pedidos de refinanciamiento de los Yoma. Carlos Menem estaba sentado en un rincón, en la única silla de la sala.

—Así que ahora sos duro, negro de mierda. ¿Vos te olvidás que no existís? ¿Que los únicos que mandamos somos nosotros? ¿Así que vos no le hacés caso al gobernador? Ahorita mismo, me entendés, ahorita mismo me firmás estos papeles. ¿Qué te creíste?

Erman González miró suplicante a Menem.

—Carlos... las órdenes me las das vos.

Zulema se indignó.

—Carlos Menem no existe sin los Yoma. Así que las órdenes te las doy yo. Y vos firmás acá.

Menem apenas levantó la vista del piso.

—Erman, por favor, hacé lo que te dice.

Erman se cuadró.

—Vos sos el gobernador. Si vos me lo ordenás yo lo hago.

—Yo te lo pido.

Erman González firmó, pero se prometió que renunciaría a su cargo cuando tuviera una oportunidad.

SEIS

Los Saadi pasearon durante unos días por Nueva York antes de regresar a la Argentina. Tenían sobrados motivos para festejar: la familia volvía a viajar junta después de muchos años, como cuando Ramón y Alicia eran niños y Doña Cubas una joven que levantaba suspiros a su paso. Habían estado en Cleveland, en donde Don Vicente acababa de hacerse un chequeo general que ratificó que el estado de salud del ya anciano político era óptimo a pesar de sus años. En el aeropuerto John Fitzgerald Kennedy subieron nuevamente al *Tango 01* para regresar a Buenos Aires.

Al llegar, la esposa de Don Vicente llamó al presidente Raúl Alfonsín y le agradeció por haberles facilitado el avión para el viaje. El verdadero gestor del préstamo había sido el embajador en Bulgaria, Omar Vaquir. En abril de 1985 Alfonsín había convocado a Vaquir a Buenos Aires, y éste le anticipó que pasaría antes por Cleveland para acompañar a Saadi al hospital. Saadi viajaba por una sugerencia del empresario Carlos Bulgheroni, quien se había tratado de una grave enfermedad en la misma clínica y desde entonces le ofrecía esos servicios a todos sus amigos políticos. Alfonsín puso a su disposición el *Tango 01* para el traslado.

—¿Y cómo anda Don Vicente? —preguntó Alfonsín—. ¿Nos va a hacer muchas picardías todavía?

—Sí, sí. Hasta que no vea presidente a Carlitos Menem no se nos va —contestó Doña Cubas.

Los radicales recibían informaciones sobre la interna del peronismo de fuentes irreprochables. Alfonsín sabía que, más allá de la distancia que lo separaba ideológicamente de ellos, había dos hombres que siempre iban a apostar a ganador, y era a ellos a quienes consultaba. El primero era, claro, Vicente Saadi. Un operador político que al presidente radical, veterano en las mañas y los entretelones del poder, no dejaba de despertarle admiración. El otro era Jorge Antonio.

Por aquellos días, Héctor Fassi, un hombre ligado a Alfonsín, fue invitado a un almuerzo en la casa de Antonio. Todavía no habían empezado a comer cuando el radical fue derecho al grano.

—Dígame, Don Jorge, ¿quién gana la interna peronista?

—Carlos Menem —contestó Antonio sin inmutarse.

Fassi intentó no demostrar su sorpresa. Fue hasta el teléfono y llamó a la residencia de Olivos. Volvió unos minutos después.

—Discúlpeme, Don Jorge, pero el presidente me pide que vaya para allá ahora mismo. Le aseguro que estoy de vuelta en menos de una hora.

En cuarenta minutos estaba de regreso. Llegó para los postres.

—Me pide el doctor Alfonsín que le trasmita que usted sabrá mucho de negocios pero que esta vez le falla el olfato político.

Aunque por aquellos días el enfrentamiento entre Cafiero y Menem sólo se insinuaba a media voz, y surgía más de la lectura de los encuentros casuales y los desencuentros alevosos que de las definiciones políticas claras, Saadi y Antonio ya habían optado. Además de ser los oráculos más consultados del peronismo, Vicente Saadi y Jorge Antonio tenían una larga historia de asociaciones económicas y políticas en común. Desde los primeros años del gobierno peronista, hacia finales de la década del cuarenta, Antonio utilizó su cercanía con el poder para llevar adelante múltiples negocios que lo convirtieron rápidamente en multimillonario y le abrieron las puertas para el mundo de las finanzas internacional. Saadi fue desde entonces uno de sus socios privilegiados. Los dos mantuvieron una relación pendular con Perón: periódicamente, se enemistaban o se reconciliaban, eran expulsados del entorno íntimo o eran ungidos como representantes del General para operaciones políticas cuidadosas.

Perón había defenestrado a Saadi a principios de los cincuenta, cuando intervino la provincia de Catamarca, lo hizo expulsar del partido y finalmente lo hizo encarcelar por desacato. En realidad, la impulsora de todas estas medidas había sido Eva Perón, que consideró a Saadi un "corrupto y traidor" desde la primera vez que lo vio. Después del golpe de 1955, Saadi volvió a ubicarse en el entorno del General exiliado, de la mano de su amigo y paisano Jorge Antonio. Pero ya por entonces Saadi solía apostar a su perpetuación personal antes que a sus lealtades políticas y, mientras visitaba a Perón en Centroamérica, en 1957 fundó en su provincia el Partido Populista, que tendría su correlato en La Rioja de la mano de Carlos Menem.

En 1961 Antonio nombró a Vicente Saadi como su apoderado en la Argentina. El catamarqueño se ocupaba de defenderlo en las causas que tenía pendientes ante la Justicia y manejaba sus negocios. Cuando Antonio volvió del exilio, se encontró con que Don Vicente había decidido cobrarse sus honorarios quedándose con todos los fondos que venía manejando. Antonio encontró rápidamente la manera de extorsionar a Saadi para que le devolviera su dinero: secuestró a Vicentito, el hijo menor de la familia, y se lo llevó a Paraguay. Allí fue a rescatarlo Don Vicente, que devolvió hasta el último peso y aceptó que le habían ganado. Como en los códigos de su relación el intento del primero por quedarse con el dinero y la respuesta del segundo secuestrando al hijo para recuperarlo están permitidos, Vicente aceptó el triunfo de Antonio y las dos familias siguieron siendo tan amigas como antes. Para sellar el renovado afecto, Antonio consiguió que Perón nombrara a Saadi coordinador del Movimiento Nacional Justicialista en la Argentina. Fue en ese punto de la historia cuando el dúo sumó a Héctor Villalón y los tres comenzaron a hacer sus negocios con la Cuba castrista. Villalón negociaba los cigarros cubanos y Saadi consiguió para la campaña justicialista un aporte de cien mil dólares que nunca llegó a destino.

Los renovadores convocaron a un encuentro nacional en el que debían definir su constitución como corriente y su postura respecto de la conducción del partido. El congreso se llevó a cabo el 22 y 23 de marzo de 1986, en Parque Norte, y constituyó finalmente un triunfo de las posturas más moderadas: se decidió convocar a una "reunión cumbre" entre los renovadores y la conducción del PJ para intentar sellar acuerdos de conciliación. Esta postura era levantada por Cafiero, Menem y Bittel, frente a las más duras y rupturistas de José Luis Manzano, José Manuel de la Sota o Eduardo Vaca, que pretendían consagrar a la renovación como el único partido justicialista e ignorar la ortodoxia partidaria.

En la "reunión cumbre", Saadi aceptó hacerse cargo de garantizar en nombre de la conducción oficial del partido la normalización de los dos distritos más importantes y conflictivos del país: Córdoba y Buenos Aires. El proceso fue largo y sinuoso, signado por idas y vueltas y la sensación generalizada de que las internas nunca se llevarían a cabo. Julio

Mera Figueroa fue nombrado interventor. Primero en Buenos Aires y luego en Córdoba.

Mera Figueroa convocó a internas en Buenos Aires para el 16 de noviembre de 1986. El avance de la renovación era ya un hecho. Pocos dudaban del triunfo del cafierismo. Incluso Menem estaba convencido de ello, pero al mismo tiempo consideraba que había llegado el momento de comenzar a marcar las diferencias y a consolidar su propio poder. Cafiero era su rival inevitable en la carrera por la candidatura presidencial para 1989. Además, el herminismo dejaba un espacio demasiado grande sin conducción y Menem veía allí el espacio adecuado para comenzar su construcción en la provincia. A pesar de lo que pretendían creer los renovadores, Herminio Iglesias y la ortodoxia peronista eran una realidad y no un fantasma, especialmente en la provincia de Buenos Aires. Expresaban una parte importante del peronismo, una visión de la historia y de la realidad y un caudal significativo de votantes. Herminio estaba defenestrado de hecho, pero quienes lo habían apoyado no estaban dispuestos a sumarse sin más a una renovación comandada desde la Capital Federal por un dirigente antipático a su pesar, marcado a fuego por su porteñismo cajetilla (fruto de su adolescencia en el barrio de San Cristóbal) en los ademanes y los modos.

Eduardo Duhalde fue el primero en intuir tal situación. "Ninguno de ustedes entra a las villas. La única manera que tenemos de ganarle los pobres a Herminio es con Carlos Menem", tiró un día sobre la mesa de Suipacha en que el Frente Renovador discutía su estrategia.

El intendente de Lomas de Zamora se había convertido en los últimos años en uno de los caudillos de la poderosa tercera sección electoral, la zona sur del conurbano bonaerense que concentra un porcentaje determinante de votos en cualquier elección nacional y mucho más en una interna justicialista. Conocía a Menem desde 1974, y volvió a verlo diez años después, cuando el gobernador riojano comenzó a tantear a los dirigentes bonaerenses buscando hacer pie en la provincia.

La visión de Duhalde exhibía sólo una parte de realidad. El triunfo de la renovación era tan seguro que, como había ocurrido reiteradamente en la historia del peronismo, los caudillos locales y los punteros barriales cambiaron rápidamente de sector. Los intendentes de las barriadas más importantes, como Manuel Quindimil, de Lanús, se sumaron al cafierismo vaciando al herminismo de su principal sostén.

El "menemismo" bonaerense nació así sólo con los inconciliables, con los enemigos acérrimos de Cafiero y el cafierismo que estaban dispuestos a acompañar a Menem en lo que él mismo denominaba "Operativo Canberra", en alusión al barco que había transportado a los heridos luego de la Guerra de Malvinas. Sabía que apenas podría soñar con un veinte por ciento en la provincia, pero también que era necesario un desembarco en ese territorio que le asegurara su proyección para 1989. Para sostener la operación, lanzó la primer agrupación nacional que aglutinó al disperso menemismo: Federalismo y Liberación, Línea Nacional Rojo Punzó.

Eran los primeros meses de 1986, y la Argentina desenvolvía su vida política con los códigos impuestos por el radicalismo, que había colocado como ejes del discurso los términos democracia, libertad y paz. Los renovadores como Cafiero, Grosso o José Luis Manzano no se diferenciaban demasiado en el estilo y los gestos. Quizá por eso para todos ellos la verborragia de Menem parecía destinada al fracaso. El solo nombre de Federalismo y Liberación parecía anacrónico, pero mucho más las definiciones que él desgranaba en el acto de lanzamiento de la línea.

"Sin dudas, como tantos otros aspectos de esta transición, la del federalismo es una cuenta pendiente que la democracia aún tiene con todos los argentinos. Ya es tiempo que abandonemos un federalismo cínico para construir un federalismo serio", arrancó. Para el final se guardó la definición de Liberación: "Nuestra naturaleza latinoamericana no se compadece con el estilo, por ejemplo, de la gerontocracia soviética, el *training* norteamericano o la meritocracia europea. Nosotros a partir de los jóvenes tenemos que crear o recrear nuestro propio estilo de la política para la liberación, de la política para la independencia, la libertad y la soberanía. Nuestra política para contrarrestar la colonización económica y cultural y la dependencia tecnológica".

Menem construía su poder enancado en el crecimiento de la renovación. Aprovechando las oportunidades de mostrarse como parte del espacio que se vislumbraba ya como la única instancia de poder alternativa al radicalismo y, a la vez, sin dejar de diferenciarse. Los primeros seis meses de 1986 marcaron una instancia clave en este sentido.

La renovación se consolidaba como conducción inevitable del peronismo y como la oposición al radicalismo, desplazando de ese rol a la CGT de Saúl Ubaldini, que había ocupado ese espacio durante la peor etapa de la crisis interna del justicialismo. La situación se cristalizó la noche del 23 de mayo. A veinte cuadras de distancia, las que separan Plaza de Mayo de Plaza Miserere, radicalismo y renovadores convocaron a sendos actos. El primero tendría como principal orador a Raúl Alfonsín. El segundo a Carlos Grosso, Antonio Cafiero y Carlos Menem. Fue la primera medición de fuerzas pública, algunos meses después de las elecciones del 3 de noviembre pero con la vista puesta ya en los comicios de 1987. Alfonsín jugaba su proyecto de Tercer Movimiento Histórico con la convocatoria a una "Segunda República". Los renovadores apostaban a ser la única cara del Partido Justicialista bajo el lema: "Sí, se puede cambiar".

Menem se había concentrado con su equipo político en el estudio de Hugo Grimberg. El "comando estratégico" de Federalismo y Liberación había quedado conformado unos días antes: Grimberg, Rubén Rey, Norma Rodríguez, Claudio Naranjo, Graciela Crocco, César Arias y Facundo Díaz, además de los cinco legisladores nacionales del grupo: Libardo Sánchez, Eduardo Menem, Julio Corzo, Arturo Grimaux y Délfor Brizuela. El acto de Once era un punto clave. Había que despegarse del proyecto de Tercer Movimiento de Alfonsín y, a la vez, diferenciarse de los otros dos referentes renovadores. El grupo había viajado una semana antes a La Rioja y había escuchado lo que quería oír de boca del propio Menem:

—Lo decidí. Vamos a pelearle la interna a Cafiero. Pero hay que buscar una cara nuestra en Buenos Aires. A mí se me ocurrió quién... Ese compañero... el de San Nicolás... que está cerca de Lorenzo... No me puedo acordar el nombre...

Grimberg le dio la respuesta.

—Díaz Bancalari, el intendente.

—Ese. Háblenle. Quiero que sea nuestro candidato en la provincia.

Díaz Bancalari llegó al estudio de la calle Rivadavia tres días después. Allí lo esperaban Grimberg, Naranjo, Grimaux y Sánchez. Escuchó en silencio la propuesta y la enumeración de los apoyos con que contaba el menemismo en la provincia.

—¿Ustedes están seguros de que cuentan con todo eso? —dijo. Y pidió unos días para contestar. Pero nunca volvió a comunicarse.

El acto de Once era el primer paso de la diferenciación. El segundo era un encuentro convocado para el 4, 5 y 6 de julio en Cosquín con la consigna "Encuentro Nacional de Renovadores Peronistas para Menem Presidente". La noche del 23 de mayo escucharon desde el estudio de Grimberg la llegada de los grupos a la Plaza. Los cantos, las consignas. En el palco, nadie sabía dónde estaba Menem. En Plaza de Mayo, Alfonsín ya estaba hablando, convocando a la "Segunda República" y apelando a su conocido discurso de unidad nacional. "No debemos ver como antagonistas a los protagonistas del acto de Plaza Once. Podrán expresar sus críticas, pero siendo pueblo argentino estoy convencido que, como ustedes, están dispuestos a defender la democracia de los argentinos", trasmitía la Cadena Nacional de Radio y Televisión. Cafiero y Grosso decidieron subir al palco. Saludaron, cantaron el Himno y arrancaron con la marcha partidaria. Cuando estaba por terminar, Menem cruzó a pie la avenida Rivadavia y subió al palco levantando sus brazos. Los otros dos referentes tuvieron que hacerse a un costado para dejarle que ocupara el centro del palco mientas recibía una ovación.

Cafiero y Grosso repartieron por igual sus críticas al radicalismo y a la ortodoxia partidaria. Menem se cuidó de convocar a la "unidad del peronismo por encima de las diferencias coyunturales". A nadie pasaba desapercibido en la Plaza que el riojano había comenzado a armar su estructura con los restos del herminismo. "Debemos unir al peronismo —afirmó—. Asegurar la unidad de todo el movimiento y desterrar los enfrentamientos entre peronistas. Las bases del movimiento justicialista están unidas, debemos dar el ejemplo y unir a los dirigentes. El peronismo debe volver a ser eje del frente nacional que aglutinará a todos los argentinos de bien que quieran recuperar la soberanía y asegurar la libertad." Esa misma noche Menem comenzó a romper su noviazgo con Alfonsín: "La única revolución nacional y popular fue la del general Perón y desde entonces no hay nada nuevo bajo el sol".

El encuentro de Cosquín del primer fin de semana de julio demostró la precariedad del proyecto menemista. Ningún gobernador, ningún referente nacional, aceptó sumarse al encuentro. Eduardo Bauzá, Alberto Kohan, Leonor Alarcia, los legisladores nacionales y los dirigentes bonaerenses eran toda la estructura con que contaban. La reunión tuvo más folclore que definiciones, y el grupo parecía unido sólo por la avasalladora convicción de Menem en su futuro.

A pesar de la modestia de los participantes, Córdoba marcó el inicio real del camino de Menem hacia la Presidencia. En principio, porque fue la unión clara de las voluntades alrededor de ese objetivo pero, además, porque se convirtió en el escenario del acercamiento de uno de los hombres fundamentales para la construcción de la nueva estructura: Luis Barrionuevo.

El sindicalista llegó a través del canal que usaban todos quienes pretendían llegar al candidato en ese momento, los hombres de San Martín. El encuentro fue planificado por dos dirigentes de segunda línea de los respectivos sectores: Juan Manzano, un gremialista de ACINDAR, por Barrionuevo; Claudio Naranjo, por los menemistas. Cuando estaba por terminar el encuentro de Cosquín, Manzano le trasmitió a Naranjo el de-

211

seo de Barrionuevo de tener un encuentro con Menem. Naranjo organizó una reunión con el Comando Táctico que presidía Facundo Díaz para analizar la viabilidad.

Grimberg, Corzo, Arias, Grimaux, Díaz y Naranjo se reunieron en el estudio de Rivadavia. Los pro y los contra se sucedían. Barrionuevo podía aportar precisamente lo que le faltaba al menemismo: una estructura que abarcaba toda la provincia y la posibilidad de volcar el aparato de las 62 Organizaciones. Pero su figura estaba tan relacionada con el herminismo como con la Coordinadora radical. Había ocupado el tercer lugar en la lista que encabezaron Herminio Iglesias y Jorge Triaca en las elecciones del 3 de noviembre, y era casi como aceptar un acuerdo con la representación misma de la "patota".

Barrionuevo era un mozo de hoteles alojamiento en 1973, cuando el gremio de gastronómicos fue intervenido por los hermanos Elorza. La seccional San Martín, en la que militaba, quedó a cargo de Cayetano Tampanaro. Barrionuevo estrechó su relación con la intervención, y así fue nombrado primero delegado normalizador y ganó luego las elecciones a las que convocó. Era secretario general del gremio en su distrito cuando Elorza decidió intervenirlo nuevamente, y esta vez Barrionuevo decidió tomar la Federación Nacional a mano armada. Fue sin duda uno de los protagonistas del "Pacto militar-sindical": gastó los pasillos del Ministerio de Trabajo durante la dictadura hasta que en 1979 logró que el delegado de esa cartera, Carlos Manuel Valladares, lo rehabilitara gremialmente y lo pusiera nuevamente al frente del sindicato.

La conducción del gremio le duró poco. Los radicales nombraron sus propios interventores a partir de 1983. Barrionuevo comenzó a combatirlos, contando para esto con un aliado fundamental: el líder de la Coordinadora, Enrique Nosiglia, que no compartía la política de su gobierno hacia los sindicatos y estaba convencido de que, si el radicalismo no lograba insertarse en el movimiento obrero, no podría formar nunca un partido lo suficientemente sólido como para perpetuarse en el gobierno. Barrionuevo y Nosiglia se habían conocido en 1975, cuando eran jóvenes dirigentes de sus partidos que sólo tenían en común la oposición al golpe de estado que intuían cercano. De allí nació una amistad que se mezcló al punto que ellos mismos no aciertan a ponerse de acuerdo en el apelativo: "Somos primos", dice Barrionuevo; Nosiglia asegura que son "algo así como cuñados".

Desde 1983, Nosiglia había usado la figura de Barrionuevo para acercase a Casildo Herrera, con quien el gastronómico mantenía una buena y vieja relación, y a otros dirigentes ortodoxos del sindicalismo peronista por quienes el radical sentía profunda admiración. El dirigente de la Coordinadora era considerado todavía el "monje negro" que manejaba al gobierno desde su reducto de la Capital Federal, y era en ese momento un tenaz opositor de la política del secretario general, Germán López, y el ministro de Trabajo, Antonio Mucci, que estaban dispuestos a llevar adelante una guerra frontal con el sindicalismo.

Las conversaciones entre Barrionuevo y Nosiglia se consolidaron cuando el radical consiguió nombrar al frente de la obra social de Gastronómicos a Rafael Pascual, un mítico dirigente de Parque Patricios. Pascual y Barrionuevo establecieron rápidamente sólidas relaciones personales y políticas y un año después el gastronómico heredó la obra social de manos del radical. El 17 y 18 de noviembre de 1985, con la normalización, Barrionuevo ganó la Federación Nacional de su sindicato. Fue una compensación dentro de la *débâcle* que había significado el 3 noviembre para la lista encabezada por Herminio.

Barrionuevo había aprendido junto a Casildo Herrera, primero, y Herminio Iglesias después, el odio casi personal, más allá de lo político, a Antonio Cafiero. Por eso llegó a ese encuentro de Cosquín con la convicción de que cualquiera que le garantizara romper con el cafierismo era la opción que él estaba buscando.

Después de una reunión con los operadores del estudio Grimberg, Barrionuevo se comprometió a organizar el primer encuentro de Menem con los dirigentes de las 62 Organizaciones, fundamentalmente los que estaban más alejados de Lorenzo Miguel. La renovación había nacido casi como una corriente política dispuesta a confrontar con el sindicalismo, con la "subordinación" del gremialismo a las tareas reivindicativas de sus sindicatos casi como una de sus consignas fundamentales. Cafiero había calificado a las 62 como "la rama seca" del peronismo, y la Comisión de los 25 (integrada por ex ortodoxos como Roberto García, de Taxistas, o combativos como Víctor de Gennaro de la Asociación de Trabajadores del Estado) que lo acompañaba, aceptaba mansamente el rol de no preponderancia que le estaba guardado casi por definición.

El encuentro se concretó en el edificio del Sindicato de Trabajadores de la Sanidad que encabezaba Carlos West Ocampo. Barrionuevo había logrado concentrar a todos los gremios de las 62 más los dispersos que no adherían tampoco a los 25. Sólo Saúl Ubaldini se negó a último momento a concurrir. Menem habló durante dos horas. Cuando salió de allí, sabía que había conseguido la estructura que necesitaba para pelear la provincia en las internas de noviembre.

Todos los mediodías, cuando salía de Canal 11, donde conducía el noticiero, Juan Carlos Rousselot caminaba por Pavón hasta llegar al edificio de la Federación de Trabajadores Gastronómicos. Allí lo esperaba Luis Barrionuevo. Durante los cuatro últimos meses de 1986, Rousselot y Barrionuevo almorzaron juntos todos los días, componiendo de a poco una alianza que terminó siendo el pilar del menemismo en la provincia de Buenos Aires. Barrionuevo tenía el dinero, la estructura y la capacidad de movilización. Rousselot la sonrisa, el carisma televisivo, la popularidad ganada a través de los medios de comunicación. Se admiraban y se despreciaban mutuamente: Barrionuevo se sabía incapaz de hablar en un acto público y consideraba a Rousselot un perfecto inútil para toda "rosca" política. Rousselot vivía de su sueldo en el canal, pero la gente lo saludaba por la calle. Barrionuevo se comprometió a "inventarlo" políticamente. Era el único dirigente al que podían mostrar en la provincia, y se convirtió en la cara del menemismo para las elecciones de noviembre.

Si lograban hacer una buena elección en la primera sección electoral, para la que harían "cabecera de playa" en San Martín (territorio de Grimberg) y Morón (con Rousselot), se garantizaban por lo menos veinte congresales nacionales. No era una cifra despreciable: Menem dudaba fundamentalmente de la posibilidad de que la carta orgánica se reformase antes de que llegara el momento de elegir el candidato peronista para las presidenciales de 1989, y quería reunir congresales para el caso de que no se concretara.

La estructura básica con que se movieron para las internas de 1986 estuvo compuesta por tres gremios: los gastronómicos de Barrionuevo, la Unión Tranviarios Automotor de Roberto Fernández y los textiles de Délfor Giménez. En estos dos últimos gremios, las contradicciones terminaron por plantear la ruptura de la conducción: en la UTA, Juan Palacio se inclinó por la renovación y lo mismo hizo Pedro Goyeneche entre los textiles.

Hasta último momento, Menem jugó a la confusión. Nadie sabía a ciencia cierta si se presentarían o no a la interna, y mucho menos si se pondría él mismo a la cabeza y confrontaría abiertamente con Cafiero. Dos días antes del cierre de la inscripción de listas, Federalismo y Liberación registró color y nombre ante la Junta Electoral. Por lo pronto, los ex herministas comenzaron a alinearse. El intendente de La Matanza, Federico Russo, se presentó en su distrito adscribiendo a las listas de Federalismo y Liberación. Otros dirigentes se declaraban "independientes" y no admitían ni a Herminio Iglesias en su pasado ni a Carlos Menem en su futuro. Pero estaban dispuestos a dar la pelea al cafierismo. El ex compañero de fórmula de Herminio Iglesias, Carmelo Amerise, se convirtió en uno de los referentes del grupo. Junto a él se aglutinaron Jesús González, Juan José Taccone, Julio Migliozzi y José Luis Fernández Taccone.

Federalismo y Liberación apoyaba la candidatura de Cafiero para la gobernación y confrontaba en los cargos distritales. Menem se proponía como un referente superador, a la vez, de la renovación y la ortodoxia. La interna entre los renovadores ya era inocultable. El propio Duhalde viajó a La Rioja para intentar convencerlo de que los dirigentes a los que estaba resucitando en la provincia eran parte de lo peor del aparato del herminismo.

Menem intentaba explicar que sólo estaba acumulando poder en los distritos para sumar congresales que garantizasen luego la reforma de la carta orgánica para permitir la elección por voto directo del candidato a presidente del justicialismo. Los otros referentes renovadores se indignaban y lo acusaban de estar "blanqueando" a los ortodoxos. "Creo que la obligación de todos es ayudar", decía Cafiero, "más allá de las naturales y legítimas aspiraciones personales que yo no le niego al compañero Menem, a quien he invitado a compartir todas nuestras tribunas y a hablar de sus aspiraciones presidenciales, porque está en todo su derecho de hacerlo. Pero sostengo, igual que otros compañeros, que esto va un poco a contramano de lo que son los tiempos; pienso que nos estamos manejando mal, porque la estrategia planteada en Parque Norte era primero recomponer el partido, luego ganar las provincias y luego lanzar la ofensiva para ganar la Nación en 1989. Invertir los tiempos de esta secuencia política es un manejo erróneo y entiendo que perjudica a la causa en general."

Cafiero comenzó a hablar del "Operativo Ambulancia", en el que "herministas y ortodoxos pintan la cara de Carlos Menem, que piensa que éste es el momento para una candidatura presidencial cuando de lo que se trata es de consolidar a la renovación". El objetivo era indudablemente la candidatura presidencial, pero Menem no estaba lanzando su campaña. Aún dudaba de que se aprobara la reforma de la carta orgánica que posibilitara el voto directo, y prefería seguir apostando a la acumulación de la mayor cantidad posible de congresales. No estaba dispuesto a repetir la experiencia de 1983.

Menem se colaba por la grieta que suscitaba la soberbia del cafierismo, y su negativa a discutir la realidad. "Yo creo que lo de Menem es más una cuestión de temperamento que de racionalidad. De lo contrario, no hubiera tenido ciertas actitudes. Por ejemplo, cuando a través de un emisario me pidió la mitad del partido, la mitad de los congresales, de los consejeros y de las autoridades en general, para evitar este conflicto en la provincia de Buenos Aires. Fue un pedido ridículo, que me demostró que él no tiene la menor idea de cómo se hace política", explicaba Cafiero.

Menem ya no concurría a las reuniones del Secretariado de la renovación, y mucho menos a los plenarios y congresos. Se aburría, y desconfiaba profundamente del resto de los dirigentes. Se sentía marginado y despreciado, y comenzó a planificar su desembarco en la Presidencia casi como si se tratara de una venganza personal con respecto a Cafiero, Grosso y De la Sota. A Cafiero nunca lo tuvo demasiado en cuenta. Sabía que tarde o temprano iba a derrotarlo, y que ni siquiera era digno de competir con él. Admiraba su constancia en la política, pero le parecía débil, casi manejado por quienes lo rodeaban. Con Grosso y De la Sota era distinto. Envidiaba profundamente su capacidad oratoria, se sentía disminuido, humillado, cada vez que se trataba de sostener una conversación o una discusión. Renegaba de su pobre formación riojana cuando Grosso citaba como al descuido autores para él desconocidos. Intentaba copiar frases de De la Sota. Respetaba las estructuras políticas que cada uno había armado en su distrito. De la Sota, de manera más cerrada, más "orga", con una conducción férrea y una impresionante capacidad de movilización. Grosso, en forma más desestructurada, pero armada de manera tal que él era el único elemento imprescindible. Por eso se le planteaban como enemigos naturales y objetivo principal. Tenía que pelear contra ellos como había peleado por cada cosa en su vida. Cuando era el hijo del "turquito" tendero de Anillaco, despreciado en la capital de la provincia. Cuando era el estudiante riojano enfrentado a la soberbia Córdoba. Cuando era el emisario de provincia pobre en la Capital Federal. Y lo hacía como siempre, apelando al orgullo, al resentimiento, a la perseverancia y a la inescrupulosidad de los marginales.

El 17 de octubre de 1986 Menem partió a Europa junto a Erman González y Alberto Kohan. Recorrieron Francia, Alemania e Italia. Para explicar los costos del viaje, Menem aseguraba que traería inversiones a la provincia y se justificaba explicando que "costó doce o quince mil dólares, mientras que el de Alfonsín a Rusia costó cinco millones de australes". Fueron dos semanas en que paseó por las capitales buscando fondos para su futura campaña electoral.

Mientras tanto, en Buenos Aires, su ausencia era más notoria que las presencias en el palco desde el que la renovación encabezó el acto del

17 de octubre. Casi cien mil personas en la Avenida de Mayo convirtieron el acto en uno de los más importantes desde la campaña presidencial de 1983. Eduardo Duhalde llegó al frente de la columna de Lomas de Zamora, disparando luces de bengala. José Luis Manzano volvió a su tono más duro, pidiendo la ruptura con la conducción ortodoxa: el legislador mendocino había recibido ese mismo día un telegrama de citación del tribunal de disciplina partidario que encabezaba Jorge Antonio y que debía analizar su expulsión del partido. En uno de sus rapidísimos reflejos, Manzano designó como defensor a Carlos Corach, abogado de las empresas de Antonio pero representante político de la renovación. La ausencia de Menem permitió a De la Sota convertirse en el tercer referente renovador; así debutó por primera vez en público la tríada que dirigentes y militantes bautizarían como "La Banda": Grosso, Manzano y De la Sota, el inseparable trío conductor de la futura renovación.

Menem era el tema de conversación inevitable. Uno de los más indignados contra el riojano era el diputado Alberto Pierri. Pierri era un dirigente de La Matanza que había accedido a la Cámara Baja casi por casualidad. Cuando se formó el Frente Renovador en 1985, Pierri se presentó ante Cafiero ofreciéndole todo el papel necesario para los afiches, volantes y boletas de la campaña y un edificio en la calle Suipacha para sede del Frente. Cafiero aceptó, y Pierri ocupó el lugar catorce en la lista, un puesto casi honorífico según las aspiraciones renovadoras (que, incluso haciendo una buena elección, no esperaban colocar más de diez diputados). Los resultados superaron las expectativas. Pierri ingresó en la Cámara y debió encabezar la renovación en La Matanza, tarea nada fácil. Enfrente tenía al caudillo local, Federico Russo, apoyado por Carlos Menem. Antes de viajar a Europa, Menem encabezó un acto junto a Russo que convocó a una multitud en La Matanza, y Pierri dudaba de sus propias fuerzas.

Aunque la confrontación Cafiero-Menem en la provincia de Buenos Aires era indudablemente la más importante y la que más reflejaba que el riojano buscaba su propio camino al margen de los referentes renovadores, éste no era el único distrito en que las listas menemistas confrontaban con las renovadoras. La figura de Menem llenó los televisores santafecinos apoyando las listas encabezadas por el gobernador José María Vernet, que llevaban a Luis Rubeo como candidato a senador, frente a las del renovador Raúl Carignano que proponía a Italo Argentino Luder para la Cámara Alta.

La elección en Santa Fe, convocada para el 19 de octubre, era paradigmática. Todos los sectores aguardaban sus resultados para saber cómo se posicionarían en un panorama en el que todavía no estaba claro si los comicios de Buenos Aires y Córdoba se concretarían finalmente, luego de sucesivas postergaciones, o si todo derivaría en la proclamada y postergada fractura.

La división en las filas renovadoras por el tema Santa Fe no alcanzó sólo a Cafiero-Menem. Mientras Carlos Grosso y Antonio Cafiero habían apoyado a Carignano-Luder, Menem y José Luis Manzano se expresaron públicamente por Vernet-Rubeo. La decisión del mendocino era más pragmática que política: detrás de Vernet se encolumnaban Rubén Cardozo y el propio Rubeo, que eran en ese momento dos de sus principales sostenes en el bloque de diputados. Para Menem, el apoyo a Vernet tenía más de un objetivo: en principio, diferenciarse del resto de los renovadores, pero también apostar al seguro ganador, a un hombre con diálogo con la cúpula ortodoxa y con las 62 Organizaciones de Lorenzo Miguel y, además, terminar con la figura de Luder a quien consideraba un potencial obstáculo para sus aspiraciones presidenciales.

Vernet ganó en Santa Fe, Menem festejó y se sumó a otra cruzada: apoyar en Entre Ríos la lista encabezada por Jorge Pedro Busti y Domingo Daniel Rossi frente a la de Carlos Vairetti-Abel González, que se presentaba oficialmente como Frente Renovador, impulsada por los referentes nacionales del sector. Contra todos los pronósticos y todas las encuestas, Busti, un modesto entrerriano que llegaba desde la izquierda peronista de los setenta, se impuso a Vairetti, el hombre que contaba con todo el aparato de publicidad y toda la prensa a su favor.

La crisis en la renovación terminó de precipitarse hacia finales de octubre, cuando la conducción ortodoxa convocó a un congreso en Tucumán para elegir una nueva conducción que intentaba incorporar algo de la renovación para detener su crecimiento. Los referentes renovadores no lograron aunar criterios. De la Sota y Cafiero no concurrieron. Grosso sí, pero se retiró en medio de las deliberaciones, cuando no se aprobó un repudio a la nueva postergación de las internas en Córdoba. Menem fue y avaló la nueva conducción. Había conseguido lo único que le preocupaba: se reformó la carta orgánica definiendo la elección directa y por distrito único para la elección de la fórmula presidencial en 1988.

La ruptura con Cafiero parecía ya definitiva. En un reportaje, Menem expresó:

"—*Grosso y Cafiero lo han separado virtualmente de la corriente creada a fines del año pasado. ¿Usted creará otra estructura renovadora?*
"—Es una posibilidad, porque no podemos reducir la renovación a

tres hombres, y cuando se separa a uno de ellos en forma arbitraria no puede quedar reducida a dos hombres. Las renovación son los hombres y mucho más que los hombres. Pero evidentemente existe la posibilidad de que el artífice de la renovación, que soy yo y lo digo sin soberbia, pueda formar una corriente globalmente renovadora.

"—*El domingo próximo hay elecciones en Buenos Aires. ¿Se trata de un enfrentamiento directo entre Cafiero y Menem?*

"—No es así. Y me he cansado de repetir que el candidato natural o nato, para usar una expresión de moda, es por ahora Cafiero, como gobernador. Nosotros no lo enfrentamos, lo que queremos es tener estructura para en cualquier emergencia electoral poder hacer frente a las circunstancias. No queremos confrontar sino consolidar la democracia a partir de una corriente interna de opinión.

"—*A usted se lo acusa de haber estructurado su agrupación, Federalismo y Liberación, en Buenos Aires, con elementos provenientes del herminismo.*

"—No es cierto. No podemos marginar a quienes trabajaron con Herminio, porque sería una especie de caza de brujas. Creo que Cafiero lo ha hecho, pese a que él habla de la pureza de la renovación. El tiene hombres que han sido herministas como el compañero y amigo Hugo Curto. También está el caso del intendente de San Fernando. Lo que pasa es que algunos ven la paja en el ojo ajeno y no ven la viga en el ojo propio."

El conflicto había llegado demasiado lejos. Duhalde y Menem coincidían en un punto: para que el peronismo tuviera alguna posibilidad en 1989 era imprescindible resucitar al partido en 1987. Había, por lo tanto, que impulsar a la renovación y al mismo Cafiero. Menem convocó a una reunión de los dirigentes de Federalismo y Liberación que se llevó a cabo en el Hotel Bauen dos días antes de los comicios, que finalmente se realizarían el 16 de noviembre, para explicar a sus dirigentes que acotaran las críticas al cafierismo: "No nos confundamos. En 1987 todos con Cafiero. En 1989 será Menem". La campaña por la interna de noviembre de 1986 fue el prólogo de la ruptura.

Los menemistas festejaron el resultado en Buenos Aires como si se hubiera tratado de un triunfo. Obtuvieron el 35 por ciento de los votos, frente al 66 por ciento del Frente Renovador. Uno de los objetivos fundamentales, sumar congresales nacionales, se había cumplido con creces: 174 cargos correspondieron a Cafiero y 70 a Menem. Federalismo y Liberación se impuso en La Matanza, con Russo; en San Nicolás, con José María Díaz Bancalari, y en Morón, con Juan Carlos Rousselot. En la primera sección electoral logró la minoría la lista que se presentó como "Menem Presidente", encabezada por Jesús González, Eduardo Setti, Luis Barrionuevo, Juan José Taccone y Luis Lagomarsino. En la tercera, Russo y el intendente de General Sarmiento, Arturo Ramón, se convirtieron en los baluartes del menemismo. En la quinta sección, que incluye Mar del Plata y Tandil, Macaya triunfó al frente de la renovación sobre la lista menemista encabezada por Abdul Saravia, Diego Ibáñez, Jorge Rossi, José Granel y Luis Chalde. En la séptima, el cafierista Alberto Lestelle triunfó frente al menemista Luis Echavarría.

Un mes más tarde, el triunfo renovador se repitió en Córdoba, aunque no se trataba de elecciones internas. El 15 de diciembre se realizaron los comicios convocados por el gobernador radical Eduardo Angeloz para elegir convencionales constituyentes. El Frente Renovador encabezado por De la Sota logró cien mil votos más que las listas ortodoxas de Alberto Serú García. Manzano y Grosso postularon, el mismo día en que se conocieron los resultados, que De la Sota debía integrar la tríada conductora de la renovación en lugar de Carlos Menem, que había apoyado públicamente a las listas ortodoxas.

Esas elecciones serían el prólogo del acuerdo más importante de Menem con el radicalismo, que llegó en el momento de votar la reforma de la Constitución cordobesa, que posibilitaría la reelección de Eduardo Angeloz. Angeloz tenía apenas tres mil votos de diferencia sobre las dos corrientes justicialistas sumadas: la de De la Sota y la de Bercovich Rodríguez. Necesitaba a los ortodoxos sólo para votar el artículo que le permitiera la reelección. De la Sota se convirtió en el principal opositor y Angeloz comenzó a negociar con Vicente Saadi y Carlos Menem. Ya por entonces el catamarqueño y el riojano operaban en forma conjunta. Los tres principales operadores políticos de Saadi eran Julio Mera Figueroa, Nilda Garré y Julio Rachid. Este último, neuquino, era un viejo amigo de Menem desde las épocas de las reuniones de gobernadores y se consideraba a sí mismo casi como un "operador menemista en el saadismo".

Mera Figueroa y Eduardo Bauzá fueron los nexos para que Angeloz se encontrara con Saadi y Menem. Tenían intereses concurrentes. Tanto a Menem como a Saadi les interesaba bloquear el crecimiento de De la Sota en Córdoba y, a la vez, fortalecer a un enemigo interno de Alfonsín para tener mayor margen de maniobra. Angeloz necesitaba la reforma para imponerse a De la Sota y construir con su segunda gobernación el trampolín hacia la candidatura presidencial. Mera se instaló en el

Hotel Crillon de la capital cordobesa, con los gastos pagados directamente por la gobernación de esa provincia. Desde allí operó para negociar voto a voto los de todos los miembros del bloque de Raúl Bercovich Rodríguez, que respondía a Saadi. Menem llegó a la negociación cuando faltaba un voto, y por eso lo cobró mejor aún que el catamarqueño: Bauzá viajó a Buenos Aires y se reunió con Saadi y Angeloz en la quinta de Tortuguitas. Allí sellaron el acuerdo. Leonor Alarcia, la única diputada cordobesa que respondía a Menem, votaría por la reforma y Angeloz se comprometía a seguir prestando la ayuda económica "especial" que brindaba a La Rioja. En esa relación privilegiada se incluyó un *call* de treinta millones de dólares que otorgaría el Banco de Córdoba a La Rioja. Finalmente el *call* se transformó en una serie de créditos de nueve millones por mes durante 1987 y 1988, que sirvieron para sacar de sucesivas crisis a La Rioja mientras Menem recorría el país en pos de su candidatura presidencial.

En cuanto a Saadi, nadie nunca habló de cifras concretas, pero el entonces ministro del Interior, Antonio Tróccoli, se ocupó de aclarar que "Don Vicente es el hombre más caro de la Argentina".

Cuando Antonio Cafiero levantó en alto el brazo de Luis María Macaya el 10 de enero de 1987, estaba lejos de saber que acababa de entregarle al menemismo un arma fundamental en la provincia de Buenos Aires. No por la presencia del hombre de Tandil en la fórmula como vicegobernador (lugar al que no accedía como representante del menemismo), sino por el resentimiento de quienes habían apoyado para ese lugar a Eduardo Duhalde. El intendente de Lomas de Zamora era el candidato seguro a la vicepresidencia y aceptó de mala gana el ofrecimiento de Cafiero para que encabezara la lista de diputados a cambio de aceptar a Macaya como número dos de la fórmula. A pesar de su amistad con Menem, el dirigente de Tandil llegaba a ese lugar como representante de los cafieristas del interior y porque había convencido a Cafiero de que sus vinculaciones con los hombres de campo —era hijo de un importante chacarero— iban a ser fundamentales en un futuro gobierno. Además, el segundo de la fórmula radical que encabezaba Juan Manuel Casella era un joven con discurso progresista, Osvaldo Pozzio, y Macaya parecía la mejor contracara.

A pesar de que todo parecía acordado, los menemistas intentaron una última jugada el día mismo en que se llevaba a cabo el congreso en el Polideportivo de Gimnasia y Esgrima de La Plata. Abroquelados en un hotel, decidieron respaldar la candidatura de otro hombre de la tercera sección, Manolo Torres, para la vicegobernación. En realidad, sabían que no lograrían concretar sus aspiraciones, pero sólo les preocupaba hacer una demostración de fuerza para que se respetara su posición de no reformar la carta orgánica del partido para impedir la realización de elecciones menores, tal como querían los cafieristas. Para los menemistas, estas nuevas elecciones, luego del 35 por ciento obtenido en noviembre, eran una meta fundamental.

El congreso, sin embargo, se desarrolló sin mayores sobresaltos, y los únicos incidentes se produjeron cuando se trató de votar la designación como candidato a diputado de Guido Di Tella, en medio de una silbatina general.

Los problemas del cafierismo con Duhalde terminaron de precipitarse unos meses después, cuando el candidato a gobernador decidió buscar un "notable" para encabezar la lista de diputados bonaerenses y le ofreció ese lugar a Italo Luder, que ya había visto frustradas sus intenciones de ser senador por Santa Fe. Luder aceptó y Duhalde se enteró a través de los diarios que había sido desplazado del primer lugar de la lista. Faltaba un mes para las elecciones del 6 de setiembre de 1987, y el intendente de Lomas de Zamora llegó hasta el hotel Bauen para sumar su apoyo a las filas de Carlos Menem en la carrera hacia 1989.

MENEM PRESIDENTE

La operación se comandó desde la Casa de La Rioja. En menos de diez horas toda la Capital Federal estuvo empapelada con carteles que proclamaban "Menem Presidente". Era el lunes 7 de setiembre de 1987. El domingo, el peronismo había triunfado en todo el país. Comenzaba el declive irremediable del radicalismo. El gobierno nacional estaba sumido en el desconcierto. Si ese día había comenzado la carrera por la candidatura presidencial de 1989, Antonio Cafiero parecía el nombre indiscutido. Era el héroe de la jornada, el que había logrado doblegar a un candidato radical que contaba con todo el apoyo del oficialismo, el hombre que recuperaba la victoria para un peronismo que parecía no haber vuelto a soñar con el poder.

Alberto Kohan hizo imprimir los afiches en la Casa de La Rioja. Armando Gostanián completó la operación: un enorme cartel luminoso con la leyenda "Menem Presidente" fue levantado sobre los galpones de Rigar's en Constitución. Fue casi un homenaje personal: Menem podía ver el cartel con su nombre desde la ventana del departamento de Cochabamba, o desde la pizzería de la calle Jujuy hasta donde llegaba de madrugada.

La ortodoxia estaba sepultada. Pero la renovación había llegado a su hora de gloria dividida en mil fracciones. Una semana antes de la Navidad de 1987, Menem convocó a sus hombres al departamento de Cochabamba y les explicó claramente el proyecto. Irían a la interna. Estaba seguro de ganar, aunque todo el aparato partidario se aglutinase del otro lado. Y en caso de perder la interna, estaba dispuesto a romper y marchar con un nuevo partido o movimiento. Una vez más, creía que había construido más consenso fuera que dentro mismo del partido, y no le interesaba si la herramienta para llegar al poder era el peronismo o cualquier otra.

Una semana después de los comicios del 6 de septiembre, los cafieristas creían que habían terminado definitivamente con las aspiraciones presidenciales de Menem. En una reunión de gobernadores, gobernadores electos y jefes de distrito, el riojano aceptó colocarse por debajo de Cafiero en una lista única para la conducción del PJ. De la Sota, Manzano y Grosso se apresuraron a decir que ésa sería la fórmula del justicialismo para 1989: Cafiero-Menem. Estaban lejos de comprender que Menem no creía demasiado en los cargos partidarios, y que le daba lo mismo el lugar que ocupara en la conducción, con tal de asegurar que se formase una lista de unidad que evitase una confrontación para la que todavía no se sentía en forma. Era preferible postergar la interna por lo menos un año; recién entonces estaría en condiciones de confrontar con el aparato partidario en manos de Cafiero. Mientras tanto, él seguiría armando en los distritos y recorriendo el país, dejando que los cafieristas se desgastaran ocupándose de la reorganización del partido y de la relación con el radicalismo.

Las señales eran claras, aunque pocos quisieran verlas. Durante la reunión del 9 de octubre en que se terminó de conformar la lista de unidad y se definió el llamado a elecciones internas para proclamarla, Menem se reunió en un apartado con los congresales bonaerenses de Federalismo y Liberación para organizar un plenario de la línea para el 7 de noviembre en Parque Norte, en el que se lanzaría formalmente la candidatura presidencial del riojano.

El 17 de octubre de 1987 Menem tampoco estuvo en el palco. Esta vez estaba internado, para una operación de vesícula. Cafiero aprovechó para visitarlo y hablar a solas sobre lo que era un secreto a voces: el riojano estaba aglutinando a los gobernadores para que hicieran frente al poder de los cafieristas. "El problema no es con vos, Antonio. Pero entendé que los gobernadores no pueden dejar que entre Manzano, Grosso y De la Sota decidan en una habitación como va a ser el peronismo", le explicó. Era una descripción correcta de la realidad. Sobre todo en lo que se refería a algunos viejos dirigentes distritales del peronismo que, aunque habían decidido sumarse a la renovación para no desaparecer de la primera línea del partido, no admitían sin embargo no tener ninguna injerencia en las decisiones. El chaqueño Floro Bogado, el salteño Roberto Romero, el formoseño Vicente Joga, Carlos Juárez, de Santiago del Estero, o Julio Romero, de Corrientes, no estaban dispuestos a subordinarse tan fácilmente a los ímpetus juveniles de "La Banda".

La situación se repetía en el terreno gremial. El Movimiento Sindical Renovador reclamaba para sí el tercer lugar en la lista de unidad postulando a Roberto García. El taxista tenía el mérito de haber acompañado desde un primer momento a la renovación, pero su representación sindical era escasa. Los caudillos de las 62 Organizaciones reclamaban un acuerdo de unidad que le diera ese lugar, por lo menos, a alguien supuestamente independiente como Saúl Ubaldini.

Cafiero prefirió no entender lo que Menem le estaba diciendo en la clínica. Esa noche, se subió a una avioneta junto a Grosso para presidir el acto del peronismo en Córdoba: "El 6 de setiembre no ganó el peronismo. Ganó la renovación", anunció.

La renovación se reunió el 13 de noviembre en Parque Norte. Los 447 congresales nacionales que asistieron significaban los dos tercios necesarios para autoconvocar el congreso y proclamar la lista de unidad. El 28 de noviembre fue fijado como fecha de reunión del congreso. Cafiero y Ubaldini cerraron el encuentro. Grosso, que oficiaba de coordinador, explicó que Carlos Menem era uno de los oradores previstos pero que había tenido que viajar de urgencia a Mar del Plata por un problema personal. A diez cuadras de Parque Norte, desde el balcón del carrito "Los Amigos", en la Costanera, Menem reclamaba "terminar con las roscas, las trenzas y el contrabando ideológico" y pedía formalmente "internas abiertas para proclamar el candidato justicialista para 1989". Lo acompañaban en el balcón Juan Carlos Rousselot, Délfor Giménez y Julián Licastro. Los renovadores estaban eufóricos en Parque Norte porque la medición de los aplausos les indicaba que Cafiero era más popular que Menem internamente. Menem, por su parte, anunciaba en una conferencia de prensa simultánea en la Costanera que Federalismo y Liberación pasaba a llamarse "Menem, Presidente de los Argentinos", y que tendría su baluarte fundamental en la provincia de Buenos Aires.

Los ortodoxos, mientras tanto, con Julio Mera Figueroa y Ramón Saadi como principales operadores, terminaron por admitir la supremacía renovadora y se sumaron a la lista de unidad que fue presentada en un congreso en el Teatro Bambalinas el 29 de noviembre y fue proclamada el 31 de diciembre, al no existir oposición. La nueva conducción quedó finalmente integrada por Antonio Cafiero, Carlos Saúl Menem (presidente y vice); José María Vernet (vicepresidente primero); Roberto García (vicepresidente segundo); Carlos Grosso (secretario general) y José Manuel de la Sota (secretario político). El ingreso de Vernet fue casi una imposición de Lorenzo Miguel, que afirmó que ésa era la manera de asegurar la "defensa de la doctrina" en la conducción partidaria.

Las relaciones con el menemismo estaban tan resquebrajadas a esta altura, que los representantes de Federalismo y Liberación de la provincia de Buenos Aires quedaron excluidos de todas las negociaciones. Menem no se amilanó, y logró que formaran parte de la nueva conducción haciéndolos ingresar como riojanos. La representación de La Rioja en el nuevo consejo partidario estuvo así integrada por Carlos Menem, Julio Corzo, Alberto Kohan, Jorge Yoma, Lucía Perone, Juan Carlos Rousselot, Dante Caamaño y Luis Barrionuevo.

Mar del Plata se convirtió en uno de los baluartes del menemismo provincial. Las relaciones creadas en los continuos viajes de los últimos años rendían sus frutos. Abdul Saravia, el cuestionado dirigente gremial de los pesqueros, pasó a ser el referente obligado. Saravia ejercía la conducción del Sindicato Obrero de la Industria del Pescado desde 1967, cuando era uno de los jóvenes dirigentes gremiales que el vandorismo presentaba con futuro promisorio. Sobre él pesaron todo tipo de acusaciones. Las listas opositoras en su gremio aseguraban que Saravia acordaba los despidos y los bajos salarios con las patronales, que le respondían dejando sin trabajo a los miembros de las listas opositoras. Algunas denuncias sostenían que en Mar del Plata existían cientos de plantas clandestinas en donde se procesaba el noventa por ciento de la producción pesquera que era exportada directamente sin cumplir con las leyes de mercado.

Durante el gobierno militar, trabajó en forma conjunta con Diego Ibáñez y Carlos Suárez Mason en la compra y venta de barcos a través de YPF. En 1985 había formado junto a Luis María Macaya, Jorge Antonio y Eduardo Menem una sociedad comercial para comprar barcos de pesca y reciclarlos. Una de las acusaciones sostenía que estaban provocando la crisis del sector pesquero porque poseían una empresa en Chile que pretendía exportar a todo el Noroeste argentino. En 1983, la pesca récord de langostinos, que debería haber dejado una ganancia de varios millones de dólares, desapareció sin que nadie conociera a dónde había sido exportada.

"Nada que ver", fue todo lo que contestó Menem cuando le preguntaron por la participación de su hermano Eduardo y de Jorge Antonio en la profundización de la crisis del sector pesquero. "El compañero Saravia es un militante brillante del justicialismo."

Los intereses económicos los unían por sobre las cuestiones políticas. Macaya era por entonces el vicegobernador de Buenos Aires, cargo al que había accedido presentado como el factor "progresista" de la fórmula. Curiosamente, las mayores críticas venían por sus supuestas vinculaciones izquierdistas y, en realidad, quienes hacían esta caracterización sólo tenían en cuenta que era joven y barbado. El hombre de Tandil nunca perteneció a la izquierda peronista y sus vinculaciones con los ex montoneros —que en 1987 ya eran el Peronismo Revolucionario— se formaron, igual que las de Menem, a través de Vicente Saadi y Julio Mera Figueroa.

De cualquier forma, pese a su ingreso privilegiado al cafierismo, sus vínculos económicos no se cortaron, y la sociedad con Eduardo Menem, Jorge Antonio y Abdul Saravia continuó. Mar del Plata era el paraíso de los negocios. La "Marbella argentina", decían los hijos de Antonio que dejaron las heladerías que atendían en España para venir a levantar empresas pesqueras en la Argentina. En 1982 abrió sus puertas Estrella de Mar, la empresa más importante del grupo Antonio, que integraban otras veintiocho empresas productoras y exportadoras de pescado, todas parte de la red comandada por Abdul Saravia. Antonio proclamaba la "unidad" por sobre menemistas y cafieristas, y ofrecía cada tanto su haras de Guernica para soberbios asados en los que reunía a buena parte de la dirigencia política bonaerense. Sin embargo nadie podía ocultar su connivencia con Vicente Saadi, ni su amistad familiar con Julio Mera Figueroa, con quien compartía haras y caballos, ni su cercanía con Juan Carlos Rousselot y Mario Caserta. Aunque no lo hiciera formalmente, Antonio fue uno de los primeros nexos internos entre los distintos dirigentes y grupos que iban a conformar el menemismo que tomaba su forma definitiva en los últimos meses de 1987.

El 12 de julio de 1988 la Policía Federal argentina desbarató la que se denominó "Operación Langostino", en la que fueron secuestrados quinientos noventa kilos de cocaína que iban a ser transportados en paquetes de pescado congelado y miel. El pescado congelado era de la empresa de Antonio, Estrella de Mar. La fábrica tenía una filial en Puerto Madryn. El diario *Crónica* de Comodoro Rivadavia aseguró en un informe especial que sus periodistas habían visto en las cajas de langostinos de Estrella de Mar "droga, más precisamente cocaína".

Estrella de Mar fue creada en 1982, como productora y exportadora de pescados. Sus principales clientes fueron Italia, Estados Unidos, España, Francia, Japón, Zaire y Brasil. Operaba con el Bank of Credit and Commerce International (BCCI) —del financiero Gaith Pharaon— de Argentina, y con su sucursal panameña.

Los nexos del financista peronista se extendían a los lugares más variados, desde los capitales árabes hasta el panameño Manuel Noriega, desde el rumano Nicolás Ceaucescu hasta el cubano Fidel Castro. En el país, además de la industria pesquera, hubo sin duda otro sector que se convirtió en su principal centro de influencia: el de los llamados "carniceros" en la jerga interna, que estaba formado por los pequeños frigoríficos y los matarifes que lucraron durante más de quince años con el manejo de la cuota Hilton.

Estos personajes eran fáciles de reconocer en el paisaje peronista, en el que los asados forman parte casi esencial de la simbología política. Llevaban la carne para los encuentros, prestaban sus parrillas y sus asadores y se juntaban los domingos en el hipódromo. Los hermanos Samid fueron indudablemente la caricatura del grupo, aunque el mismo Antonio, su lugarteniente Alejandro Granados y Jorge Triaca fueron quienes más ganancias sacaron del negocio. Mario Caserta se convirtió luego en uno de los baluartes de este negocio cuando compró por cuatro millones de dólares el frigorífico Carindú, en la localidad de San Francisco Solano, Quilmes Oeste.

Otro marplatense, Guillermo Seita, intentó también acercarse al grupo, aunque la idea duraría poco tiempo. Seita, un ex cuadro de Guardia de Hierro, era uno de los principales nexos de Comunión y Liberación y mantenía por eso buenas relaciones con Grimberg. Sin embargo, Seita pasaría a jugar rápidamente con el cordobés Domingo Cavallo, el jefe de la Fundación Mediterránea que integró las listas del cordobés José Manuel de la Sota. Los menemistas acusaron a Cavallo de haber comprado su candidatura aportando un millón de dólares. En realidad, el ingreso de Cavallo al peronismo renovador de la mano de De la Sota tuvo explicaciones tanto económicas como políticas. Cavallo acercó una vinculación con el empresariado —el mismo que sustentaba su Fundación— que el peronismo no tenía pero, además, De la Sota buscaba un mensaje hacia la liberal clase media cordobesa que pudiera blanquear en algo su imagen de izquierdista frente al conservador gobernador radical Eduardo Angeloz. Cavallo sería en 1989 el canciller de Carlos Menem y un año más tarde su ministro de Economía. Guillermo Seita fue, en las dos oportunidades, viceministro y asesor político de Cavallo.

Mar del Plata fue la sede de las últimas conversaciones entre Carlos Menem y Antonio Cafiero para intentar un acuerdo de unidad con vistas a las internas convocadas para 1988. Los peronistas convocaron a una reunión de gobernadores junto al mar el 8 y 9 de enero. La reunión serviría también para que asumiera formalmente el Consejo proclamado el 31 de diciembre. Los menemistas sentían que les estaban invadiendo territorio propio y desplegaron toda su estructura. Levantaron una inmensa carpa en pleno centro de la ciudad, y colgaron en todas las esquinas pasacalles y carteles con la leyenda "Menem Presidente". Samid y Rousselot organizaron una reunión de bañeros para darle la bienvenida al candidato, y Abdul Saravia organizó una descomunal "fiesta del pescado". Menem se paseó por la Bristol, se dejó besar y aplaudir y consiguió demostrar su popularidad, pero no alcanzó. Los cafieristas vivían su hora de mayor gloria y estaban convencidos de que no había nada que conversar ni discutir, que Menem no tenía ninguna chance en una elección interna y que, además, su imagen era perjudicial para el peronismo en general, por lo que había que abreviar lo máximo posible su presencia en los primeros planos.

Cafiero asumió el 10 de diciembre la gobernación de la provincia de Buenos Aires y creía que sólo era cuestión de tiempo y trámites administrativos su llegada a la Casa Rosada. Cargaba con una sentencia histórica: muchos de los que aspiraron a la Presidencia habían intentado antes el mismo camino. Pero todos habían fracasado. Nunca un gobernador de la provincia de Buenos Aires pasó desde allí a la Casa de Gobierno. Cafiero estaba dispuesto a negociar en un punto con Menem: el nombre del compañero de fórmula. Creía que ese lugar podía ser ocupado por el mismo riojano o por un hombre cercano a él, porque sabía que necesitaba ganar consenso en el interior. Admiraba y respetaba, parado sobre sus propias carencias, el trato de Menem con la gente y su vocación por el encuentro directo. Sabía que podía ser fundamental en una campaña nacional. Lo que no podía entender eran esas aspiraciones de poder que lo hacían impermeable a cualquier propuesta que no fuera encabezar la fórmula. Más aún: Cafiero ya conocía por entonces los planes del menemismo de llegar a cualquier precio a la disputa por la Presidencia. Ganando la interna si se podía, o rompiendo y formando un partido aparte en cualquier otro caso.

Rousselot, el comandante del operativo publicitario en Mar del Plata, jugaba a la saturación. El inmenso paredón sobre la playa fue pintado de punta a punta con leyendas desideologizadas del tipo "Menem te quiero" o "Vamos Carlitos todavía". Un globo aerostático paseó un cartel que solamente decía "Carlos". Menem hacía valer su condición de hombre del interior en unas playas que son precisamente el paraíso de los provincianos. Paseaba entre las carpas para que todos lo saludaran como a un par y le hablaran de sus provincias. La decisión de levantar la carpa menemista en pleno centro de la ciudad demostró una vez más el estilo de Abdul Saravia para dirigir en su territorio. El intendente marplatense, Angel Roig, vio desde la ventana de su despacho el despliegue de los operarios que levantaban el escenario y salió indignado. En la puerta de la municipalidad se cruzó con Abdul Saravia.

—¿Se puede saber quién les dio autorización para instalar esto?

Saravia lo miró sin sacar las manos de sus bolsillos.

—Nadie. Y de acá no nos vamos. ¿Está claro?

La carpa quedó en su lugar, y Roig reingresó a la municipalidad como si no hubiera pasado nada.

Menem intentaba moderar la situación. Mientras dejaba que sus operadores empapelaran la ciudad, prefirió no concurrir a una cena que le habían preparado en su honor para no enturbiar con su ausencia la asunción del flamante Consejo del PJ. Pero las únicas especulaciones en Mar del Plata eran alrededor de la fórmula presidencial. Todo hacía suponer que el compañero de Menem sería Juan Carlos Rousselot, y el de Cafiero, el porteño Carlos Grosso. Pero tanto Menem como Cafiero no habían descartado la variable de una fórmula conjunta, aunque cada uno se creía con derecho a ocupar el primer lugar en ella. El entrerriano Jorge Busti y el mendocino José Octavio Bordón eran los principales operadores de esta iniciativa. Se trataba para ellos de una cuestión de supervivencia política: tenían excelentes relaciones con los dos, y la posibilidad de una interna los obligaría a definirse en uno u otro sentido.

La última noche del encuentro, Cafiero cenó en el Hotel Provincial con los gobernadores que habían llegado a la reunión y Menem fue a "El Viejo Pop" con sus amigos marplatenses.

—No hay acuerdo posible. Aunque Cafiero quiera, Manzano, Grosso y De la Sota no lo van a dejar ser segundo mío —les explicó Menem.

—Ni loco quiero a Menem de vicepresidente. Sería ingobernable —precisó, a unas cuadras de allí, el gobernador de la provincia de Buenos Aires.

EL MENEMOVIL

—Don Vicente, qué gusto verlo. ¿Cómo está?

—Ya me ve. Todavía del lado de acá.

La ironía de Don Vicente Saadi frente a Antonio Cafiero no fue sólo una definición acerca de su salud. El caudillo catamarqueño estaba dispuesto a demostrar hasta último momento que seguía siendo el oráculo del justicialismo, a pesar de haber sido desplazado formalmente de la conducción y de que su nombre fuese agitado como uno de los fantasmas del pasado. El 20 de febrero llegó a Jujuy dispuesto a poner las cosas en claro. Los gobernadores sesionaron ese fin de semana en un enorme salón de vidrio apostado sobre un cerro desde el que se podían divisar valles y quebradas preparadas para festejar el carnaval. Cafiero le cedió la presidencia de la reunión a Saadi: a pesar de lo que Manzano, Grosso y De la Sota le aconsejaban, él estaba dispuesto a buscar el apoyo del viejo caudillo. Saadi era la conexión con el viejo peronismo, al que no estaba dispuesto a dejar fuera del aparato de la renovación. En el terreno generacional e incluso en el estilo o la historia política, Cafiero tenía más puntos en común con Saadi que con los jóvenes e impetuosos diputados. Era, además, el nexo con las 62 Organizaciones y conocía como pocos el interior del país y a sus dirigentes. Las diferencias entre Cafiero y el trío renovador eran ya considerables, a pesar de los intentos por disimularlas. Para Cafiero, la renovación había sido el mecanismo para conseguir la democratización interna del partido, la herramienta con la cual se habían desterrado los métodos de la ortodoxia, pero ahora había que rescatar a esos hombres que eran, en definitiva, los que habían hecho sobrevivir al peronismo durante la dictadura. La renovación doctrinaria debía hacerse con el aporte de todos los sectores y con cierta prolijidad en cuanto a la procedencia de cada uno. Cafiero había sido en los años sesenta y setenta uno de los hombres de confianza de la Unión Obrera Metalúrgica y de las 62 Organizaciones, uno de los principales asesores de Augusto Timoteo Vandor y José Ignacio

Rucci. Pero también había acompañado al sacerdote tercermundista Carlos Mujica hasta su casa la noche antes de que lo asesinaran comandos de la derecha peronista. En esa confluencia quería situar al peronismo renovado.

Para Manzano, Grosso y De la Sota, en cambio, no se trataba sólo de una renovación de métodos sino, fundamentalmente, de hombres. Había que dejar el camino abierto para la nueva generación, la que ellos representaban, más ligada a los partidos políticos modernos europeos que a la historia del peronismo. No se trataba de renovar el justicialismo, sino de refundarlo. Habían aceptado imponerse democráticamente a la ortodoxia porque habían triunfado en las internas. Pero, de lo contrario, hubieran fundado un nuevo partido.

Cuando, al finalizar la reunión de gobernadores en Jujuy, Julio Mera Figueroa invitó a Cafiero a reunirse con Saadi en Catamarca, la euforia del bonaerense sólo fue comparable al resquemor del trío. Saadi cerró el congreso jujeño con una frase alentadora: "Es el momento de la unidad del peronismo y de marchar detrás de proyectos claros", sentenció. Manzano, Grosso y De la Sota pasaron la tarde del domingo advirtiéndole a Cafiero que no se dejara seducir por el catamarqueño, que no aceptase discutir ni negociar nada porque la interna ya estaba ganada.

Cafiero llegó a la residencia de Las Pirquitas esperando oír el apoyo de Saadi a su candidatura. Se encontró, en cambio, con la propuesta de Saadi: la fórmula de unidad encabezada por Menem. El catamarqueño estaba convencido de que el riojano se impondría en la interna. "Antonio, hace años que recorro el interior. Están todos con él. No te dejes llevar por lo que te dicen. Es un fenómeno, hay que entenderlo como un fenómeno", intentó explicarle. Mera Figueroa sólo asentía.

—Esta vez se equivoca, Don Vicente —contestó Cafiero.

Pero ni él mismo estaba convencido. Por primera vez desde que inició el proceso de la renovación, Cafiero dudó sobre su futuro. Pero, conocedor de su capacidad para deprimirse, no se dejó ganar por los fantasmas y antes de llegar a La Plata había recuperado la soberbia que lo acompañó en esos meses.

No había plazo para ninguna negociación. La interna estaba definitivamente lanzada. Ese martes, en las oficinas del cafierismo en la calle Corrientes, Carlos Grosso por la renovación y Juan Carlos Rousselot por el menemismo firmaron un "compromiso de solidaridad" en el que los dos sectores acordaban "en nombre de la unidad del peronismo y en función de su destino histórico, no llevar los niveles de discusión interna a un plano del que tras las elecciones no sea posible volver".

Los menemistas coparon las instalaciones del Hotel Elevage. En las habitaciones del quinto piso, Menem se reunió durante el último fin de semana de febrero con el grupo de dirigentes políticos que formaba su estructura y les comunicó la novedad. Su compañero de fórmula sería el diputado Eduardo Duhalde.

La decisión tenía más de un fundamento, aunque el grupo intentó una vez más justificarla en la intuición de "El Jefe" y en su capacidad premonitoria. Duhalde representaba una de las estructuras políticas más importantes de la provincia, y era casi el líder indiscutido de la poderosa tercera sección electoral. Además, traería consigo a otros dirigentes del conurbano: entre ellos Alberto Pierri, que aportaba votos en La Matanza (luego de que Federico Russo, que se había presentado en las elecciones de 1986 con las listas de Federalismo y Liberación, decidió encolumnarse en el cafierismo). Rousselot, que se consideraba el candidato seguro, aceptó sin discusión. Las encuestas de popularidad demostraban que su imagen era negativa y básicamente relacionada con su paso por el Ministerio de Acción Social de López Rega. Nadie dudaba, en cambio, de que Duhalde era uno de los baluartes de la renovación en la provincia. Su candidatura por el menemismo era casi un mensaje directo a Cafiero, que había comenzado a basar su discurso en la ligazón de Menem con la vieja ortodoxia bonaerense.

Pero el verdadero festejo de los menemistas llegó una semana después. El 5 de marzo Menem anunció su fórmula en el Hotel Elevage. Convencidos ya de que no había negociación posible, los cafieristas se apresuraron a definir su fórmula. Desde un primer momento, los candidatos fueron dos: el santafecino José María Vernet y el porteño Carlos Grosso. Vernet llegaba acompañado del apoyo de Lorenzo Miguel y las 62 Organizaciones, además del sutil respaldo de Vicente Saadi. Representaba la posibilidad de una fórmula "integradora" que nuclease el espíritu de la renovación que encarnaba Cafiero con lo más potable del peronismo histórico. El ex gobernador había construido una imagen sólida en su provincia, como un dirigente moderno con un discurso económico claro. Garantizaba, además, el apoyo de Santa Fe, el segundo distrito en importancia luego de Buenos Aires. Grosso era presentado como la "garantía de la pureza de la renovación". Un dirigente carismático, uno de los más brillantes oradores de la nueva generación, con una imagen construida a través de sus frecuentes apariciones en televisión.

Cafiero se inclinaba por la designación de Vernet. El domingo 6 de marzo se lo anunció a Lorenzo Miguel y el lunes 7 convocó a su grupo de operadores políticos más cercanos a La Plata para trasmitirles la decisión. Su esposa Ana se adelantó, y el mismo domingo por la noche le contó al taxista Roberto García, de los 25, la conversación de Cafiero con Miguel. El lunes, "La Banda" llegó en pleno dispuesta a dar vuelta la decisión. En el comedor de la residencia platense, Cafiero los esperaba junto a su hijo Mario, Guido Di Tella, Carlos Alvarez, Rodolfo Frigeri y Felipe Solá. Alrededor de la mesa se instalaron también Carlos Grosso, José Manuel de la Sota, José Luis Manzano, Miguel Angel Toma, Roberto García y Remo Constanzo.

Alvarez comenzó a hacer el prólogo para el anuncio de la designación de Vernet. Recalcó la necesidad de una fórmula integradora y, sobre todo, la importancia que tendría en ella un hombre del interior. Grosso tomó entonces la palabra. Con su habitual locuacidad explicó que renunciaba a sus pretensiones de integrar la fórmula y que él también estaba convencido de la necesidad de que fuese un hombre del interior. Comenzó entonces a agitar el fantasma de Victorio Calabró, que había asumido como vicegobernador de la provincia en 1973 y traicionó al gobernador Oscar Bidegain. Más contundente aún, advirtió a Cafiero: "Usted no nos puede hacer como Perón. Ya sabemos lo que nos pasó por no pensar en la herencia". Inesperadamente, entonces, sentenció: "El hombre adecuado para acompañarlo es José Manuel de la Sota". El cordobés estaba tan desconcertado como Cafiero y sólo atinó a decir: "No, yo no". Cafiero, que pensaba que la interna era sólo un trámite, se apresuró a aclarar: "Yo había pensado en 'El Gallego', pero nos va a complicar para la nacional. Porque si el candidato de los radicales es Angeloz, los cordobeses entre votar un candidato a presidente y uno a vice, van a votar a presidente. Y Córdoba es muy importante...". Grosso y Manzano se hicieron dueños de la escena. Grosso se llevó a De la Sota a una habitación contigua para convencerlo de sus razones mientras Manzano le advertía a Cafiero que si llevaba a Vernet en la fórmula estaría tirando por la borda todo el esfuerzo de los que habían construido la renovación.

Cuarenta minutos después, De la Sota reingresó al salón y se abrazó con Cafiero: "Está bien, Antonio, acepto", le dijo. Cafiero se sentía feliz, aunque no terminaba de recordar si él le había ofrecido el cargo a De la Sota en algún momento. Di Tella, Solá, Alvarez y Frigeri se miraban desconcertados.

Los cafieristas anunciaron la fórmula en una multitudinaria conferencia de prensa en el Hotel Presidente, en la que desplegaron todo el aparato que los acompañaba: gobernadores, diputados, senadores, presidentes de distrito, intelectuales. Los menemistas festejaban en la sede de los gastronómicos (donde Luis Barrionuevo acababa de organizar la Mesa Sindical Menem Presidente). Vicente Saadi y Lorenzo Miguel se comunicaron mientras tanto con Menem para darle su apoyo. Miguel lo repitió públicamente: "Ahora nos van a tener que dar explicaciones de por qué se eligió al titular de un distrito que perdió en las últimas elecciones nacionales, como De la Sota. Nosotros en las 62 Organizaciones habíamos creído que ese equilibrio que tanto necesitaba el movimiento nacional justicialista se había alcanzado con la fórmula Cafiero-Vernet, pero lamentablemente ahora comprobamos que está roto. Hubiera sido muy lindo que el binomio fuera Cafiero-Vernet, y en ese caso hubiéramos puesto todo el apoyo de las 62 Organizaciones a esa fórmula, pero ahora no vamos a hacerlo". Saadi manifestó públicamente su "prescindencia", pero su operador Julio Mera Figueroa se convirtió en el jefe de campaña del menemismo.

El enfrentamiento de De la Sota con las 62 se iba a convertir en uno de los ejes de la campaña interna y en un factor decisivo en el momento de las definiciones. De la Sota dio el puntapié inicial cuando contestó las críticas de Miguel declarando: "Dos buenas noticias en un día. Soy candidato y Miguel me critica".

En un mecanismo poco común, la UOM publicó al día siguiente una solicitada en todos los diarios nacionales titulada "Respuesta al compañero José Manuel de la Sota". En alguno de sus párrafos sostenía: "¿Olvida acaso el compañero De la Sota que su actual banca como Diputado de la Nación fue el producto de un acuerdo con el entonces interventor del partido justicialista en Córdoba, compañero Alberto Serú García y que en ese momento la intervención de las 62 Organizaciones y en particular de la UOM fue decisiva para su inclusión en la lista? ¿Por qué no objetó en aquel momento el procedimiento que ahora dice repudiar y aceptó el apoyo de las organizaciones y dirigentes que hoy son objeto de su intolerancia?".

De la Sota afirmó que las 62 eran "la rama seca del peronismo" y que habían construido su poder en una época "en la que se tapaba la boca con el bombo y la marcha impidiendo a los afiliados la libre expresión". Lorenzo le respondió que esas épocas eran las que tenían a Juan Perón conduciendo el Movimiento y le advirtió que sus dichos "son una osadía propia más de un gorila pero absolutamente inconcebible en quienes, lo poco o mucho que somos, lo debemos al genio y la visión profética de Perón, a su lealtad y a la sangre generosa de quienes cayeron sosteniendo sus banderas". Ante cada nuevo round del enfrentamiento, los menemistas sentían que se acercaba su victoria.

En un último intento por frenar el enfrentamiento, Cafiero se ofreció a concurrir a un plenario de las 62 para explicar los ejes de su campaña para la interna. Miguel aceptó, pero invitó para el día siguiente a Carlos Menem, presentando los dos encuentros como un paso más en la búsqueda de la unidad interna. Pero el día mismo del plenario al que debía concurrir Cafiero, la UOM publicó su solicitada en los diarios, y el bonaerense dejó esperando a la UOM y a los caudillos sindicales y les avisó al día siguiente por los diarios que no había concurrido en "solidaridad" con su compañero de fórmula. Barrionuevo corría entre la sede de la UOM y la quinta de Duhalde en San Vicente, donde Menem compartía un asado con su equipo político a la espera de las novedades.

El 18 de marzo, Menem fue recibido en la UOM en medio de una ovación. Armando Cavalieri, Luis Barrionuevo, Juan José Zanola, Oscar Lescano, Carlos West Ocampo, Délfor Giménez, José Rodríguez, Diego Ibáñez y Amadeo Genta comprometieron su apoyo al menemismo. Miguel pidió que el plenario se desarrollara "a puertas abiertas". Fue la consigna para que ingresaran los militantes sindicales que habían movilizado los gastronómicos y los metalúrgicos. Menem fue ovacionado y Miguel fue lacónico: "Creo que el compañero Cafiero se equivocó de estrategia". Menem reconoció el rol de las 62 Organizaciones como "columna vertebral del peronismo" y planteó en cuatro puntos su propuesta de gobierno: tratamiento parlamentario de la deuda externa y pago condicionado de sus intereses, embargo de los bienes británicos a raíz del conflicto por las islas Malvinas, aumento sustancial de salarios y pena de muerte para los narcotraficantes.

El 24 de marzo, en el 12º aniversario del golpe de 1976, Menem publicó en una solicitada titulada "Carta abierta a la esperanza" la síntesis de lo que sería su discurso durante la campaña interna:

• "Siempre sostuve que el gesto más noble del político consiste en poner un oído en el corazón del Pueblo y otro en la voz de Dios, para escuchar con humildad el mandato de los tiempos. Por eso quiero conversar mano a mano con todos ustedes para expresarles mis más íntimas convicciones. Con ustedes, trabajadores; con ustedes, profesionales; con los jóvenes, las mujeres y los ancianos de esta bendita tierra de todos."

• "Para mí la política no es una riña de gallos donde haya que sacarse los ojos para acceder a migajas de poder. Para mí la política es una epopeya silenciosa en favor de la justicia y la libertad. No es una puja entre pigmeos, sino la confrontación leal de proyectos e ideales. No es un circo de enfrentamientos ni un show de solapadas miserias personales: es una marcha honesta y permanente hacia la liberación nacional y latinoamericana."

• "Les pido a todos los argentinos sin distinción que participen activamente en las próximas elecciones internas de nuestro partido. A todos los convoco a afiliarse, a debatir, a reflexionar y a confrontar las alternativas que les plantea de un modo racional y moderno el justicialismo. Convoco a ese argentino que está solo y espera."

• "Yo los convoco a llevar la imaginación al poder y para seguir un rumbo que realmente tenga sentido. Debemos dejar atrás la mediocridad. Porque el mediocre no inventa nada. El mediocre especula, se resigna, se siente un pasivo espectador de las horas que le tocan vivir. Y este tiempo, precisamente, no está hecho para los mediocres. Es un tiempo para las sanas rebeldías, los rumbos audaces, los protagonismos activos y conscientes."

• "Mi compromiso es con todos ustedes, pero especialmente con los más sumergidos, con los olvidados, con los pobres, que hoy son el subsuelo de la Patria sufriente, del cual surgen siempre las más vitales energías para el despegue nacional. A ellos, especialmente a ellos, les vengo a decir que el futuro es posible. Que la democracia aún vale la pena. Que la justicia es un buen motivo para construir algo grande y trascendente. Y que es posible dejar atrás de una vez por todas la Argentina de unos pocos para levantar, ladrillo por ladrillo, la Argentina de todos."

• "No hay poder en la Tierra capaz de frustrar la voluntad de un Pueblo. No hay dinero suficiente para comprar la voluntad soberana. Todavía no se inventó una máquina tan perversa como para impedir que nuestros mejores sueños sean realmente posibles. Asumo este desafío ante la vida y ante la muerte. Llevo dos banderas para mirar confiado el horizonte y para esperar sereno el dictamen que vendrá. Una bandera es de Dios, la fe. Otra bandera es del Pueblo, la esperanza."

Con frases tomadas de tarjetas y *posters* populares o citas sin autor —"un oído en el corazón del pueblo..." era parte del evangelio de Enrique Angelelli; "la imaginación al poder" corresponde al Mayo Francés; "el hombre que está sólo y espera" es un libro de Raúl Scalabrini Ortiz; el "subsuelo de la Patria sublevado" es una frase de Leopoldo Marechal— Menem fue construyendo el discurso con el que recorrió el país a partir de los primeros días del otoño de 1988, una vez más, como en los últimos seis años, pero ahora con el objetivo concreto de ganar las internas del peronismo y llegar a la Presidencia de la Nación.

Los menemistas tenían todavía que dar dos batallas. Una era por la forma de la elección. Los cafieristas pretendían elegir en el mismo acto los dirigentes partidarios y los cargos electivos. Los menemistas aseguraban que se trataba de una maniobra destinada a utilizar el poder que les daba la conducción de los aparatos partidarios en los distritos. En realidad, sucedía que los menemistas no tenían candidatos provinciales. Toda su suerte se jugaba a Menem, y eso era lo único importante. No les interesaba el control del partido, y no tenían dirigentes que quisieran presentarse a disputarlo. La segunda cuestión aparecía presentada como un problema estratégico fundamental, y se trataba en realidad de una cuestión de cábalas. Las internas fueron convocadas primero para el 26 de junio y luego para el 3 de julio. Los menemistas se opusieron, alegando que no habían tenido tiempo de controlar los padrones y que, si no las postergaban para después del 5, ellos no se presentarían y fracturarían el partido.

Los renovadores estaban convencidos de que era un intento de los menemistas para buscar motivos de fractura. En realidad, no necesitaban motivos: César Arias había armado ya una estructura para presentar el Partido Menemista ante la justicia electoral en caso de que se perdieran las internas. El manejo del aparato que ostentaba el cafierismo les facilitaba las cosas: era fácil acusarlos de fraude. Pero la obsesión por la fecha tenía otro sentido.

En la primera semana de mayo, Menem estaba en una fiesta cuando se le acercó una mujer morocha, de ojos achinados y sonrisa enigmática. "Usted va a ser presidente de la Argentina. Pero las elecciones no pueden ser antes del 5 de julio." Hilda Evelia se fue sin decir otra palabra, y Menem la siguió. Al día siguiente fue a visitarla a su casa en la calle Bolívar al 1400, y ella le tiró el Tarot y le delineó su carta natal. Le ratificó que sería presidente, y le advirtió también que tendría un final trágico. Le explicó que él era de Cáncer con ascendente en Libra, exactamente lo contrario que Juan Perón, que era de Libra con ascendente en Cáncer. Por eso estaba llamado a desarmar lo que Perón había armado. Antes de irse le confirmó: "No deje que voten antes del 5 de julio, porque los astros estarán en su contra".

Los operadores de Menem confiaban tan ciegamente en la intuición de su líder que comenzaron a buscar argumentos para justificar la postergación. Luego de innumerables idas y venidas y acusaciones de todo tipo, se convino en votar el sábado 9 de julio.

Aunque nadie parecía registrarlo, ni públicamente ni tampoco en el entorno que acompañaba a Cafiero, las adhesiones hacia el menemismo se iban sumando día a día. Duhalde consiguió dar vuelta la situación del

Gran Buenos Aires: los intendentes de Almirante Brown, Hugo Villaverde; de Magdalena, Luis Colabianco, y Carlos Castro, de Coronel Brandsen, se sumaron al apoyo a Menem. Quindimil se mostraba públicamente a favor de Cafiero, pero en su distrito dejaba hacer a Mario Caserta, que se había convertido en uno de los operadores fundamentales de Menem. Barrionuevo lanzó el Movimiento Nacional Sindical Menem Presidente con la mayor parte de los gremios más fuertes. En La Matanza, el otrora poderoso Comando de Organización de Brito Lima, devenido una agrupación menor en la que se conservaban sólo los modales gangsteriles de otras épocas pero no la estructura ni el poder de entonces, se había unido a Pierri.

Los apoyos comenzaban a repartirse por partes iguales aun en los territorios que antes parecían inexpugnables para el menemismo, y los seguidores del riojano comenzaban a levantarse como polos de oposición en todos los distritos liderados por cafieristas. Alberto Pierri frente a Federico Russo en La Matanza; Juan Carlos Rousselot frente a Carlos Alvarez en Morón; Eduardo Duhalde frente a Manolo Torres en Lomas de Zamora; Luis Barrionuevo frente a Carlos Brown en San Martín; Jorge Villaverde frente a Raúl Alvarez Echagüe en Almirante Brown; Angel Abasto frente a Eduardo Caamaño en Quilmes; Arturo Ramón frente a Juan José Mussi en Berazategui. En Santa Fe se dividían en partes iguales: mientras el gobernador Víctor Reviglio, el ex gobernador José María Vernet y el presidente del justicialismo, Raúl Carignano, apoyaban a Cafiero, el vicegobernador Antonio Vanrell y el diputado Rubén Cardozo apoyaban a Menem. En Córdoba se habían alineado en el menemismo Leonor Alarcia, Julio César Aráoz y Raúl Bercovich Rodríguez. En la Capital Federal el armado grossista apoyaba a Cafiero, pero Menem había recogido el respaldo del gremialismo ligado a las 62 Organizaciones y de las agrupaciones de Santos Casale, Julián Licastro, Alberto González Arzac y Carlos Puccio. Entre Ríos y Mendoza se mantuvieron prescindentes hasta último momento. Finalmente Busti envió una carta a los militantes pidiendo el voto por Cafiero. Bordón se mantuvo al margen, pero eran obvias sus preferencias por el menemismo: su vicegobernador, Arturo Lafalle, operaba conjuntamente con Eduardo Bauzá para impedir el armado de José Luis Manzano. Juan Manuel Pedrini en Chaco, Humberto Martiarena en Jujuy, el intendente de Posadas, Osvaldo Torres, y el salteño Luis Giacosa eran otros de los referentes en el interior.

El 6 de abril, en el festejo del cumpleaños de Lorenzo Miguel, Saúl Ubaldini lo estrechó en un abrazo dejando claro que su prescindencia tenía límites, aunque los cafieristas lo marcaban como "tropa propia". La plana mayor de las 62 vivó el nombre de Menem cuando terminaron de cantarle el *Feliz Cumpleaños* a Miguel.

Un enorme ciervo asado decorado con cerezas, quesos, aceitunas y morrones ocupaba, imponente, el centro de la mesa. Lo rodeaban platos de ostras y caviar, frutas y mariscos tropicales, fiambres, salsas, cientos de botellas de champaña y vino, tartas frías y calientes, y bocaditos multicolores. El salón estaba iluminado sólo por las velas distribuidas sobre la mesa y, al fondo, las brasas sobre las que se asaban quesos y pollos. José Luis Manzano se paró sobre su silla, alzó su copa y comenzó a cantar: "¡No rompan las pelotas, Cafiero-De la Sota!". Gobernadores, funcionarios, dirigentes partidarios y periodistas se sumaron al coro. Unos minutos después, todo el grupo estaba bailando en el medio del salón al ritmo de "¡Volveremos, volveremos, de la mano de Cafiero!".

Cuando el cansancio y el alcohol comenzaron a hacer sus efectos y las luces se encendieron invitando a la retirada, todos contemplaron atónitos la escena. En un rincón, una larga fila de mozos, choferes y mucamas esperaba pacientemente para saludar, uno a uno, a Carlos Menem, que estrechaba sonriente cada mano, besaba a las mujeres y prometía volver a visitarlos personalmente. En una pequeña mesa redonda, el riojano había pasado la cena acompañado de los pocos incondicionales que habían aceptado sentarse a su lado: Ramón Hernández, Miguel Angel Vicco, el senador Eduardo Menem y Julio Mera Figueroa.

La reunión de gobernadores del 10 de abril en La Pampa dejó claro el enfrentamiento entre cafieristas y menemistas. Antes de partir de La Plata rumbo al encuentro, Cafiero se había reunido con De la Sota, Manzano y Grosso en su residencia. El gobernador bonaerense estaba apesadumbrado.

—No importa lo que digan los diarios. No seamos necios. Me lo dicen mis hombres, los intendentes del conurbano lo ven todos los días. Les digo que es impresionante cómo lo sigue la gente. Es un fenómeno. Nos estamos equivocando, tendríamos que hablar...

"La Banda" se indignó. De la Sota comenzó a gritar.

—Si vas a estar así yo renuncio hoy mismo. Sos un cagón, un débil. A la primera de cambio querés echarte atrás. Nunca vas a llegar a nada... así es como te cagaron siempre, toda tu vida...

Grosso daba explicaciones matemáticas: "El peronismo es verticalista. Hay disciplina interna. Si todos los jefes de distrito están con nosotros, y dan la orden de que te voten a vos, te van a votar a vos. A él van a verlo como se va a ver a un actor. Pero eso no se traduce después en votos".

Manzano fue el último en hablar. Le ofreció a Cafiero carpetas con información sobre la relación de Menem con el narcotráfico y la venta de armas en los países árabes. Esta vez fue Cafiero el que levantó la voz.

—"Chupete", ni se te ocurra. Eso es muy bajo... Yo voy a pelear los votos de la gente, pero no voy a tirarle mierda a un dirigente peronista... Esto no es una elección nacional. Después tenemos que seguir juntos. Si se hunde uno de los dos, nos hundimos todos.

Pero el apriete había surtido efecto, y cuando el avión llegó al aeropuerto de Santa Rosa, Cafiero endureció el tono de las declaraciones que venía haciendo hasta ese momento.

—¿Cómo se puede permitir que un candidato aparezca rodeado de los Montoneros y el Comando de Organización? El entorno que rodea a Carlos Menem es un grupo incoherente donde se juntan figuras que vienen del montonerismo, con colaboradores de José López Rega y otros compañeros que sólo podemos asociar con nuestros años negros de la derrota.

Menem llegó a su hotel y se encerró en la habitación con Ramón Hernández. Quince minutos después bajó para brindar en el cóctel de recepción. Cuando entró al salón, estallaba una ovación: "Se siente, se siente, Cafiero presidente". Menem se acercó al primer micrófono que encontró.

—Cafiero no es un compañero. Cafiero es un botón. Lo que está haciendo es política de prontuario. Esto es macartismo del más bajo y es una actitud que en 1976 dio como resultado la tremenda tiranía que nos ha tocado vivir, donde muchos de los falsamente delatados pagaron con cárcel y hasta con sus vidas.

Rousselot consiguió un viejo camión recolector de basura en la municipalidad de Morón. Le colgaron banderas argentinas en los costados y le instalaron un equipo de micrófonos sobre la cabina. Envueltos en ponchos, Carlos Menem y Eduardo Duhalde se treparon allí el 8 de mayo para recorrer los barrios más pobres de La Matanza. Se trataba de festejar el 69º aniversario del nacimiento de Eva Perón y la marcha terminó en una misa, luego de la cual Menem convocó a "hacer otro nuevo 17 de Octubre".

Durante doce horas, el camión con los candidatos recorrió noventa kilómetros a paso de hombre por las barriadas más marginales y populosas del gran Buenos Aires. Pararon en La Esperanza, una villa de emergencia de Isidro Casanova, y comieron con los pobladores del barrio Cristianía, en Gregorio de Laferrere, entre casillas de chapa y sobre mesas improvisadas en medio del barrizal de las calles. Más de treinta mil personas escucharon misa junto a los candidatos en una capilla de Puerta de Hierro, el barrio más pobre de González Catán. En todo el recorrido, unas cien mil personas se sumaron a la caravana. La Matanza, el distrito más importante electoralmente del peronismo, tenía 127.000 afiliados. El intendente Federico Russo, que manejaba también el partido, se alineó detrás de los cafieristas. Cuando Menem bajó del camión, ya de noche, estaba convencido de que sería el próximo presidente de la Argentina.

Los cafieristas se ocupaban de remarcar que en el "menemóvil" —como comenzaron a llamar al camión— se agrupaba lo más ortodoxo de la derecha peronista, los sindicalistas de las 62 Organizaciones y el Peronismo Revolucionario. Pero no encontraban respuestas cuando se trataba de explicar la impresionante adhesión que recibía Menem cada vez que se paseaba públicamente. Cada caravana se convertía en una suerte de acto religioso, en el que las madres alzaban a sus hijos para que fueran bendecidos, o tiraban sobre el camión pañuelos o camperas para que Menem los besara. Durante un acto en Lanús, un hombre le alcanzó un enorme pan casero y, después que Menem lo besó, comenzó a trozarlo y repartirlo. Nadie organizaba los actos. Llegaban a cada lugar y allí partían en caravana mientras la gente iba saliendo espontáneamente de sus casas. Pasaban por las avenidas comerciales en el horario más activo de los negocios y dejaban para la tarde las barriadas. Menem invocaba a la Virgen y a Perón, prometía el "salariazo" y el tratamiento parlamentario de la deuda externa. Hablaba poco, sólo cuando era imprescindible, porque los manifestantes detenían la marcha y se agolpaban, y prefería pasar largos minutos con sus brazos en alto saludando, o arrojando besos al aire. Buscaba con su mirada los ojos de cada una de las mujeres y les sonreía. Extendía su mano para acariciar a todos los bebés que le alcanzaban.

Una semana después de La Matanza, llegó a San Miguel. La gente invadía las calles, las plazas, esperaba horas el paso de la caravana. Marginados de la política por el discurso racional y organizado impuesto por el radicalismo y continuado por la renovación, los marginales volvían a ocupar el escenario. Menem abandonó cualquier intento de seducir a la clase media y se lanzó directamente a asegurarse esos votos. Flanqueado por Dante Caamaño, Luis Barrionuevo, Juan Carlos Rousselot, Alberto Brito Lima y Pablo Unamuno, volvió sobre su obsesión: el narcotráfico. "Vamos a presentar un proyecto de ley para que se imponga la pena de muerte para los narcotraficantes, para los que trafican con la muerte. Mu-

241

chos niños bolsean porque tienen frío y hambre. Aspiran bolsas con pegamento para olvidarse de la desnutrición y eso lo tenemos que terminar en forma urgente." Estrenó un discurso nacionalista reclamando que "agredamos económicamente a Inglaterra para que nos devuelvan las Malvinas. Ellos nos agreden económicamente y nosotros debemos responderles de la misma manera. Expropiando las propiedades británicas en el Sur. Vamos a ver si ceden o no". Criticó a Cafiero porque era la expresión de la "politiquería liberal" y aseguró que "a la Argentina no hay que renovarla, hay que liberarla. El peronismo vuelve para que el pueblo gobierne".

Las oficinas del comando menemista se instalaron en un viejo edificio de la calle Paraguay, por donde desfilaban todos los querían adherirse o aportar. Formalmente, la conducción del sector quedó a cargo de Duhalde, Eduardo Menem, Alberto Kohan, Rubén Cardozo, Eduardo Alassino, Eduardo Bauzá, Jorge Rachid, Martín Torres y Luis Martínez; Juan Carlos Rousselot, Fernando Galmarini y Alberto Samid por Buenos Aires, y Leonor Alarcia por Córdoba. La coordinación de la campaña quedó a cargo de Julio Mera Figueroa y Julio Bárbaro. Luis Santos Casale, Raúl Padró y Américo Rial fueron nombrados delegados por la Capital Federal y Luis Barrionuevo por el sindicalismo.

El nuncio Ubaldo Calabresi se había convertido en un militante menemista. Junto al arzobispo Antonio Quarracino solían sumarse a las reuniones y cenas. Calabresi fue el encargado de introducir en el grupo a Mario Rotundo, a quien había conocido por recomendación de Licio Gelli. Ambos mantenían una íntima relación y los dos solían visitar frecuentemente a Isabel Perón en España. Rotundo y Calabresi se convirtieron en sostenes espirituales de Menem. El riojano había vuelto a sus cíclicas depresiones, agudizadas por el cansancio de la campaña y la angustia al tener que hablar ante multitudes. Uno de sus principales respaldos personales, Hugo Grimberg, había muerto un año atrás como consecuencia de las heridas recibidas en un accidente automovilístico en Rosario, cuando volvía de un acto por la candidatura de Menem en San Nicolás.

La muerte de Grimberg fue una de las pérdidas más sentidas por Menem: era indudablemente su mejor amigo y su apoyo político. Dos o tres veces por día lo llamaba por teléfono desde cualquier punto del país en que se encontrara para consultarle decisiones o simplemente hablar. Grimberg también buscaba su compañía, inmerso en un caos familiar desde que su esposa se había vuelto alcohólica. Los dos solían pasar largas noches hablando de sus vidas. Poco antes de su muerte, Grimberg había viajado de urgencia a La Rioja convocado por el entonces ministro de Gobierno, Jorge Yoma. Menem estaba tirado en una cama llorando desconsoladamente y pidiendo por sus hijos. Grimberg lo cargó en un avión de la gobernación y lo llevó a Córdoba, donde lo internó en una clínica psiquiátrica en el mayor de los secretos.

La preocupación de Menem por sus hijos fue justamente el canal que descubrieron Rotundo y Calabresi para acceder a él, proponiéndole organizar lo que sería una de las principales operaciones de la campaña electoral. El nuncio convenció al riojano de que era imprescindible mostrar la imagen de una familia unida para llegar al electorado de las clases populares, que veía mal las "prácticas liberales" como el divorcio. No alcanzaba con saber que Menem se había opuesto en su momento a la ley de divorcio. Había que mostrar la fotografía del matrimonio unido. No hizo falta demasiado para concertar el encuentro entre Zulema y Menem. Los Yoma seguían siendo parte del grupo íntimo del gobernador, incluso hacían su aporte económico para la campaña desde que la curtiembre se convirtió en una empresa productiva (luego de las transfusiones en metálico con dinero del gobierno riojano y del nacional). Zulema sólo esperaba el momento de volver a ocupar su sitial en los palcos, y Menem necesitaba la cercanía de sus hijos Zulemita y Carlitos. La reconciliación se acordó en los primeros días de mayo y se marcó una fecha para la presentación pública: el 29 de mayo, en que se haría una "Fiesta de la Familia" en la Boca, con una inmensa olla popular de ñoquis.

Mientras tanto, Rotundo fue aumentando poco a poco su ascendente en el grupo. Primero cedió las oficinas de su Fundación para la Paz y la Amistad entre los Pueblos, en el tercer piso de un edificio lindante con el Hotel Elevage, para que se instalara allí el comando de campaña. Luego le prestó otro departamento en el mismo edificio al senador Eduardo Menem para que montara sus oficinas. Por sus oficinas pasaban todos los que querían ver a Menem. Además editaba un periódico de difusión nacional con noticias menemistas y desde su agencia de viajes financió los pasajes al interior de todo el equipo de campaña. En 1992, él aseguró haber aportado casi tres millones de dólares para la campaña. ¿De dónde salían los fondos? Todos en el "menemóvil" bromeaban acerca de las relaciones de Rotundo con "el más allá", refiriéndose a sus vinculaciones con altas jerarquías del Vaticano y a su inclinación por algunas prácticas religiosas exóticas. En realidad, el patrimonio de Rotundo se basaba fundamentalmente en la administración de sus propiedades y negocios en Paso de Los Libres, Corrientes, y en Madrid, y en el dinero recibido del último gobierno militar en marzo de 1983 en concepto de indemnización por "daño moral y lucro cesante", a raíz de las expropiaciones que le había efectuado la Comisión Nacional de Recuperación Patrimonial (CONAREPA) acusándolo de ser testaferro de José López Rega. Rotundo tenía también un fluido contacto con líderes del mundo árabe, como Khadafi o Hussein, a raíz de su relación con Licio Gelli.

En poco tiempo, Rotundo se había convertido en uno de los hombres con mayor influencia sobre Menem y también en uno de los más atacados por su entorno. Miguel Angel Vicco asegura que, a poco de ingresar al menemismo, Rotundo lo invitó una noche a una fiesta en su piso de la Avenida del Libertador: "Cuando llegué, estaba todo oscuro. Me abrió la puerta él, vestido de negro, y me llevó a una pieza donde había unas velas y estaba lleno de curas". Según Vicco, esa noche se fue de allí "espantado" y comenzó a preocuparse por la cercanía de Rotundo con Menem. Unos días después, en las oficinas de Maipú, participaban todos de una reunión cuando Menem se levantó un momento para atender a una persona. "Entonces Rotundo —dice Vicco— empezó a pasar la mano por encima de la copa de agua de Carlos, y a decir cosas en voz baja. Yo me indigné y le quise pegar. '¿Qué te pasa a vos? ¿Sos brujo?', le dije. Y desde ahí nos llevamos muy mal."

La situación terminaría de complicarse cuando Rotundo y Calabresi operaron la reconciliación de Carlos Menem y Zulema. A pesar de que reconocían la ventaja política del acuerdo, los hombres más cercanos al gobernador riojano se oponían abiertamente, argumentando que ella intentaría entrometerse en la definición de cuestiones políticas. El primer escándalo llegó a los pocos días: Zulema reclamó que Amira ocupara el lugar de secretaria personal de Menem en la Casa de La Rioja y que fuera desplazada de ese lugar Nora Alí. Menem se negó en principio, pero ella llegó una tarde a la Casa de La Rioja, sobre la calle Callao, y en medio de un escándalo público echó a Nora Alí de su despacho. Para resolver momentáneamente la situación, Menem le pidió que siguiera trabajando desde la sede de Maipú, junto a Rotundo.

En esos días previos a la interna de julio se terminó de conformar lo que luego sería el menemismo en el gobierno. Alberto Kohan y Eduardo Bauzá se convirtieron en los "operadores políticos" del candidato. Barrionuevo, Corzo, Cardozo, Alassino, Rousselot, Samid y Caserta, en sus ejecutores. Julio Mera Figueroa y Eduardo Menem, en los contactos con la renovación y con el gobierno nacional. Martín Oyuela, Luis Durán, Hugo Heguy y Gustavo Béliz, en su equipo de comunicación. Jorge Cysterpiller, un pintoresco personaje que había sido apoderado de Diego Armando Maradona y que tenía más vinculaciones con el mundo de la farándula y del deporte que con la política, se convirtió en el "organizador de eventos", un eufemismo con el que los impulsores de la candidatura de Carlos Menem dejaban claro que creían mucho más en los actos espectaculares que en la propaganda tradicional.

Omar Vaquir, que había sido médico de Juan Perón, amigo personal de López Rega, embajador en Libia, Arabia Saudita y Bulgaria, y uno de los más conocidos intermediarios en los negocios petroleros entre esos países y la Argentina, llegó de la mano de Vicente Saadi para convertirse en el encargado de relaciones exteriores del grupo. Vaquir había vuelto de Europa para integrarse al grupo de trabajo de Saadi, desde el despacho del senador por Catamarca Julio Amoedo. Allí formó la "Mesa de Relaciones Exteriores Menem Presidente", que formaban Mario Cámpora, Archibaldo Lanús, Rodolfo Iribarne, Oscar Spinoza Melo, José Figuerola, Valentín Lucco, Omar Alba, Daniel Sanguinetti, Joaquín Alonso, Jorge Vásquez, Juan Carlos Olima y Federico Mirré. Olima y Mirré eran colaboradores de José Octavio Bordón en Mendoza y habían sido sus asesores en la Cámara de Diputados. José Figuerola era socio de Jorge Antonio en la empresa Estrella de Mar, además de ser el hijo del conocido funcionario pro Eje del primer gobierno peronista. Figuerola padre fue el encargado de introducir a Antonio en el peronismo, y durante la Segunda Guerra Mundial fue uno de los personajes que más influyó para que Juan Perón adoptara posiciones cercanas a los nazis. Figuerola hijo vivió con Antonio en España, y allí se crió como miembro distinguido de la sociedad franquista de los setenta, con importante vínculos con la derecha de ese país.

Spinoza Melo se convirtió rápidamente en un amigo inseparable de Menem para sus salidas nocturnas, y en su principal asesor de vestuario. El embajador llegaba temprano al dormitorio de Menem y le escondía todos los zapatos blancos y las corbatas de raso y, cuando el riojano se desesperaba buscando qué ponerse, reingresaba sonriente con un par de zapatos negros o marrones y una corbata de seda. Una de las principales batallas libradas por Spinoza Melo fue para conseguir que Menem no se pintara las uñas con barniz y para eso le contrató una manicura que se las lustraba una por una con un cepillo para dejarlas brillantes pero sin esmalte.

EL CANDIDATO

La Boca, el mítico barrio junto al río, puerta de la Argentina para los inmigrantes, fue el escenario elegido para uno de los despliegues más espectaculares de la campaña menemista. Cumpliendo con la cábala trasmitida de padres a hijos de comer ñoquis el 29 de cada mes con un billete bajo el plato para asegurar el sustento del mes siguiente, Cysterpiller organizó una inmensa ñoqueada en la calle que congregó a siete mil personas. El cocinero fue "El Oso Charly", nombre con que se conocía a Carlos Monti, dueño de una cadena de restaurantes y pizzerías, y debajo de cada plato los invitados pusieron una tarjeta con la leyenda "Suerte Argentina, Suerte Menem". El almuerzo, servido el 29 de mayo, sirvió para que Menem se presentara por primera vez públicamente junto a Zulema y sus hijos, encabezando la mesa principal. Fue un despliegue de organización y prolijidad: todos comieron sus ñoquis a punto, brindaron con cerveza y cantaron la marcha como si se tratara de un encuentro íntimo.

A esta altura de la campaña, los menemistas habían recuperado la confianza en el triunfo por un dato singular: habían logrado en dos meses la afiliación de trescientas mil personas. Era la única manera de romper con los "votos atados" de la conducción partidaria y de hacer ingresar al juego político a quienes se fascinaban con la figura popular de Menem sin haber participado antes de las internas justicialistas. La postergación de la fecha hasta el 9 de julio, aunque regida por motivos esotéricos, había servido para permitir que esas nuevas afiliaciones fueran incorporadas al padrón.

La apuesta mayor se concretó el 23 de junio en el acto de River Plate. El sindicalismo menemista de la mano de Luis Barrionuevo convocó al acto de cierre de la campaña. Era una demostración de fuerza del aparato de las 62 Organizaciones, casi una reivindicación. Se trataba de revalidar que la mayor capacidad de movilización seguía estando en la rama gremial del movimiento peronista. Nunca antes se había convocado a un acto en un estadio de fútbol para una elección interna partidaria. Era un riesgo demasiado grande: allí se puede medir exactamente la capacidad de movilización y se puede calcular con precisión el número de asistentes.

Barrionuevo lo pensó como si se tratara de un negocio personal. El estadio podía albergar a ochenta mil personas. Por lo tanto, había que traer dos mil micros con cuarenta personas cada uno. El 10 de junio reunió a cien dirigentes en la sede del gremio gastronómico. Estaban allí los principales punteros de la primera y la tercera sección electoral y los delegados de los gremios más importantes de las 62 Organizaciones. Todos se sentaron alrededor de una gran mesa sobre la que Barrionuevo había puesto una caja de cartón, llena de sobres con fajos de billetes.

Fue sacando uno por uno los sobres y se los fue entregando en mano a cada dirigente.

—Con esa guita pueden alquilar cincuenta micros. Cada uno tiene que traer veinte, con cuarenta personas. Con el resto hacen lo que quieran. Pero yo los voy a controlar personalmente. Al que le falte un micro, una persona, devuelve toda la guita ahí mismo.

El día del acto, los choferes de los colectivos tenían la orden de ingresar a la Capital Federal por el sur y parar en Independencia y Madero, encabezados por el dirigente que había recibido el sobre. Allí estaba Barrionuevo que subió a cada micro a contar la gente y sólo los dejaba ir después de cerciorarse de la cifra exacta.

En el estadio de River, los menemistas comenzaban a preocuparse. Ajenos al operativo de Independencia y Madero, se angustiaban frente a las tribunas vacías cuando ya pasaba una hora del momento convocado para el inicio del acto. Sólo Menem esperaba tranquilo. "Si Luis dijo que vienen, vienen...". Cysterpiller había organizado el equipo de audio y luces como para un recital de rock: doce columnas distribuían la energía generada por un equipo de 250.000 vatios. En el centro, el palco, envuelto en banderas rojas. Cuando los intercomunicadores anunciaron que el grueso de la gente estaba llegando, todos comenzaron a subir al palco: Eduardo Menem, Jorge Triaca, Diego Ibáñez, Juan Zanola, Raúl Amín, Délfor Giménez, Julio Amoedo, Rubén Cardozo, Alberto Samid, Claudia Bello, César Loza, Julio Mera Figueroa, Alberto Kohan, Alberto Brito Lima. Juan Carlos Rousselot sonreía en su papel de conductor. Un grupo de estudiantes de gimnasia, hijos de afiliados a los gremios, formaron en el césped "Menem Presidente" cuando el estadio, ahora repleto, estalló en una ovación. Lorenzo Miguel levantó sus brazos en alto y lloró. Era la reivindicación después de aquella silbatina en Vélez en 1983, que había marcado su marginación de los actos públicos del peronismo. Volvía a ser el jefe del peronismo, el "Loro", como en las épocas de gloria.

Miguel se corrió para dejar paso a Carlos Menem y Eduardo Duhalde. Después de mucho tiempo, Menem volvió a sentir la sensación de pánico que le generaba al inicio de su carrera política la presencia de las multitudes. Notó que se estaba quedando afónico, y esto lo puso todavía más nervioso. Se acercó a Duhalde y le pidió que extendiera su discurso hasta que él lograra recomponerse. Duhalde no se hizo rogar. Repasó la situación política, la crisis económica, la historia del peronismo. Embistió contra el gobierno radical al asegurar que "en el país hay ocho millones de argentinos que pasan hambre y la mayoría son peronistas, porque el justicialismo, la clase trabajadora, es la que está sufriendo la situación económica". Menem repasaba con fervor algunas frases y citas que le había anotado Gustavo Béliz. Se sentía mareado. Como si se tratara de un sueño escuchó a Rousselot gritando su nombre, y a la multitud que comenzaba a saltar en las gradas. "Se siente, se siente, Menem presidente..." Menem comenzó a girar para saludar a todas las plateas mientras buscaba la fórmula para empezar. Una de las frases que le había anotado Béliz fue lo primero que pudo articular. "El emperador Julio César cuando estaba en un barco y hallándose en peligro con su tripulación dijo: 'no temáis, porque vais con César y su estrella'. Yo les digo, no temáis, porque vais con Perón y su doctrina..." Después comenzó a desgranar frases cortas, casi slogans, o refranes, para no tener que hilvanar un discurso. Prometió crear un ministerio para la mujer, y otro para la juventud. Pidió justicia para los niños. Homenajeó a toda la dirigencia sindical ortodoxa: fueron subiendo al palco las viudas de José Ignacio Rucci, Augusto Timoteo Vandor, Oscar Smith y José Alonso. Convocó tres veces seguidas "a triunfar, a triunfar, a triunfar...". Y sólo volvió a encontrarse con la realidad unos minutos después cuando escuchó que desde todos los sectores del estadio cantaban: "Mire mire que locura, mire mire que emoción, Carlos Menem presidente, porque desde el cielo lo mandó Perón".

SIETE

—¿ALGUIEN SABE cómo terminó la carrera? ¿Cómo anduvo el "Popi" Larrauri?

Cuando el diligente Jorge Asís le informó que su competidor favorito había abandonado en la tercera vuelta, Carlos Menem chasqueó la lengua con indisimulada frustración. Después se calzó el casco, subió el cierre de su campera y trepó de un salto a la cabina de la avioneta que iba a pilotear hasta Anillaco. Ese 9 de julio de 1988 había vuelto a La Rioja para votar en las internas en las que el justicialismo elegiría su candidato presidencial y cumplir con las cábalas: visitó la tumba de sus padres, comió empanadas en la casa de Juan Nieto y jugó al fútbol en la canchita del convento de Santo Domingo. Había adelgazado once kilos durante la campaña. Los pasacalles que cruzaban La Rioja denunciaban que en los últimos mil días de gobierno Menem había estado en la provincia sólo ciento veinte. Y la mayor parte de ellos, fines de semana de descanso.

A las seis de la tarde volvió a subir a un avión en el aeropuerto riojano, pero esta vez rumbo a Buenos Aires. Se recostó en el asiento y antes de dormirse escuchó a Juan Bautista Yofre, periodista del diario *Ambito Financiero,* que lo llamaba.

—¿Qué pasa, Tata?

—¿Y si no ganamos?

—Problema de ellos, Tatita. Problema de ellos...

Yofre explicó siempre su ingreso al menemismo con una historia casi romántica. Aseguraba que él era un simple cronista que cubría la caravana por La Matanza, cuando Juan Carlos Rousselot lo avistó desde arriba del "menemóvil" y le gritó:

—Che, pibe, subí que te vas a morir si seguís corriendo.

"Tata" Yofre subió, se fascinó con la relación de Menem con las masas y ya no bajó nunca más. Claro que Yofre distaba en ese momento de ser un ingenuo cronista. Hermano del operador político Ricardo Yofre, mantuvo durante el gobierno militar inocultables contactos con los principales jefes de las Fuerzas Armadas y de los servicios de inteligencia. En 1983 fue el autor de la denuncia del "Pacto sindical-militar" y desde 1985 era empleado de la firma Bunge & Born, a la que había ingresado gracias a su amistad con Mario Hirsch, presidente del holding en ese momento.

Yofre y Asís habían llegado esa tarde junto a Menem a la Casa de La Rioja, donde todo estaba organizado para que el candidato esperase los resultados. Kohan había instalado el centro de cómputos en Belgrano al 600, en un edificio que oficiaba como sede de la Fundación para la Argentina en Crecimiento (FEPAC), la cara visible de la estructura económica que manejaba ese sector.

Con sonrisa amable y modales corteses, Kohan aparentaba ser la cara racional y civilizada del menemismo pero fue, desde el principio, uno de sus hombres más enigmáticos. Geólogo, padre de familia, con fuertes vinculaciones con la Iglesia y los militares, se limitaba a reconocer como su mayor aporte al menemismo haber logrado que Carlos Menem leyera *El Príncipe* de Maquiavelo y *Desde el jardín* de Jerzy Kosinsky. Menem lo presentaba irónicamente como "mi amigo judío", aquél al que confió secretos que muy pocos otros llegaron a conocer.

La historia de Kohan es mucho más sinuosa que su biografía pública, aunque quizá menos que las leyendas y versiones que se tejieron a su alrededor y que lo sindicaron como agente del Mossad israelí, hombre de los servicios de inteligencia norteamericanos, traficante de armas, nexo con el gobierno dictatorial sudafricano y empresario de diamantes y piedras preciosas. Un episodio que él mismo relató sirve para ilustrar la ambigüedad alrededor de su actividad política. Un mes antes del golpe militar del 24 de marzo de 1976, fue convocado a las oficinas del diario *El Sol*, uno de los órganos de la derecha peronista en La Rioja. Cuando llegó se encontró con un grupo de jefes militares que le mostraron un organigrama sobre un pizarrón en el que se exhibía la estructura ministerial de la provincia. Uno de los militares le pidió que revisara los nombres de las personas allí mencionadas para marcar a los supuestos subversivos. "Eso es delación, y yo no voy a hacerlo", cuenta Kohan que contestó antes de abandonar precipitadamente el lugar.

La historia tiene demasiados puntos oscuros. ¿Cuál era la relación de Kohan con los jefes militares para que ellos esperaran su cooperación? ¿Por qué un episodio que en otros casos se registraba durante sesiones de tortura tuvo esta vez un tono amable? Si la escena terminó abruptamente como relata Kohan, ¿cómo es que no hubo ninguna consecuencia? Siendo uno de los funcionarios más cercanos a Menem en La Rioja, Kohan pudo seguir con su vida normal durante toda la dictadura —mientras Menem, Corzo, Arnaudo y toda la plana mayor del gobierno y el peronismo estaba detenida—, y el único episodio que tuvo de enfrentamiento con la policía fue una noche en que lo detuvieron en una carretera, lo hicieron bajar del auto, lo palparon para ver si llevaba armas y luego de pedirle los documentos lo dejaron ir.

Kohan vivió un tiempo en Chile y en Venezuela, trabajando para una empresa de perforaciones hidráulicas, pero siempre mantuvo estrechos vínculos con los militares que gobernaban en la Argentina, fundamentalmente en Córdoba y Tucumán. Allí se convirtió en uno de los más estrechos colaboradores y amigos del rector de la Universidad Santo Tomás de Aquino y presidente de la Confederación de Universidades Privadas, Aníbal Fosberi, el mismo que gestionara ante Muammar Khadafi la donación del armamento libio durante la guerra de Malvinas. Uno de sus principales socios económicos y políticos fue Miguel Egea, el mismo que fuera secretario privado del interventor Lacabanne en Córdoba, dueño de una empresa de exportaciones e importaciones con filial en Miami y amigo personal del ex montonero Rodolfo Galimberti. En 1987 Egea incorporó como mano derecha en sus negocios a Jorge Radice, sindicado como uno de los jefes de operaciones de la Escuela de Mecánica de la Armada durante la represión.

Menem escuchó los resultados de las elecciones internas a través del informativo de Radio Colonia. Kohan fue el encargado de darle la noticia a las nueve de la noche del 9 de julio de 1988. "Ganamos, Jefe", le anunció a Carlos Menem desde el teléfono con el que unían el centro de cómputos en Belgrano al despacho de la Casa de La Rioja. Menem compartía una silla con Zulema, agarrados de la mano como una pareja feliz en un momento trascendente. Se levantó y abrazó a sus hijos. Los cuatro lloraron sin pudor. Después salió al balcón: "Ahora necesitamos marchar hacia la unidad indestructible de nuestra causa. Los justicialistas, sin excepción, hemos dado una muestra más de que si hay un movimiento democrático, un movimiento con mística, si hay un movimiento que interpreta la realidad popular y nacional en la Argentina y en el mundo es el movimiento que ha puesto en marcha el general Juan Domingo Perón".

En el local de la renovación, demacrado y apesadumbrado, Antonio Cafiero había enfrentado con dignidad las cámaras de televisión para anunciar que "de acuerdo a los últimos datos obtenidos, el pueblo peronista, haciendo uso de sus legítimos derechos y de su vocación democrática, ha elegido como fórmula presidencial para el año 1989 a los compañeros Carlos Menem y Eduardo Duhalde". Después, se fue al Hotel Presidente a intentar saludar al candidato electo, pero no lo consiguió. Menem y Duhalde habían marchado ya hacia la parrilla "El Mangrullo" para festejar. La cabecera de la "Mesa de la Victoria" estuvo ocupada por Alberto Samid, Lorenzo Miguel, Luis Barrionuevo, Juan Carlos Rousselot, Alfonso Millán, Alberto Pierri, Diego Guelar y Julio Mera Figueroa.

EL CAMINO DE DAMASCO

El primer coche frenó bruscamente obligando a los otros dos a desviarse para no embestirlo. Carlos Menem bajó riendo y gesticulando:

—¡Nos pasamos, giles! Este es Nabk, el pueblo que sigue a Yabrud. Teníamos que doblar antes...

Todos subieron de nuevo a los automóviles y reiniciaron la marcha, ahora encabezados por el único coche con chofer nativo. Diez minutos después entraban por la calle principal de Yabrud, un pueblito que casi podría asimilarse con cualquier ciudad pequeña de una provincia del norte argentino. Ahora sí fue Menem el que comenzó a guiar al grupo hasta la casa de sus parientes, cerca del monte de Kalomón.

Todavía no llevaba un mes como candidato presidencial del justicialismo, y esa visita a Yabrud formaba parte de la cuota sentimental del viaje de descanso que emprendió en la primera semana de agosto. Zulema no lo acompañó. Había decidido internarse en una clínica de Brasil para que el conocido cirujano plástico Ivo Pitanguy le borrara las huellas que habían dejado en su vientre dos cesáreas y dos abortos. En una de las tantas demandas de divorcio presentadas, Zulema diría —según una fuente tribunalicia— que esos abortos habían sido provocados por golpes de su marido durante violentas discusiones matrimoniales.

Menem paseó por París y, después de ser recibido por Amalia Lacroze de Fortabat en Grecia, tomó sol durante un crucero en el mar Egeo

252

acompañado por un grupo mínimo: Miguel Angel Vicco, Ramón Hernández, Luis Santos Casale, Oscar Spinoza Melo, Emir Yoma, Abdo Menehem y Juan Carlos Sánchez Arnaud. Habían reservado los últimos días para el homenaje familiar y después de visitar Damasco viajaron a Yabrud para visitar la casa en que había nacido el padre del candidato. Cuando llegaron, fue sólo folclore: tomaron mate y vino hasta emborracharse, bailaron, siguieron las genealogías vertical y horizontalmente, descubriendo primos, tíos y sobrinos. Menem invitó a todos a vivir en la Argentina y prometió volver una vez cada tanto.

De vuelta en Damasco, la visita se volvió oficial por primera vez en todo el viaje. Delia, la hermana de los Yoma que trabajaba en la embajada argentina en Damasco, y Yalal Akhil, uno de los tíos de Menem que se desempeñaba por entonces como juez del tribunal del Ejército de Siria, habían logrado concertar una entrevista con el presidente Hafez al Assad, gobernante del país desde 1971 y acusado por los países occidentales de ejercer una férrea dictadura de partido único.

Al Assad asumió el poder luego de un golpe interno en el partido Baath en 1970, que derrocó a la fundamentalista Hermandad Musulmana. Su gobierno se basó en un control casi militar del país a través de cinco servicios de inteligencia que operaban a la vez con los grupos terroristas árabes, los palestinos, el gobierno israelí y los gobiernos occidentales. Se lo acusó de haber apoyado a los terroristas para concretar sus secuestros y luego ofrecerse como mediador ante los países europeos para negociar la libertad de los rehenes asegurándose el pago del rescate. Invadió la zona del Líbano lindante con Trípoli y el valle de la Bekaa, una de las mayores zonas productoras de hachís y heroína del mundo (el gobierno sirio es acusado de financiar su armamentismo con la comercialización de estupefacientes). El valle de la Bekaa está separado de Yabrud apenas por la Cordillera de Antilíbano.

Los sirios, que durante los setenta eran uno de los principales proveedores de armas a los países del Tercer Mundo —tanto a las dictaduras militares como a los grupos revolucionarios—, se convirtieron en la década del ochenta en compradores y distribuidores para el mundo árabe. Las principales operaciones las concretaron a través de los "capos" de la mafia del sur italiano, uno de los mayores centros del comercio de armas mundial, convirtiéndose en el baluarte de lo que los servicios de inteligencia comenzaron a denominar "narcoterrorismo": el canje de armamento por droga. Entre los principales operadores de esta nueva modalidad se encontraban Munsser y Hassan al Kassar, vecinos de los Menem en Yabrud, colegas en la cancillería siria de Karim Yoma y amigos del financista Jorge Antonio con quien compartían tertulias en Marbella y París. La autonomía con que el gobierno sirio y la mafia italiana se manejaron en este negocio al margen de la autoridad de los gobiernos de Occidente quedó de relieve una vez más durante la Guerra del Golfo en la que, a pesar del apoyo formal de Italia y Siria a la postura de Estados Unidos contra Saddam Hussein, pudo comprobarse que las empresas de armamento italianas proveyeron a Irak durante todo el conflicto.

La red de conexiones, parentescos y negocios es múltiple y conforma una intrincada trama. Los observadores de la realidad internacional hacen en esta cuestión una aclaración ineludible: las operaciones y fenómenos que se describen nacieron en los sesenta disimulados en el marco de las luchas de liberación de los países del Tercer Mundo, fueron alentados por el escenario creado por la Guerra Fría y se multiplicaron en los setenta disfrazados por el calor de los movimientos nacionales de los países árabes luego de la crisis del petróleo. Con los cambios mundiales producidos a partir de los ochenta, fundamentalmente luego de la perestroika soviética, quedaron desprovistos de ropaje ideológico y devinieron simplemente en negocios, terrorismo, narcotráfico, delincuencia y corrupción.

Los núcleos del negocio internacional del narcoterrorismo desplegado desde Siria pueden ser encontrados en los Al Kassar y en Rifat al Assad, el hermano del presidente sirio que debió exilarse en Marbella luego de ser acusado de haber organizado y comandado una matanza en su país. Rajá al Assad, la hija de Rifat, fue durante los últimos años la amante predilecta de Munsser al Kassar. Uno de los operadores claves es Suleiman Haddad, hombre del servicio de inteligencia sirio y embajador de ese país en Alemania, que compartió los inicios de su carrera diplomática en Damasco junto a Karim Yoma. Además de Marbella y Sicilia, los dos puntos claves de las operaciones fueron Viena (Austria) y Sofía (Bulgaria), pasos obligados de las mercancías y puntos de encuentros para los acuerdos.

La Argentina fue siempre un punto observado por estos grupos, aunque las razones variaron a través del tiempo. En los primeros años de la década del setenta los movimientos revolucionarios que se gestaban se convirtieron en compradores de armas. Según una información publicada por Horacio Verbitsky en *Página/12*, Al Kassar fue uno de los nexos con la conducción de Montoneros para esas operaciones. Al mismo tiempo, la represión organizada desde el estado por López Rega y ligada con la P2 negoció en el mismo sentido con el gobierno libio de Muammar Khadafi. Uno de los nexos en este caso fue el ex médico de Perón nombrado embajador en ese país en 1974, Omar Vaquir, y otro, Mario Rotundo. Jorge Antonio mantenía fluidas relaciones con Yasser Arafat. Después del golpe de 1976, las relaciones se establecieron directamente con el gobierno militar. Pero ya no se trataba de vender, sino de comprar. Con la mediación de Gelli y la participación desde la Argentina de Emilio Massera y Guillermo Suárez Mason, principalmente, los argentinos intentaron en varias oportunidades, muchas de ellas finalmente frustradas, colocar armas en los países árabes con operaciones que debían concretarse a través de Italia y Bulgaria. Con la guerra de Malvinas la situación se invirtió y fueron los árabes los encargados de donar armamento.

Cuando el juez italiano Giovanni Falcone, que murió asesinado luego de haber llevado a cabo el "Juicio del Siglo" que descabezó a la poderosa *Cosa Nostra* siciliana, decidió investigar la conexión latinoamericana de la mafia y el narcoterrorismo, tuvo en cuenta otras peculiaridades argentinas: para sus operaciones, los mafiosos buscaban empresarios vinculados con frigoríficos o venta de pescado congelado, ya que esas mercaderías son las que mejor se prestan para el ocultamiento y traslado de los estupefacientes. En julio de 1988, diez días después de que Carlos Menem venciera a Antonio Cafiero en las internas justicialistas, la Policía Federal desbarató en el puerto de Mar del Plata la "Operación Langostino" en la que se trasladaba cocaína en cajas de langostinos congelados. Las cajas pertenecían a la empresa Estrella de Mar, de Jorge Antonio. El presidente del Centro Islámico de Buenos Aires, Mohamed Massud, amigo de la familia Al Kassar desde su convivencia en Yabrud, relató en 1992 que Antonio había intentado venderle Estrella de Mar a Hassan al Kassar, pero que el sirio no había aceptado.

Menem llegó al Palacio de Gobierno sirio acompañado por Oscar Spinoza Melo, radicado en ese momento en Arabia Saudita. Spinoza Melo había sido trasladado allí por un pedido expreso de Menem al canciller Dante Caputo, para salvarlo de un escándalo que se había generado en Venecia, su anterior destino, cuando los diplomáticos argentinos en ese consulado denunciaron que Spinoza Melo utilizaba su despacho en la delegación para vender máscaras y alfombras. La industria textil fue siempre una de las pasiones y de los negocios de Spinoza Melo: tiene en su piso de Recoleta una colección de alfombras y tapices de todas las épocas y todo el mundo, y también en Arabia se dedicaba a comprar y vender telas, comercializándolas a través del sur de España.

La figura de Al Assad los desconcertó. Alto, de tez muy blanca, labios finos y ojos celestes rasgados, protegidos por gruesas pestañas. El presidente sirio los saludó en árabe, e inició rápidamente la conversación. Recién entonces descubrió que ninguno de sus visitantes hablaba árabe y hubo que esperar la llegada de una traductora. Menem y Al Assad intercambiaron elogios sobre sus respectivas carreras políticas. Al Assad le preguntó por su futuro: cuáles eran sus posibilidades en la elección nacional, cuáles eran sus apoyos. Menem no dudó: "Soy el próximo presidente, y mucho antes de lo que todos suponen", le aseguró.

Durante los quince minutos siguientes Al Assad hizo un repaso de la situación en Medio Oriente y Menem algunas acotaciones menores.

—¿Qué cree que sucederá en las elecciones en Estados Unidos? —preguntó el sirio.

—No tengo ninguna duda. Gana Dukakis —aseguró Menem—. Bush no existe, no tiene ningún apoyo en el pueblo norteamericano. Además, Dukakis tiene el apoyo de fuerzas populares muy importantes. Pero, sobre todo, Dukakis está apoyado por un clan muy poderoso para todo Occidente, que es el clan de los Kennedy. Es imposible que pierda una elección.

Menem estaba convencido. Su visión televisiva de la vida lo había persuadido de que el mundo estaba manejado por los ricos y famosos. Los dueños de los Estados Unidos eran los petroleros texanos, los policías neoyorquinos, las estrellas de Hollywood y los magnates que ofrecían fiestas en sus cruceros.

Al Assad cerró sus ojos por un momento. El tema era crucial. Siria estaba variando su política hacia un acercamiento paulatino hacia los Estados Unidos e Israel. La victoria de Dukakis podía poner en juego la libertad para avanzar sobre el Líbano.

—Ganará Bush —dijo.

En medio de un silencio que parecía prolongarse, Menem comenzó a exponer sobre cómo abriría los mercados a los capitales árabes "de cualquier color, de cualquier procedencia. Argentina será la nueva España", sentenció. Aunque era eso lo que interesaba a Al Assad, la entrevista languidecía. Menem lo invitó a su asunción, y le ofreció mantener una línea directa: "Mi cuñada Amira Yoma habla perfectamente el árabe, y es una militante del Partido. Es mi persona de mayor confianza. Usted la llama a ella y es como si hablara conmigo". Después de algunas frases de ocasión, se despidieron.

—¿Cómo estuve? —le preguntó Menem a Spinoza Melo.

—Bien, Jefe. Pero creo que no le gustó lo de Kennedy.

Dos años después de esta entrevista, el periodista y escritor Jacobo Timmerman se preguntaba cuál había sido la conversación que allí se había mantenido, y argumentaba que podía haber sido el centro de los escándalos por lavado de narcodólares que involucrarían, entre otros, a Amira Yoma. Algunas versiones indicarían que Al Assad le había pedido el nombramiento de Ibrahim al Ibrahim, miembro del servicio de inteligencia sirio y por entonces marido de Amira, como director de la aduana de Ezeiza. Ninguna de las fuentes consultadas confirmó estas especulaciones. Este relato de la reunión es la síntesis de los relatos coincidentes de todos aquellos que tuvieron alguna cercanía con la información.

El grupo pasó unos días más en Siria y voló a Roma, para esperar el avión de regreso a Buenos Aires. Menem decidió aprovechar la estancia allí para teñirse el cabello y marchó a una conocida peluquería frente a la Plaza España acompañado por Sánchez Arnaud y Spinoza Melo. Además, la sesión de belleza incluyó un recorte de sus patillas, un arreglo de sus manos y una limpieza de cutis. Cuando la sesión terminó, los tres se despidieron ante la mirada atónita de los empleados del lugar: nadie había pagado. Spinoza Melo volvió entonces y pagó con su tarjeta de crédito. Sánchez Arnaud miró a Menem:

—Disculpáme, yo no pagué porque pensé que te ibas a ofender.

—Vos no entendés: los príncipes no tienen dinero.

El avión que los traía de regreso hizo escala en Río de Janeiro, y allí se sumó Zulema, que venía de sufrir una complicada derivación de su operación estética. Por una reacción posoperatoria los médicos habían necesitado hacer una transfusión sanguínea, pero Zulema se había negado temerosa de que toda la sangre brasileña estuviera contagiada de sida. Hubo que esperar la sangre que llegó desde Buenos Aires y la demora la puso al borde de una anemia irreversible.

En Buenos Aires los aguardaba el caos interno del peronismo. Había comenzado la batalla entre todos los sectores por el control de la campaña. No se trataba sólo del manejo de los multimillonarios fondos que habría para repartir sino que muchos ambicionaban convertirse en los "hacedores" del candidato. José Luis Manzano y Carlos Grosso fueron los primeros en defeccionar de las filas cafieristas y en convertirse en fervientes menemistas. El mendocino podía hacerlo por los vínculos que había construido en la Cámara de Diputados con Eduardo Bauzá y Julio Corzo y, además, porque a Menem le fascinaba verlo operar con cintura política y eficiencia. Manzano archivó sus denuncias sobre las relaciones de Menem con el narcotráfico y de inmediato se puso a su disposición para atraer capitales italianos para la campaña a través de su relación con el socialista Gianni De Michelis. Julio Mera Figueroa, por su lado, aseguraba que había cinco millones de dólares disponibles que enviaría el paraguayo Alfredo Stroessner. Amalia Fortabat hizo su primera inversión y les regaló un avión para que se movilizaran. El comando de campaña estaba disperso: una parte trabajaba en las oficinas de Mario Rotundo, otro grupo en Callao 240 —la vieja funeraria que luego fue sede de la Lotería de La Rioja— y el resto en la sede del partido en Callao y Santa Fe. Sin embargo, para hablar de temas serios con el candidato, debían viajar a La Rioja.

En La Rioja se lanzó formalmente, en octubre, la campaña electoral como paso previo a una gira oficial por Europa en la que Menem intentaría cambiar la imagen de caudillo imprevisible de provincias que se había forjado en el exterior. Esta vez, Menem viajó con Zulema y Zulemita. La gira comprendía España, Alemania, Italia y Francia, y había sido organizada por la comisión de relaciones exteriores del menemismo que encabezaban Vaquir y Spinoza Melo. Nora Alí debió seguir la gira en forma paralela a la comitiva: llegaba a cada ciudad y se alojaba en hoteles cercanos a los de Menem. Después del episodio en la Casa de La Rioja, Zulema había ordenado que fuera separada del grupo presidencial. Pero Menem no estaba dispuesto a dejarla y ella se reunía con él cuando Zulema salía de compras o todos se iban a dormir.

El aspecto formal de la gira fue una sucesión de desplantes. Los jefes de estado lo recibían protocolarmente, la prensa se ensañaba con su figura y sus modos nacionalistas y Menem respondía provocando: "La opción sigue siendo Liberación o Dependencia", dijo en España cuando ya hacía mucho tiempo que no utilizaba esa sentencia devenida slogan en la Argentina. Cumplió a regañadientes con las entrevistas pactadas. Se sentía observado, comparado con Alfonsín, y sabía que en ese paralelismo perdía. El presidente radical había sabido construir una sólida imagen en Europa, como defensor de los derechos humanos y las libertades democráticas, a tono con los socialistas que habían ganado en los últimos años. Menem no cargaba sólo con las resistencias que generaba su figura, sino con los prejuicios europeos frente al peronismo, al que seguían considerando un movimiento fascista y autoritario. Para convalidarlos, Menem defendió al panameño Manuel Noriega y criticó a los Estados Unidos por su injerencia en la vida política de la nación centroamericana.

La entrevista con el presidente español, Felipe González, fue corta y poco amable. Menem reclamó su apoyo para declarar una moratoria por cinco años de la deuda externa y el presidente español apenas prestó atención a sus dichos. Por la noche, todos bailaron en la recepción ofrecida en la embajada argentina y recién allí Menem volvió a sentirse dueño de la escena. Esa noche, Rotundo, que había viajado con el grupo, lo llevó a un aparte con los montoneros Mario Montoto y Pablo Unamuno, que habían llegado hasta España para entrevistarse con él. Acordaron una reunión para esa noche en el hotel: se trataba de discutir la forma en que llegarían los fondos de Montoneros a la campaña menemista y la participación que tendrían en ella los dirigentes del Peronismo Revolucionario.

—Hablen todo con Julio (por Mera Figueroa). Yo voy a aprobar lo que él diga.

La reunión con Mera Figueroa debía llevarse a cabo en Buenos Aires, y los montoneros aspiraban allí a conseguir un lugar en el comando de campaña antes de comprometerse al envío de los fondos.

En París la cosa no fue mucho más agradable. Antes de entrevistarse con François Mitterrand anunció que pensaba visitar Panamá, Cuba y Nicaragua. No era sólo una provocación. Menem sabía que los fondos para su campaña no llegarían de la prolija Francia sino de esos países latinoamericanos que servirían de puente para las gestiones que ya estaban encaminadas. Esa noche cenó en "Ajami", el famoso restaurante sobre la calle Lincoln de París en el que cada semana se reúnen los representantes de los negocios árabes. Allí solían cenar Monsser al Kassar y su hermano, el Agha Khan y también Jorge Antonio. Esa noche, Menem volvió a su hotel acompañado por Rotundo, Juan Bautista Yofre y dos árabes representantes de Muammar al Khadafi. Se instalaron en el comedor de la *suite* y se dispusieron a conversar sobre el envío de fondos libios para la campaña. Pero había un obstáculo insoslayable: no lograban entenderse porque Rotundo, Yofre y Menem sólo hablaban español. Yofre intentó localizar a su mujer, María Laura Avignolo, que vivía en París. Cuando la encontró y le pidió que fuera a oficiar de traductora, la periodista se negó. La reunión se trasladó para una semana después en el hotel Excelsior, de Roma.

En Italia se sintió un poco menos extraño. En el aeropuerto lo estaba esperando José Luis Manzano, dispuesto a convertirse en su llave hacia los socialistas y a terminar de ganarse así la simpatía del candidato. Pero Manzano no era el único que tenía relaciones en Roma. Rotundo entraba al Hotel Excelsior, base de operaciones de Licio Gelli, como un dueño de casa. Vicco se paseaba por la Vía Veneto con Mássimo Del Lago. Antonio "Tonino" Macri, hermano de Francisco y con conexiones con todo el submundo de la política y los negocios italianos, los esperaba por expreso encargo de su amigo Carlos Grosso.

Se instalaron en el Excelsior. Allí llegaron los enviados de Khadafi acompañados por Nemen Nader, un dominicano que negociaba con capitales árabes, relacionado con el magnate Gaith Pharaon y con los centros del narcotráfico mundial. Nader había planificado la entrevista luego de contactar a la mano derecha de Khadafi en Beirut, Antony Gabriel Tannuory. Tannuory es reconocido como uno de los operadores de Khadafi en sus relaciones con la P2 y con los capitales italianos, como los de la FIAT o los que se encuentran radicados en Sicilia. En *Le Guide di Mafia Connection,* Tannuory es mencionado como el gestor del acuerdo entre Khadafi y Pharaon por el cual éstos iniciaron una suerte de "sociedad" para el tráfico clandestino de armas y materiales electrónicos por el sur de Europa. Los libios ofrecieron un aporte de cuatro millones de dólares en cuatro cuotas, y dejaron pendientes las "contraprestaciones" para una reunión que Menem mismo mantendría con Khadafi apenas hubiera ganado la Presidencia. Menem designó a Rotundo y Alí como los encargados de recibir los fondos a través de depósitos que se harían en bancos suizos. Los libios designaron a Ahmed Yaroud, Sald Hafian y Abdala Matug como sus representantes. Nemem Nader anunció que viajaría a la Argentina para participar de la campaña de Menem.

Cuando terminó la reunión, Menem bajó al *lobby* del hotel y se encontró a Montoto y Unamuno que se paseaban histéricos por el lugar. Manzano le dio la noticia: Unamuno había declarado al periódico *El Ciudadano,* que editaba en Buenos Aires un sector del radicalismo, que Menem le había prometido el indulto para Mario Firmenich luego de su triunfo. El revuelo que estas declaraciones produjeron en la Argentina fue lo único que les hizo tomar conciencia de la gravedad de esos dichos. Menem los escuchó en silencio. Miró a Unamuno durante un segundo.

—Pelotudo...

Cuando tuvo que enfrentar a los periodistas que lo esperaban en el *lobby* del hotel, volvió a hablar de la reconciliación nacional, negó la posibilidad de un indulto y trató de caracterizar a Firmenich como "un emergente de los años de proscripción del peronismo".

Manzano se comunicó telefónicamente con Buenos Aires para comenzar a dar forma a la operación que terminaría con la "expulsión de los Montoneros" del partido. En realidad, los renovadores creían que era el momento adecuado para ganar espacio demostrando que, al fin de cuentas, ellos tenían razón cuando criticaban el entorno de Menem antes de las internas del 9 de julio. Menem se había desprendido de Rousselot cuando no quiso conformar junto a Cafiero y Duhalde una lista de unidad para las internas partidarias, y Brito Lima había quedado fuera del entorno cuando comenzó una huelga de hambre en la sede del PJ bonaerense reclamando los votos que decía que le correspondían en La Matanza y que la junta electoral no le había reconocido. En el caso de los Montoneros, la situación era más conflictiva: estaba de por medio la promesa del dinero, que los renovadores no llegaban a evaluar cuán cierta era, pero, además, la vieja cercanía de Menem con la izquierda peronista en su provincia a principios de los setenta hacía que los defensores del grupo en el entorno se multiplicasen. En la reunión en que se debatió la expulsión de los Montoneros, los menemistas —encabezados por Yofre y Alberto Conca— lograron una fórmula intermedia: se anunció que Unamuno iría al tribunal de disciplina partidario y que "la denominación Montoneros no pertenece al Partido Justicialista", dejando el camino abierto para el Peronismo Revolucionario.

De la mano de Susana Agnelli, otro de los contactos italianos de Manzano, los visitantes argentinos recorrieron la planta de la FIAT en Torino y escucharon divertidos la comparación que la empresaria hizo entre la forma de pedir coima de los italianos y de los argentinos. Los Agnelli son una familia acostumbrada a los negocios internacionales y a las conexiones con la Argentina. El hijo de Susana Agnelli, Cristino Ratazzi, era uno de los principales accionistas de Orix, una de las empresas que a comienzos de los ochenta formó parte de la red montada por el servicio secreto italiano y miembros de la Fuerza Aérea de ese país para organizar la aeronáutica de guerra de Khadafi. La poderosa familia propietaria de la FIAT fue investigada por el parlamento de su país a raíz de sus presuntas conexiones con la P2 y los países árabes, con quienes habrían traficado armamento.

Los dos últimos días, de regreso en Roma, fueron dedicados a las compras. Zulema y Zulemita se encerraron casi diez horas en "La Rinnascente" y salieron cargadas de paquetes que llenaron los baúles de los automóviles. Cuando debían tomar el avión de regreso, llegaron al hall del aeropuerto llevando todas las bolsas y cajas luciendo marcas, nombres de calles y postales nativas. Manzano intentó convencerlas durante varios minutos de que no podían bajar así en Buenos Aires: los periodistas estarían en Ezeiza esperando la llegada de Menem y se regocijarían contando que se había tratado en realidad de un paseo de compras de las mujeres de la familia. Después de mucho discutir, Menem intercedió:

—"Chupete", dejálas. Son así. No te van a hacer caso.

Manzano se indignó. Entró en una valijería y salió con dos inmensas valijas.

—Meten todos los paquetes acá y no se discute más. Este no es un problema de familia. Es un problema político porque es la imagen de nuestro candidato.

Menem se fue para no tener que intervenir en la discusión, y las mujeres guardaron los paquetes en las valijas. Pero Zulema Yoma descubrió que se llevaría muy mal con José Luis Manzano.

LOS "CARAPINTADA"

—Largamos.

Carlos Guglielmelli no necesitó ser más preciso. Desde el otro lado de la línea, en La Rioja, Carlos Menem sabía exactamente de qué le estaban hablando.

—¿Y yo qué hago? —preguntó, sumiso, el candidato.

—Te vuelvo a llamar cuando todo esté más claro.

Unos minutos después, fue Carlos Spadone el que se comunicó desde la residencia riojana con Guglielmelli.

—Escucháme, Guglielmelli, estamos saliendo para Misiones. ¿Qué te parece que conviene hacer? —preguntó.

—Está bien, vayan, porque está todo muy confuso.

Carlos Menem le arrancó el teléfono a Spadone.

—Basta. No decidan por mí. Yo voy para Buenos Aires.

—Vos vas a Misiones.

Guglielmelli esperó un momento y moderó el tono de su voz.

—Dále, Carlitos, quedáte tranquilo. Si pasa algo yo te mando a buscar con un avión.

Era el 2 de diciembre de 1988. En Buenos Aires los militares "carapintada" habían puesto en marcha la "Operación Virgen del Valle" en el regimiento de Villa Martelli, una localidad al norte de la capital, con el objetivo prioritario de desestabilizar al gobierno de Raúl Alfonsín. La consigna planteada por Mohamed Alí Seineldín en las cartas con que repartió las instrucciones a sus jefes de operaciones eran claras. Primer punto: "Generar el caos social"; segundo: "Persona para poner adelante (en el minuto antes): el caudillo Menem".

Los militares carapintada fueron bautizados con este nombre en la Semana Santa de 1987, cuando se produjo el primer levantamiento contra el gobierno de Raúl Alfonsín. A pesar de que un nombre parece condensar una idea en común, los carapintada nunca llegaron a constituir un grupo uniforme. Desde un principio, se dividieron en cuatro corrientes: la de Inteligencia Militar, que encabezaban Ernesto Barreiro, Enrique Venturino y Arturo González Naya; los Independientes, con Gustavo Martínez Zuviría entre los más notorios, y los dos grupos de Infantería: uno respondiendo a Aldo Rico y otro a Mohamed Alí Seineldín.

Seineldín había cifrado su ascendiente entre los oficiales más jóvenes en su actuación durante la guerra de Malvinas. Designado luego como agregado militar en Panamá por dos años, el gobierno radical decidió prolongarle el destino en 1985 para mantener alejadas sus "influencias" del convulsionado Ejército. El coronel se dedicó entonces a formar el ejército del presidente panameño Manuel Noriega en base a la ex Guardia Nacional, pero en el ínterin se le abrió un sumario por malversación de fondos ya que era el tesorero de las partidas militares que se enviaban.

Aunque lo caracterizaban globalmente como un enfrentamiento con la "política de destrucción de las Fuerzas Armadas llevada a cabo por el gobierno de Alfonsín", el núcleo de los cuestionamientos de los carapintada se encontraba en los procesos abiertos a los militares por violación a los derechos humanos durante la represión antisubversiva. Cuando el Papa Juan Pablo II todavía estaba en la Argentina en su segunda visita —la primera había sido un corto raid durante la guerra de Malvinas—, ya la mayor parte de los políticos radicales y peronistas sabían que se estaba preparando un levantamiento militar. Finalmente estalló: Barreiro, que debía declarar en la causa en su contra en Córdoba, se negó a presentarse; Rico voló en un avión de línea desde Posadas, donde tenía su asiento natural, y se abroqueló en la escuela de Inteligencia primero y de Infantería después. Los militares que lo acompañaban se pintaron la cara con betún, como en un simulacro de combate, y antes de que se conocieran sus peticiones ya habían sido bautizados como los carapintada.

Guglielmelli ya no era el joven entusiasta que acompañó a Menem desde Las Lomitas a Mar del Plata, y de allí a Tandil, dispuesto a no perderle pisada a su líder. Se había convertido en uno de los operadores políticos de los militares nacionalistas y trabajaba desde el despacho de Luis Macaya, quien todavía era diputado nacional. La primera noche del alzamiento, Guglielmelli se reunió en un departamento de la Avenida del Libertador, cercano a Plaza Italia, con Gustavo Martínez Zuviría. Resolvieron formar el Comando Operaciones Tácticas (COT), que tenía como misión prioritaria tomar contacto con los políticos. La primera comunicación fue hacia La Rioja.

—Quedáte allá hasta que yo te avise —le ordenó al gobernador.

La segunda fue para Macaya, que estaba en Tandil, y la tercera para

Adolfo Rodríguez Saá. Los tres conformaban lo que los carapintada llamaban el "dispositivo de contactos preventivos". En la madrugada del Viernes Santo, Guglielmelli se reunió con Rico para analizar como seguiría la situación: "Hay que aguantar hasta el lunes", fue la conclusión, "porque si los mercados abren con esta incertidumbre se va a producir una caída que va a terminar con el gobierno de Alfonsín".

El alzamiento finalizó el domingo al mediodía, con el viaje de Alfonsín en helicóptero a Campo de Mayo y el acuerdo firmado con los carapintada. Cafiero, Manzano y Grosso siguieron las alternativas del levantamiento desde la Casa Rosada y festejaron en el balcón junto a Alfonsín el final de la asonada. Menem, Macaya y Guglielmelli bosquejaron algunas conclusiones: el éxito de la operación no consistía en el acuerdo del domingo ni en las negociaciones posteriores sino en que el conflicto se había propagado a todo el Ejército. Menem estaba eufórico con el resultado.

—Es el final de los radicales y los renovadores que los apoyaron.

Cuando Guglielmelli le anunció que habría otro levantamiento carapintada en menos de un mes, Menem lo cortó tajante.

—En este no hay que meterse.

Guglielmelli acordó.

—Hay que ganar la interna del partido. Además están los riquistas solos, van a perder.

De cualquier modo, Menem aceptó que Guglielmelli le enviara una carta a Antonio Cafiero y otra a Italo Luder avisándoles lo que estaba por suceder. Era diciembre de 1987, y los peronistas se reorganizaban en el congreso del Bambalinas. Seineldín veraneaba con su familia en Pinamar y allí, en el balneario "Pepos", se instalaron también Guglielmelli y Patricio Videla Balaguer. Menem estaba en Mar del Plata. Cuando Rico se autoacuarteló en su quinta de "Los Fresnos", la casa de Guglielmelli se convirtió en el "comando de operaciones" de la costa. Decidieron allí que Seineldín no intervendría y que regresara inmediatamente a Panamá, donde estaba a cargo de la agregaduría militar, y que esperarían la derrota de Rico para fortalecerse como polo aglutinador del descontento dentro del Ejército.

Menem ya estaba convencido de la necesidad de apostar a Seineldín, a quien veía como un líder latinoamericano. Tenían, finalmente, situaciones y objetivos similares: estaban marginados de las estructuras de poder, eran carismáticos y compartían a la renovación y los radicales como enemigos. Menem convocó a Guglielmelli para hacerle el anuncio formal.

—Está bien, voy a apostar por Seineldín. Hacé lo que haya que hacer.

Acordaron que el objetivo prioritario era "provocar la caída de Alfonsín y tener contactos en el Ejército para limitar cualquier intento golpista sobre el peronismo".

Guglielmelli le notificó a Seineldín las decisiones y le pidió un "poder" para negociar en su nombre, usarlo luego del levantamiento y tenerlo mientras tanto como garantía de su representación. Cuando Seineldín lo envió, Guglielmelli llamó, feliz, a La Rioja.

—Lo conseguí, Jefe. Ya está todo en orden.

Las operaciones comenzaron a gestarse en la correspondencia entre Panamá y Buenos Aires, que Menem leía en su departamento de Cochabamba. Una carta, fechada el 14 de agosto de 1988, es especialmente significativa en este proceso porque marca lo que los seineldinistas creyeron ver como la llegada de su "legitimidad política" al haberse producido el triunfo de Carlos Menem en la interna del justicialismo. En esa carta, enviada a cinco personas —una de ellas Guglielmelli, con copia para Menem— Seineldín descartaba "cualquier tipo de acción directa" y dejaba abierta, en cambio, la posibilidad de la "acción indirecta":

"... 2) ACCION INDIRECTA (POLITICO MILITAR).
"a) Situación de caos social: continúa vigente, con la única diferencia que ahora no nos conviene. Además, debo agregar:
  "1) Que no la pudimos concretar, por no haber contado con la fuerza necesaria y que
  "2) Ante el triunfo de Menem (sector más nacionalista del justicialismo) no es conveniente pues podríamos arruinar esta última posibilidad nacional.
"Deben considerar la hipótesis del Caos Social fomentado ahora por el liberalismo para dar lugar al golpe liberal. Todo esto con la finalidad de que el Sentimiento Nacional no asuma el Poder. Esto puede suceder en cualquier momento, pero con mayores posibilidades durante el posible gobierno justicialista. (...)
"CONCLUSIONES FINALES
"a)Nuestra situación es la siguiente:
  "1) En lo político, tenemos cierta fuerza y que la podemos explotar
  "2) En lo militar, estamos mal.
"b) Es por ello que, ahora más que nunca, no nos podemos apartar de

nuestra estrategia político militar. El nuevo cambio de situación nos solucionó:

"1) La persona para colocar al frente (el minuto antes): El caudillo Menem.

"2) El apoyo legal obtenido por esta línea del justicialismo.

"3) El descalabro que 1 y 2 significan para los liberales."

Después de esa carta, se definió que el próximo levantamiento, al que bautizaron "Operación Virgen del Valle", se llevaría a cabo en los primeros días de diciembre.

El 4 de diciembre de 1988, después de la conversación con Guglielmelli que les anunció el inicio del levantamiento de Villa Martelli, Menem y Spadone viajaron a Misiones. Los menemistas en Buenos Aires dividieron en dos su estrategia. Guglielmelli manejaba las operaciones desde el centro del seineldinismo y Humberto Romero, que había entablado una estrecha relación con el radical Enrique Nosiglia cuando éste le consiguió un crédito del Banco Municipal para levantar la quiebra de Noel, dialogaba con el gobierno. Guglielmelli y Romero se reunieron en la tarde del primer día del levantamiento.

—Mandémosle un avión a Carlos. Ya está todo controlado.

Romero se comunicó con el jefe de la Fuerza Aérea, José Juliá, y el avión partió hacia Posadas. El piso de Guglielmelli en Libertador se convirtió en el centro político de los seineldinistas. El obispo de Mercedes, Emilio Ogñenovich, fue el primero en llegar para ofrecer fondos para solventar el levantamiento. Después fueron llegando también Luis Macaya, Enrique Alterach, y los representantes de Bunge & Born. Romero llamó desde el Aeroparque: Menem había llegado y se trasladaba a Callao.

Cuando Guglielmelli llegó al local, Julio Mera Figueroa lo interceptó.

—Carlitos, te anda buscando medio país. Se rindió Seineldín.

—Yo tengo otra información. Esto no terminó.

Duhalde escuchaba el ir y venir de contactos, operadores y seineldinistas un poco azorado. Hasta Miguel Angel Vicco parecía incidir en las negociaciones. Zulema no podía disimular su alegría: desde que lo había conocido, a principios de los ochenta, se había convertido en la primera devota de Seineldín. Menem se reunió con su grupo más cercano y decidió no ir a la Casa de Gobierno, a donde Alfonsín había convocado a los dirigentes opositores.

—Esto no terminó... —se repetía.

Guglielmelli y Martínez Zuviría sostenían que se levantarían otras unidades en el interior del país, y que la intención fundamental estaba cumplida al demostrar la incapacidad de represión de las fuerzas "leales" al gobierno. Las cámaras de televisión mostraban el enfrentamiento entre los policías y los civiles que habían ido a manifestar en contra de Seineldín en Villa Martelli. Barrionuevo aseguraba que su amigo "Coti" estaba desconcertado porque "ellos habían planeado otra historia, con los del Movimiento Todos por la Patria que son amigos de ellos. Iban a hacer como que había levantamiento para echarle la culpa a los carapintada, pero no sabían que era en serio". Unas horas después, los noticieros informaban de la rendición de Seineldín. El gobierno intentaba demostrar fortaleza y negar que hubieran existido negociaciones, pero nadie dudaba de la existencia de un acuerdo. Se trataba de siete puntos: respetar las fechas políticas del 14 de mayo para los comicios y el 10 de diciembre para el cambio de autoridades; "recuperar el honor de las Fuerzas Armadas"; "recuperar la dignidad de sus integrantes"; reivindicar la "lucha contra la subversión"; aceptar que Seineldín permanecería preso como único responsable del levantamiento; revisar los sumarios de Semana Santa, y el retiro de José Dante Caridi, jefe del Ejército en ese momento.

Con Seineldín preso, los contactos menemistas se bifurcaron. Todos los dirigentes del entorno comenzaron a desfilar por el penal para conversar, acordar, planificar futuras estrategias. Menem los escuchaba cuando regresaban, y los usaba para mandar mensajes. César Arias se convirtió en un interlocutor privilegiado. Junto al coronel Toccalino, llegaba todos los miércoles a almorzar con el coronel. Arias se había convertido en uno de los principales operadores de Menem a partir de la muerte de Grimberg, un año después del accidente de San Nicolás. Fue ocupando su lugar en el estudio primero y en la organización de la vida política de Menem más adelante. Aunque las visitas de Arias eran las más políticas, y allí se diagramaba paso a paso el indulto y el futuro del gobierno menemista, Seineldín esperaba con más ansiedad la llegada de Zulema, que entraba al penal acompañada de su hermana Leila. Zulema había conocido a Seineldín en 1984, en la casa de unos amigos comunes de origen árabe que los invitaron a una reunión familiar en Concordia, Entre Ríos. Allí el todavía teniente coronel la fascinó narrando la historia de su padre, Mamud, que había llegado del Líbano cumpliendo un castigo: lo habían desterrado por atreverse a retirarle el velo a una mujer soltera y ver su rostro. Después la relación siguió a través del mayor Ernesto Pérez y del empresario Osvaldo Seijas, que había trabajado en la curia de Avellaneda junto a Antonio Quarracino y era vecino de Zulema en la calle Posadas.

Una vez por semana, nunca faltaba la visita de Gustavo Béliz y Raúl Granillo Ocampo, que habían sido presentados a Seineldín por Patricio Videla Balaguer: un hombre, como ellos, de grandes vinculaciones con la cúpula de la Iglesia. Humberto Romero y Julio Mera Figueroa llegaban sólo cuando se trataba de definir temas específicos, como la futura conformación del Ministerio de Defensa o de la Comandancia en Jefe de las Fuerzas Armadas. Romero se encontraba también con Massera para intentar sumarlo al círculo carapintada, pero el almirante prefería mantenerse al margen hasta el momento de la asunción de Menem. Massera confiaba por entonces en que el indulto sería la primera medida de la presidencia del riojano, y sería firmado casi el día mismo de su asunción.

Mientras Menem iniciaba su campaña electoral, el grupo seineldinista-menemista hizo un cuadro de situación y puntualizó objetivos para su accionar: evitar cualquier suspensión de los términos políticos; estar atentos frente a un hecho desestabilizador organizado por la Coordinadora que tendría por objetivo "la continuación del régimen social demócrata"; difundir el acuerdo que se había alcanzado con Seineldín para evitar su eventual incumplimiento; conseguir la unidad del Ejército de manera tal que estuviera listo ante cualquier maniobra radical, y acentuar la debilidad de Alfonsín.

Durante la semana posterior a la Navidad de 1988, en una sucesión de reuniones en Buenos Aires, se convencieron de que los sectores liberales del ejército buscarían de cualquier forma impedir el triunfo del justicialismo, y manejaban dos hipótesis: un atentado contra Menem o un golpe previo a las elecciones para asegurar la continuidad del radicalismo. Guglielmelli y Martínez Zuviría planteaban como fórmula negociadora un "tercer hombre" entre Seineldín y los liberales, que permitiera conseguir la unidad del Ejército para enfrentar cualquier maniobra de este tipo alentada desde el gobierno radical. Entre la información que en esos días trasmitieron a Menem, llegaron a asegurarle que el radicalismo estaba intentando generar un incidente con Chile para provocar un enfrentamiento con Augusto Pinochet que, como estaba liderando el proceso de transición en su país, fortalecería a los dos.

En las primeras semanas de enero, Jorge Baños —un joven abogado que se popularizó por su defensa de los organismos de Derechos Humanos y que encabezaba en ese momento un grupo de izquierda denominado Movimientos Todos por la Patria— denunció que estaba en marcha un golpe institucional para derrocar a Raúl Alfonsín y dejar en su lugar al vicepresidente Víctor Martínez, como forma de garantizar una transición rápida hacia el gobierno menemista. Baños aseguró que el tema había sido analizado en una reunión entre Mohamed Alí Seineldín, Carlos Menem y Lorenzo Miguel. La denuncia juntaba algunas especulaciones verosímiles con datos absolutamente falsos. Menem no conocía todavía a Seineldín, y mucho menos lo conocía Lorenzo Miguel. Era cierto, en cambio, que la variable de la renuncia de Alfonsín en favor de Martínez había sido analizada en los cenáculos carapintada como una forma de anticiparse a lo que ellos preveían como un golpe liberal encabezado por la cúpula del Ejército para impedir el llamado a elecciones y bloquear la llegada del menemismo. Y también que los militares rebeldes y los dirigentes menemistas que los frecuentaban analizaban la posibilidad de un nuevo levantamiento para colocar a la cabeza del Ejército a algún miembro de sus filas. Baños frecuentaba el despacho del ministro del Interior, Enrique Nosiglia, y la denuncia fue profusamente difundida por todos los medios de comunicación oficiales.

En medio de denuncias, versiones de levantamientos carapintada o golpes liberales, el tema militar volvió a ser el eje de la discusión política durante enero. El sábado 21 Carlos Menem llegó a Mar del Plata para descansar antes de iniciar, el lunes 23 en San Clemente del Tuyú, donde tenían su finca de veraneo los Saadi, una "caravana de la costa" que constituiría el lanzamiento de la campaña de verano. Se alojó en el Hermitage, en el mismo piso en que había desembarcado la UCeDé con María Julia Alsogaray y Alberto Natale para la campaña proselitista de la alianza liberal. Ese fin de semana, todos los menemistas estaban convencidos de la inminencia del levantamiento carapintada para supuestamente anticiparse a un golpe liberal. Eduardo Duhalde convocó a "la clase política y el pueblo a estar muy atentos ante un posible conato militar" y Menem terminó de agitar las aguas cuando admitió que "por lo que a mí me dijeron, Seineldín es un coronel brillante".

El lunes se levantó temprano, se vistió con un *jogging* y salió a correr por la calle acompañado por Ramón Hernández. Volvieron al hotel, desayunaron y partieron hacia el balneario "Horizonte del Sol", en el que tenían sus carpas Luis Barrionuevo y Diego Ibáñez. Durante dos horas, se enfrascó en un partido de tenis con Rubén Cardozo frente a Alberto Pierri y Alberto Samid.

El partido se prolongaba infinitamente con la discusión de cada tanto, cuando Alberto Kohan y Julio Corzo llegaron presurosos al *court*.

A pesar de las indisimuladas caras de preocupación, esperaron sumisamente a que el partido terminara, pero una vez que cayó la última pelota agarraron del brazo a Menem y lo llevaron a las duchas. La noticia que debían darle repiqueteaba hacía horas en la televisión y la radio: desde la madrugada se producía un violento enfrentamiento armado en el regimiento de La Tablada. No había mayores precisiones. Menem y Kohan se convencieron de que era el anunciado levantamiento carapintada y que esta vez los leales a la cúpula habían respondido con fuego. Mientras definían la reacción que adoptarían públicamente, ingresó al lugar Juan Bautista Yofre:

—Son subversivos. Es el ERP.[1]

Menem lo miró extrañado. Confiaba en la relación privilegiada que su vocero de prensa mantenía con los servicios de inteligencia, pero la información no encajaba en ninguna de las hipótesis que habían manejado hasta el momento. Barrionuevo fue más contundente aún, pero su afirmación fue críptica, irracional: "Esto lo organizó 'El Coti', esto lo organizaron los radicales". Menem los escuchó en silencio y prefirió confiar en su intuición y en la lógica de su información. Cuando salió de las duchas enfrentó a los periodistas:

—La información es contradictoria, pero creemos que se trata de un levantamiento carapintada.

Después lo llevaron de un brazo hasta el auto y se trasladaron todos al hotel prometiendo una conferencia de prensa por la tarde, cuando la situación fuera más clara.

Después del mediodía las informaciones oficiales comenzaron a insinuar la posibilidad de que se tratara de un intento de copamiento del regimiento de La Tablada por parte de un grupo armado de izquierda. Manzano ya había hablado con el ministro Nosiglia y tenía más precisiones: se trataba del Movimiento Todos por la Patria, se presumía que el mismo Jorge Baños estaba entre los atacantes y la represión estaba siendo feroz, exagerada. Los carapintada, que se comunicaron rápidamente con los menemistas en Mar del Plata, dejaron claro que ellos no formaban parte ni de los atacantes ni de los represores y que estaban convencidos de que se trataba finalmente de una maniobra para perjudicarlos. La famosa "operación" sobre la que venían advirtiendo en las últimas semanas.

Menem se reunió en su habitación del tercer piso del Hotel Hermitage con Alberto Kohan, Luis Barrionuevo, Rubén Cardozo, Julio Corzo, Augusto Alassino y Antonio Vanrell. Carlos Caños, César Arias y Julio

Mera Figueroa alcanzaron papeles con las conclusiones que habían hilvanado gracias a la información proporcionada por los servicios de inteligencia y los militares carapintada. Todas apuntaban a señalar que se había tratado de una operación ideada por un grupo del gobierno en conjunción con la cúpula del MTP, que había sido anticipada por la conducción del Ejército y usada en su propio beneficio. De acuerdo con estas hipótesis, la conducción del MTP había acordado con el ministro Nosiglia ingresar al regimiento, producir algunas bajas y robar armamento para después huir dejando evidencias que demostraran fácilmente que se había tratado de una operación carapintada. La cúpula del Ejército había anticipado la maniobra y los había esperado provocando el enfrentamiento y una represión desmesurada para difundir el fantasma del retorno de la subversión, revertir su por entonces débil situación interna y fundamentar los reclamos públicos de la necesidad de fortalecimiento de las Fuerzas Armadas jaqueadas por la política del gobierno radical en los últimos años.

Menem no dudó en hacer suyo este análisis y comenzó a insinuar públicamente la participación del gobierno en el episodio. En realidad, estaba feliz frente a la noticia. Era casi una venganza personal frente a las repercusiones de la denuncia que el MTP había hecho unas semanas antes. Menem admiraba y temía a Nosiglia. Estaba convencido de que era una suerte de encarnación de sus propios fantasmas: un político capaz de todo con tal de perpetuarse en el poder. En sus declaraciones públicas repitió los análisis de los carapintada: "Se trató de un episodio tendiente a generar una situación de inestabilidad capaz de bloquear o condicionar el acceso al poder del justicialismo. Ahora resulta que los que me atacaban y me acusaban de complotar contra el Presidente de la Nación y de pactar con algunos militares resultaron ser los peores enemigos de la democracia, fueron los mismos que perdieron su vida en La Tablada", explicó.

Sólo por un momento se permitió una reacción emocional, que transparentó su verdadero sentimiento frente a la situación. El martes 24 al mediodía almorzaba con sus colaboradores en el restaurante del Hotel Provincial sobre la playa. Dos periodistas se acercaron a pedirle su opinión sobre la participación del MTP en el ataque al Regimiento.

—Bueno... esperemos, porque todavía no está confirmado.

—Sí, doctor, ya se confirmó. El gobierno anunció oficialmente hace un momento que uno de los muertos fue identificado como Jorge Baños.

—¿Me lo dicen en serio?

—Sí, lo están diciendo todas las radios.

Menem se paró, levantó una copa y pidió silencio a la mesa.

—Bueno, muchachos, brindemos. Uno de los muertos es Baños. ¿Qué me dicen?

A partir de La Tablada la campaña electoral se volvió definitivamente cruenta. El peronismo acusaba al radicalismo de estar dispuesto a hundir al país antes que a resignarse a abandonar el gobierno. César Arias presentó una confusa denuncia ante la Justicia reclamando la investigación de la conexión del gobierno con los miembros del grupo que intentó ocupar el regimiento. El escrito estaba patrocinado por Carlos Arslanián, Oscar Igounet, Pedro Narvais y Honorio Leguizamón Pondal, todos miembros de la Comisión de Juristas del PJ, pero se trataba sólo de una enumeración de publicaciones periodísticas y de hipótesis sin fundamento.

La verdadera trama del tema no se dilucidó públicamente. Manzano, Barrionuevo y Nosiglia acordaron dar por finalizada una discusión que, de proseguir, hubiera revelado conexiones e intrigas de uno y otro lado que ponían en riesgo la continuidad democrática y fortalecían a la cúpula militar. El tema se dio por terminado con el juicio oral y público al grupo que había intentado el copamiento. Oficialismo y oposición archivaron prolijamente las preguntas sobre las relaciones del menemismo con los carapintada y la verosimilitud de que se estuviera preparando un levantamiento de ese sector para esos días finales de enero; las informaciones sobre el accionar del MTP que los servicios de inteligencia ligados a uno y otro partido les habían remitido en los últimos meses; las pesquisas sobre las actividades y el paradero de Enrique Gorriarán Merlo; las sospechas sobre violaciones a los derechos humanos durante la represión del ataque y las denuncias de organismos internacionales sobre la posibilidad de que existieran detenidos con vida "secuestrados" por el Ejército para obtener información. Nadie volvió a preguntarse por qué se bombardeó durante dos días el regimiento de La Tablada cuando el propio jefe de la policía federal, Juan Pirker, había dicho unas horas después de iniciado el ataque que "a ésos yo los saco de ahí en un rato y con gases lacrimógenos".

Las acusaciones mutuas de los candidatos se ocuparon de temas menos comprometidos. Alfonsín calificó a Menem como "el peor gobernador de la historia" y el riojano sacó a relucir el texto de la constitución cordobesa reformada que Angeloz le había dedicado con la frase "para el mejor y más elegante gobernador de la Argentina".

Menem reinició la campaña veinte días después, en Ushuaia. Había tomado dos decisiones fundamentales. El comando de campaña estaría encabezado por un triunvirato integrado por Carlos Grosso, Julio Mera Figueroa y Alberto Kohan. La comisión de finanzas sería integrada por Eduardo Menem, Eduardo Bauzá y Armando Gostanián. Los dos temas habían desvelado al menemismo en los últimos tiempos. Los enfrentamientos entre los distintos grupos que pugnaban por dirigir la campaña dispuestos a convertirse en los garantes del triunfo habían llevado al aparato partidario a una inmovilidad total y no se lograba concertar un discurso único.

En el caso de la recaudación de fondos la situación era más delicada. Las donaciones comenzaban a ser abultadas a partir de que crecía la certeza de los grupos empresarios en el triunfo, y Menem estaba dispuesto a manejarlas personalmente. Los nombres que integraron el triunvirato fueron la más clara demostración de esta definición: no sólo los tres eran de absoluta confianza del candidato sino que se trataba de una elección personal, no política. Podía decirse que eran sus socios, su familia más allá de la política. Hubo tres episodios que determinaron la formación de la comisión de finanzas. El primero fue el golpe que encabezó el general Andrés Rodríguez en Paraguay y que derrocó el gobierno de Alfredo Stroessner. Según la información brindada por un asesor del gobierno demócrata norteamericano, el desbande de los hombres ligados al ex dictador bloqueó la salida de Asunción de cinco millones de dólares que debían llegar para la campaña. No se trataba sólo de una colaboración de Stroessner, sino de la canalización a través de ese país de otros fondos gestionados por Jorge Antonio, Alberto Kohan, Julio Mera Figueroa, Daniel Isa y Mario Caserta.

El segundo conflicto surgió a raíz de la donación del gobierno libio. Ese dinero fue manejado desde la Fundación para la Paz y Amistad entre los Pueblos que encabezaba Mario Rotundo, quien sólo rendía cuentas a Menem. Según Rotundo se utilizaba para pagar viajes, pasajes, publicaciones y la chequera personal del candidato. Pero después de una fuerte discusión de aquél con Vicco y Gostanián, éstos le pidieron a Menem que sacara a Rotundo del manejo de fondos de campaña.

El tercer episodio se generó a raíz del aporte de Bunge & Born a la campaña, y es el más confuso de los tres porque hay más de una versión sobre el tema. La principal vinculación con el grupo estaba dada por Yofre, que trabajaba en el holding desde 1985, cuando ingresó por su amis-

273

tad personal con el entonces presidente Mario Hirsch. Yofre anunció en enero que había un primer aporte de quinientos mil dólares. Un mes más tarde, Yofre concertó el primer encuentro entre uno de los hombres fundamentales de la empresa, Néstor Rapanelli y el candidato. Rapanelli, tanto como Jorge Born y el resto de las cabezas del holding, había comenzado a adecuar sus planes y perspectivas a la posibilidad de que Menem triunfara. Rapanelli estaba particularmente interesado en saber sobre el futuro de los contratos petroleros que había iniciado el gobierno de Alfonsín. Yofre concertó la entrevista para el 3 de febrero. Menem le ofreció garantías y Rapanelli anticipó que donarían otros quinientos mil dólares para la campaña. En el momento de "blanquear" las cuentas, Jorge Born anunció que habían invertido un millón de dólares, pero a la comisión de finanzas habían llegado sólo seiscientos mil. Allí surgen las especulaciones variadas. Según el luego embajador en Chile, Oscar Spinoza Melo, Yofre "se quedó con quinientos mil, y por eso deja de ser vocero de Menem y se va por un tiempo". Es cierto que Yofre abandonó su lugar en la campaña imprevistamente en febrero de 1989, pero la información indicaba en ese momento que lo había hecho por una situación personal (su ex esposa María Laura Avignolo se lo imponía como condición para la reconciliación de la pareja), y él mismo nombró a su sucesor, Humberto Toledo. Otra explicación sostiene que en realidad Born sumó anuncios de aportes que nunca se hicieron, y que el que anunció Yofre y el de Rapanelli son el mismo. En ese caso, sobrarían cien mil dólares. Lo cierto es que, en medio de las acusaciones cruzadas, Menem anunció la formación de la comisión de finanzas.

Sólo una información logró detener por un momento el frenesí de la campaña electoral. A sólo una semana de la asunción de Carlos Andrés Pérez como presidente de Venezuela, el país estalló bajo una violencia social siempre convocada como fantasma pero nunca vista en América Latina. Los vecinos de los barrios más marginales y las zonas más pobres avanzaron sobre los supermercados y los depósitos de mercaderías para saquearlos. Fue una guerra de pobres contra pobres. La policía no intervino. El presidente convocó al Ejército. En algunos días las cifras eran espeluznantes: quinientos muertos, mil quinientos heridos, mil detenidos.

Las imágenes del estallido social se convirtieron en una obsesión para los políticos argentinos. Desde el 6 de febrero, fecha del último dolarazo durante el que la moneda norteamericana aumentó un veinticinco por ciento su valor en seis horas, la economía estaba inmersa en una espiral de hiperinflación que parecía no tener fin y que se incrementaba a medida que se profundizaba la campaña electoral. Los analistas hablaban por entonces del "efecto Menem" para explicar que se trataba de la reacción de los grupos económicos frente a la posibilidad de un triunfo del riojano en las elecciones. El gobierno radical explicaba su propia impotencia como si estuviera describiendo una situación inmodificable, producto casi natural del clima político reinante. El desbarajuste de la economía respondía al temor a Menem.

Los reacomodamientos empresarios se parecían bastante poco al temor. Los menemistas Julio Bárbaro, Jorge Triaca, Juan Bautista Yofre, Alberto Kohan, Domingo Cavallo y Julio Mera Figueroa mantenían un contacto casi diario con los principales dirigentes de los grandes grupos empresarios. Mucho más frecuentes y amables que el propio gobierno. Cavallo, que actuaba con la seguridad de ser el futuro ministro de Economía de Menem, estaba convencido de que había que dejar que todo estallara en pedazos para que el terreno quedase libre para el ajuste que debería hacer el gobierno entrante. Para el cordobés, fiel exponente del pensamiento de los empresarios, no se trataba de impedir la llegada de Menem ni de resguardarse frente a su ascenso, como sugería o decía explícitamente el gobierno radical, sino de empujar para que la crisis se desatara antes de su asunción. La hiperinflación, las corridas, el dolarazo, la profundización de la crisis social, no buscaban enturbiar la llegada de Menem. Estaban garantizando su bienvenida.

Los radicales vivían el mismo espejismo colectivo que los ingenuos ciudadanos llanos que creían en las promesas que Menem hacía en sus discursos. El romance de Menem con los grupos económicos había comenzado el 18 de setiembre, en las oficinas de Bunge & Born. Allí el candidato se reunió con Vittorio Orsi (Pérez Companc), Sebastián Bagó (Bagó), Francisco Macri (Sevel), Manuel Madanes (Aluar), Ricardo Gruneisen (Astra), Carlos Tramutola (Techint) y Carlos Bulgheroni (Bridas). Menem no tenía mucho para anunciar, pero la entrevista sirvió para tranquilizarlos con apenas dos promesas: el futuro ministro de Economía sería un empresario de ese grupo, al que quizá ellos mismos podían elegir, y además la plataforma económica del justicialismo sería consensuada.

La profundización del entendimiento se fue gestando en múltiples encuentros y reuniones pero se consolidó durante el verano, cuando el menemismo acordó la participación de la Unión del Centro Democrático en el futuro gobierno a cambio de la garantía de que los liberales apoyarían la fórmula justicialista en el Colegio Electoral si no alcanzaba mayoría propia. El acuerdo se selló en el Hotel Provincial de Mar del Plata entre Menem y Alvaro Alsogaray la misma semana en que el MTP intentaba copar La Tablada.

LA MARCHA FEDERAL

Menem fue el último en subir al avión ese 14 de marzo. Cuando todos estaban ubicados en sus asientos pensó un instante y se paró.

—Vayan ustedes. Yo tengo ganas de pilotear, voy en el mío.

Se bajó del avión y pidió que le prepararan su avioneta, guardada en el hangar del aeropuerto riojano. Finalmente estaban muy cerca: el acto sería en Santa María, una localidad al sur de Catamarca, menos de media hora de vuelo. Todos se pararon a un costado de la pista mientras el primer avión despegaba. Cuando comenzó a carretear dejaron de prestarle atención, hasta que el estruendo los hizo volverse. Una columna de humo y fuego se elevaba a doscientos metros. Menem comenzó a llorar, paralizado.

—No... no puede ser... no.

Entonces empezó a correr hacia el lugar. El avión apenas se adivinaba, convertido en un montón de hierros retorcidos en medio del fuego. Ramón Hernández, Miguel Angel Vicco y Guillermo Armentano se arrastraban envueltos en llamas para alejarse del lugar. El médico Osvaldo Rossano permanecía tendido a un costado.

El accidente cambió el ánimo de todo el equipo de campaña. Parecía casi una señal. Los pilotos murieron en el acto y el resto debió ser internado con heridas de distinta gravedad. Rossano murió una semana después. Su lugar fue ocupado por Alejandro Tfeli, hermano de la primera esposa de Omar Vaquir. Un ex oficial de la Fuerza Aérea durante la guerra de Malvinas, Jorge Igarzábal, se convirtió en el piloto oficial.

La muerte de Rossano fue un nuevo hito en los conflictos entre Menem y Zulema. Ella le reprochaba haberlo dejado morir por sospechar que era su amante. La acusación se basaba en que Menem no había estado en el hospital en el momento de su muerte a pesar de que lo habían llamado para que autorizara un traslado urgente a otra institución en que se le podría haber practicado una nueva cirugía. En realidad, Menem no llegó porque no le avisaron a tiempo: cuando sus secretarios recibieron la comunicación Menem estaba a punto de ingresar a un estudio de televisión para grabar un sketch cómico y no quisieron preocuparlo. El 3 de abril el candidato inició la caravana de Misiones en memoria de Rossano.

Zulema no perdía oportunidad de discutir públicamente con su marido para dejar claro que lo de ellos era sólo una reconciliación política. En una de las caravanas, en San Nicolás, Menem estaba recostado en un asiento del menemóvil, apesadumbrado por la última propaganda de la campaña electoral que se dedicaba a mostrar sus contradicciones bajo el título "Menem contra Menem".

—No puede ser... ya es muy bajo... ¿Qué más van a hacer?

Los bonaerenses Rafael Romá y José María Díaz Bancalari lo miraban sin contestar. Zulema se acercó y gritó.

—Y... te dirán lo de la "Yuyito".

"Yuyito" era el sobrenombre de la vedette Amalia González, a quien se sindicaba como amante de Menem. Por un momento, el candidato se turbó.

—Zulema, por favor.

Ella sonrió.

—No te preocupes, Carlos, el día que las revistas hablen de mis amantes van a tener que sacar un suplemento.

Durante dos meses Menem recorrió infatigablemente el país. Ciudades, pueblos, caseríos. En cada lugar lo esperaba una multitud. Las cifras periodísticas indicaban que la concurrencia cuatriplicaba cada vez a la que recibía al candidato radical, Eduardo Angeloz. El "menemóvil" llegaba a veces a poblaciones con menos de diez mil habitantes, y Menem pasaba horas conversando con la gente, escuchando sus problemas. Se preocupaba por adoptar los hábitos más típicos de cada lugar para no ser descortés: entraba a caballo en los lugares campestres, tomaba mate cuando le ofrecían, se ponía sombrero en Formosa, bailaba chamamé en Corrientes. Cinco, seis, diez actos por día. Besaba a todos los niños y a las mujeres que se le acercaban, atendía dirigentes partidarios en los hoteles hasta entrada la madrugada, pasaba horas eternas trepado al menemóvil con los brazos abiertos en un gesto papal. Repetía frases sencillas y sin contenido en los discursos. Prometía genéricamente el "salariazo", la "revolución productiva, la unidad latinoamericana y la reconciliación nacional".

Cada caravana se transformaba en un acto religioso. Disfrazaba su falta de capacidad de oratoria con apelaciones a la esperanza y oraciones laicas: "Por el hambre de los niños pobres, por la tristeza de los niños ricos, por los jóvenes, por los ancianos, con la bandera de Dios, que es la Fe, y la bandera del pueblo, que es la bandera de la Patria, por Dios se los pido. Síganme, no los voy a defraudar". Hasta los más fervorosos opositores internos se rendían frente a la comunicación que Menem lograba con la gente. Después de muchos años, el peronismo había vuelto a convocar a una multitud que se lanzaba a las calles a vitorear a ese candidato. Menem trabajó casi veinte horas por día durante la campaña y se ocupó personalmente de todos los detalles. Había llegado solo hasta allí, y no estaba dispuesto a que nadie quisiera sentirse partícipe del triunfo.

NOTA

[1] Ejército Revolucionario del Pueblo: organización armada que actuó en los primeros años de la década del setenta comandada por Enrique Gorriarán Merlo, conductor en 1989 del Movimiento Todos por la Patria.

OCHO

LOS PLATOS ESTABAN TODAVIA llenos de arroz con centollas, el menú elegido para la víspera de las elecciones del 14 de mayo. Carlos Menem se puso de pie y rodeó la mesa saludando uno por uno a los comensales. Bernabé Arnaudo lo abrazó.

—Setenta por ciento, jefe.

—Cincuenta y cinco, Gordo. Andá preparándote para pagarme la cena.

Le estrechó la mano a cada uno de los mozos. Palmeó en un hombro al mucamo Armando Torrealba y se agachó para acariciar a Laika, la perra polar, y a Alf, el pastor inglés, que dormían junto a la puerta. Antes de dejar el comedor se dio vuelta una vez más.

—¿Por cuánto ganó Perón? —preguntó.

—Sesenta y cinco.

Miró el piso durante unos segundos, en silencio. Después meneó su cabeza y salió, murmurando apenas.

—Ah, no soy Perón.

La noche del 13 al 14 de mayo de 1989, Carlos Menem no durmió. Había llegado el momento con el que había soñado en los últimos treinta años, pero estaba profundamente deprimido. Los dirigentes más distantes elogiaban su serenidad y su firmeza para afrontar un momento tan importante. Los amigos de toda la vida sabían que sería una noche de insomnio y alguno de ellos recibiría un llamado telefónico a la madrugada, reclamando compañía. Quizá lo único que aliviaba un poco el tenso clima era que Zulema y los chicos se habían quedado en Buenos Aires y recién llegarían por la tarde.

A las seis de la mañana del domingo 14, Menem estaba tomando mate en la cocina de la residencia. Media hora después llegó Ramón Hernández y lo ayudó a vestirse: traje gris y camisa blanca. Atendió algunos llamados telefónicos antes de salir rumbo a la Escuela Normal Pedro Ignacio Castro Barros, donde todas las mesas electorales de La Rioja estaban paralizadas a la espera de que el gobernador cumpliera con una de sus principales cábalas: ser el primer votante de su provincia. Entró al aula transformada en cuarto oscuro y salió medio minuto después, con el sobre cerrado. Lo metió en la urna, sonrió para los fotógrafos y comenzó a citar, con su habitual capacidad para disimular su inhibición frente al público. Esta vez eligió a San Pablo: "Me siento realizado más allá de los resultados porque hemos dado un gran combate, hemos conservado la fe".

Desayunó en la residencia con los periodistas y partió hacia Anillaco. Allí cumplió uno a uno todos sus ritos: se puso la campera azul, piloteó su avioneta, fue a la tumba de sus padres, comió mandarinas en la casa de su hermano Amado y empanadas en lo de Juan Nieto, mientras Don Firpo tocaba *La cumparsita* en su bandoneón, visitó la casa que había comenzado a construirse frente a la bodega y explicó que "uno tiene que morir en la tierra de sus padres, y esto es lo más parecido a Siria". Los periodistas repetían las preguntas obvias:

"—¿Es el día más importante de su vida?
"—No sé, todos los días son importantes. Cada día tiene lo suyo.
"—¿Alguna vez soñó con ser presidente?
"—Supongo que la primera vez que pensé en ser presidente debe haber sido acá... pero recién mucho tiempo después pensé en serio que sería posible."

La amabilidad de la escena en Anillaco contrastaba con el caos que envolvía al peronismo en la Capital Federal. El final de la campaña y la posibilidad de acceder al poder habían hecho estallar todas las internas, la preparación de los festejos y los centros de cómputos fueron el primer escenario en que estas intentaron dilucidarse.

Los "rojo punzó" se habían concentrado en el edificio de la Fundación de Estudios para la Argentina en Crecimiento (FEPAC) en Congreso. Allí habían montado un centro de cómputos con tecnología sofisticada y que permitía establecer una línea abierta y directa con La Rioja. Los celestes habían elegido el clásico Hotel Presidente, en la Avenida 9 de Julio, reducto de la renovación, para montar su propio escenario. Nadie sabía dónde iría Menem a esperar los resultados.

A las ocho de la noche una docena de avionetas estaban a disposición del futuro presidente para llevarlo de La Rioja a Buenos Aires. A esa hora, Zulema y los chicos llegaron a la provincia desde la capital. Ya no quedaban dudas: Menem se quedaría allí. Todo el escenario montado en Buenos Aires dejaba de tener sentido. Las movilizaciones convocadas —en la puerta de la FEPAC, frente al Hotel Presidente o en el centro de la ciudad—, también. Los dirigentes comenzaron a zambullirse en los aviones que quedaban disponibles para volar a La Rioja. "Alguna vez le tiene que tocar a mi provincia. Que vengan hoy de todo el país para acá", anunció Menem.

El primero en llegar fue "El Turco" Jorge Asís con el economista Jorge Domínguez y el neurocirujano Raúl Matera. Eduardo Menem voló temprano hacia allí y Eduardo Bauzá tuvo que trasladarse desde la cercana Mendoza. José Luis Manzano había vuelto a Buenos Aires para comandar el operativo montado en el Hotel Presidente y se desesperó cuando comprendió que el resto del trío estaría en La Rioja, pero, luego de una sucesión de llamados urgentes a sus empresarios amigos, Bulgheroni le facilitó un avión para trasladarse hasta allí.

Menem regresó de Anillaco, durmió la siesta y jugó al tenis. Se duchó y se volvió a poner el mismo traje gris que vestía a la mañana. Zulema eligió un vestido y zapatos blancos, como una clásica dueña de casa provinciana. La residencia se fue poblando de parientes y amigos riojanos: los Akhil, los Yoma, los Menem. Susana Valente, la esposa de Eduardo, pisó la residencia después de más de seis años, desde que Zulema le prohibiera el ingreso.

Cinco minutos antes de las ocho de la noche, la policía provincial le avisó a Menem que había ganado en la mesa en que había votado. No dudó en creer en la cábala: "El principio del triunfo está asegurado", anunció. Diez minutos después lo llamó para felicitarlo María Julia Alsogaray: desde el centro de cómputos de la FEPAC le anunciaban que la proyección le daba colegio electoral propio.

Exactamente a las 21 horas, el ministro del Interior, Enrique Nosiglia, logró comunicarse con la residencia. "Felicitaciones, Jefe", le dijo.

Menem volvió al salón con una sonrisa inocultable y Zulema comenzó a sacar el papel celofán que envolvía un inmenso huevo de Pascua.

—Miren si será bruja —bromeó Menem—. Me lo regalaron para Pascua y dijo que lo íbamos a abrir con el festejo de hoy.

Zulema lo besó en los labios.

—*Habi' bi* —le dijo.

Desde allí partieron todos en caravana hacia la Casa de Gobierno, frente a la Plaza 25 de Mayo, y Menem subió al balcón. No había más de quinientas personas en la calle, pero él sabía que estaba hablando para el país: todas las cadenas de televisión estaban enviando en vivo su mensaje. ¿Cuántas veces había soñado con ese momento? Zulema se ubicó de un lado, Carlitos y Zulemita del otro, Eduardo Menem a un costado y Emir Yoma un paso más atrás. "Yo les pido que me sigan, hermanos y hermanas de mi Patria. Síganme, que no los voy a defraudar", repitió una vez más. Tenía que improvisar, y sabía a la vez que era el mensaje fundacional de su gobierno. Citó de memoria los puntos del discurso del *Modelo Argentino* de Perón, de 1973, los mismos a los que había apelado Raúl Alfonsín el 30 de octubre de 1983. "Vengo a convocar a todos los sectores. A las fuerzas de la producción, a los empresarios, los comerciantes, los ganaderos, los agricultores, a todos, a poner en marcha el país. Este es el momento que aprovecho para convocar a todas las fuerzas del trabajo: Perón decía que gobernar es dar trabajo y vamos a hacer realidad esa premisa. Habrá que reformular y moralizar el Estado, y terminar con la corruptela de los organismos oficiales. En la Argentina vamos a hacer grandes negocios para terminar con los grandes negociados. Para terminar con una falsa leyenda sobre el justicialismo quiero decir que aquí, fundamentalmente, ha triunfado la democracia. No me siento un ganador solo, aquí hemos ganado todos sin ninguna distinción." Casi al final, se permitió conmoverse por un momento frente a los riojanos, que creían que habían llegado ellos también a la Casa Rosada: "Que Dios los bendiga. Lo que soy se los debo a ustedes, a todo el pueblo, al pueblo de La Rioja, al pueblo de la Argentina y sobre todo a Dios que guió mis pasos y alumbró mi camino".

La cena de festejo fue servida en el gimnasio de la residencia. Cuando Menem llegó, después de las dos de la mañana, ya el asado estaba frío y el champaña caliente. Brindó y subió a su dormitorio. Esta vez, sí, durmió hasta el mediodía.

El retrato de Don Vicente Saadi sonriendo desde la puerta de su tumba presidió la escena. Don Vicente enmarcado por dos placas recordatorias: una, de los generales de la Revolución Libertadora; la otra, del montonero Mario Eduardo Firmenich. Doña Alicia Cubas de Saadi caminó, majestuosa, los diez pasos que separan al panteón familiar de la entrada del cementerio. Pasó su brazo alrededor del de Carlos Menem y lo condujo solemnemente hasta el frente de la tumba de su marido. La banda del Regimiento de Infantería llamó a silencio y se acalló hasta el mínimo murmullo. El sol ya había caído detrás del cerro y el cementerio estaba poblado de sombras. Debajo del arco de cipreses se fueron acomodando todos los que llegaban. Primero las mujeres: Amalia Lacroze de Fortabat y su hija, Inés Lafuente; Ana Goitía de Cafiero, Olga Ruitot de Flores y Lidia, la secretaria de Lorenzo Miguel; Alicia Saadi y Zulema. Rodeándolas, en un primer semicírculo, Eduardo Bauzá, Eduardo Menem, Alberto Kohan, Julio Mera Figueroa y Rubén Cardozo. Un paso más atrás José Luis Manzano, Carlos Grosso, José Manuel de la Sota y Antonio Cafiero. A los costados Lorenzo Miguel, José Pedraza, José Luis Lingheri, Luis Barrionuevo, Jorge Triaca, Armando Cavalieri, Saúl Ubaldini y los gobernadores justicialistas de todo el país. Mas allá, el montonero Pablo Unamuno y el lopezrreguista Mario Caserta. Don Vicente, ya muerto; Menem, presidente. Habían logrado ponerse por encima de las diferencias internas e irreconciliables del peronismo. Lo que no había logrado Perón, lo estaban haciendo ellos.

Menem se arrodilló frente a la tumba y rezó durante unos minutos, en silencio. Después se inclinó hacia adelante y apoyó despacio sus labios sobre el mármol gris mientras Doña Alicia, de pie a su lado, le apoyaba una mano en el hombro. Todos se arrodillaron y el cerro enrojecido por el atardecer se convirtió en el marco imponente de la ancestral ceremonia.

Esa noche, festejaron hasta que salió el sol en la quinta "Las Pirquitas", la casa de los Saadi. Ramoncito había hecho llenar la piscina con botellas de *Barón B,* como en aquella navidad de 1975, en que Menem había brindado por su futura presidencia. Antes de que saliera el sol se subió a su Lear Jet para viajar a Buenos Aires. Los corresponsales de prensa extranjeros habían sido citados en la estancia "Las Acacias". Llegaba quizá el momento más importante de todos: el de su proyección internacional.

Llegó junto a Zulema, en helicóptero. Por primera vez su traje tenía hombreras y la solapa angosta. El peluquero se había esmerado para emprolijar las patillas, que parecían disimularse detrás de las orejas. Sentados en un banco antiguo, como en una postal de la pampa gaucha, Carlos y Zulema sonrieron para las fotos. Fue contestando las preguntas despacio, impostando el tono de estadista y remarcando la convocatoria a la unidad nacional y la garantía de la democracia. Hasta que de pronto sintió que se agrandaba. Habían sido demasiados meses de contenerse frente a los que lo ridiculizaban apostando a que perdería. Como en las viejas épocas de barrio, no pudo contenerse a pesar de los esfuerzos de sus asesores y comenzó a chicanear a los corresponsales. "Porque han dicho tantas barbaridades de mí, han sacado fotos de cualquier manera, han hecho verdaderas campañas...", comenzó enojado. Un periodista canadiense pidió la palabra. "No señor, a usted no le voy a contestar, porque usted es el que escribió que yo andaba vestido de blanco y con zapatos de taco. ¿Y por qué no se fija cómo se viste el primer ministro de su país, que anda en *jean* y zapatillas?" Todos se quedaron atónitos frente a la respuesta.

Después de la conferencia de prensa en la estancia, Menem se recluyó dos días en el cuarto del fondo del local de Lotería de La Rioja, que solía ocupar durante la campaña. No quería pisar el piso de la calle Posadas en la capital, porque allí lo esperaban los Yoma para arreglar su situación. Zulema se había atrincherado. No estaba dispuesta a ceder hasta que su marido no le garantizara la titularidad del Ministerio de Acción Social. Además, Emir quería un cargo en el Ministerio de Economía y Karim en la Cancillería. Simultáneamente, en el local de Callao 246, Hugo Heguy había hecho un enorme organigrama de los cargos superiores de gobierno y allí iban anotándose al tanteo quienes creían que estaban para tal o cual puesto. Todos los que alguna vez se habían sacado una foto con el nuevo presidente desfilaban por allí reclamando un lugar en el nuevo poder.

En medio de semejante caos, Eduardo Menem, Eduardo Bauzá y José Luis Manzano se preocupaban por otro tema. En los primeros contactos que mantuvieron con sus pares radicales en el Congreso después de la noche del 14, tuvieron la certeza de que Alfonsín quería adelantar la entrega del poder porque la conducción del país se le escapaba de las manos: en un solo día, el miércoles 17, el dólar subió un 24 por ciento y las tasas se ubicaron al 200 por ciento mensual.

El jueves 18 se inició con una reunión mixta para intentar firmar un acuerdo de gobernabilidad en la transición. Bauzá, Manzano y Eduardo Menem se encontraron con el ministro del Interior, Enrique Nosiglia, el secretario general de la Presidencia, Carlos Becerra, y el diputado Leopoldo Moreau. Se trataba de acordar la fecha del traspaso del poder y planificar un paquete de medidas económicas consensuadas. Menem aguardaba en el local de Callao. Tirado en una cama, deprimido, se sentía harto de las presiones a su alrededor y convencido de que Alfonsín estaba dispuesto a abandonar el gobierno de un momento a otro, cuando él y su equipo aún no estaban preparados.

—No tenemos nada, entienden, no tenemos plan, no tenemos nada. No podemos asumir. Y nos quieren tirar el gobierno por la cabeza.

Juan Bautista Yofre y Luis Barrionuevo lo miraban sin hablar. De pronto Menem se paró de un salto.

—Alberto, preparáme todo. Me voy un mes al Caribe. Estoy agotado. O me voy o largo todo. Que se arreglen ellos. El quilombo es de ellos.

Barrionuevo comenzó a tartamudear hasta que logró gritarle lo que estaba pensando.

—Vos estás loco. Vos sos un hijo de puta. No te vas a ningún lado. No te podés ir a ningún lado. Yo no te lo voy a permitir.

Menem se sentó en la cama y se cubrió el rostro con las manos.

—Luisito, por favor... por favor... No doy más.

Yofre y Barrionuevo se fueron juntos, decididos a evitar el viaje al Caribe. Menem quería impedir la entrevista del viernes con Raúl Alfonsín porque creía que el presidente le iba a ofrecer el adelanto de la entrega del poder, y él no quería aceptar, pero tampoco decir que no y quedar como un cobarde. Pero además, sentía algo de pudor frente al encuentro. Lejos de la vanidad que podía representar mostrarse como vencedor frente al vencido, Menem prefería no vivir escenas que alguna vez pudieran tenerlo de protagonista. Tenía pavura por los finales y se atormentaba al ver cómo había terminado el gobierno de Alfonsín.

Sin embargo, llegó a la residencia de Olivos en el horario convenido. Menem se inhibió ante la solemnidad del escenario. Su mirada recorría cada rincón, cada detalle de la casa, y luego se extraviaba hacia el parque. No lograba concentrar su atención en lo que Alfonsín le estaba diciendo. El jardín se le presentaba tosco y hostil. El lo transformaría en un vergel, con fuentes, duchas, baños, piscinas, plantas, surtidores, flores empapadas todo el día... El agua fue siempre una de sus obsesiones. Quizá por un atávico recuerdo del desierto heredado de sus padres: creció venerando el agua en las acequias de Anillaco, escuchándola correr, adorándola al pie del cerro, reflejándose en ella. El agua era el centro de la sensualidad, de la vida, de la estética. Habría mucha agua en su mansión.

—¿A usted qué le parece doctor? Doctor...

La voz ronca de Alfonsín lo devolvió a esa mañana del 19 de mayo en que paseaban juntos por el parque de la residencia de Olivos. Menem intentó reconstruir las últimas frases de su interlocutor, pero no lo logró.

—Sí, claro. Estoy de acuerdo con usted.

285

Barrionuevo, Yofre y Mera Figueroa lo estaban esperando cuando volvió a la sede de Callao. Habían convenido una reunión con los directivos de Bunge & Born para que le ofrecieran a Menem un proyecto de plan económico. Mera intentó ser convincente.

—Son nuestra salvación, Carlos. Tienen toda la guita. Si ellos están con nosotros, zafamos. Nosotros no tenemos técnicos, ni grandes empresarios. Ni tiempo.

Menem no necesitaba demasiados argumentos para ser convencido. Además, no tenía ganas de demorarse en reuniones. Había dejado todo arreglado para volar a La Rioja a media tarde. Esperaría a sus asesores allí, y si no venían, los vería a su vuelta, en una semana. Sin embargo, los allegados a Menem no querían esperar; esa noche, antes de la cena, todos se habían congregado en la residencia riojana: Yofre y Kohan, por un lado, y Néstor Rapanelli y Carlos García Martínez, de Bunge & Born, por otro. Torrealba los condujo por la escalera trasera de la residencia mientras Bauzá, Manzano, Cardozo, Corzo, Triaca y Barrionuevo discutían en el comedor central sobre el acuerdo con el radicalismo.

Yofre, un especialista en conspiraciones, decidió que la reunión se haría en el dormitorio para evitar filtraciones de información. Menem se tiró sobre la cama y comenzó a jugar con el control remoto del televisor. Apenas escuchaba las explicaciones técnicas de Rapanelli, no le interesaban. Para atenderlos estaba Erman González, que luego le sintetizaría los tecnicismos en palabras que él pudiera entender. Sólo hizo una pregunta:

—¿Qué están dispuestos a poner ustedes, Bunge & Born?

Rapanelli, tan hábil con los negocios como Menem con la política, no se inmutó.

—¿Usted qué quiere?

—Hombres y dinero.

—Tendrá hombres y dinero. No le podemos decir quiénes ni cuánto, todavía.

Y comenzó una larga explicación, sobre lo que podría quedar de liquidación de exportaciones, de la que Menem rescató sólo un dato: serían algo así como tres mil millones de dólares. Rapanelli comprendió que Menem ya no lo escuchaba y decidió dar por terminado el encuentro.

—Mire, doctor Menem, para facilitarle la comprensión nosotros podemos explicarle el plan con diapositivas y gráficos. Pero eso tiene que ser en nuestro auditorio.

Menem aceptó con una condición: que fueran de la partida todos los empresarios del Grupo María y el ingeniero Alvaro Alsogaray. A él podían engañarlo, pero ¿a todos juntos? Si ponía a todos los interesados en escuchar a un grupo empresario plantear un plan económico, todos querrían competir para proponer uno mejor. El que presentara el mejor plan y se comprometiera a dar los mejores hombres y la mayor cantidad de fondos para financiarlo, sería el ministro de Economía. De esta forma, estos grupos económicos se controlarían unos a otros, porque cada uno de ellos sabría que su plan podría ser el sucesor si el elegido erraba. La reunión que presidiría Bunge & Born quedó fijada para una semana más tarde en Buenos Aires. Esa noche el brigadier Andrés Antonietti, un chaqueño amigo de Juan Carlos Rousselot y Carlos Cañón, llegó a la casa de La Rioja para festejar el triunfo de Menem. Dos días después el jefe de la Fuerza Aérea, Ernesto Crespo, colocó a Antonietti en disponibilidad acusándolo de haber roto las reglas de prescindencia que obligaban a los militares.

Bauzá y Manzano intentaban acordar una suerte de cogobierno con el radicalismo y, a la vez, postular a Domingo Cavallo como candidato al Ministerio de Economía. Cavallo se había convertido en una suerte de terrorista económico y sostenía que había que dejar que el radicalismo se sumergiera en sus propias contradicciones y que la crisis estallara. "Sólo si todo explota y está hecho trizas, podemos empezar a hablar de un plan económico. Si no, estaremos remendando todo el tiempo." Los argumentos de Cavallo no terminaban de convencer a los políticos.

—Muy buena tu explicación técnica —le advirtió el diputado peronista Jorge Matzkin por esos días—. Pero acordáte que cuando "todo explote" va a haber desocupados, desnutridos y muertos, no porcentajes ni índices económicos.

Por su parte, Menem parecía más preocupado por el grado de irritación al que había llegado su relación con Zulema Yoma y sus hermanos que por decidir el nombre de su futuro ministro de Economía. Los Yoma comenzaron a negociar su participación en el futuro gobierno el mismo día del triunfo electoral. Repitieron el método de siempre: Zulema amenazó con el divorcio y el escándalo, los chicos se refugiaron en Buenos Aires y Emir y Karim aparentaron ser los conciliadores, mientras empujaban a su hermana a presionar. Tenían bien claros los objetivos: Zulema al Ministerio de Acción Social, Emir como asesor de Economía y Karim a la Cancillería. Una de las tareas elementales que emprenderían los hermanos sería desviar créditos blandos, de los incluidos en el Tratado de Asistencia Recíproca firmado con Italia, hacia la curtiembre Yoma; el otro objetivo que se proponían era manejar las relaciones con el mundo árabe. Cada vez las condiciones de los Yoma se hacían más exigentes: Zulema quería un despacho en la Casa de Gobierno, junto a su marido.

De no ser así, Amira debía volver a ocupar el rol de secretaria personal de Carlos Menem que tenía en la Casa de La Rioja, para que Zulema estuviera al tanto de todas las actividades de su esposo y pudiera opinar.

"Le sacaron los nombramientos a punta de cuchillo", les graficaría Antonio Palermo a sus amigos. La escena, al menos, merecía ser sintetizada así: Zulema, Karim y Emir encerraron a Carlos Menem en la cocina de la residencia, trabaron la puerta y lo sentaron en una silla junto a la heladera.

—Ustedes son unos hijos de puta... Esta vez no es joda. ¿No se dan cuenta de que tenemos que cuidarnos? Vamos a terminar todos en un quilombo.

Menem intentaba encontrar algún argumento para oponerse a la presión de su familia política, pero ellos enumeraban la lista de favores que les debía, las promesas que les había hecho o las cosas que podrían contar si él no cumplía con lo que ellos reclamaban. Si había llegado al poder máximo, había llegado gracias a todos ellos.

—¿Vos preguntaste de quién era la plata cuando la gastabas? Claro, ahora que se trata de ganarla hay discriminación.

Parecía una pelea matrimonial, pero era una cuestión de Estado. Menem estaba dispuesto a transigir en casi todo lo que le pedían, menos en lo del Ministerio de Acción Social para Zulema. Mientras los hermanos intentaban calmar la situación, Zulema volvió a Buenos Aires decidida a lanzar el escándalo antes de la asunción. Emir sería asesor de Gobierno, Amira jefa de Audiencias y Karim secretario para Asuntos Especiales de la Cancillería. Zulema podía conformarse. Al fin de cuentas era Primera Dama. Pero ella quería una garantía. Ya sabía cómo terminaba la relación con su marido y no quería repetir la experiencia riojana. Quería un lugar desde donde generar política por ella misma y que nadie se lo disputara. De todos los Yoma, era la única con verdaderas ambiciones de poder político. Al resto le interesaban sólo los negocios.

La idea de sumar a Bunge & Born al gobierno comenzó a entusiasmar al flamante presidente. Mucho más allá de las especulaciones políticas, era una cuestión de piel. Como a todo *play boy* de provincia, los multimillonarios siempre lo habían seducido. Era la conjunción misma del poder con el placer. En esos días de La Rioja —menos de una semana— en que decidió su futuro gobierno, formó otra idea: la de la "reconciliación nacional" para indultar de una vez a montoneros y militares, con la bendición del ex secuestrado Jorge Born.

En realidad, Menem nunca dudó del indulto. ¿Por qué habría de hacerlo? Nadie le planteó formalmente el tema, porque todos sabían que ya era una decisión tomada. "Por qué no" era, en todo caso, lo que podían preguntarse. Había llegado al gobierno con los carapintadas, el masserismo, los montoneros y el sindicalismo más ligado a los militares, y a ellos debía responderles. La única discusión con su hermano Eduardo era si se trataría de un indulto o de una amnistía. El senador era partidario de una ley de amnistía, que repartiera las responsabilidades entre todos los legisladores y que tuviera más proyección histórica al ser una decisión conjunta. Pero Menem no pensaba delegar lo que sentía como una satisfacción personal, un acto de reyes. La escena sería completa. No sólo el abrazo entre reprimidos y represores. También entre secuestrador y secuestrado.

Menem le planteó la idea al montonero Mario Montoto, pero la respuesta que consiguió no fue demasiado entusiasta. Los hombres más cercanos a Firmenich desconfiaban de la relación que Galimberti había establecido con la gente de Bunge & Born y estaban convencidos de que el acuerdo involucraba a Raúl Romero Victorica, el fiscal de la Cámara Federal de San Martín que tenía a su cargo las presentaciones en el juicio que se seguía contra el ex líder montonero.

La situación política se complicaba día a día. Menem llegó a Buenos Aires para cumplir con el ritual de festejar con Federalismo y Liberación. Fue en el carrito de la Costanera "Los Amigos" y la organización corrió por cuenta, una vez más, de Luis Barrionuevo. Todos los que estaban en el restaurante creían merecer un lugar destacado en el gobierno. En un momento en que se hizo silencio en la mesa, Menem intentó poner las cosas en su lugar. "Yo los necesito a todos. El que no tenga ambiciones o vocación de poder se puede ir. Necesito al que sabe pintar paredes y al que puede manejar la economía mundial. Pero el que sabe pintar paredes va a pintar paredes y el que puede manejar la economía mundial va a ir al Ministerio de Economía". La frase rodó sobre la mesa sin destinatario fijo y nadie se puso el sayo. La mecánica que Menem había establecido en sus relaciones personales con el grupo comenzaba a volverse en su contra. El grupo se sentía partícipe de una proeza: habían logrado inventar un presidente. Y todos tenían tantos derechos como él. Conocían sus debilidades, sus traiciones, sus dobleces. Sabían que no le gustaba trabajar, que amaba la plata, y que estaba todo permitido con tal de llegar. Ahora habían llegado. Ellos lo habían inventado, como podrían haber inventado a cualquier otro. Lo único que ese entorno reconoció siempre en Menem fue su capacidad de comunicación directa con la gente, su carisma.

Lo que no sabían mientras festejaban alegremente en "Los Amigos", es que ése no era ya el único grupo que estaba dispuesto a tomar por asalto el gobierno. El miércoles 24 de mayo por la noche, Carlos Menem, acompañado por Alvaro Alsogaray y Erman González, llegó al edificio de Bunge & Born en Retiro para escuchar la propuesta económica del grupo. Rodeando la mesa se sentaron Amalia Fortabat, Francisco Macri, Néstor Rapanelli, Carlos Bulgheroni y Livio Kuhl. Estuvo atento sólo a los primeros minutos de la exposición de Rapanelli. Después las imágenes de las diapositivas fueron desdibujándose, mientras él garabateaba sobre un papel los nombres de la formación de River Plate.

La noche terminó en "Fechoría". Gerardo Sofovich, Francisco "Paco" Mayorga, Emir Yoma y Menem jugaron al truco hasta la madrugada. Cuando amaneció, Menem fue directamente hacia el Aeroparque para subir al Lear Jet que lo llevó nuevamente a La Rioja, dispuesto a esperar que la crisis terminara de estallar en las manos del gobierno radical. Se había inclinado finalmente por la postura antiacuerdista de Domingo Cavallo, aunque en realidad quien terminó de definir la situación fue Alvaro Alsogaray. Menem lo llamó para consultarlo sobre la viabilidad de las negociaciones que estaban llevando a cabo Manzano, Bauzá y Eduardo Menem con los radicales para anticipar la entrega del gobierno. El capitán del arma de Ingenieros no dudó:

—No hay que acercarse, que se caigan solos. Alfonsín quiere arrastrarnos a todos con él.

Era todo lo que Menem quería escuchar: ya estaba convencido de la necesidad de apartarse del fracaso de los radicales, pero había buscado que alguien con alguna perspectiva económica le ratificase esa posición.

El jueves 25 de mayo, después de encabezar los actos en la plaza principal de La Rioja, Menem jugó al tenis toda la tarde en la cancha de la residencia de la gobernación. Como siempre, la casa estaba abierta y hacia el atardecer ya había una multitud poblando los salones y los patios. Menem volvía de la cancha cuando vio el éxodo: Zulema, indignada ante tal exceso, los echaba a todos. Menem preguntó qué pasaba y Zulema le contestó con un grito:

—Esta es mi casa y estoy harta de reuniones políticas. Si querés estar con tus amigos, te juntás en otra parte.

En pantalón de tenis y con la toalla al hombro, Menem se subió a su auto y manejó hasta la Casa de Gobierno.

Alrededor de la mesa del Salón Dorado se ubicó un heterogéneo grupo: los montoneros Mario Montoto y Gustavo Gemelli; el obispo de Mercedes, Emilio Ogñenovich, el operador Julio Mera Figueroa; sus secretarios Mario Caserta y Daniel Isa, y el vicegobernador de Santa Fe, Antonio "Trucha" Vanrell. Menem escuchó la exposición del santafecino: la situación social en el Gran Rosario era insostenible; las cajas del Plan Alimentario Nacional habían dejado de llegar a partir del 14 de mayo; la hiperinflación generaba angustia y desazón; la desocupación se había incrementado abismalmente en una semana; la zozobra había acabado con los trabajos por jornal y con los pequeños cuentapropistas. Cualquier chispa que encendiera la mecha podía convertir la región en una réplica de Caracas. La trágica situación que había atravesado la capital venezolana con el estallido social que se produjo después del triunfo electoral de Carlos Andrés Pérez se convirtió en una obsesión para los menemistas. En los últimos años, el estallido social había sido un fantasma impredecible, nadie alcanzaba a precisar bajo qué forma se produciría, y los más apocalípticos lo imaginaban como una versión moderna del 17 de octubre de 1945, en que las masas avanzarían desde el Gran Buenos Aires hacia la Plaza de Mayo. Igual que el resto de la clase política, los menemistas rechazaban esa idea y esa posibilidad. Los saqueos a supermercados, en cambio, les trasmitieron la sensación de un descontrol organizado.

Vanrell contaba con información privilegiada. Múltiples variantes del peronismo santafecino habían construido durante la campaña electoral una férrea estructura en los barrios marginales, a través del accionar de militares carapintada y de miembros de las fuerzas de seguridad provinciales. La militarización de la conducción política del Gran Rosario había logrado exasperar incluso a Menem: cuando la caravana menemista llegó a esa ciudad durante la campaña electoral el candidato no podía creer el espectáculo que contemplaba desde el palco del menemóvil. A simple vista podía deducir que había por lo menos dos personas armadas por cada grupo de cincuenta manifestantes. No se trataba sólo de armas portátiles. Algunos exhibían sin disimulo *itakas* y ametralladoras. Menem amenazó con suspender la caravana si no se despejaba la zona de semejante arsenal, pero ya era tarde. Habían logrado movilizar a un gentío impresionante. La caravana de Rosario terminó a las cuatro de la mañana en un clima de violencia sin igual durante toda la campaña, y fue quizá el preanuncio de los sucesos del 29 de mayo.

Por la noche, el grupo de periodistas que lo acompañaba desde la campaña insistió en escuchar junto a él el discurso que el presidente Raúl Alfonsín haría para anunciar las últimas decisiones. Menem se negó durante algunas horas: quería mirar el partido de fútbol que pasaban a la misma hora por otro canal. Lo aburría profundamente el solo pensar en la idea de aguantar un discurso que preveía largo. Finalmente aceptó a regañadientes. Pero no pudo contenerse. Paseaba por la habitación, entraba y salía, buscaba mate, pastillas de pistacho, galletitas. No escuchó nada. Alfonsín anunció que estaba dispuesto a permanecer en el gobierno hasta el 10 de diciembre. Sin convicción, desgranó un puñado de medidas económicas y convocó a la unión nacional, entre advertencias sobre el caos y la disolución.

—No se lo cree ni él...

Carlos Menem atendió el llamado de su hermano Eduardo que le trasmitía la preocupación del elenco radical. Nadie entendía la nueva maniobra de Alfonsín. Se suponía que estaban negociando el adelantamiento de la entrega del poder para agosto.

—No importa. Es una "gallegada". No es serio. Mañana hablamos.

El lunes, Vanrell le confirmó lo que habían hablado el viernes por la noche. Rosario era un caos. Habían estallado los saqueos. Los vecinos asaltaban los supermercados. Ni tan marginales ni tan rosarinos, algunos hombres en los clásicos Falcon verdes de los servicios de inteligencia iban marcando los lugares más fáciles de saquear. Manzano y Cafiero llamaron desde Buenos Aires para pedirle a Menem que fuera allí a hacerse cargo de la situación:

—Ni loco. Yo me quedo acá. No es un problema mío —afirmó, y se quedó en la Casa de Gobierno, atendiendo cuestiones del día y recibiendo amigos y periodistas. Habló para la televisión australiana y no pudo ocultar su ánimo jocoso.

—¿Por qué usa patillas? —preguntó el australiano en dificultoso español.

—¿Y usted por qué usa barba? —le contestó y estalló en una carcajada.

—Algunos le critican su frivolidad, ¿no cree que deberá cambiar ahora que es presidente?

—¿Para qué? Si así llegué a presidente... a ver si después me va mal...

—¿Le gusta leer?

—Sí. Leí el Corán. Leo mucho la Biblia. Me gusta mucho también leer a Sócrates. Pero, en realidad, mis preferidos son los libros de Morris

West. Los leí todos: *El abogado del diablo, Arlequín, El embajador, La salamandra...* Además, cuando era chico coleccionaba las revistas de historietas, sobre todo las de Patoruzú y las de Isidorito Cañones... Y después una revista de deportes, *El Gráfico.*

—¿Qué piensa de lo que está sucediendo en Buenos Aires y en Rosario?

—Acá no sucede. Si quiere vamos a un supermercado, y va a ver que no hay desabastecimiento ni inflación.

Cumplió, por la tarde marchó con las cámaras de televisión a un supermercado. Recorría las góndolas, sacaba cosas de las estanterías, las miraba, mostraba el precio y las volvía a colocar en su lugar. Otros canales grababan en Buenos Aires y Rosario la muerte de trece personas durante los saqueos a otros supermercados.

Cuando volvió a instalarse en la Casa de Gobierno, ya los teléfonos sonaban con insistencia. Antonio Cafiero, en representación del Partido Justicialista, se había entrevistado con el ministro del Interior, Juan Carlos Pugliese (que había reemplazado a Enrique Nosiglia). Pugliese quería el visto bueno de la oposición para declarar el estado de sitio. Ramón Hernández marcó el número del Ministerio del Interior.

—No sólo estamos de acuerdo. Le pedimos que declaren el estado de sitio en Rosario...

Torrealba alcanzó mate y Menem se sentó a bromear con sus amigos en su escritorio de la gobernación. Llamó a los periodistas para que lo acompañaran.

—Vayan preparándose —anunció—: en unos días nos vamos todos a Buenos Aires porque asumo.

—¿Lo llamaron?

—Todavía no... Pero ya van a llamar. Son como las minas: hay que maltratarlas un poquito.

—¿Usted va a ir a Buenos Aires?

—¿Yo? —Se paró, juntó los pies exagerando el gesto y levantó dos dedos en V.— ¡Siempre listo, como un boy scout!

La vieja secretaria de la gobernación le avisó que había un llamado del periodista Fabián Dabul, de la agencia Noticias Argentinas. Menem se puso al teléfono. "¿Usted sabe quién habla acá?", le preguntó cortante al periodista, y sin darle tiempo contestó: "¡El plomero!".

Durante algunos minutos se rió a carcajadas: durante la campaña, uno de los periodistas, Osvaldo Menéndez, de Radio Mitre, golpeaba la puerta de las habitaciones de sus colegas gritando "¡Abran, llegó el plomero!". Todavía estaba festejando su ocurrencia cuando sonó otra línea. Esta vez atendió directamente. Era Margarita Ronco, la secretaria de Alfonsín. Menem estaba tentado a seguir riendo, y no lograba disimularlo. Miraba al piso con los ojos cerrados para contener la carcajada.

—¿Cómo está, Don Raúl? —logró articular a duras penas.

Alfonsín se preocupó por darle solemnidad al momento para concientizar al riojano de la gravedad de la situación.

—Presidente... Este es un asunto de Estado y quiero participarlo. La situación es grave y según nuestras informaciones puede empeorar. Acabo de firmar el decreto declarando el estado de sitio. Necesito su apoyo.

Menem ya había recuperado la compostura. Empezaba a disfrutar del momento con serenidad.

—Claro que sí, señor Presidente, claro que lo apoyamos. Además yo había hablado con su ministro sobre la situación en Rosario y le había pedido...

—No es sólo para Santa Fe. Es para todo el país. La situación es crítica. Doctor, creo que es urgente que nos encontremos.

Menem se recostó sobre el sillón y separó el auricular de su oreja mientras sonreía mirando a Ramón Hernández.

—Pero, claro... Por supuesto.

—¿Cuándo, doctor?

—Yo estoy volviendo a Buenos Aires el jueves... o el viernes...

—Doctor, hoy es lunes. Estamos en un estallido social.

Menem volvió a sonreír.

—No, claro, si a usted le parece... puedo intentar estar allí el miércoles. Mi secretario la llama a Margarita y combinan, no se preocupe.

Colgó y golpeó con su mano sobre la mesa. Estaba feliz.

—Y bueno, a veces tengo intuición. ¿Iban a llamar o no?

Ramón lo abrazó hasta casi levantarlo en el aire.

—¡Grande, Jefe!

Zulema fue la primera en verlo llegar y lo acompañó hasta el escritorio de su marido. Ella intuía que Miguel Roig, ese ingeniero enjuto, demacrado y con modales de abuelo campechano, sería el futuro ministro de Economía. Menem había elegido la "tesis del desastre" de Cavallo y Alsogaray, pero se había quedado con la promesa de los millones de Bunge & Born. De cualquier forma, todos estarían en el gobierno. Ya lo había explicado Facundo Quiroga: "El Gobierno echa mano de los hombres que más temor le inspiran para encomendarles los empleos, a fin de tenerlos en su obediencia". En su visión marginal de la cultura y la ciencia, Cavallo y Alsogaray eran seguramente mejores economistas, pero Miguel Roig era el ex gerente de una empresa millonaria.

La decisión de apurar el anuncio de la designación para ese mismo martes fue parte de otra intuición. Alfonsín le ofrecería el gobierno en el encuentro del miércoles. Debía demostrar que estaba preparado para asumir, y así, aún cuando no aceptase la propuesta, quedaría claro que no era porque no estaba listo. "Hace quince años que me preparo para ser presidente", repetía cada tanto, pero lo cierto es que se había preparado construyendo su consenso, pero no su proyecto ni sus equipos.

Zulema sabía que el miércoles era un día trascendente, que probablemente su marido volviese de Buenos Aires con la fecha de asunción. Y sabía manejar los tiempos para presionar: debía estar a su lado, ser anfitriona y acompañar.

Esa noche estuvo espléndida: invitó a los periodistas australianos a cenar y se ocupó personalmente de los preparativos. Buscó el traje verde que hacía resaltar sus ojos y se recogió el pelo sobre la nuca con un moño negro, como a Carlos le gustaba. Desparramó sus "madrecita" por doquier. Besó y acarició a su marido en público, como si se tratara de un noviazgo adolescente. Después lo dejó solo con Roig durante una hora. Cuando los dos salieron del escritorio, Zulema se colgó del brazo de su marido, quien sonriendo a los periodistas dijo: "Acá los dejo con el ministro de Economía".

Y se fue a jugar al tenis.

LA DESPEDIDA DE ALFONSIN

Menem salió indignado de la residencia de Olivos.

—¿Sabes qué, Eduardo? Ojalá se vaya a los tomatazos.

Alfonsín no le había rogado que se hiciera cargo del gobierno. A pesar de la crítica situación y de los consejos de sus asesores para que le ofreciera a Menem formar parte de un cogobierno, en el momento mismo en que el riojano cruzó la puerta de la residencia el dirigente radical recuperó algo de su innata vanidad y decidió hacer valer hasta último momento los oropeles de su cargo. Sólo mencionó la posibilidad de que hubiera que adelantar la fecha del traspaso para "algo así como fines de agosto o principios de setiembre". Nada concreto. Alfonsín todavía actuaba como si el poder le perteneciera.

Pero lo que más indignó a Menem fue que se permitió darle consejos sobre la cuestión militar. Alfonsín estaba obsesionado por el tema carapintada. El fantasma que lo martirizó en sus últimos años de gobierno se volvió a hacer tangible durante los saqueos, cuando su secretario de Interior, Ricardo Gil Lavedra, le confirmó las versiones que se escuchaban en todos los despachos: "Las policías provinciales no actúan, dejan hacer. Y hay alguien haciendo inteligencia, alguien con sofisticados equipos de comunicaciones. Creemos que son los carapintada".

—Carlos, permítame un consejo. Los carapintada les van a traer dolores de cabeza. Con esa gente no se puede pactar.

Menem intentó disimular su fastidio.

—Yo sé que ustedes están planeando una solución para el tema militar.

Menem estaba decidido a otorgar el indulto, y creyó que ese era el tema del cual estaba hablando el presidente. Por eso respiró aliviado cuando Alfonsín mencionó el nombre del asesor de Eduardo Menem, Roberto Dromi.

Alfonsín se refería a una idea que los jefes militares habían propuesto a Dromi: el *per saltum,* un mecanismo por el cual todas las causas pendientes contra militares pasarían directamente del estadio en que se encontraran a la Corte Suprema, para definir la situación. La incertidumbre alrededor de dieciocho causas por violación a los derechos humanos que todavía permanecían abiertas era uno de los centros de la preocupación militar. Alfonsín estaba dispuesto a negociar esas causas. A esta altura, le alcanzaba con que estuvieran en prisión los que ya estaban juzgados y seguir su cruzada contra los carapintada. Caminando por los jardines de Olivos sacó de su bolsillo un papel con el membrete de la Presidencia de la Nación, lo desdobló y se lo alcanzó a Menem.

—Es un indulto para los dieciocho oficiales procesados. Le propongo que lo firmemos juntos.

Menem lo miró un momento sin leerlo y se lo devolvió.

—Estoy de acuerdo. Pero yo no puedo firmar. No soy presidente. Usted todavía tiene el poder, doctor.

—Ahora el poder es de los dos... Le daría mayor consenso en la sociedad.

Menem no estaba dispuesto a avalarlo. Su decisión en el tema militar era otra. Si Alfonsín quería allanarle el camino en una parte, enhorabuena.

—Esta bien, doctor. Déjeme consultarlo con el partido.

La reunión se fue desdibujando. Menem y Alfonsín comenzaban a detestarse profundamente. Alfonsín sentía que el riojano sólo esperaba el momento de su quiebra y Menem intuía el desprecio del radical. Intercambiaron saludos y frases de ocasión. Prometieron consultarse ante cualquier duda y hablar con sus hombres para que las conversaciones por la transición se encaminaran. Se despidieron en la puerta, Menem casi arrepentido de haber ido. Por unos momentos, no pudo escapar a comparar una vez más la política con las mujeres. "Me apuré demasiado. Había que dejarlo llamar algunas veces más. Esperar hasta que estuviera desesperado en serio. Ahora está agrandado. No entiende nada."

Alfonsín creía que había acordado una suerte de cogobierno, un período de transición en el que los menemistas colaborarían para que todo no terminara en un desastre. Los radicales creían que el nombramiento de Roig en el ministerio de Economía era, finalmente, una buena señal. Para ellos, el desplazamiento de Cavallo significaba la derrota de la política más apocalíptica y de mayor confrontación.

La primera sorpresa llegó esa misma noche, cuando supieron que Cavallo estaba cenando junto al empresario papelero Víctor Massuh y al titular de la Unión Industrial Argentina, Gilberto Montagna, en el gimnasio de la residencia riojana. La segunda sorpresa fue que Cavallo había sido nombrado ministro de Relaciones Exteriores, con especial atención en ocuparse de las relaciones económicas internacionales del país. Casi al mismo tiempo se anunció la designación de Alvaro Alsogaray como asesor en temas de la deuda externa. Los radicales comenzaron a desconfiar del espíritu negociador de los peronistas.

Menem terminó de nombrar a su gabinete: Alberto Kohan, secretario general; Roberto Dromi, ministro de Obras y Servicios Públicos; Julio Corzo, ministro de Acción Social; Eduardo Bauzá, ministro del Interior; Antonio Salonia, ministro de Educación; Italo Luder, ministro de Defensa; Jorge Triaca, ministro de Trabajo. Sus hombres de mayor confianza, Bauzá, Kohan, Corzo y Erman González, que pasó a ocupar la vicepresidencia del Banco Central, estaban a su lado. Dos de las ideas primarias quedaron en el camino: José Octavio Bordón para Obras Públicas y Julio Mera Figueroa para Defensa. El mendocino aceptó primero y rechazó después el cargo, cuando se enteró de que el cordobés Julio César Aráoz había sido designado directamente por Menem como secretario de Energía. En realidad, Bordón se arrepintió rápidamente de haber aceptado el ofrecimiento de Menem y buscaba una forma elegante de dar marcha atrás. La designación de Aráoz le permitió una salida no sólo honrosa sino, además, con rédito político: se resguardaba un espacio de independencia en un momento en el que ningún dirigente justicialista cuestionaba la voluntad de Menem.

El tema de Mera Figueroa fue más complicado. La primera oposición nació de Bauzá, Eduardo Menem y José Luis Manzano, que habían tenido diferencias durante la campaña y que lo acusaban de haberse quedado con buena parte de los fondos. Los contactos de Bauzá y Manzano con el radicalismo les alcanzaron el argumento final. Un oportuno papel de Interpol llegado a la Secretaría de Inteligencia del Estado recordaba las vinculaciones de Mera Figueroa con Daniel Isa, que había tenido que viajar a París después de que un automóvil manejado por uno de sus amigos fuera detenido en una ruta de Salta transportando cocaína.

Con el gabinete armado, Menem comenzó a anunciar que estaba preparado para gobernar. "Puedo asumir cuando quieran", proclamaba. La sensación de inestabilidad se profundizaba. La CGT y la UIA comenzaron a amenazar con un paro general conjunto con el que exigirían la renuncia de Alfonsín. Guido Di Tella, designado secretario de Hacienda de Roig, anunció que el gobierno establecería un "dólar recontraalto". Fue la señal que necesitaban los operadores para que la moneda estadounidense se disparara. Por otro lado, la difusión de algunos puntos del plan económico de Bunge & Born que contemplaban un aumento general de tarifas e impuestos, contribuyó al descontrol de los precios. Menem jugaba al caos. Anunciaba en público que "el 9 de julio es una buena fecha para asumir", pero en privado le comunicaba a los gestores del radicalismo que no estaba dispuesto a hacerse cargo antes de agosto o setiembre.

Durante la semana del 5 al 11 de junio de 1989 se iniciaron las gestiones oficiales y urgentes para el traspaso. Alfonsín nombró como su delegado personal a Rodolfo Terragno, que se entrevistó varias veces con Menem en el departamento de la calle Posadas. Menem tenía dos obsesiones: los símbolos y el poder. No estaba dispuesto a asumir a las apuradas ni a escondidas. Había soñado durante demasiados años con la ceremonia como para que alguien la saboteara. Quería brillo, lujo y ornamentos, un despliegue de "la corte" que impresionara a los "súbditos". No era sólo una cuestión de vanidad personal, creía que el inicio marcaría su gobierno, y que la grandeza de una nación es casi el estado de ánimo de sus dirigentes y sus habitantes. Aunque no lo expresaba así, eran fáciles de adivinar, debajo de sus apelaciones a la necesidad de "tiempo para una transición ordenada", las ganas de darse una fiesta que no fuera fruto de la necesidad de ir a socorrer, sino de un lugar ganado y merecido. Durante esos días, Menem no pensó un proyecto de gobierno, ni una de las fórmulas que llevaría a cabo desde su asunción. Pensó, precisamente, en su asunción.

Estaba pendiente una sugerencia de Cavallo, que trabajaba en el delineamiento del tema económico a la par de la gente de Bunge & Born. Los hombres de la Fundación Mediterránea reclamaban un compromiso del radicalismo para que no se trabaran las leyes que debían enviar al Congreso en los primeros días de gestión para poner en marcha el plan. En realidad, pedían que el paquete se aprobara antes de la asunción de Menem.

La situación se hizo caótica a medida que los dirigentes sindicales menemistas comenzaron a conversar con los carapintada sobre la posibilidad de lanzar un paro general para reclamar la renuncia de Alfonsín. El presidente, que había disfrutado de la Plaza de Mayo colmada vivando su nombre, comprendió que se trataría no de su retirada sino de su muerte política, y decidió anticiparse. El lunes 12 de junio por la mañana le anunció a Terragno que las negociaciones llegaban a su fin: esa misma noche iba a presentar la renuncia.

Terragno llegó a La Rioja con las novedades. Menem no lo tomó demasiado en serio. "Bueno, esperemos hasta mañana... mis hombres están viniendo para acá...", le sugirió. Terragno se esforzaba por convencerlo de que la situación era límite, y Menem lo invitó a almorzar para discutirla. El operador radical llegó a la residencia al mediodía, convencido de que estaba viviendo un momento histórico. Iba a discutir una razón de Estado. Había ido acompañado sólo de su secretaria personal, María Chimondeguy, para evitar filtraciones. Ella lo esperaría en una sala contigua, mientras él discutía con Menem los términos del traspaso. Los guardias de la puerta lo hicieron pasar al salón de recepción, invadido por una multitud de riojanos, asesores y visitantes que habían llegado desde Buenos Aires. Zulema salió de la cocina a darle la bienvenida. Lo hizo pasar al comedor, y Terragno recibió la primera sorpresa: la mesa estaba tendida para quince personas. Zulema insistió para que María Chimondeguy los acompañara en el almuerzo y sentó a los dos invitados a la mesa. Enseguida llegaron Eduardo Menem y su mujer. Después, José Luis Manzano y Eduardo Bauzá. Unos minutos más tarde, Bernabé Arnaudo y Julio Corzo. Por fin entró Menem, saludó a Terragno y prendió el televisor. Los mozos comenzaron a servir y la charla derivó en nimiedades. Terragno y Manzano se esforzaban por llevar la conversación hacia la situación nacional, pero Menem contaba anécdotas y Arnaudo narraba viejas historias riojanas. Casi sobre los postres, Terragno cortó abruptamente la cuestión:

—Doctor, yo tengo que anunciarle que el presidente Alfonsín va a renunciar a su cargo. No quiere forzarlo a nada, no lo entienda como una presión. Pero no hay otra solución. Es imprescindible que asuma un gobierno con todo el poder para poder tomar resoluciones drásticas.

Menem meneó su cabeza.

—Está bien, está bien... Ya vamos a hablar. Es un tema serio. No se puede discutir así, de un día para el otro.

Terragno se encerró en su habitación del Hotel Plaza para comunicarse con la residencia de Olivos. Alfonsín escuchó indignado el relato del almuerzo. Mientras tanto, Menem dormía la siesta y el resto de su gabinete terminaba de llegar a La Rioja desde Buenos Aires.

Bauzá, Manzano, Eduardo Menem y Dromi estaban convencidos de que se acercaba la renuncia de Alfonsín. Cavallo seguía sosteniendo la necesidad de no involucrarse en la retirada del radicalismo. Di Tella se tomaba todo alegremente y Roig se mantenía al margen de las discusiones, mirando todo con expresión asombrada frente al nuevo universo al que acababa de introducirse.

Menem jugó al tenis, mientras Terragno y sus futuros ministros lo esperaban en el comedor. Bauzá se acercaba cada tanto a la cancha para apurarlo, pero Menem discutía cada pelota como si fuera la final de un Grand Prix. Alberto Kohan se llevó de un brazo a Bauzá hacia un costado.

—Flaco, los radicales pidieron la cadena nacional para las nueve. Parece que renuncia Alfonsín.

Los dos corrieron al comedor para avisarle a Terragno. El radical los miró asombrado.

—Ya lo sé. Pero yo se los estoy diciendo desde esta mañana. ¿Ustedes creían que yo bromeaba sobre un tema así?

Manzano intentó una última jugada.

—Escucháme, llamá a Buenos Aires. Decíle a Alfonsín que está bien, que vamos a hablar de fechas concretas. Pero que nos dé un par de días más.

—¿Qué dice Menem? —preguntó el radical.

Nadie sabía. Y nadie se atrevió a interrumpir el partido para consultarle.

—Ustedes están todos locos —se quejó Terragno.

Cuando el futuro presidente entró al comedor ya estaban todos sentados frente al televisor. Nadie habló. Desde la pantalla, la imagen de Alfonsín les pareció, por primera vez en los últimos años, imponente. En su último acto de gobierno, el presidente asumía la majestad de su cargo. Hizo una minuciosa lectura de la situación de los últimos meses y admitió la falta de poder de su gobierno para resolver la situación. "El espacio para la acción del gobierno en funciones se encuentra demasiado acotado como para enfrentar con probabilidades de éxito problemas en los que cualquier demora acarreará padecimientos para todos." Menem se paró, dio una vuelta por el salón y finalmente se recostó sobre el respaldo de una silla. "Resigno mi investidura presidencial, pero no declino mi responsabilidad ni abandono la lucha que desde ahora continuará en cualquier lugar que esté, hasta tanto me den las fuerzas para ello, en pos de los objetivos que tantas veces desde 1983 recordé con ustedes de constituir la unión nacional, afianzar la justicia, consolidar la paz interior, proveer a la defensa común, promover el bienestar general y asegurar los beneficios de la libertad para nosotros, para nuestra posteridad y para todos los hombres del mundo que quieran habitar el suelo argentino."

Durante algunos segundos, la emoción que embargó inocultablemente al presidente Alfonsín se trasmitió al comedor de la residencia riojana. Menem suspiró y levantó la cabeza, fijando la vista en el techo. Cavallo intentó una salida complicada:

—Pero no renunció... Hay que ver si "resignar" quiere decir lo mismo. Creo que es una bravuconada. No nos dejemos extorsionar.

Manzano lo interrumpió.

—Mingo, es una renuncia con amor propio de gallego, nada más.

Duhalde fue más preciso aún.

—Es el primer acto de Alfonsín como opositor. ¿O alguien creía que nos la iba a hacer fácil?

En una habitación del Hotel Plaza, Rodolfo Terragno ya preparaba sus valijas para volver a Buenos Aires.

De Anillaco a la Rosada

Menem pasó la noche tirado sobre su cama, con los ojos abiertos y las manos cruzadas sobre el pecho. Ramón Hernández lo miraba sin hablar, sentado en el sillón del rincón del dormitorio. Cuando amaneció, ya había tomado la decisión: no asumiría. Sabía que no quería hacerlo, aunque no podía explicar si la sensación que tenía era de angustia a lo desconocido o de miedo a lo que podía prever. Se vistió, desayunó y marchó hacia la Casa de Gobierno, en la que lo esperaban todos sus futuros hombres de gobierno en el Salón de Reuniones. Casi no dejó que se iniciara la discusión.

—No van a apurarnos. Si se quiere ir que se vaya. Nosotros vamos a hacer respetar la línea de sucesión y que asuma Eduardo, como vice-presidente del Senado.

Después se fue, y los dejó solos y discutiendo acerca de si había sido la mejor decisión. Cuando llegó a la residencia para dormir la siesta, Zulema lo esperaba enfurecida. Echó a Ramón Hernández y Miguel Angel Vicco y cerró de un golpe la puerta del dormitorio.

—¿No ves que sos un cagón, un pelotudo? ¡A ver si el Eduardo te ayudó mucho para que seas presidente! ¿Sabés quién te ayudó? Yo te ayudé, y Emir y Karim. Sos presidente por nosotros, ¿entendés? Mientras el Eduardo andaba por ahí diciendo barbaridades de vos. Mientras él vivía como rico y tus hijos se cagaban de hambre. Pero escucháme una cosa, Carlos Menem. Vos no me vas a humillar a mí así. Si el Eduardo llega a asumir como presidente yo me voy a Buenos Aires y armo un escándalo del que te vas a acordar toda tu vida. Nunca vas a poder asumir vos...

Carlos Menem se había recostado en la cama, sin alcanzar a responder. Zulema seguía con su catarata de advertencias.

—Claro, todo muy bonito. Llega el Señor Presidente en el avión presidencial a La Rioja y el Gobernador y la Señora van a esperarlos. ¡Y yo soy la esposa del Gobernador y la Susana va a ser la esposa del Presidente! Y no tengas ninguna duda: el primer fin de semana vienen a La Rioja, para humillarme. ¡Ni se te ocurra! ¿Me entendés? ¡Ni se te ocurra!

A la misma hora, Emir llamaba por teléfono a Erman González. "Negro, Carlos se volvió loco. Si Eduardo asume no renuncia nunca más. Es un traidor, y lo odia a Carlos. Vos lo sabés tan bien como yo. Y nos odia a nosotros. A vos, a mí. Carlos está loco." En la Casa de Gobierno, Bauzá y Manzano pensaban razones algo más políticas. La situación de crisis profunda marcaba la necesidad de un gobierno fuerte. Era obvio que no lo sería un gobierno de transición comandado por Eduardo Menem. Dilatar la asunción era profundizar la crisis.

Cavallo propuso otra fórmula: que Eduardo asumiera para tomar todas las medidas que sería necesario implementar apenas asumido el gobierno y que acarrearían graves costos políticos. Tendría que despedir personal del Estado, cerrar empresas públicas y firmar decretos con medidas impopulares que había que implementar de inmediato. Esta vez fue Eduardo el que se negó. Erman terminó de convencer a Carlos: "Mirá, no quiero meterme porque es tu hermano. Pero si no es lo suficientemente solidario como para bancarse esos costos, él que no es nadie... ¿qué sentido tiene que le dejes la Presidencia? Mejor hagámonos cargo de una vez y chau".

Mientras los ministros esperaban en el Salón de Reuniones, Carlos Menem convocó a una conferencia de prensa en su despacho y anunció con calma:

—Hace quince años que me preparo para ser presidente. Si quieren que asuma el 8 de julio, voy a asumir el 8 de julio.

Ese fin de semana Menem viajó a Buenos Aires. Alberto Samid y Jorge Antonio le habían preparado un multitudinario festejo en la estancia "La Celia" de Alejandro Granados. Más de tres mil invitados participaban de la reunión por diferentes motivos. La extraña alianza formada por montoneros, carapintadas, masseristas, los Yoma y Jorge Antonio llegaba a reclamar su cuota en el poder. Todos disfrutaban de las toneladas de asado aportadas por el frigorífico Yaguané de Granados, mientras los principales representantes de cada sector discutían en la cabecera de la mesa sus lugares en el futuro gobierno.

Mario Caserta y Carlos Cañón llegaban con una derrota a cuestas: habían aspirado al Ministerio de Defensa y Menem los sorprendió con el nombramiento de Italo Luder. De cualquier forma, el lugar número dos de la cartera para Humberto Romero les daba algo de aire. Caserta había caído sin demasiado entusiasmo en la Secretaría de Recursos Hídricos, para ocupar un lugar antes que fueran repartidos todos los espacios, pero seguía operando para conseguir la estratégica Subsecretaría de Logística de la Secretaría de Informaciones del Estado, un lugar desde el que se manejan todos los fondos del organismo —uno de los que mayor presupuesto tiene en la estructura del Estado— y desde el que se tiene acceso a toda la información disponible. Caserta tenía en contra aquello mismo por lo que estaba peleando. Su "ficha" en la SIDE registraba, con el habitual tono de acusación sin fundamento de esos *papers,* que "a partir de 1976 formó una sociedad en Lanús para dedicarse al juego clandestino y llegó a manejar el juego clandestino de todo el Mercado Central. Se acercó a Menem por el apoyo de Miguel Vani pero lo echaron del entorno por sus actividades 'ravioleras'. Cuentan que alguna vez cargó 'merca' en el menemóvil, y que Nosiglia le avisó a Mera Figueroa que lo desplazó de su entorno". Menem había nombrado a su ex vocero Juan Bautista Yofre al frente de la SIDE, y en ese asado en "La Celia" Carlos Cañón le exigió una compensación. Para los postres, ya había sido nombrado titular de la Central Nacional de Inteligencia, casi un organismo paralelo al que dirigiría Yofre.

La mesa presidida por Antonietti parecía una delegación militar. Allí se alineaban el capitán Carlos "Za Za" Martínez; los brigadieres Pedro Juliá, Ernesto Correa y Julio Santuchone, ex jefe de la policía de San

Juan durante la dictadura militar; el capitán Pedro Fernández Sanjurjo y el mayor Ernesto Barreiro. Antonietti todavía aspiraba a la comandancia del arma, haciendo valer el mérito de haber sido desplazado por su condición de menemista, y el grupo pretendía que Fernández Sanjurjo fuera jefe de policía. Durante el almuerzo, "Za Za" Martínez y Fernández Sanjurjo, que habían sido edecanes de Isabel y Juan Perón, respectivamente, lo convencieron de que había pocos lugares de tanto poder como los que ellos habían ocupado.

—¿Sabés cuál fue el poder de López Rega? Atarle los cordones al General.

Antonietti transó en un punto intermedio: sería, al menos, el jefe de los edecanes, y pidió la titularidad de la Casa Militar.

Unas sillas más alejado, Jorge Antonio hacía sus propios pedidos: apoyaba los reclamos de los Yoma, pero quería además que el ex marido de Amira, Ibrahim al Ibrahim, fuera designado al frente de la Aduana. Menem ya había nombrado para ese puesto al brigadier Ricardo Etchegoyen por sugerencia del todavía titular de la Fuerza Aérea, Ernesto Crespo, pero le prometió que Al Ibrahim ocuparía un cargo en Ezeiza. Samid reclamaba la titularidad de la Junta Nacional de Carnes y a esta altura, abrumado, Carlos Menem le pidió tiempo para resolverlo.

Casi sin saludar, se subió a su auto y manejó él mismo hasta el departamento de la calle Posadas. Allí lo esperaban Zulema y Emir Yoma. Menem se sentó en uno de los sillones con tapizado árabe y escuchó en silencio mientras su esposa reclamaba por su futuro lugar en el gobierno. Zulema quería el Ministerio de Acción Social o la promesa de que encabezaría una fundación de ayuda formada por capitales privados, pero con sede en la Casa de Gobierno.

Menem estaba cansado y deprimido. Escuchó a su mujer en silencio y salió del departamento dando un portazo. Se subió al automóvil y le pidió a Ramón Hernández que lo llevara directamente al Aeroparque. Quería volver a La Rioja, estar solo.

Zulema amenazaba desde Buenos Aires: ordenó a sus hijos que no viajaran a La Rioja y advirtió a su marido que, si no consentía a sus pedidos, se divorciaría antes del momento de la ceremonia de asunción. Jorge Mazzucheli y Antonio Palermo iban y venían entre Buenos Aires y La Rioja para concretar las negociaciones. Menem comenzó a ceder: le garantizó la Secretaría de Audiencias para Amira, una asesoría en casa de gobierno para Emir y la Fundación para ella. Zulema quería que le garantizara el despacho en la Casa de Gobierno y el manejo de fondos. Ya podía prepararse para la asunción.

Todo parecía solucionado cuando volvió a estallar el escándalo. Los encargados de Ceremonial de la Presidencia preparaban con meticulosidad la ceremonia de traspaso del mando. Alfonsín y Menem creían por igual en las formalidades democráticas, y ninguno de los dos estaba dispuesto a restarle brillo a la ceremonia en la cual un presidente democrático le traspasaba la banda a otro presidente democrático después de sesenta y un años. Zulema reclamó estar al lado de su marido en toda la ceremonia, y en vano intentaron explicarle que no era posible. El ceremonial argentino no reserva un lugar para la "Primera Dama", sino sólo para los funcionarios con roles específicos. Zulema se encerró en su departamento y anunció que ni ella ni sus hijos concurrirían a la ceremonia. Aunque el eje del escándalo parecía ser ese, se trataba en realidad de una disputa por el espacio de los Yoma en el futuro gobierno. Zulema se sentía representante del sector y creía que ceder el primer día era sólo el inicio. Además, había que garantizar que Carlos cumpliera con lo prometido y, teniendo en cuenta los acuerdos no firmados y la personalidad de su marido, proclive a no cumplir lo pactado, Zulema desconfiaba.

El 2 de julio Menem festejó su cumpleaños en La Rioja sin sus hijos ni su esposa. Se deprimió, se encerró en su dormitorio y no quiso ver a nadie. Tuvieron que ir a buscarlo para la cena. Ni siquiera lo divirtió la broma de sus amigos: como el ministro de Economía había anunciado que habría aumento tarifario, Menem había sugerido que "el que no pueda andar en coche andará en bicicleta, como los japoneses"; ese día recibió de regalo una docena de bicicletas. El 4 de julio renunció a su cargo de gobernador de La Rioja. Sólo su hermano Eduardo lo acompañó de regreso a su casa. Cuando llegó, se sentó en uno de los sillones del jardín que miran hacia el cerro. "Qué lindo está el Velazco", murmuró mientras lagrimeaba.

Menem disfrutó cada minuto del 8 de julio. Se levantó a las seis de la mañana y se acicaló durante dos horas. Recibió al edecán presidencial que llegó a buscarlo y subió junto a Zulema y a sus hijos al coche que lo trasladaría a la Casa de Gobierno. No pudo reprimir la emoción cuando ingresó del brazo de Raúl Alfonsín al Salón Blanco, engalanado como para una boda. Seis presidentes latinoamericanos se sentaban en la primera fila imponiendo relieve histórico al momento. Empresarios, embajadores, políticos. Como en todas las ocasiones trascendentes, la osadía que lo acompañó siempre en su vida dejaba paso al pánico. Eso fue precisamente lo que sintió en el momento en que Raúl Alfonsín se quitó la banda y en un gesto rápido y seguro la cruzó sobre su pecho. El silencio inundó el salón y la Plaza de Mayo. Alfonsín entregó el bastón presidencial. Se dio vuelta para abandonar el palco y el presidente de Nicaragua, el sandinista Daniel Ortega, fue el primero en reaccionar: comenzó a aplaudir, y el salón y la Plaza estallaron en un aplauso. Menem contuvo por un brazo a Alfonsín y lo abrazó. Los dos lloraban sin disimulo. Raúl Alfonsín susurró un "hasta luego" y Carlos Menem un "gracias". Zulema subió al palco y abrazó a su marido.

"Te sigo amando como siempre." Zulema escuchó la frase de su marido y miró a la joven a la que iba dirigida. Sintió sobre ella los focos de la cámara de televisión y sonrió como si nada hubiera pasado. Casi en sus primeros minutos de presidente en ejercicio, con la banda puesta y parado en el centro del despacho principal de la Casa de Gobierno, Menem se permitía volver a sus viejas costumbres. La joven devolvió el saludo al Presidente con una inclinación de cabeza, miró a Zulema casi pidiendo disculpas y se corrió para dejar paso a los embajadores que esperaban para saludar al flamante mandatario.

NUEVE

UNA SEMANA DESPUÉS de que Carlos Menem asumiera la Presidencia y tomara el juramento a sus ministros, la sensación de tragedia inminente que lo acompañó toda su vida volvió a presentarse. El hombre clave de su gobierno, el ministro de Economía Miguel Roig, el empresario de Bunge & Born que debía llevar adelante el proyecto de transformación, murió en su departamento de la Plaza San Martín. Cuando Menem recibió la noticia no dudó en afirmar: "Se suicidó". Las presiones durante esos siete días habían sido casi intolerables. Las principales empresas que formaban parte del acuerdo económico y político con el gobierno habían triplicado sus precios provocando un pico de hiperinflación. La devaluación llegó al 170 por ciento, con una cotización oficial del dólar a 650 australes, una de las más altas de los últimos años. Además, las tarifas aumentaron un promedio del 350 por ciento.

La elección de Roig como ministro de Economía no había sido acertada: era casi un anciano cuando asumió, fumaba varios paquetes de cigarrillos negros por día y se sentía incapaz de soportar semejante nivel de hostigamiento. La versión oficial indicaría que Roig murió como consecuencia de un paro respiratorio, después de haberse descompuesto en su automóvil y de haber pedido que lo trasladaran hasta su departamento. Sin embargo, la sospecha acerca del suicidio nunca desapareció de boca de los principales hombres del gobierno. Tanto Jorge Antonio como Constancio Vigil, dueño de la Editorial Atlántida y amigo del presidente, aseguraron siempre que el empresario se suicidó. Periodistas de una de las revistas de

307

la Editorial Atlántida aseveraron que el portero del edificio en que murió el empresario los había llamado para informarles que Roig se había suicidado en el baño de su departamento, pero una comunicación con Constancio Vigil desde la Presidencia impidió que el artículo fuera publicado.

Menem, con su visión religiosa de la vida y del mundo, creyó que se trataba de una señal apocalíptica. Tardó algunas horas en reaccionar, mientras Alberto Kohan y Eduardo Bauzá se hacían cargo de la situación. Bauzá convocó al gabinete a la Casa de Gobierno y comenzó a pedir con urgencia sugerencias de nombres para reemplazarlo. Kohan salió sigilosamente de la Casa Rosada y se dirigió al Hotel Bauen, en el que se encontraba alojado Jorge Born. Debían apurarse a solucionar la situación, porque el grupo liderado por Manzano aprovecharía la debilidad circunstancial de Menem para colocar a Domingo Cavallo en el Ministerio de Economía.

—El presidente quiere que usted sea el ministro de Economía —le dijo Kohan a Born.

El empresario lo miró desconcertado.

—Eso es una locura. Pero vamos a hablar con él.

En la Casa de Gobierno, Menem intentaba disimular su depresión y se concentraba en la operación de sacarle uno a uno los cabitos a las cerezas que estaba comiendo, ignorando a los funcionarios que se agolpaban histéricos dentro del despacho. Comenzaba a desconfiar de Cavallo. Si su voluntad de acceder al Ministerio de Economía no reparaba en nada como para provocar, a través de su deseo, la muerte de un adversario, se trataba de un personaje con, por lo menos, tanta ambición de poder como él mismo. Y eso le generaba respeto y temor. Pero también y sobre todo, desconfianza.

Mientras amontonaba en un cenicero los carozos de las cerezas decidió que Cavallo tendría que esperar el tiempo suficiente hasta entender quién manejaba el poder. Luis Barrionuevo insistía con el nombre del empresario de Bridas, Carlos Bulgheroni, un hombre cercano a los grupos más ortodoxos del peronismo y de la Iglesia Católica. Bauzá se acercó a Menem y le susurró al oído:

—Si Bulgheroni va a Economía, nosotros vamos presos.

Menem se levantó y cruzó en silencio el largo despacho hasta la puerta que lo separaba del escritorio de los edecanes.

—Voy a dormir un rato. Cuando venga, les digo el nombre.

En el dormitorio lo esperaban Alberto Kohan y Jorge Born. Menem increpó a este último:

—No hay tiempo. Dígame ya. Si no es usted, tiene que ser Rapanelli.

—Déjeme consultarle.

—No le consulte. Ordéneselo. Usted es su patrón.

—Pero... Carlos, no es así. ¿No se da cuenta de que no es lo mismo pedirle que haga un trabajo para la empresa que exigirle que sea ministro de Economía de un país?

—Ese es su problema. Voy a anunciar que Rapanelli es el ministro de Economía.

Menem volvió a su despacho y anunció la novedad. El vocero Humberto Toledo corrió hasta la capilla ardiente en la que Rapanelli velaba al féretro de Miguel Roig y le pidió que lo acompañara para ser presentado ante los periodistas.

En algunas horas, las que sucedieron a la muerte de Roig y a la asunción de Rapanelli, Menem sintió que se desmoronaba la euforia de su flamante presidencia. La economía le resultaba un mundo impenetrable e incontrolable. Zulema se negaba a mudarse a la residencia de Olivos porque aseguraba que había un complot para asesinarla. Los ministros y secretarios comenzaron a disputarse el poder como si en realidad todo fuese a durar apenas unos días.

Entre finales de julio y principios de agosto la sensación de desasosiego aumentó con un accidente de Carlitos durante un rally en Córdoba, y la conflictiva relación de Carlos Menem con sus hijos Carlitos y Zulemita estalló. Los chicos plantearon en principio que no estaban dispuestos a vivir en Buenos Aires y que pretendían continuar sus estudios en La Rioja. Carlitos comenzó a reclamar por la falta de atención de sus padres y amenazó varias veces con abandonar su casa. Al mismo tiempo, pedía custodia, avión oficial, una mensualidad digna del hijo de un presidente y regalos a toda hora. Mientras entrenaba para el rally en Córdoba, llamó a su padre para exigirle que le enviara el avión presidencial para trasladarlo junto a sus amigos a La Rioja. Carlos Menem se negó, alegando que tal favor podría tener una mala repercusión. Discutieron y Carlitos cortó el teléfono. Esa misma tarde se accidentó en su automóvil y se fracturó una pierna en tres partes. Zulema lo recibió en el aeropuerto y, después de acompañarlo hasta el hospital, esperó a Carlos Menem en el departamento de Posadas para hacerle un escándalo. Zulema culpaba a su marido por la afición a las carreras del hijo y aseguraba que él lo había estimulado mientras ella siempre había preferido que se dedicara a estudiar o a actividades menos peligrosas.

Dos días después también Zulema debió ser internada, víctima de una descompensación general que ella atribuyó a los nervios que había pasado por la situación de su hijo. Eduardo Menem sufrió un principio de úlcera que obligó a hospitalizarlo. Carlos Menem comenzó a perseguirse con la idea de que en realidad todo era parte de malas influencias que se dirigían a él, pero que él lograba rechazar y, entonces, se ubicaban en algún lugar cercano.

Fueron meses intensos, contradictorios y conflictivos. Volvió a salir de noche como en sus primeras épocas porteñas: la madrugada lo encontraba en "Fechoría" o en algún cabaret árabe y no regresaba a dormir al departamento de su esposa. Ramón Hernández y Miguel Angel Vicco siempre se ocupaban de conseguir que hubiera atractivas mujeres dispuestas a acompañarlos. Las actrices y vedettes volvieron a sumarse al grupo. Menem comenzó su publicitado romance con Amalia González, una vedette a la que apodaban "Yuyito" y a la que llevaba a pasear a toda velocidad conduciendo su automóvil por la ruta Panamericana. Miguel Angel Vicco lo sintetizó así: "Siempre hicimos lo mismo. Al principio eran lugares y mujeres berretas porque nosotros éramos berretas. Cuando estábamos en la Gobernación subió un poquito el nivel. Y cuando llegamos a la Presidencia subió del todo".

Las mujeres pertenecían ahora a la alta sociedad. Durante un asado en una estancia de una familia patricia, Vicco lo miró y sonrió: "Mire a los grasas, Jefe, qué le parece...". Vicco había comenzado por entonces a protagonizar, primero a escondidas y luego públicamente, un intenso romance con María Julia Alsogaray. Al principio los dos jugaron a promover la confusión. Vicco daba a entender que él era la "pantalla" para tapar el verdadero romance de María Julia con Carlos Menem. Zulema también estaba convencida de esto. Jorge Mazzucheli, su secretario privado, escribió por esos días en su diario personal: "El romance de María Julia con Vicco o el de 'Yuyito' González con Menem son sólo pantallas para tapar el verdadero romance que es el de Menem con la Alsogaray". Menem contribuía a la situación y, en un momento en que la relación de Vicco y María Julia se hizo demasiado evidente y Marta, la esposa del secretario, reclamó explicaciones, el propio Menem llegó hasta la casa de los Vicco en Recoleta para explicarle a la esposa ofendida que comprendiera que, en realidad, Vicco estaba ayudándolo a él a que no se conociera la relación. El romance entre Vicco y María Julia se hizo más intenso hasta que ella dejó de ocultarlo. Todas sus amigas conocían la situación y sonreían divertidas, y los funcionarios criticaban el romance porque la dirigente liberal, al convertirse en una habitué de la intimidad presidencial, hacía pesar esa influencia cuando se trataba de situaciones de gobierno.

Menem vivía públicamente y sin culpas la noche y la farándula. Convirtió su fascinación por el mundo del espectáculo, los cabarets, el juego y la bebida en una aureola de "presidente transgresor", y logró que todo lo que antes debió hacer a escondidas, ahora fuera aplaudido.

Pero la diversión convivía con la angustia. El gobierno lo aburría sobremanera: odiaba firmar decretos y tener que pasar horas encerrado en su despacho. Comenzó a dejar poco a poco el control de estos temas en manos de Raúl Granillo Ocampo, a quien había designado secretario Legal y Técnico. El, por la noche, sólo daba un vistazo a las cuestiones más importantes, y luego firmaba todo a libro cerrado.

Pasaba largas horas en el Hotel Alvear, de Mario Falak, con sus secretarios, Gostanián y algunas amigas. Se escapaba a la casa del empresario Blas Medina o a la estancia de Alejandro Granados a jugar al fútbol. Por esos días, hizo organizar un partido de la selección nacional para compartir la cancha junto a Diego Maradona. "Soy presidente y jugué con Maradona, ¿qué más le puedo pedir a Dios?", se preguntaba.

Lo obsesionaba la idea de convertirse en un líder mundial, y competía en este sentido con la imagen favorable que siempre tuvo Alfonsín en el exterior del país. Odiaba las comparaciones con Alfonsín; sentía que éste había sido recibido como un estadista y él simplemente como un personaje exótico. La primera oportunidad de medir su popularidad internacional llegó un mes después de asumir, cuando debió viajar a Belgrado, Yugoslavia, para participar de la cumbre de Países No Alineados.

El viaje comenzó con visibles complicaciones. Para dar muestras de la voluntad de reducir los gastos, decidieron que volarían con una reducida comitiva en un avión privado, pagando los pasajes. Tomaron el vuelo correspondiente de Aerolíneas Argentinas hacia Roma y cuando llegaron allí descubrieron con asombro que debían esperar varias horas para hacer la conexión a Belgrado. La solución la aportó Antonio "Tonino" Macri, hermano de Francisco, un empresario con vinculaciones nunca demasiado claras en Italia, quien les propuso llamar a un amigo austríaco multimillonario que podría arreglar el tema. Macri se comunicó con Gernot Swarosky, dueño de una colosal empresa de joyas y fantasías de cristal de roca y presidente de la Tyrolean Airlines, quien puso inmediatamente un avión a disposición de la comitiva argentina. Menem le agradeció el gesto y le pidió que lo visitara en Buenos Aires para devolverle la gentileza.

Con el tiempo, los Swarosky se convertirían en una de las familias más influyentes del entorno presidencial. Ivan Bronston, el representante de la empresa en la Argentina, se hizo íntimo amigo del brigadier Andrés Antonietti, con quien solía jugar al golf. Maya, la esposa de Gernot Swarosky, pasó a ser una de las amigas preferidas del presidente y su anfitriona en sus múltiples viajes al exterior. Los Swarosky poseen una de las veinte fortunas más importantes del mundo y sus negocios y finanzas fueron siempre objeto de especulaciones y rumores. En su casa de veraneo en Cerdeña han recibido a lo más granado de los magnates árabes y pasaron largas tardes de charla con personajes tales como Licio Gelli. Precisamente uno de los principales operadores de Gelli, el príncipe Imán Karim Agha Khan IV, conoció a Menem en la casa de Cerdeña y decidió comenzar a invertir en la Argentina, a través del amigo del presidente, el empresario hotelero Mario Falak. El Agha Khan es dueño del Hotel Excelsior, sobre la Vía Veneto romana, uno de los lugares de reunión de Gelli con los Montoneros y Emilio Massera.

Menem llegó a Belgrado en el avión de la Tyrolean Airlines dispuesto a convertirse en el nuevo líder de los Países No Alineados. En realidad, no lograba superar la contradicción de querer ser, a la vez, la estrella del encuentro y el portavoz de las posiciones norteamericanas para allanar el camino hacia una reunión con el presidente de los Estados Unidos, George Bush, planificada para fines de setiembre. La atención del grupo fue rápidamente acaparada por el venezolano Carlos Andrés Pérez, quien propuso una multilateralización de la discusión sobre la deuda externa. Menem se sentía rechazado: el grupo cuestionaba veladamente el inminente perdón a los militares que, por entonces ya se sabía, sería un hecho en los próximos meses.

Desde el primer día en Belgrado, Menem no sólo no pudo ganarle a Carlos Andrés Pérez el protagonismo de la reunión sino que en el término de pocas horas recibió una sucesión de recriminaciones. Se entrevistó primero con el jefe de la Organización para la Liberación de Palestina, Yasser Arafat, quien le recordó los compromisos que había contraído a cambio del dinero enviado a través de Jorge Antonio. Menem prometió sin convicción que se abriría una oficina de la OLP en Buenos Aires. Luego, el líder libio Muammar Khadafi le recordó que el dinero depositado en una cuenta suiza para financiar la campaña había sido a cuenta de la promesa de discutir el futuro del misil Cóndor: si la Argentina resolvía no seguir adelante con el proyecto, los libios pretendían heredarlo. Las reuniones no terminaron ahí; todavía lo aguardaban el canciller de los Emiratos Arabes Unidos, Rashid al Nurmi, el vicepresidente sirio, Abdel Khaddam, y el príncipe de Arabia Saudita, Saud al Oriente.

Menem salió de los encuentros apesadumbrado: había pasado horas dando explicaciones a los árabes mientras Carlos Andrés Pérez lograba hacer aprobar su moción. Estaba esperando el ascensor cuando se le ocurrió una fórmula para resolver, a la vez, los temas. Les ofrecería a los árabes una gestión que compensara los fondos invertidos y, a la vez, ganaría los titulares de los diarios sobre la reunión. Se dio vuelta y le gritó a Humberto Toledo que lo miraba desde un paso más atrás: "Anunciá que voy a mediar en el conflicto en Medio Oriente".

De Anillaco a Nueva York

En las primeras semanas de setiembre de 1989, su popularidad llegó al ochenta por ciento. Lo ovacionaban en la calle y la clase alta argentina se desvivía por agasajarlo. Sin embargo, nada le alcanzaba. La sensación de angustia y desazón recrudeció en las últimas semanas de setiembre. Estaba preparando su viaje a Estados Unidos, donde soñaba encontrarse con el presidente George Bush, cuando la noticia lo conmovió: el avión en que su amigo Julio Corzo, ministro de Acción Social, viajaba en una visita oficial a Posadas, Misiones, había caído al mar. Corzo había muerto. Una vez más había logrado desviar las "malas ondas" de la muerte de Roig, pero esta vez habían llegado demasiado cerca: Corzo era su mejor amigo, su *alter ego* político, mucho más cercano que Zulema y mucho más que su hermano Eduardo. No tenía duda: era una señal para intentar impedir su viaje a Estados Unidos, donde su jugaba su futuro y su prestigio internacional. Intentó sobreponerse. En menos de una hora decidió que otro amigo, otro riojano, Erman González, se haría cargo del Ministerio.

La decisión le valió una nueva pelea con Zulema. Ella había resignado ese lugar apenas asumido el gobierno, pero ahora no había dudas de que le correspondía. Durante dos meses, a pesar de las promesas de su marido, no había conseguido poner en marcha su fundación de ayuda social y jamás terminaban de acondicionarle el despacho que usaría en la Casa de Gobierno. Zulema amenazó con el papelón público, negándose a acompañar a su marido en el viaje a Washington, pero Menem no titubeó: nombró a González en el Ministerio, le tomó juramento y viajó sin su esposa.

—¡Grande, Jefe! Qué reunioncita... No se encontró con nadie, ¿eh? ¿Qué nos queda por hacer?

Alberto Kohan, Miguel Angel Vicco, Ramón Hernández, el peluquero Enrique Kaplán, el policía Guillermo Armentano y el médico Alejandro Tfeli aplaudían, lo alzaban, lo despeinaban, se abrazaban entre ellos, se reían a carcajadas, como un grupo de amigos adolescentes festejando al que se ganó a la chica más difícil. Menem llegaba al hotel en Washington, luego de haberse entrevistado en el Salón Oval de la Casa Blanca con el presidente norteamericano George Bush y de haber caminado junto a él por el jardín de una forma tan natural que, de no haber mediado los fotógrafos, se hubiera podido decir que se conocían de toda la vida.

Vicco había pedido quesos, frutas y champaña. Kohan hizo pasar a una periodista que había pedido una entrevista con el presidente para obtener información sobre la reunión en la Casa Blanca. Ramón Hernández bajó las persianas para dejar la habitación en penumbras y el grupo abandonó rápidamente la habitación. Menem comenzó a relatar puntillosamente su encuentro con Bush. Pasó revista a los temas generales que se habían tratado en la reunión del Salón Oval, en una síntesis que coincidía básicamente con el comunicado de prensa distribuido en forma conjunta por los dos gobiernos.

—¿Y de qué hablaron en la caminata por el parque?

—Bush me preguntó por mi esposa y me pidió que fuéramos a saludar a la suya. Cuando estábamos llegando a la casa, hay como una especie de galería, y estaba lleno de gente porque, me explicó, la abren al público para que vean los cuadros. Es como un museo. La gente venía y nos saludaba. Entonces Bush me dijo: "¡Qué popular que es usted, a mí nunca me saludan tanto!". Después saludamos a su mujer, que me preguntó por Zulema... Y nada más, volvimos.

—¿Hay algo más que le parezca importante?

Menem se recostó sobre el respaldo de su asiento.

—Lo único que me parece importante en el mundo son las mujercitas como vos.

Menem caminó un paso hacia la joven, quien salió de la habitación en un segundo. Vicco, Armentano, Kaplán, Hernández y Tfeli conversaban sentados en los sillones; ninguno disimuló la cara de asombro.

—¿Ya está?, preguntó Vicco.

—Sí. Ya está.

Unos minutos después, Menem salió vestido con un *jogging* y dispuesto a ir a jugar al tenis en las canchas de la Universidad de Georgetown.

Conocer a George Bush fue para Carlos Menem casi tan importante como jugar al fútbol junto a Diego Armando Maradona. Lo logró con la misma audacia que utilizó aquella vez para presentarse a Alejandro Leloir y marcar así su ingreso al peronismo, y con la convicción que le permitió llegar a Madrid y hablar con Juan Domingo Perón. Sólo tenían que permitirle acercarse y él provocaría el encuentro. El lo seduciría, no tenía dudas. Nadie nunca se había resistido. Esta vez, la ocasión llegó en la cena de presidentes posterior a la inauguración de la Asamblea de las Naciones Unidas. Menem llegó al Rockefeller Center de Nueva York y esperó a que todos los invitados se sentaran en los lugares reservados. Paseó entre las mesas, conversando con uno y otro, hasta que el revuelo en la entrada anunció el ingreso de George Bush. Entonces, con paso decidido, pasó en medio de los guardias, se acercó y le tendió la mano.

—¿Sigue piloteando aviones? A ver cuando prueba el Pampa argentino, que anda casi a ras del piso.

Bush sonrió y le estrechó la mano. Era todo lo que Menem necesitaba. Ante la mirada atónita del personal de seguridad y de ceremonial, Carlos Menem se ubicó en la silla vecina a la de Bush sin preguntar a quién correspondía, y conversó toda la noche obligando a la intérprete a traducir hasta el mínimo detalle. Menem exageraba los gestos y las carcajadas, convencido de que a Bush debía hablarle imitando a John Wayne. Hablaron de temas diversos: pasaron de los aviones a los autos, del tenis a las mujeres. Cuando terminó la cena, Bush estaba encantado con el presidente argentino.

—Somos... somos muy afines —balbuceó el presidente norteamericano.

Menem miró a la traductora:

—Dígale que nosotros tenemos una frase para decir eso: somos del mismo palo.

Cuando llegó al Hotel Waldorf Astoria en que se hospedaba la delegación argentina, Ramón Hernández lo esperaba con una señorita, pero él prefirió ir a dormir. "Mañana, en Washington. Hoy estoy muy cansado..."

A la tarde siguiente, caminó por la Quinta Avenida de Nueva York fascinado por todo lo que veía. "De Anillaco a Nueva York, quién lo hubiera dicho... No lo puedo creer... Mirá... Mirá los rascacielos... Ojalá me vieran los riojanos...", gritaba mientras admiraba los edificios, se paraba frente a las vidrieras y le pedía a Ramón que comprara todo lo que brillaba: remeras con lucecitas para Zulemita, autos en miniatura para Carlitos, pañuelos de seda para Zulema. Se sentía parte de una de las series de televisión que había mirado toda la vida. Comió *hot dogs* en la calle, se paró debajo de los carteles luminosos, corrió como un chico para cruzar la calle antes que se encendiera la luz del semáforo.

—Che, Miguel, ¿cuál es la calle de las putas?

—La 42, contestó Vicco.

—¿Vamos?

—Jefe, son las cuatro de la tarde. Está todo cerrado.

Había llegado. Ya no era más "el turquito", el hijo del tendero Don Saúl, el negrito riojano. Era como los ricos y se sentía como uno de ellos: podía gastar sin límites, tener lo que deseara, comer donde quisiera, hablar codo a codo con el presidente norteamericano... Sólo le faltaba sentirse todopoderoso, y eso sucedería a su regreso a la Argentina: ese mismo fin de semana llegarían desde París los restos de Juan Manuel de Rosas, que serían enterrados con honores en el cementerio de la Recoleta, como primer paso de la gran "Reconciliación Nacional" que terminaría una semana después cuando firmara los indultos.

Julio Mera Figueroa estaba en París a cargo del operativo de repatriación de los restos de Rosas, que había sido concebido como el símbolo de la reconciliación nacional, pero apasionaba sólo a unos pocos. De cualquier forma, Mera Figueroa aprovechó su estadía en París para resolver otros temas pendientes del menemismo. El agregado de Prensa en Alemania, Jorge Allende, contactó al operador del presidente con el alcalde de Niza, Jacques Medecin, que quería llevar sus negocios a la Argentina. Medecin estaba acusado en su país por sus vinculaciones con el narcotráfico y el contrabando y quería radicarse en la Argentina. Mera Figueroa luego viajó a Roma para entrevistarse con Licio Gelli. El jefe de la P2 exigía la libertad de su protegido Emilio Eduardo Massera como contrapartida de la ayuda financiera y operativa que sus hombres habían dado a la campaña del menemismo. Gelli le anunció que viajaría a la Argentina para entrevistarse con Menem y arreglar personalmente la situación. Mera Figueroa se comunicó con el presidente y le pidió al jefe de la P2 un poco de tiempo: los indultos llegarían, pero en dos partes. Primero, en octubre, abarcando a los carapintada y los procesados, y luego a los ex comandantes y a Mario Firmenich.

La división de los indultos en dos etapas, a la que Menem accedió por la presión de su hermano Eduardo y del canciller Domingo Cavallo que le advirtieron acerca de la repercusión internacional de la libertad de los ex comandantes y de cómo podría influir negativamente en su flamante relación con George Bush, trajo más de una complicación interna.

En realidad, las presiones tenían tres objetivos concretos: la libertad de los carapintada, de Massera y de Firmenich. El resto formaba parte de la necesidad de tomar una medida general e igualitaria. Por eso la postergación de Massera y Firmenich para una segunda etapa precipitó una discusión interna que sólo fue zanjada cuando Menem convocó a Mario Montoto, el representante de Firmenich, y al hijo del almirante Massera y les prometió formalmente que el indulto llegaría antes del final del año siguiente.

Una de las situaciones más complejas era la de la libertad de Firmenich. Menem la había prometido cuando los montoneros aportaron el dinero para la campaña y se lo había asegurado a Mera Figueroa, que actuaba como una suerte de gestor del grupo. El 17 de agosto, Menem viajó a Yapeyú y en el camino se desvió para inaugurar en Paso de los Libres un monumento de la Fundación para la Paz y Amistad entre los Pueblos, de Mario Rotundo.

Rotundo seguía siendo uno de los nexos fundamentales de Montoneros y la P2 con el gobierno. Organizó entonces un encuentro entre Menem y Mario Montoto, el dirigente montonero, para conversar sobre la libertad de Firmenich. Después de descubrir la placa de inauguración del monumento, Menem y Rotundo abandonaron la comitiva y se dirigieron a una habitación del Complejo Victoria. Allí los esperaba Montoto, quien pidió una fecha del indulto.

—Diciembre... —sugirió Menem dubitativo.

Montoto insistió con una contrapropuesta. Los Montoneros estaban dispuestos a repatriar los fondos que aún permanecían en Cuba y canalizarlos a través de una fundación menemista, para sumarlos a los aportes de Born a la "revolución productiva", si les aseguraban una fecha para el indulto.

—¿Cuánta plata tienen en Cuba? —preguntó Menem.

—No lo sabemos exactamente, porque nos la dan en cuotas. No es una cuenta; es un dinero que maneja directamente el gobierno de Fidel y del que sólo pueden hacer extracciones Vaca Narvaja, Perdía y Firmenich. Si ellos no están libres, no hay plata.

—Pero, más o menos, ¿cuánto hay?

—Deben quedar alrededor de dieciséis, dieciocho millones...

—¿La traerían toda?

—Depende... tiene que ser una decisión política de los tres, y si están presos no la van a tomar.

—¿Y si hablamos nosotros con Fidel?

Montoto lo miró asombrado. Menem meneó la cabeza.

—No, no, está bien... era una idea. De cualquier forma yo hablé esta mañana con Born del tema, y él me dijo que no tendría problema en que nosotros la repatriáramos... él mismo podría hablar con Fidel.

Ramón Hernández ingresó con un teléfono celular. El canciller Domingo Cavallo llamaba desde Europa para comunicar las novedades de la negociación con Gran Bretaña para fijar un "paraguas", que permitiría reanudar las negociaciones sobre las Islas Malvinas haciendo a un lado la disputa por la soberanía. Cuando terminó su conversación con Cavallo, Menem dio por finalizado el encuentro con Montoto.

—Vamos a ver cómo lo solucionamos. Véme dentro de un mes en la Casa de Gobierno.

Cuando Menem volvió de su triunfal viaje a Nueva York y Washington, Montoto pidió una audiencia. Pero el mismo día en que debía concretarla, Amira Yoma le comunicó que lo atendería Eduardo Bauzá. Montoto se comunicó con Firmenich y el ex jefe montonero le ordenó que no fuera a ningún encuentro hasta que no le aseguraran su libertad.

Durante los actos de repatriación de los restos de Rosas, Mera Figueroa le trasmitió a Menem los cuestionamientos de Gelli por Massera y de Montoto por Firmenich. Menem les pidió paciencia: él también creía que debían quedar en libertad, pero eran razones de Estado. Y se comprometió a que la segunda parte del indulto llegaría rápido.

El viernes 6 de setiembre, mientras se cambiaba de traje para oficiar de padrino en la ceremonia de casamiento de Oscar Spinoza Melo, Menem firmó los indultos que abarcaban a los dieciocho procesados por violaciones a los derechos humanos y a los carapintadas presos por el levantamiento de Villa Martelli. Los ex comandantes y Firmenich debían esperar. Cuando llegó a la iglesia estaba feliz. El sacerdote repitió ante los contrayentes las fórmulas de rigor. Cuando le tocó el turno a Spinoza Melo y el sacerdote preguntó si aceptaba a esa mujer como esposa, el embajador miró a Menem:

—¿Puedo, Jefe?

El hombre aseguró que lo había enviado Rodolfo Galimberti con una propuesta concreta: "eliminar" a José Luis Manzano, le dijo, costaba sólo cincuenta mil dólares. Juan Bautista Yofre lo miró un momento en silencio.

—Gracias, pero no. Decíle a Rodolfo que esas cosas se acabaron.

Yofre estaba obsesionado con Manzano. El titular de la Secretaría de Inteligencia del Estado y el jefe del bloque de diputados oficialistas se habían convertido, quizá sin proponérselo, en las dos caras de la cruenta lucha interna en que se embarcó el gobierno menemista en sus primeros meses en el poder. Para la opinión pública y la prensa los alineamientos se medían en referencias políticas, alianzas o "colores" —se comenzó a hablar de los "celeste" y los "rojo punzó"— cuando, en realidad, los términos que los unían o enfrentaban eran puramente económicos. Las luchas internas se movían al compás del manejo de las "cajas", nombre con que se popularizó el manejo de los fondos disponibles en el gobierno, provenientes tanto de los fondos reservados pautados por presupuesto como de los que aportaban los empresarios beneficiados con algún acuerdo.

Muchos funcionarios hablaban de la cuestión sin pruritos. Manzano explicó una vez ante un grupo de periodistas: "Es un círculo vicioso. Se necesita plata para hacer poder y poder para hacer plata. Al final, no se sabe qué es lo primero y qué es lo que en definitiva se busca". Rubén Cardozo, cuando todavía era secretario de Acción Social, se plantó un día ante Bauzá:

—Flaco, no sé cuánto es realidad y cuánto fantasía de la guita que todos dicen que manejan. Pero yo quiero lo que me corresponde. Si es poco, me la banco. Por lo menos páguenme a fin de mes la tarjeta de crédito.

Las historias sobre coimas y comisiones se popularizaron. Emir Yoma y Miguel Angel Vicco encabezaban la lista de acusaciones sobre negocios menores, y José Luis Manzano y Eduardo Bauzá, la de los negocios grandes. No había pasado un mes de la asunción del gobierno cuando se conoció la existencia de una "secretaría privada paralela" que habían montado Yoma y Vicco en el piso 24 de un edificio en Florida y Paraguay. No se trataba, en realidad, de una oficina. Llamaban así a las mesas del bar del edifico de Cinzano en que los dos atendían a los interesados en entrevistar al presidente. Podían ser tanto políticos como empresarios.

El grupo se amplió pronto con la presencia de Jorge Antonio, que se convirtió en un socio privilegiado, casi en el jefe. Las reuniones entre Antonio, Emir y Karim Yoma, Vicco, Amira Yoma y su ex esposo Ibrahim al Ibrahim y el secretario de Recursos Hídricos, Mario Caserta, se trasladaron luego al despacho de la Secretaría Privada de la Casa de Gobierno. A veces se sumaba María Julia Alsogaray. "Es que Don Jorge cuenta tantas historias... Alguna vez me gustaría ser como él: sentarme a que los demás escuchen cómo cuento historias...", decía la por entonces interventora y encargada de privatizar la Empresa Nacional de Telecomunicaciones, en pleno romance con Vicco. Antonio los deslumbraba con sus conexiones con el mundo de los negocios internacionales. Tanto Vicco como los Yoma eran, en realidad, novatos en el oficio. Vicco contaba sólo con la relación con un grupo de empresarios italianos encabezados por los hermanos Castiglioni y Braghieri; había llegado a ellos a través de Mássimo Del Lago, el representante en la Argentina de la empresa CORIMEC, con quien el secretario de Menem planeaba construir un centro turístico en Punta del Este. Los Yoma comenzaron a incursionar en los negocios internacionales sólo después de llegados al gobierno y con la carta de presentación que representaba para Karim la Cancillería, y para Emir su asesoría de Gobierno. Apenas podían mencionar algunos contactos en Marbella y Madrid, hechos más por vecindad que por interés. Los negocios que se les ocurrían eran menores: uno de los primeros fue otorgarle a un amigo norteamericano la licitación de tinta para imprimir papel moneda. Karim intentó buscar en los países árabes mercado para la leche que Vicco producía en una planta en Entre Ríos, o cobrar comisión por su gestión en los créditos con Italia o España que debía atender desde su Secretaría de Asuntos Especiales de la Cancillería.

Jorge Antonio, en cambio, hablaba siempre de millones de dólares. Se contaba como un socio privilegiado de los gobiernos árabes y de todos los que comerciaban en su nombre por el mundo. Fue en esas tardes del verano de 1989 cuando comenzó a hablar de su amigo Munsser al Kassar, al que caracterizaba como el "rey de los negocios" del mundo.

Zulema se convirtió en la defensora del grupo frente a los embates que llegaban desde los "celestes", y cada vez que Menem los llamaba para pedirles discreción y moderación en sus movimientos provocaba una pelea en el matrimonio. Ella amenazaba en privado con dar a conocer los números de las supuestas cuentas bancarias en Suiza y Uruguay en que todos iban depositando la parte de las ganancias que correspondía a su marido y, en público, hacía convocatorias a una guerra santa contra la corrupción. La existencia de esas cuentas nunca pudo ser comprobada fehacientemente, y Zulema se conformó con la publicidad que se le dio a la que poseían en forma conjunta su cuñado Eduardo Menem y Armando Gostanián en el Banco Pan de Azúcar de Montevideo.

En los últimos meses de 1989, cada uno defendía su espacio sin disimulo y el gobierno se convirtió en el escenario de una batalla de intereses encontrados. El caso Petroquímica Bahía Blanca (PBB) se convertiría luego en el paradigma del accionar de los distintos grupos. Horacio Verbitsky hizo en *Robo para la corona* un relato brillante y pormenorizado del tema:

"La PBB había informado sobre la adjudicación de las obras de su nueva planta de etileno al consorcio Compagnia Técnica Internazionale Progetti SpA de Italia, Techint SpA y Techint SACI, con tecnología Lummus Crest de Estados Unidos. Sostuvo que el contrato de 214 millones de dólares se encuadraba en los montos presupuestarios aprobados por distintas autoridades y concordaba con valores internacionales para obras similares de esa magnitud y complejidad. Añadía que se trataba de un contrato llave en mano con crédito del tratado argentino-italiano, a tasas de interés bajas y de períodos de repago extensos.

"La empresa y el gobierno estaban respondiendo a *La Nueva Provincia*, el cerebro cuyos impulsos nerviosos se trasmiten a la base naval de Puerto Belgrano y el Cuerpo de Ejército de Bahía Blanca. El diario, que de tanto en tanto publica una cruz svástica como esqueleto para sus crucigramas, decía que la obra estaba sobrevaluada en 40 millones de dólares, parte de los cuales se habrían repartido entre Dromi, de quien dependía la adjudicación, Bauzá y Manzano, cuyo colaborador Jorge Geraige ocupaba la presidencia de la petrolera.

"El llamado a concurso para la ampliación de la planta de etileno se realizó durante el gobierno radical. Al asumir el nuevo directorio en julio de 1989 había dos ofertas importantes y sólo faltaba la preadjudicación: la de Techint, con tecnología Lummus, y la de las constructoras Mac Kee y Sade (del grupo Pérez Companc) con tecnología alemana Linde. Entre dos ofertas parejas, la ventaja de Linde era que había construido la planta original y la de Lummus-Techint la financiación barata del crédito aiutto italiano.

"Ingeniero mendocino, Geraige se había convertido en secretario administrativo del bloque de diputados peronistas cuando Manzano rompió con su primer presidente, Diego Ibáñez, en 1984. Sin embargo, su designación en Petroquímica Bahía Blanca no fue dispuesta por Manzano sino por Bauzá, con aval del propio Menem. A la reunión de directorio en la que se dispondría la preadjudicación, Geraige llegó con una insólita acta firmada por Bauzá, Dromi, Rapanelli, los ministros de Defensa, Italo Luder, y de Trabajo, Jorge Triaca, el secretario de Energía, Julio César Aráoz y el subsecretario de Combustibles, Rubén Latoni, que respaldaba la adjudicación a Techint-Lummus. Rapanelli se lo echó luego en cara a Dromi y Triaca, y juró que no volvería a firmar nada sobre un tema que otros conocieran pero él ignorara."

Los cuestionamientos de Rapanelli a Dromi y a Triaca fueron también las explicaciones que el ministro de Economía debió darle a su patrón, Jorge Born. El empresario se arrepintió pronto de su decisión de sumarse al gobierno, y comenzó a pagar los costos internos en el emporio cuando se le recortó su poder y se lo desplazó lentamente de las decisiones importantes. Sin comprender demasiado los mecanismos de la política y menos aún los del menemismo, no tardó, sin embargo, en entender que serían Rapanelli y Bunge & Born los elegidos como los culpables del descalabro económico que se profundizaba a medida que avanzaban los meses. Manzano y Bauzá, acompañados ahora por Dromi y Eduardo Menem, continuaban reclamando el reemplazo de Rapanelli por Domingo Cavallo. Menem comenzaba a quejarse en privado por la supuesta "traición" de Born: se trataba, en realidad, de su lectura de lo que había ocurrido finalmente con aquellos tres mil millones de dólares que el grupo había anunciado que sumaría a la "revolución productiva". Menem había creído que se trataba de dinero en efectivo, que algún día llegaría en una gran valija que Born en persona pondría sobre su escritorio.

Juan Born, hermano de Jorge, y su asesor Carlos García Martínez decidieron iniciar una contraofensiva. Redactaron un minucioso informe con los detalles de la operación de PBB y se lo entregaron a Juan Bautista Yofre, hombre de confianza del grupo y ex empleado de la empresa. El titular de la SIDE lo transcribió en papeles con membretes de su secretaría, lo envolvió en una carpeta de cartulina celeste y se lo entregó al presidente, aduciendo que estaba cumpliendo con su "deber patriótico". Casi al mismo tiempo, Vicco y Yoma, molestos porque el negocio implicaba una gestión directa de Manzano en Italia para conseguir el crédito de financiación para Techint, dejando fuera de juego a Karim, ensayaron otra operación: Vicco consiguió que María Julia Alsogaray convenciera al empresario Federico Zorraquín —propietario de IPAKO, una de las empresas perjudicadas por el acuerdo— para que presentara formalmente sus quejas y sus objeciones a Menem. María Julia convenció a Zorraquín y Vicco lo introdujo en el despacho presidencial primero, y en la residencia de Olivos después. El empresario hizo todavía más de lo que Vicco y Yoma pretendían. No sólo cuestionó el acuerdo, sino que marcó como punto fundamental que había sido otorgado previendo el crédito de ayuda italiano que todavía no había sido negociado. Karim protestó ante lo que consideró un intento de Manzano de inmiscuirse en un área que era de su exclusivo dominio.

Con los dos informes, el de Yofre y el de Zorraquín, Menem llamó a Eduardo Bauzá y José Luis Manzano. Tanto los Born como Vicco sabían adónde apuntaban: esta vez se trataba de una operación que Menem desconocía y el presidente solía ser menos tolerante ante los secretos que ante los negocios.

Manzano y Bauzá comprendieron pronto que habían multiplicado demasiado sus adversarios y que debían repensar sus alianzas. Comenzaron a intentar un acercamiento con Jorge Antonio, Vicco y Yoma, y se lanzaron definitivamente contra los sostenedores de la alianza con Born. Manzano conversó con Karim Yoma sobre la mejor manera de conseguir el crédito de los italianos, aunque sus vínculos con los socialistas de Bettino Craxi volvían este diálogo innecesario. Bauzá comenzó a sumar a María Julia a las reuniones políticas y a pedir las cabezas de Yofre y de César Arias argumentando que su presencia en el gobierno complicaba las relaciones con el radicalismo, que los señalaba como los principales interlocutores de los militares carapintada. Bauzá acusaba también a Yofre de manejar a discreción la "caja" que le correspondía y de la que se pagaban buena parte de los sobresueldos de los embajadores políticos, de algunos funcionarios y de varios periodistas. Para terminar de sellar el acercamiento, les propuso a Emir Yoma y a Vicco unificar los fondos que ambos manejaban y que eran fundamentalmente los aportados por las empresas, sobre los que el presidente tenía control directo.

El descontrol interno se sumaba a la caótica situación económica. Bauzá y Manzano comenzaron a reclamar una "peronización" del plan de gobierno, y pedían que estuviera encabezada por Domingo Cavallo. Era la embestida final contra Born, Menem decidió darles un plazo y una orden: si para el 10 de diciembre tenían un plan económico alternativo, les daría el Ministerio de Economía. Mientras tanto, hizo la última apuesta a Born. Pero el empresario pidió esta vez todo el poder. Le anunció que estaba dispuesto a asumir él personalmente el Ministerio de Economía si cerraban el Parlamento, para que pudiese tomar las medidas que consideraba necesarias por decreto; pidió que se unficaran las CGT detrás del gobierno, se ampliara la reforma del Estado, se aceleraran las privatizaciones y se disolviera el Banco de Desarrollo. Menem no aceptó y echó a rodar una versión sobre el distanciamiento de Rapanelli con Born.

En la primera semana de diciembre, los cambios de gabinete se definieron en el Alvear Palace Hotel. El lugar ya se había convertido en un clásico para los funcionarios peronistas que atendían allí sus negocios o sus problemas matrimoniales, recibían a sus amantes o descansaban luego de una jornada agotadora. Menem llegó hasta allí para participar de un brindis con el presidente boliviano Jaime Paz Zamora. Pero, en vez de dirigirse al Roof Garden donde se llevaría a cabo la ceremonia, subió a su *suite* del quinto piso a dormir, acompañado sólo por Ramón Hernández. En otras habitaciones, los "rojo punzó" que se habían convertido en el principal sostén de la alianza con Bunge & Born, intentaban apurarse a llevarle una propuesta de cambios de gabinete, sabiendo que Menem elegiría a quienes le presentaran antes una alternativa. "Yo soy como una computadora. Soy incapaz de tener una idea. Pero entre dos opciones elijo siempre la mejor", explicaba el presidente. Sus funcionarios amigos traducían explicando que Menem no quería "problemas sino soluciones", y los detractores sostenían que el presidente era demasiado fácil de influir y que cualquiera que le acercara una posibilidad de salida en un momento crítico estaba seguro de conseguir sus objetivos.

A pesar del ímpetu de Bauzá y Manzano, Cavallo no quería aceptar el Ministerio en las condiciones en que se encontraba la economía en diciembre. Y por eso, mientras dejaba que los mendocinos hiciera *lobby* por él, se encontró en el Alvear con Rubén Cardozo, Erman González y Juan Bautista Yofre para idear una propuesta de recambio de gabinete. En el sexto piso, Jorge Born acababa de llegar de Brasil. Yofre le entregó un papel con los nombres del nuevo gabinete: aceptar implicaba la renuncia de Rapanelli y pedir como compensación el alejamiento de Bauzá del estratégico Ministerio del Interior. El reemplazo ofrecido fue Julio Mera Figueroa, que se había convertido en el exégeta de la alianza.

Unos minutos después, Born y Menem se encontraron en la habitación del quinto piso. Se desconfiaban mutuamente. Fue la despedida, la ruptura de la alianza. Pero Menem pidió todavía un favor: que no se mencionara públicamente el alejamiento, que todo pareciera sólo una cuestión de nombres.

Apesadumbrado, Menem llamó a Bauzá para que llegara a Olivos a primera hora. El mendocino era finalmente su hombre de mayor confianza, y Menem sentía que lo estaba entregando como consecuencia de las presiones. Pasearon por el parque, y convinieron el cambio: Bauzá dejaría Interior para ocupar el Ministerio de Acción Social, que quedaba vacante con el pase de Erman González a Economía. Los empresarios comenzaron a llegar a Olivos. Nunca antes en la historia argentina los grupos de poder habían participado como ese día de las decisiones importantes a cara descubierta. Se sentaron a la mesa de la discusión y tomaron la palabra sin pedir permiso. Carlos Bulgheroni y Francisco Macri le reprocharon a Menem la sensación de corrupción y de crisis interna permanente que vivía su gobierno. Menem los escuchó en silencio y propuso una contrapartida: formar un Consejo de Notables integrado por los principales empresarios del país para asesoramiento y consulta. Los empresarios y los funcionarios fueron abandonando de a poco la residencia.

Menem se quedó sólo con Vicco y Hernández, cansado y deprimido. Vicco le sugirió una solución.

—¿Por qué no lo llama a Alsogaray, a ver qué piensa?

Era sólo lo que el ingeniero estaba esperando. Unos minutos después estaba en la residencia para explicarle su visión de la situación: el problema había sido la tibieza en los emprendimientos. Era necesario liberalizar en forma total la economía.

—Se va a hacer todo como usted diga —le respondió Menem—. Ahora le pido un favor: ayúdelo a Erman.

Dos días después asumió el nuevo gabinete.

Hacia fin de año, la economía se descontroló. Los precios subían todos los días, el dólar estalló como en los últimos tiempos de Alfonsín. Menem viajó a La Rioja para pasar fin de año, pero regresó a primera hora del día siguiente y convocó a sus ministros a la Sala de Situación de la Casa de Gobierno. Los servicios de inteligencia daban información catastrófica sobre la posibilidad de nuevos saqueos.

Por la noche, acompañado por el presidente Carlos Menem, González anunció un shock antiinflacionario que intentaba reducir al máximo la circulación de australes, mantenía la libertad de precios y cambio, pero suspendía los depósitos a plazo fijo y determinaba que los que existían hasta ese momento se devolverían en australes sólo hasta un millón, y el resto en bonos externos de la serie 1989. La medida ayudó a descomprimir el dólar, que bajó a 1.300 australes, y los precios, pero precipitó un caos durante una semana porque las empresas no lograban sacar de los bancos el dinero para pagar sueldos. Una nueva circular del Ministerio de Economía debió permitir la excepción.

Desoyendo los pedidos de cautela de la dirigencia de su partido, el martes 2 de enero el ingeniero Alvaro Alsogaray, del que Menem dijera en las conversaciones antes de asumir la Presidencia que era el hombre a quien más admiraba en la Argentina, apareció en la cadena de radio y televisión, como en tantas oportunidades en otros tantos gobiernos, para explicar su opción una vez más: "Ahora o nunca. Esta es la última posibilidad para instalar la política social de mercado" dijo, y aclaró que "si pongo la cabeza es porque, por encima de las molestias de la vida diaria, confío en este gobierno". Alsogaray ya había sido funcionario de un gobierno peronista. Con un título de ingeniero aeronáutico, de validez limitada a la provincia de Córdoba y solamente dentro del ámbito militar, fue nombrado en el primer gobierno de Perón como presidente de la flota aérea estatal por recomendación del ministro de Aeronáutica. Juan Domingo Perón lo recordaba así: "El hecho de que ostentara el grado de capitán ingeniero debía haberme servido de advertencia. Era capitán de un ejército donde con un poco de buena salud y cuidando de no pelearse con nadie se llega a general, o a ingeniero militar, con algunas materias más y algo de aritmética". Cuarenta años después, el ex empresario aceitero y consultor económico explicaba desde un gobierno peronista que la "economía popular de mercado" preconizada por Menem era la misma "economía social de mercado" que sustentó el llamado "milagro alemán". Su hija María Julia festejó hasta la madrugada con Miguel Angel Vicco el nacimiento de una nueva alianza política que los tendría como líderes.

LOS "JUSTICIERALES"

Cuando llegó el otoño de 1990 Menem se convenció de que había llegado el momento de lanzarse al mundo. Estaba seguro de su beneficiosa proyección internacional y de la posibilidad de convertirse en uno de los líderes del mundo y hasta del universo. Leía a Julio Verne y argumentaba que, así como el escritor francés había pronosticado la llegada a la Luna, también sería cierto que había vida en otros planetas. Entonces explicaba que se cumpliría lo que había pronosticado Juan Perón: la unidad nacional, la unidad latinoamericana, la regionalización, la unidad mundial y luego la universal. Abandonó las lecturas de Quiroga y la historia nacional para pasar a estudiar sobre su futuro reinado en el mundo. Con la misma pasión con que en su juventud leía solamente a los caudillos riojanos se dedicó al *Yo, Claudio* de Robert Graves, *El joven César* de Rex Warner y a las *Memorias de Adriano* de Marguerite Yourcenar. El tono caricaturesco con que Graves describía la vida de Claudio lo prevenía y el personaje se le volvía distante. La pasión por el arte y la belleza de Adriano le resultaba inentendible. Su verdadera identificación fue con la figura de César, en el momento de su vida en que se preparaba para destronar a su tío Mario, juzgado por su vida escandalosa y perseguido por sus deudas, en medio de intrigas de palacio y ambiciones imperiales.

Llegó a convencerse de que su vida y la de Julio César compartían significativas semejanzas. Envidió, como el emperador romano, la capacidad de oratoria de Cicerón, y no tardó demasiado en encontrar las similitudes entre las extorsiones de Zulema y las que César recibía de su esposa Pompeya. El ejemplar de Warner que descansaba en la mesita de luz de laca negra de su dormitorio en la Casa de Gobierno estaba subrayado en los párrafos que la parecían más trascendentes para el momento que vivía, y con los que se sentía más identificado. Estos son algunos de esos pasajes:

• "Yo era conocido como un poder en política y tenía también la reputación de ser un hombre a la moda, un entendido en arte, un innovador de cierto estilo en el vestir, un mujeriego, y de ser sumamente cuidadoso en mi aspecto personal. Ya había ejercitado mis facultades en el difícil y torcido proceso de la política romana; pero en este mando militar me parecía que la voluntad, la iniciativa, el intelecto y la resolución podían desarrollarse más honorablemnte y con mucha mayor precisión. No creo que esto se deba a que los problemas de un comandante militar sean más simples que los de un estadista, o de que aquél esté más libre de todo control. Es más bien una cuestión de urgencia; porque los problemas, sean simples o no, deben ser encarados inmediatamente y en forma continua. Hasta individuos indignos pueden ser grandes en la guerra."

• "Los ataques habían creado en mí a un hombre diferente. Habían despertado sentimientos de amargura e ira que muy raramente llegara a conocer. Me volví impaciente e intolerante con la oposición y es indudable que muchas de mis acciones podían ser descritas apropiadamente como dictatoriales y despóticas. También me molestaba, como ocurrió en el caso de los piratas, la estupidez, la arrogancia y la ineptitud. Estaba moralmente ofendido por el contraste entre mi voluntad de conciliar y de perdonar y la implacable e irreconciliable enemistad que despertaba a mi paso."

• "Me daba cuenta de la corriente de sentimientos y de las exigencias de la historia que una vez más llevaría al pueblo a una relación directa con el líder, cortando así todo el complicado sistema de los intermediarios, el cual aunque valioso en sus días se ha convertido hoy en meramente obstruccionista. El título no solamente corresponde a las necesidades de los tiempos sino que también refleja los verdaderos deseos de la mayoría del pueblo que, si no estuviera cegado por la pedantería política, reconocería claramente que está tomando parte en las escenas finales de uno de esos movimientos cíclicos de la historia que lo lleva al futuro por medio de una aparente regresión al pasado. Ser monarca requiere hoy técnicas y habilidades muy diferentes de las que poseyeran nuestros primeros reyes, quienes forjaron un estado de entre los intereses en conflicto y con ayuda de las diversas habilidades de nuestros antepasados remotos y semibárbaros y que una vez que lograron esta organización elemental se hicieron innecesarios. Pero la necesidad actual de una monarquía es aún más grande de lo que lo fuera al comienzo de nuestra historia y en ocasiones pienso que tal necesidad persistiría todavía hasta que el mundo entero haya sido llevado a un sistema de organización único."

En un momento de profundas transformaciones mundiales, luego de la caída del Muro de Berlín en noviembre de 1989 y en medio de las declaraciones altisonantes sobre la muerte de las ideologías y el surgimiento de nuevos alineamientos y procesos, Menem concibió la idea de ocupar el espacio vacante de referencias y convertirse en el líder de la época. Pero, al igual que su idolatrado Julio César, su visión superadora de las estructuras vigentes consistía básicamente en un retorno a las prácticas políticas premodernas. Había una sola cosa cierta: la referencia incuestionable a su persona; a partir de allí habría que construir el nuevo paradigma.

La idea de inaugurar un espacio vacante único tomó diferentes formas. Menem fue el primero en explicitarla con una referencia primaria al hablar de sus integrantes: "No importa el partido político al que pertenecieron, ni la ideología que tuvieron en otra época. Hay dos veredas. Están en esta vereda o en la de enfrente". Era una advertencia apocalíptica, fruto de un momento fundacional, que parangonaba la sentencia evangélica: "Los que no están conmigo están contra mí. El que no siembra, desparrama". Los contenidos de "esta vereda" eran difusos, casi un enunciado compuesto de slogans y de lugares comunes, en muchos casos tomados de la propaganda electoral del liberalismo en los últimos años. Se trataba de estar con la "modernidad" y, por lo tanto, con la reforma del Estado, las privatizaciones, el pragmatismo, la desideologización. Una convocatoria al ingreso al Primer Mundo y a aceptar la realidad universal sin considerar modificarla.

En aras del pragmatismo, se trataba de acabar con todas las instancias de debate y de consulta que retardaban y complicaban la toma de decisiones. Mera Figueroa, por entonces ministro del Interior y uno de los pocos hombres a los que Menem consultaba sobre decisiones de política estructural, lo definía sin pudor: "La democracia sirve para buscar un líder; es un método de ensayo y error en la búsqueda del hombre adecuado, pero una vez que se encuentra el líder —y nosotros lo encontramos a Menem— comienza a volverse contraproducente. Porque no se puede permitir que se le discuta, que se le cuestione, porque todo eso debilita y resta autoridad. El grupo de consulta tiene que ser lo más chico posible, rodearlo y saber que en última instancia la única decisión es del líder. Ese fue el problema de los radicales. Democratizaron el partido hasta encontrar a Alfonsín. Y después quisieron seguir con la historia de la democracia interna, y así lo destruyeron. Nosotros conseguimos a Menem. Ahora solamente hay que acatar".

Esa homogeneización implicaba terminar con los dos polos de poder internos que habían constituido la dinámica del movimiento justicialista desde su nacimiento: el partido y el sindicalismo. El partido debía convertirse puramente en una herramienta electoral al servicio del proyecto de gobierno y el sindicalismo en la fórmula de contención del descontento que pudiera generarse por las medidas económicas implementadas. Desde un principio, la idea de Menem fue terminar con los dos. El nuevo movimiento político que él encabezaba tenía casi una estructura de relación religiosa con el líder, y cualquier fórmula de mediatización era inadecuada. El mismo había llegado a la Presidencia desde la marginalidad, confrontando con el aparato político y sindical. Si no era fácil conseguir esta volatilización de uno y otro, la única posibilidad de terminar con ellos era absorberlos, hacer que se transformaran en partido y movimiento obrero del gobierno.

Esta fue quizá una de las pocas discusiones que se permitieron dar los hombres políticos del gobierno. Quienes llegaban de la renovación, como Carlos Grosso, José Luis Manzano o Eduardo Duhalde, sostenían que era necesario ganar y conducir las estructuras existentes para volcarlas hacia el nuevo proyecto. Mera Figueroa, por convicción, y Luis Barrionuevo, por conveniencia, creían que el poder ni se negocia ni se comparte: se gana. Para esto era necesario crear estructuras paralelas a las ya existentes desde las cuales combatir y derrotar a las otras. Así el partido menemista o la CGT menemista podían erigirse en las únicas funcionales al modelo, luego de haber vaciado de representatividad al PJ o a las 62 Organizaciones. Este segundo grupo fue más operativo que el primero. En agosto de 1989 había creado la CGT San Martín, luego de fracturar a la central única de trabajadores durante el congreso. En abril de 1990 se proponía formar el Partido Menemista, sumando a liberales, justicialistas e independientes y con el apoyo de los empresarios y la farándula. Julio Bárbaro, una vez más, estaba del lado de las posiciones que se imponían y se convirtió en el intelectual del sector. Con la misma pasión con que había defendido posiciones a veces antagónicas durante toda su vida, se lanzó a concebir el engranaje filosófico de la nueva época. Explicaba que, muerta la idea de la revolución, habían fenecido también los cuadros y los militantes para dar paso a los administradores y los técnicos. "Hay que cambiar la pasión por la eficiencia", proclamaba mientras sentenciaba el "adiós a la militancia". Su visión era la de la adecuación a los nuevos tiempos. El pragmatismo, decía, no tiene militantes. La modernidad no es una causa, es un trabajo.

El grupo encontró un aliado fundamental en Bernardo Neustadt, el periodista que había combatido a Menem durante la campaña electoral para pasar luego a fascinarse con él, sin pudor. Neustadt convirtió su programa semanal de televisión, el de mayor rating del país, en la tribuna de las ideas menemistas y se puso él mismo en el rol de predicador de la nueva doctrina. En una entrevista con *Página /12,* lo explicó así:

"—¿Cuándo se conjugaron su historia y la del presidente? ¿Usted le escribe a Menem, o Menem lo escribe a usted?

"—Yo le contestaría al revés. Usted quiere saber si yo me hice menemista. Bueno, no. El presidente es el primer neustadista.

"—¿Cree usted que maneja la política de este gobierno?

"—Yo le diría que sí. A nivel de ideas, de influencias, yo le diría que sí. Es un deber decir que años y años de decirle a la gente que esto que pasa es por culpa del Estado, creó esta nueva situación. Creo que soy un generador de ideas que andan sueltas. Menem y yo funcionamos al mismo tiempo. Menem debe estar tocando el saxofón y yo toco la guitarra eléctrica. La gente dirige la orquesta."

Barrionuevo fue el primero en convencerse de que había llegado el momento de convertir la idea en una manifestación concreta de apoyo al gobierno, y apeló una vez más a su capacidad organizativa y a su pragmatismo. Los partidos opositores habían convocado a un acto de protesta contra las últimas medidas económicas implementadas por el gobierno. Neustadt hacía campaña todas las mañanas en su programa de radio y una vez a la semana por televisión, alentando al optimismo: "¿Por qué en vez de estar contra no estamos alguna vez a favor? Por qué en lugar de convocar a la Plaza para decir que no, no convocamos para decir que sí?". El martes de la última semana de marzo, Barrionuevo miraba junto a Menem en Olivos el programa de Neustadt. Durante una tanda publicitaria tomó su teléfono celular y llamó a la producción de Neustadt. La secretaria del periodista, Clara Mariño, lo comunicó con el conductor:

—Neustadt, si usted me ayuda hacemos la Plaza del Sí. Yo le juro que reventamos la Plaza. Pero usted tiene que estar convencido. De la organización me encargo yo. Usted tiene que hacer la convocatoria.

Neustadt dudó un momento.

—Si no está convencido, mejor lo dejamos. Pero yo estoy acá, con el presidente. Si usted dice que sí, nos ponemos a trabajar ya.

El periodista dijo que sí, y comenzó desde la mañana siguiente a convocar a un gran acto en Plaza de Mayo con la consigna "Plaza del Sí" que se transformó en una campaña de apoyo al gobierno, una forma de definir quiénes estaban en su misma vereda y quiénes en la de enfrente. El acto fue convocado para el viernes 6 de abril con un único orador, Carlos Menem. Rápidamente se sumaron a la convocatoria otros dos comunicadores: Gerardo Sofovich y el director de *Ambito Financiero*, Julio Ramos.

Los dirigentes justicialistas se sumaron sin convicción: "Mientras sea sólo pragmatismo no hay problema. Pero que no intente darle trascendencia, porque donde discutamos una idea no nos va a quedar otro remedio que admitir que esto no es peronismo, que es liberalismo y del más puro", puntualizaba Antonio Cafiero, que ostentaba el inocuo cargo de presidente del Partido Justicialista.

Neustadt, Sofovich y Ramos convirtieron el acto del 6 de abril en una cruzada personal. Durante todo el día convocaron a la marcha por radio y televisión. Se sentían ejercitando un poder del que nunca antes habían disfrutado. Históricamente, la Plaza de Mayo era de los otros. Barrionuevo organizó su aparato en el Gran Buenos Aires, repartió el dinero y los micros y ordenó que por lo menos treinta mil personas llegaran a ponerle colorido y folclore al encuentro.

Fue, sin duda, una circunstancia irrepetible. Una de las plazas más extrañas de la historia argentina. La misma plaza que fue escenario de las grandes contradicciones argentinas y que albergó tanto a los descamisados del 17 de Octubre como a los "gorilas" de la Revolución Libertadora; la que le dio marco al último discurso de Juan Domingo Perón, la de la convocatoria de Leopoldo Galtieri durante la guerra de Malvinas y de la ronda de las Madres de Plaza de Mayo, albergó ese 6 de abril a una multitud heterogénea, que era casi una contradicción en sí misma. A primera hora, puntuales, sin organización ni encuadramientos, fueron llegando los convocados por los periodistas. Familias enteras de clase alta, jóvenes liberales, estudiantes de universidades privadas, socios de los clubes más renombrados de Buenos Aires, empresarios, bancarios, señoras de la alta sociedad. Con ropa a la última moda, joyas, sombreros, muchos dejaban su automóvil estacionado a algunas cuadras de la Plaza. Tarde, como siempre, y como si se tratara de una marea humana, descendieron de los micros los peronistas que llegaban del Gran Buenos Aires convocados por Luis Barrionuevo. Cada grupo ocupó media plaza. No se hablaron, no cantaron, se miraron con recelo.

Menem salió al balcón por primera vez desde que asumiera la Presidencia y anunció que él no era el jefe de un partido, sino de la Patria.

A su lado, los dirigentes históricos del peronismo comenzaron a sentir vergüenza de estar protagonizando un acto en esa plaza que era una suerte de reverso del 17 de Octubre que había dado origen al peronismo. Los liberales estaban convencidos de que había nacido un movimiento. Los peronistas sabían que otro había muerto.

DIEZ

—¿ENTENDÉS, CARLOS? Imagináte a la gente cantando la marcha menemista...

Miguel Angel Vicco golpeaba la mesa como si se tratara de un bombo mientras María Julia Alsogaray estallaba en una carcajada:

—¡Menemista no, Carlista! —gritó, mientras levantaba los brazos haciendo tintinear sus pulseras.

Los dos amigos se pararon, se abrazaron y empezaron a saltar como si estuvieran en una tribuna de fútbol o un acto partidario. Cantaban "los muchachos menemistas...".

El discurso que había pronunciado esa mañana del 1º de mayo de 1990 ante la Asamblea Legislativa dando por iniciadas las sesiones ordinarias del Congreso había sido fundacional. Había convocado a la fundación de "un capitalismo de verdad, y no simplemente una retórica del capitalismo". Carlos Menem se recostó sobre el respaldo del sillón y cerró los ojos. Desde que el 6 de abril recibiera una ovación en la Plaza de Mayo, un sueño se había vuelto recurrente casi hasta convertirse en una obsesión. Su imagen multiplicada hasta el infinito en afiches, pancartas, libros de historia, revistas internacionales, como la del general Juan Domingo Perón.

Esa misma tarde del 1º de mayo, en una entrevista con el diario *La Prensa* fue todavía más categórico y no dudó al pronunciar lo que para algunos peronistas podía parecer un sacrilegio:

333

"—*Su programa tiene muy poco en común con la doctrina justicialista. Hasta se podría decir que usted gobierna en contra de los ocho millones que lo votaron. ¿No acabará quedándose solo?*

"—En absoluto.

"—*¿De cuándo es su conversión a las ideas liberales-conservadoras?*

"—No hubo conversión, sino evolución de las ideas maduradas a lo largo de los años. Yo sólo he puesto en marcha los cambios que muchos políticos antes que yo, entre ellos Perón, quisieron pero no se atrevieron a hacer por falta de valentía."

El peronismo había sido un instrumento para llegar al poder. Podrían haber sido los conservadores en 1958, el isabelismo en 1975, el masserismo en 1982 o el Tercer Movimiento Histórico en 1985. Para Menem no eran más que simples herramientas electorales que perdían valor en el momento de ejercer el poder desde el gobierno. Quizás esa fuera la razón primaria por la que no se sentía seducido por la idea del "Partido Menemista" que le planteaban sus hombres más cercanos, encabezados en ese momento por Miguel Angel Vicco y María Julia Alsogaray.

María Julia era una visita permanente de la Secretaría Privada de la Presidencia y uno de los pocos funcionarios que podía entrar y salir de los despachos de la Casa de Gobierno sin necesidad de permiso. No faltaba en las salidas nocturnas, en las que Vicco seguía acompañando a Menem. Aprovechaba esas reuniones para hacer sus confidencias, personales y políticas, y para resolver los temas pendientes del área a su cargo, la privatización de ENTel. Vicco había cobrado poder paulatinamente, y había descubierto su vocación por la política. Comenzó a operar en el Ministerio de Defensa, sosteniendo a Humberto Romero, el segundo de Italo Luder, y pretendía que María Julia se ocupase también de las privatizaciones de ese sector. En el momento de apogeo de su relación con María Julia, Vicco llegó a sugerirle a Menem que ella debía hacerse cargo de la intendencia metropolitana, encabezada por Carlos Grosso.

Grosso era, precisamente, uno de los más empeñados en darle racionalidad al proceso político que se estaba viviendo. Lo explicaba con fórmulas sociológicas, señalando que la diferencia entre el tipo de poder ejercido por Menem y el poder tradicional de los partidos políticos argentinos era una cuestión cultural. "El tiene otros tiempos, tiempos árabes. La nuestra es una cultura occidental, la de él oriental. Nos diferencia fundamentalmente la forma del proceso lógico, los tiempos para las decisiones. El cree en la inmediatez, el reflejo, la intuición, la semblanteada. Cosas que a nosotros nos daría vergüenza plantear siquiera. Pero no se equivoca. Hay que estudiar el fenómeno, comprenderlo. Un fenómeno de mucho carisma."

El otoño de 1990 se convirtió en el escenario de los primeros intentos por montar un aparato doctrinario y político capaz de enmarcar el accionar del menemismo en el gobierno. Los esfuerzos no pudieron escapar a la impronta de Carlos Menem. Comenzaron siendo discursos ideológicos pretenciosos, afirmaciones contradictorias y justificaciones imprecisas; se transformaron después en internas por espacios de poder y terminaron expresándose en declaraciones de apoyo incondicional a la figura del presidente.

La ansiedad de los dirigentes peronistas fue precipitada por el acto del 6 de abril y la decisión notoria del liberalismo de los Alsogaray de ponerse al frente de una nueva fuerza política que incluyera al menemismo. La misma noche del 1º de mayo en que Vicco y María Julia se reunieron con Menem, se realizó otro encuentro en la casa de Carlos Corach. Allí se congregaron José Luis Manzano, Miguel Angel Toma, Roberto García, Luis Barrionuevo, César Arias, Julio César Aráoz, Eduardo Bauzá y Eduardo Menem con la decisión de unificar a los distintos sectores internos (celestes, rojo punzó y renovadores) y reformular la doctrina nacional y social del justicialismo, para insertar en el "Peronismo del Siglo XXI" a las prácticas liberales y conservadoras del gobierno.

La única idea que pudieron concertar fue la de realizar una "reunión cumbre" en Mar del Plata el 25 y 26 de mayo. El encuentro debía servir para unificar el discurso de los dirigentes y para delinear los puntos básicos del accionar partidario en el siguiente año, y reclamar ante el liberalismo el monopolio de la explicación del proceso político y económico vigente. La idea de realizar una "cumbre" en lugar de un congreso partidario tenía como fundamento la imposibilidad de controlar en ese momento lo que sucediera en una reunión que congregara a todos los miembros del partido. Lo que Menem había definido como "la otra vereda" estaba formada en buena parte por dirigentes, sectores y grupos que tenían aún representación interna en el justicialismo y que podrían haber planteado sus posiciones en un congreso, donde nadie controlaría las invitaciones y donde todos tendrían voz y voto.

En la "otra vereda" se encontraban por entonces, además de la oposición tradicional del radicalismo y los partidos de izquierda, la Confederación General del Trabajo controlada por Saúl Ubaldini en el plano sindical, y los diputados que se habían referenciado como el "Grupo de los Ocho" en lo político. Dentro de la CGT ubaldinista se diferenciaban claramente dos sectores: el de las 62 Organizaciones de Lorenzo Miguel y Diego Ibáñez y el del gremialismo combativo de Víctor de Gennaro (estatales), Mary Sánchez (docentes) y Alberto Piccinini (metalúrgicos de Villa Constitución). En el Grupo de los Ocho se agrupaban Luis Brunatti, Germán Abdala, Darío Alessandro, Carlos Alvarez, Franco Caviglia, Moisés Fontela, José Carlos Ramos y Juan Pablo Cafiero. El eje del peronismo disidente se sintetizó un mes más tarde, el 17 de junio, en las conclusiones del Congreso de Villa María, donde anunciaron su constitución como línea interna del justicialismo. Allí criticaron el modelo "liberal conservador impuesto", cuestionaron la "defraudación del sentimiento del voto popular del 14 de mayo de 1989", afirmaron que "el movimiento obrero y los sectores sociales expulsados del aparato productivo por el modelo de acumulación en marcha son los dos espacios sociales con los que asumimos un compromiso político" y aseguraron que "nos reconocemos en Juan Domingo Perón y Eva Perón para comprometernos en un desafío que consiste en lo inmediato en evitar la usurpación del voto popular y luchar contra el intento por legitimar en nombre de un pasado pleno de realizaciones y lucha el proyecto más regresivo e injusto de la historia argentina".

El grupo disidente intentaba encuadrar políticamente el descontento generalizado de los sectores sociales que habían constituido históricamente la base del justicialismo y que en ese momento sólo atinaban a convertirse en espectadores del proceso en marcha. El desconcierto había invadido a las bases del justicialismo, que optaron por replegarse y centrar sus reclamos en el terreno sindical. La situación era contradictoria, porque mientras todo parecía indicar que el "humor popular" estaba en contra de las medidas liberales que adoptaba el gobierno, Carlos Menem seguía cosechando un amplio nivel de apoyo en las encuestas, que llegó a su pico más alto en el invierno de 1990.

La preparación de la cumbre de Mar del Plata reavivó las diferencias internas en el menemismo y provocó la formación de nuevas agrupaciones. La primera en surgir fue la que se conoció como "Aspen", tomando el nombre del hotel porteño en que se reunían, y que conformaban José Luis Manzano, Rodolfo Díaz, Raúl Carignano, Miguel Angel Toma, Matilde Menéndez y Eduardo Cevallos. En base a una transcripción casi textual de un documento del norteamericano Peter Drucker acerca de los desafíos del fin de siglo, el grupo intentó presentarse como la fuente intelectual del nuevo período y llamó a dar "la batalla por el pensamiento". El auge del grupo duró poco, apenas hasta que las pretensiones de refundación doctrinaria dejaron paso a las más terrenas y pragmáticas discusiones sobre la distribución del poder.

La cumbre de Mar del Plata terminó siendo una reunión de dirigentes menemistas más o menos notorios que produjo un híbrido documento de apoyo al gobierno después de fundir las posturas de los Aspen con las de un texto que había llevado Antonio Cafiero, en el que el bonaerense hacía una defensa cerrada de la "identidad peronista" y alertaba contra el "peligro de la disolución cultural y política" del justicialismo. Menem no concurrió al encuentro y se limitó a enviar un discurso que fue leído por su hermano Eduardo. Allí el presidente señaló sin eufemismos que había llegado el momento de "refundar al peronismo, porque las doctrinas que no evolucionan se envejecen y tarde o temprano terminan desapareciendo".

En realidad, los datos políticos centrales de ese fin de semana no fueron ciertamente los documentos ni los discursos de Mar del Plata. El golpe más fuerte que simbolizaba la época menemista que se inauguraba con la cumbre marplatense lo dio la presencia de Ramón Ortega. El cantante que se popularizó en la década del setenta como "Palito" Ortega acababa de ser bendecido por el presidente para presentarse como candidato a gobernador por Tucumán y darle la pelea a quien se planteaba como la continuidad de la dictadura militar, Domingo Antonio Bussi. Las otras definiciones estuvieron dadas por las ausencias más que por las presencias. Eduardo Duhalde prefirió mantenerse al margen del encuentro y el mismo domingo del cierre de Mar del Plata lanzó en Lanús, en un multitudinario acto, su propia corriente interna a la que denominó "Liga Federal". El saadismo, por otra parte, convocó a una reunión en Catamarca, a la que concurrió la esposa del presidente. Zulema viajó para demostrar que también ella, aunque con un signo ideológico diferente al del resto de los disidentes, se encontraba en la vereda de enfrente.

Mar del Plata fue el inicio de la desmovilización del peronismo y su paulatina desaparición, como movimiento primero y como partido después. La confluencia del sector sindical con el político, la característica central del espacio creado por Juan Domingo Perón, había hecho crisis con la irrupción de la renovación sin dar paso a una nueva pauta de relación. Con Menem en el gobierno, el partido se licuó, las líneas internas desaparecieron, poco a poco se fueron cercenando los mecanismos de democracia interna, se intervinieron distritos y se eligió la conducción del PJ por una lista conformada en la Casa Rosada y sin oposición interna. A pesar de haber adquirido una sede nueva y moderna como si se estuviera a punto de fundar un partido político acorde con los tiempos, el PJ pasó a ser sólo el membrete que encabezaba algunas declaraciones y documentos que los funcionarios de gobierno no podían hacer por sí mismos a raíz de los lugares públicos que ocupaban.

La Unión del Centro Democrático inició decididamente la búsqueda de formar un partido político que unificara al menemismo con el liberalismo. María Julia Alsogaray se desafilió de su partido y Adelina D'Alessio de Viola, la dirigente que capitaneaba la oposición interna, comenzó a acercarse al gobierno. La idea del Partido Menemista comenzó a ser tan fuerte que un grupo de dirigentes que habían acompañado a Menem desde las épocas del estudio Grimberg, como Claudio Naranjo y Jorge Rachid, decidieron fundar el "Movimiento Nacional Menemista", una agrupación que se mostraba como una instancia superadora del peronismo. En realidad, sólo pretendían adelantarse a la posibilidad de que los liberales se decidieran finalmente a utilizar el nombre. Por eso se apresuraron, inscribiéndolo como propio.

Quienes alguna vez, desde adentro o desde afuera del PJ, intentaron encontrar las razones del desmembramiento del partido abundaron en explicaciones que, si bien aportaron datos ciertos, fueron incapaces de describir la globalidad. Antonio Cafiero, el último presidente del PJ que funcionó como tal, señalaba que "con la renovación nos ocupamos de la parte metodológica, pero cuando llegamos a la modernización doctrinaria, a buscar una nueva formulación para la idea de movimiento y partido, ya estábamos en el gobierno y nos devoró la realidad". José Luis Manzano sostenía que la opción de ser "partido de gobierno" era desgastante para cualquier fuerza política, y mucho más para una que, como el peronismo, nunca había tenido su esqueleto interno demasiado consolidado. Eduardo Duhalde aportó las razones más cercanas a las de Carlos Menem: "Nosotros nunca creímos en los partidos políticos".

La organización del poder y el ejercicio de la conducción cristalizados por Carlos Menem desde su asunción del gobierno fueron una reproducción exacta de uno de los paradigmas planteados un siglo atrás por el alemán Max Weber en la tipología de las formas de gobierno:

"Basan su poder en el carisma. Pero el carisma, en cuanto poder creador, merma a medida que el dominio se solidifica en formas permanentes y solamente manifiesta su actividad durante elecciones y ocasiones análogas mediante imprevisibles emociones de masas. Hay una causa económica que exige la rutinización del carisma: la necesidad que tienen las capas privilegiadas por la organización política, social y económica existente de legitimar su situación social y económica, de que un estado dominante puramente fáctico sea consagrado y transformado en un cosmos de derechos adquiridos. Estos intereses constituyen el más sólido motivo de la conservación de los elementos carismáticos dentro de la estructura de dominación. El auténtico carisma, que no se basa en un orden estatuido o tradicional sino en la legitimación por el heroísmo personal, se opone decididamente a esos intereses. Pero justamente su cualidad de poder superior a toda cotidianidad llega a convertirse, tras de su rutinización, en una fuente apropiada de adquisición de legitimidad de poder de mando a favor de todos aquellos cuyo poder y bienes son garantizados por dicho poder y, por tanto, dependen de su permanencia. (...)

"Fuera de las normas de la tradición, la voluntad del señor sólo se halla ligada por los límites que le pone en cada caso el sentimiento de equidad o sea, en forma sumamente elástica: de ahí que su dominio se divida en un área estrictamente ligada por la tradición y otra, de la gracia y el arbitrio libres, en la que obra conforme a su placer, su simpatía o antipatía y de acuerdo con puntos de vista puramente personales susceptibles de dejarse influir por complacencias también personales. En la medida en que como base de la administración y de la composición de los litigios existen principios, éstos son los de la equidad ética material o de la utilidad práctica, pero no, en cambio los de carácter formal, como es el caso de la dominación legal. El cuerpo administrativo consta de elementos que dependen directamente del señor (familiares o funcionarios domésticos), o de parientes, o de amigos personales, o de elementos que le están ligados por un vínculo de fidelidad. El tipo más puro de semejante administración es el dominio sultanesco. (...)

"Los compañeros se transforman en súbditos, ya que lo que fuera hasta ese momento derecho preeminente entre iguales lo convierte el imperante en derecho propio, apropiado de igual forma que cualquier otro objeto de posesión y valorizable como cualquier otra probabilidad económica. Llámase dominación patrimonial a toda dominación primariamente orientada por la tradición, pero ejercida en virtud de un derecho propio; y es sultanista la dominación patrimonial que se desvincula de la tradición y se mueve dentro de la esfera del libre arbitrio. La forma sultanista del patrimonialismo puede ser a veces en su apariencia externa tradicionalista. Sin embargo, no está racionalizada, sino que se desarrolla en base a los conceptos del libre arbitrio y la gracia. (...)"

Carlos Menem caminaba todas las noches las pocas cuadras que separaban la residencia presidencial de Olivos de la casa que Mario Rotundo había alquilado sobre la calle Corrientes, en ese mismo barrio. La mayor parte de las veces lo acompañaba Miguel Angel Vicco, otras, Nora Alí o Emir Yoma. Rotundo se encargaba de los invitados. Viejos y nuevos amigos, secretarias del gobierno, estrellas de televisión o jovencitas desconocidas. Las reuniones se prolongaban hasta la madrugada, amenizadas por música, champaña y café. Menem se sentía más a gusto en esa casa pequeña que perdido en los pasillos de la residencia a la que nunca pudo acostumbrarse. A veces usaba la casa de Corrientes incluso para reuniones políticas. Lo importante era mantenerse alejado de Zulema.

La relación de la pareja era un caos. A las diferencias que habían resurgido con más fuerza que después de las anteriores reconciliaciones, se sumaban las discusiones políticas. Luego de no conseguir un despacho en la Casa de Gobierno, Zulema se había instalado en la residencia con sus secretarios Jorge Mazzucheli y Antonio Palermo, y un séquito de mujeres que la ayudaba en las tareas de beneficencia que pretendía realizar en su rol de Primera Dama. Palermo hacía de amigo y de confidente, cuidaba de la situación de Carlitos y Zulemita y se ocupaba de tareas menores. Mazzucheli, en cambio, estaba dispuesto a encabezar un movimiento político de la mano de Zulema y los carapintada. Llegó a convencer a Zulema de que la relación de Vicco con María Julia era sólo una pantalla para esconder una operación mayor: el intento de la dirigente liberal por conquistar a su marido y formar así un "matrimonio político". Cuando arreciaban los indicios sobre las escapadas nocturnas de Menem con la vedette Amalia "Yuyito" González, Mazzucheli aseguraba que era otra "maniobra de distracción".

Mazzucheli llevaba un cuaderno donde hacía "evaluaciones políticas" que daba a leer a Zulema. En esos días escribió que "a Menem se lo comienza a ver ya sin temor con María Julia Alsogaray, quien está cobrando una fisonomía similar a Zulema en sus apariciones públicas (ropa y arreglo personal) y ocupa el lugar al lado del presidente en cuanto acto o reunión se realiza. Esta relación sería vista con buenos ojos por quienes pretenden la alianza liberal-menemista, tanto en la Argentina como en el exterior. Hace recordar a las antiguas alianzas de la Edad Media entre las distintas monarquías europeas con fines de obtener mejor grado de poder. Independientemente de existir una relación sentimental, la interrelación en el gobierno es manifiesta, con mayor influencia de María Julia sobre él que a la inversa. Por otro lado, se aparenta una relación con Amalia 'Yuyito' González, quizá para tratar de tapar esta otra. También se hace entrar en escena a Graciela Alfano, a quien se la vio de la mano de Menem".

Zulema seguía esa misma línea conspirativa para analizar su situación matrimonial. En una reunión con periodistas, aseguró que existía "una foto de una fiesta negra en la que están Menem y Ramón Hernández". No conforme con esa acusación, llegó a decir —reclamando un estricto *off the record* por parte de los cronistas— que esa foto había estado en poder de un fotógrafo de *Diario Popular*, que había muerto en un accidente: por ese motivo había sido mandado matar desde el gobierno.

El tema carapintada era uno de los que más irritaba a Menem. En dos oportunidades, el presidente llegó a la residencia de Olivos y encontró allí a Mohamed Alí Seineldín, esperándolo junto a Zulema. La primera vez se reunió durante algunas horas y discutió algunos temas. La segunda, cuando supo que Seineldín estaba en la residencia, prefirió irse a la casa de Corrientes y volvió a la madrugada.

Aunque los escándalos conyugales eran casi diarios, Menem comenzó a preocuparse cuando intuyó que Zulema estaba armando un dispositivo político que aglutinaba a quienes comenzaban a quedar relegados del gobierno. Por Olivos paseaban Saúl Ubaldini, por entonces novio de Amira Yoma; el ex secretario de Acción Social, Rubén Cardozo; Herminio Iglesias, y Guillermo Patricio Kelly.

Zulema comenzó a hacer declaraciones políticas:

—Si se apalea o reprime a la gente pobre, estoy dispuesta a cruzar de vereda. Eso es algo que yo no podría tolerar por más que mi marido se llame Carlos Menem. Me parece abominable que se apalee a cualquier ciudadano hambriento. ¿Cómo puede ser que a alguien que protesta porque tiene hambre encima se lo golpee o se lo mate? Me parece terrible que se haya reprimido a esos pobres vejetes, más allá de que algunos hayan suscitado la violencia —dijo a los periodistas refiriéndose a la represión que se había ejercido contra una marcha de jubilados.

En la mañana del 3 de mayo, Mazzucheli ingresó al dormitorio de Zulema. Ella lo esperaba desnuda, tirada sobre la cama.

—Estoy muy mal, madrecita, muy mal, me pegó, me pegó toda la noche... —comenzó a murmurar mientras lloraba.

341

Entonces le mostró un rasguño que tenía sobre el pecho y moretones en los brazos.

—Está loco, me va a matar...

La pelea entre Carlos Menem y Zulema Yoma superó esa noche todas las que habían tenido hasta el momento. Las ofensas mutuas fueron subiendo de tono hasta que ella gritó:

—¡Puto, drogadicto, ladrón! —y le arrojó un jarrón que se estrelló contra el espejo.

Esta vez, él se dio vuelta y salió de la habitación.

La pelea se originó cuando Menem se convenció de que los afiches que mantenían en vilo la interna política del gobierno habían sido diseñados a instancias de su esposa. El miércoles 25 de abril, enormes cartelones tapizaron la Avenida 9 de Julio. "Lealtad al presidente pero no a los delincuentes", decían, y agregaban: "José Luis Petroquímica Manzano; Eduardo Guardapolvo Bauzá; Eduardo Pan de Azúcar Menem y Roberto Cometa Dromi". Las alusiones eran obvias. Los cuatro mencionados pertenecían al sector "celeste", sobre el que abundaban las denuncias de corrupción: en el caso de Manzano la supuesta participación en la privatización de la Petroquímica Bahía Blanca (PBB); Bauzá había tenido que rendir cuentas por una denuncia sobre la compra de guardapolvos con sobreprecio a uno de sus asesores; Eduardo Menem tuvo que explicar de dónde habían salido los doscientos cincuenta mil dólares con que había abierto una nueva cuenta en el banco Pan de Azúcar de Uruguay, y Dromi era sospechado de cobrar coima en casi todas las privatizaciones. Las acusaciones tocaban al círculo más íntimo del presidente y ponían en jaque a todo el gobierno.

Eduardo Menem no dudó en ver la mano de Zulema detrás de la operación de los afiches. Tardó apenas unos días en comprobarlo. Ramón Ruiz, el subdirector del Ente Nacional de Turismo que encabezaba Omar Fassi Lavalle, se presentó, arrepentido, primero ante el juez que intervenía en la causa y luego ante el presidente. Ruiz relató que la idea había surgido en una cena que mantuvieron en la casa de Fassi Lavalle en Beccar el 1º de abril. Habían estado presentes el dueño de casa, Emir Yoma, Zulema, Jorge Mazzucheli y Ruiz. Zulema fue la encargada de sintetizar el slogan y Ruiz de ejecutar la operación. Menem firmó el decreto ordenando la renuncia de Fassi Lavalle y se fue a Bariloche a ver correr un rally a su hijo Carlitos.

Fassi Lavalle llegó a Olivos el domingo por la noche y llevó a Zulema hasta la casa del empresario Carlos Bulgheroni, con quien intentaban encontrar una salida al asunto. Zulema ya había decidido dar marcha atrás en su supuesta dureza y buscar la reconciliación con su marido. No estaba dispuesta a perder sus espacios de poder. Durante esa semana, Menem durmió en la Casa de Gobierno y Zulema acalló sus declaraciones públicas. Pero el viernes 3 Menem volvió a la residencia y le pidió a Zulema que se marchara y que se ocupara de que todos sus hermanos dejaran el gobierno. Fue el inicio de la discusión que terminó cuando Menem salió y se subió al auto que manejaba Miguel Angel Vicco.

—¿Qué hacemos, Carlos?

Menem no contestó durante unos segundos, se tapó el rostro con las manos y apoyó su cabeza sobre sus rodillas.

—¿Podés alojarme? Vamos a tu casa.

Menem comenzó a turnarse entre las casas de sus amigos: dormía en el departamento de Vicco en la Recoleta, en el piso de Blas Medina o en la *suite* que le había preparado Mario Falak en el Hotel Alvear. Después de diez días, decidió que la separación era definitiva y que debía darla a publicidad para que Zulema se convenciera. Su hermano Eduardo fue fundamental en esta decisión, como lo había sido en las separaciones anteriores. Sólo con él consultó la situación y midió costos y beneficios públicos. No se trataba de una cuestión matrimonial. Estaba en juego su prestigio y precisaba definir si era más peligroso aparecer como un presidente separado o arriesgarse a las nuevas maniobras políticas de Zulema. El 14 de abril le comunicó a su amigo Constancio Vigil, el editor de Atlántida, que podía publicar la novedad. Dos días después el semanario *Somos* anticipaba en su tapa la separación matrimonial.

Zulema estaba desconcertada, y decidió resistir. Se atrincheró en Olivos mientras mandaba a sus hijos a convencer al padre para que regresara al hogar y, sobre todo, para que desmintiera la información y los preservara así del escándalo público. Zulemita y Carlitos estaban sumidos en un ataque de histeria. Caminaban por Olivos gritando y jurando venganza. Emir los había convencido de que el gestor de toda la operación era el secretario Legal y Técnico Raúl Granillo Ocampo, que para ellos era lo mismo que Eduardo Menem. Por la tarde las esperanzas de Zulema se desvanecieron. El vocero Humberto Toledo difundió un comunicado de tono protocolar en el que el gobierno informaba que "tratándose de un tema de estricto orden familiar el presidente se abstendrá de formular apreciaciones públicas sobre el mismo".

Amira y Emir decidieron preservar sus espacios de poder a pesar de la separación de su hermana. Esa misma noche se reunieron con Menem para reclamarle la continuidad de sus puestos. Menem no quería sumar una nueva complicación y aceptó, con la condición de volver a discutir el tema en un mes. Menem completó la operación difundiendo un decreto por el cual Jorge Mazzucheli y Antonio Palermo cesaban en sus funciones como asesores presidenciales. Zulema los confirmó como secretarios personales, pero prefirió respetar la decisión de su esposo para no sumar un nuevo motivo de distanciamiento.

El 25 de mayo, mientras los dirigentes reunidos en Mar del Plata esperaban que Menem viajara por la tarde, el presidente tenía otras preocupaciones. Durmió la noche del 24 en la Casa de Gobierno y allí tuvo que despertarlo la diana de los granaderos. Pero Zulema anunció que participaría de los actos del día patrio como Primera Dama y que luego habría un almuerzo familiar en Olivos. Estaba segura de que el presidente iba a ir: en la residencia estaban guardados el bastón y la banda que Menem debía lucir como atributos del poder, y ella no pensaba entregárselos a ningún enviado. Sin banda, sin bastón y sin Primera Dama, Menem presidió el Te Deum en la Catedral y se fue a la estancia de Alejandro Granados a pasar la tarde.

El nuncio Ubaldo Calabresi y Jorge Antonio llegaron por la tarde a la residencia de Olivos. Antonio volvía a convertirse en un mediador, pero no para defender la continuidad de la pareja sino la de los Yoma en el gobierno. A esta altura, Emir y Karim se habían convertido en sus socios privilegiados y Amira le era fundamental para ciertas operaciones. Pero la mediación fracasó: aunque Zulema estaba dispuesta a todo por volver a ser la Primera Dama, Menem no quiso ni oír hablar del tema.

Gostanián se apresuró a comprarle a Menem un piso en Libertador, en el mismo edificio donde vivían él y la familia del ex almirante Massera. Menem pasó el domingo en la quinta de Blas Medina. Se subió a una moto y salió a recorrer la zona a más de cien kilómetros por hora, como una forma de descargar tensiones. La moto terminó estrellada contra un árbol y Menem con una muñeca fracturada. La explicación pública del vendaje fue que se trataba de una caída en la bañera. El martes, emprendió una gira de diez días que abarcó Nairobi (Kenya), Kuala Lumpur (Malasia), Papeete (Tahití), la isla de Guam (Polinesia), Asunción (Paraguay) y Milán (Italia). La agenda había logrado reunir en ese maratónico viaje los temas más disímiles: una reunión del Grupo de los Setenta y Siete, descanso en las islas del Pacífico, la Asamblea de la Organización de Estados Americanos en Paraguay y el debut de la selección argentina en el Mundial de Fútbol 1990 en Italia.

Zulemita y Carlitos lo esperaban en Paraguay para convencerlo de que regresara al hogar, pero Menem fue inflexible. Mientras tanto, Zulema organizó un almuerzo con periodistas en Olivos para demostrar que ella seguía siendo la dueña de casa. La fiesta fue animada por Mazzucheli, que tocó la guitarra y cantó boleros mientras Antonio Palermo leía un mensaje al país de la Primera Dama. Cuando los cables con la información llegaron a Milán, donde Menem presenciaba la inauguración del Mundial, el presidente le ordenó al jefe de la Casa Militar, Andrés Antonietti: "Cuando vuelvo voy a Olivos. Zulema se va de ahí. Esa es la casa del presidente". Pero nadie sabía a ciencia cierta quién se encargaría de cumplir la orden.

Finalmente fue Antonietti quien tomó la iniciativa y todo se planificó como una operación militar. Algunos rumores que manejaba Alberto Kohan preveían la posibilidad de que la quinta fuera ocupada por militares carapintada para intentar una resistencia. Esperaron el día adecuado. Zulema tenía que ir al centro para declarar en la causa iniciada por los afiches. Sólo Carlitos dormía en la residencia. El personal militar y de la Policía Federal ocupó el parque. Antonietti ingresó con dos hombres portando gas paralizante para el caso de que hubiera resistencia. La orden de Menem era terminante: "Sacála planchada si hace falta. Pero que no haya ni un empujón".

Cuando Antonietti se presentó en la residencia de Olivos, Carlitos se comunicó con su madre que estaba en el departamento de la calle Posadas. Zulema convocó a un escribano y a los medios de prensa y, acompañada por Zulemita y Mazzucheli, partió hacia Olivos. En la puerta de la calle Villate, en medio de un amontonamiento, a los gritos, la Primera Dama acusó al presidente de "echar a su familia de su casa como si fueran perros". Carlitos salió y la escena se multiplicó hasta el infinito reproducida por cadenas de televisión internacionales. Ella intentaba mostrar serenidad mientras, en medio de una batahola infernal, los guardias no sabían a quién apuntar, a quién dejar entrar o salir.

—Nos echó, nos echó el presidente por decreto. Nos dejó a mí y a mis hijos con la ropa que teníamos puesta y ni siquiera podemos entrar a buscar nuestras cosas. Pero yo me voy a manejar con la ley y no con los funcionarios de este gobierno, que son unos indecentes —gritó.

Carlos junior comenzó a esbozar una de las típicas teorías conspirativas del poder:

—Los que rodean al presidente lo están dominando —dijo.

Entre gritos y forcejeos, Zulema y sus dos hijos subieron a un Renault bordó que dio la vuelta por Libertador, hasta un destacamento policial donde labraron un acta para dejar constancia de que se les había impedido el ingreso al hogar familiar.

Menem terminó de convertir el problema familiar en una cuestión de Estado firmando un decreto en el que fijaba disposiciones sobre la residencia de Olivos. El texto del decreto 1.026 señalaba que "el predio sito en la calle Villate 1.000 se legó al gobierno nacional para que sea asiento o residencia veraniega del Poder Ejecutivo. El acceso, la permanencia y el uso de las instalaciones se hará en la forma y modo que disponga el titular del PEN por intermedio de la Casa Militar".

Los Yoma se congregaron en el departamento de Posadas. Hasta allí llegó también Jorge Antonio, y la discusión pasó entonces al plano de las conveniencias políticas y económicas. Antonio tenía una consigna clara: Zulema podía hacer lo que quisiera con su marido, pero no debía presionar a sus hermanos para que la acompañaran en una actitud de confrontación. Era imprescindible que Amira y Emir conservaran sus cargos en el gobierno. Zulema volvió a acusar de todas sus desavenencias matrimoniales a sus enemigos históricos de La Rioja: Eduardo Menem y Raúl Granillo Ocampo.

En esta separación, los hijos de la pareja intervinieron mucho más activamente que en las anteriores. Carlitos hizo la defensa pública de su madre en el programa de televisión de Bernardo Neustadt.

—Es el entorno. Lo cercaron. No lo puedo creer. Yo lo quiero a mi padre... pero lo que nos ha hecho, nos ha dejado en la calle, no tenemos ropa... Hay todo un ejército en Olivos, es como si fuese una dictadura. Creo que es peor que una dictadura.

—No lo conozco a tu padre tanto como vos —admitió Neustadt—, pero si algo lo conozco creo que en este momento debe estar llorando.

—Yo también he llorado; muchas veces lloré en la vida. Tantas veces lloré por él.

El miércoles 13 el presidente de la Nación envió el telegrama número 1.421 dirigido a su esposa Zulema. "La orden que impartí, muy a mi pesar, ha estado determinada ante tu propia conducta y tus desatinos. Resulta inaceptable tu pertinaz interferencia impidiendo, como lo has hecho, que se desenvuelva la labor conforme lo dispongo en ejercicio del poder que detento", sostuvo Menem.

Durante varios días el escándalo matrimonial siguió siendo el centro de la información argentina. Zulemita llegó histérica una noche a un restaurante céntrico, "Fechoría", para insultar al conductor televisivo Gerardo Sofovich porque había bromeado sobre la situación de la familia en un programa cómico.

Zulema comenzó una guerra de telegramas, declaraciones públicas y comunicados, convencida de que el presidente terminaría por elegir la reconciliación antes que el escándalo. Esta vez, Menem estaba decidido a no dar marcha atrás. Ponía en juego su imagen internacional y la Presidencia de la Nación. Durante el mes en que Menem había estado viajando por el mundo, Zulema se preparó para la separación. Había guardado minuciosamente todos los papeles de su marido que habían quedado en Olivos y se había encargado de averiguar los números de sus cuentas en el exterior. Pero Antonio y Emir la convencieron de que era mejor esperar antes de terminar de precipitar el escándalo, porque aún había margen de negociación. Zulema esperó, y negoció: Menem recuperó toda esa información y cambió los códigos que aparecían en esos papeles a cambio de la permanencia de Emir y Amira en el gobierno.

Los escándalos

El 2 de julio de 1991 Menem festejó sus sesenta años con una fiesta espectacular en Anillaco, a la que no dejaron de llegar invitados durante dos días. Luis Barrionuevo se había preocupado de que la celebración fuera una verdadera reivindicación personal y política de Menem, una forma de levantarle el alicaído ánimo frente a la desazón que le provocaba el hecho de que por segundo año consecutivo sus hijos no estarían junto a él en su aniversario. Ni Carlitos ni Zulemita habían vuelto a hablarle después de la separación y, a través de Emir y Amira, Menem sabía que no querían ni siquiera oír mencionar su nombre. No faltó nada: mariachis, odaliscas, mucho vino y empanadas. El mismo Lorenzo Miguel se encargó del discurso de felicitaciones y llegó a poner en un mismo plano a Menem y a Perón al pedir un minuto de silencio por el aniversario de la muerte del segundo (el 1º de julio) y un fuerte aplauso por el cumpleaños del primero.

El apoyo del viejo dirigente metalúrgico tenía varias connotaciones. En principio, porque Menem había conocido el desprecio que Miguel sentía por él y los desplantes públicos a los que lo había sometido. Pero, además, porque Miguel seguía siendo considerado uno de los paradigmas del justicialismo en un momento en que el plan económico implementado por el gobierno, los acuerdos con el liberalismo y las privatizaciones alimentaban las críticas a la "desperonización" desde distintos sectores. Tampoco faltó a la fiesta María Julia Alsogaray, que le regaló al presidente un par de gemelos de oro grabados con la fecha 8 de octubre, la de su propio cumpleaños pero también el día fijado para la privatización que estaba a su cargo, la de la Empresa Nacional de Telecomunicaciones (ENTel).

No fue, sin embargo, una fiesta feliz para María Julia. Miguel Angel Vicco debió ceder ante la presión de su esposa Marta, indignada por los rumores cada vez más públicos sobre la relación de su marido con la dirigente liberal, y viajó a Anillaco junto a ella. María Julia debió compartir la cabecera de la mesa con los dos, mientras Marta Vicco se esforzaba por ser cariñosa y natural con su esposo. Cuando terminó la cena, Vicco y su esposa dejaron el salón y María Julia permaneció sentada sola en una silla recuperándose del mal rato.

Durante los dos días que duró la fiesta, Jorge Antonio no perdió oportunidad de conversar con Menem sobre la situación de su familia política. Antonio ya no apostaba a la reconciliación, pero se esforzaba en fijar "reglas de convivencia" en el desavenido matrimonio. No debía resentirse la situación de los Yoma en el gobierno. Karim y Amira eran fundamentales en su relación con algunos grupos económicos españoles y árabes, y Emir manejaba junto a Vicco algunos de sus negocios en la Argentina e Italia.

Menem había anunciado que su hermano Munir, embajador en Damasco, volvería a la Argentina para hacerse cargo del manejo de su secretaría privada y organizar lo que para entonces era un cóctel de influyentes e intermediarios. Antonio no se inmutó, porque creyó ver allí la posibilidad de un trueque beneficioso y comenzó a operar para que Amira, por entonces secretaria de Audiencias, fuera nombrada en la representación argentina en Siria. Cuando Menem le insinuó la idea a Munir se encontró con una firme oposición. La relación entre Munir y Amira se había resentido el verano anterior, cuando la menor de los Yoma llegó a Damasco portando una carta personal de Menem para su colega sirio Hafez al Assad. Durante la semana que permaneció en el país de sus ancestros Amira logró deslumbrar y preocupar a la vez a Munir por la profundidad y la variedad de sus contactos con los hombres del gobierno y los negocios sirios.

En esa oportunidad, Amira no ocultó su relación de intimidad con Munsser al Kassar, quien la acompañó durante su estadía en la residencia del embajador. Al Kassar se movía con libertad en los círculos políticos europeos y de Medio Oriente a pesar de las múltiples acusaciones que pesaban en su contra por tráfico de armas, narcotráfico y vinculaciones con el terrorismo internacional. La puntillosidad y la astucia con que manejaba sus relaciones públicas para mantener armada esta estructura hicieron que Al Kassar organizara una fiesta espectacular de recepción a Munir a poco de la llegada de éste a Damasco. El hermano del presidente, el menos osado de los Menem, no terminaba de sentirse cómodo en esa situación. Los informes que manejaba sobre los negocios de Al Kassar lo atemorizaban, y sólo aceptaba esa relación por sumisión a Carlos y a la corte de funcionarios argentinos que lo llamaban periódicamente para pedirle favores para el sirio. Si Amado y Eduardo siempre se manejaron con autonomía respecto de Carlos, llegando muchas veces a enfrentarse cuando las opciones políticas los separaban, Munir, en cambio, siempre fue dependiente de los dictados de su hermano, y sentía su designación como embajador en Siria como un favor que difícilmente pudiera pagarle en toda su vida.

Por otra parte, los contactos de Al Kassar en Buenos Aires eran múltiples y variados: Jorge Antonio lo había recibido en su estancia de Guernica; Omar Vaquir lo visitaba con frecuencia desde la época de los negocios petroleros mientras era embajador en Libia y El Cairo; el médico personal de Menem, Alejandro Tfeli, solía reunirse con él en Londres y París. Es cierto que el primer nexo eran las relaciones internas en la colectividad: los hermanos Al Kassar habían nacido en Yabrud, a pocas cuadras de la casa de los Menehem, y buena parte de sus parientes vivieron después en el barrio porteño de Constitución dedicándose, al menos públicamente, a la venta de artículos de bazar y juguetería, o productos textiles. Se encontraban en las reuniones de la comunidad siria en la Argentina, tanto en Buenos Aires como en Mendoza, La Rioja o Catamarca, conocían de memoria sus nombres y sus vinculaciones, casaban a sus hijos entre sí y cada tanto volvían a Siria para no perder los nexos familiares.

Pero entre ellos nadie desconocía las actividades económicas y políticas del resto. Habían convivido en la España del final del franquismo, que se convirtió en el escenario privilegiado del nacimiento de los intermediarios, el tráfico de armas y la vinculación del terrorismo, el narcotráfico y la mafia. Los que no participaban de los negocios tenían por lo menos una filosofía clara sobre el tema: los árabes hicieron rica a España, lo que necesita un país para crecer es plata, no importa de dónde venga, alguien tiene que dedicarse a estos negocios: "si no lo hacemos nosotros lo harán los norteamericanos".

Los primeros en ocuparse de la complejidad del tema que involucraba centralmente a los empresarios y políticos de su país fueron varios académicos españoles que llegaron a crear en las universidades cátedras de "Historia de la Corrupción". A uno de ellos, Ricardo de la Cierva, profesor de la Universidad de Alcalá de Henares, corresponde esta síntesis.

"Ya dentro del siglo XX, la corrupción multinacional se ha extendido de forma avasalladora, aparte del narcotráfico, en dos grandes sectores de producción y distribución: las armas y el petróleo. El investigador Anthony Sampson ha descrito sugestiva y documentadamente la evolución del negocio de las armas en su libro *El bazar de las armas* (Grijalbo, Barcelona, 1978). Ahora los gobiernos de los países más civilizados y desarrollados —Francia y España entre ellos— participan en el escandaloso comercio internacional de las armas a través de empresas estatales; el gobierno de los Estados Unidos ha provisto de auténticos arsenales a Israel, por medio de costosísimos puentes aéreos y tanto directamente como por intermediarios los estados civilizados han suministrado armas a uno y otro bando de los numerosos conflictos sangrientos que se han producido desde la segunda guerra mundial hasta hoy mismo. (...) La trama de la corrupción en nuestro siglo se completa con el petróleo, su explotación y distribución, aunque siempre sea difícil encontrar más que algunos indicios que sólo son puntas de iceberg. Las nuevas generaciones de altos funcionarios del petróleo en los países árabes, muchos de los cuales han fijado su residencia, al menos temporal, en la costa española del Sol, han aprendido pronto de la anterior generación de príncipes y practican el arte de la corrupción con maestría insuperable, y hasta con mucha mayor discreción al punto que hoy casi no se habla de grandes escándalos de corrupción en el mundo del petróleo, al contrario que en el mundo de las armas.

"Después de la segunda guerra mundial no han cesado los conflictos localizados. Se han registrado hasta hoy, después de 1945, más de cien conflictos armados, muchos de los cuales subsisten hoy todavía, incluyendo los conflictos de trasfondo estratégico en Centroamérica, en Colombia, en Perú, en Chile y la Argentina y Uruguay. Desde la presunta paz de 1945 hasta la guerra del Golfo sensibles partes del mundo han vivido o viven en estado de guerra permanente, y en cada una de ellas los dos bandos, que a veces son más, necesitan armas y municiones de todas clases, mientras las diversas confrontaciones estratégicas han requerido también la preparación de los ejércitos de países desarrollados con armamento pesado. En este campo se mueven los fabricantes, comerciantes y comisionistas de las armas de guerra. Es un campo rentable, porque el pago suele ser inmediato y al contado.

"La alta corrupción en Europa occidental, Japón y los Estados Unidos coincide en España con la fase final del franquismo, la transición de la UCD y los inicios de la época socialista. En España existe una importante y rentable industria de armamento, con flujo exportador notable, y se entrecruzan fuertes intereses petrolíferos internacionales y de armamento pesado."

Esa es la época en que Karim Yoma consigue por primera vez en la historia que un funcionario extranjero llegue al rango de vicecanciller en el ministerio de Relaciones Exteriores de España.

Karim Yoma contaba con dos méritos fundamentales: la Orden de Caballero de Honor que le había otorgado Francisco Franco y sus conocimientos sobre Medio Oriente, adquiridos durante los años en que se desempeñó como oficial de inteligencia de la embajada española en Damasco, en los que logró armar una fluida red de contactos con los principales hombres de los negocios más fructíferos en esa zona, entre los que se encontraban Rifat al Assad, Munsser al Kassar y el magnate Gaith Pharaon, dueño del Banco de Comercio y Crédito Internacional (BCCI), denunciado por el gobierno de los Estados Unidos como uno de los centros del lavado de narcodólares.

Amira compartía esos contactos, a los que añadía las relaciones personales que había establecido gracias a su particular encanto y misterio femeninos. Por eso Menem analizó durante unas semanas la propuesta de Antonio de enviarla como embajadora a Damasco. Pero la propuesta fue descartada antes de que se formalizara: el canciller Domingo Cavallo, que ya había tenido conflictos con Karim en el Ministerio, se anticipó a la posibilidad recordándole al presidente que una sucesión en una embajada entre su hermano y su cuñada podía crear demasiadas resistencias entre el personal de carrera del servicio diplomático.

Menem decidió darle un mes de licencia a Amira para que viajara por Europa mientras resolvía la situación. Amira aceptó gustosa, y partió el 19 de agosto para encontrarse en Madrid con su amigo Munsser al Kassar. La menor de los Yoma viajó acompañada por la modista Elsa Serrano y se alojó en el palacio que el magnate sirio mandó construir sobre el Mediterráneo, en Marbella. Fue la devolución de una visita de Al Kassar, quien se había alojado en la casa de Amira en Buenos Aires unos meses antes; en esa oportunidad, y como parte de una curiosa relación, convivieron en el mismo departamento Amira, su ex esposo Ibrahim al Ibrahim y su amante Munsser al Kassar.

La expulsión de Zulema de la residencia de Olivos terminó de resquebrajar la relación de Carlos Menem con los carapintada. Zulema se convirtió en la interlocutora privilegiada del grupo y en representante del coronel Mohamed Alí Seineldín ante su marido. Cuando Carlos Menem y Alberto Kohan temían que ella convocara a militares retirados para defender su lugar en Olivos estaban magnificando una situación que se basaba en una descripción correcta de la realidad. Zulema era en ese momento uno de los principales nexos entre los sectores que respondían a Seineldín y los que se aglutinaban alrededor del almirante (RE) Emilio Eduardo Massera. Humberto Romero, secretario de Defensa, había convencido al marino para que se aliara a los carapintada con la idea de convertirlo en uno de los referentes del sector.

Seineldín se había entrevistado por segunda y última vez con Menem el 10 de agosto de 1989: Zulema había organizado para el matrimonio Seineldín una cena familiar en el comedor de la quinta presidencial de Olivos. Allí el coronel hizo una descripción apocalíptica de la situación en el Ejército y le advirtió a Menem que el "sector administrativista no respondería al espíritu del indulto y seguiría persiguiendo y eliminando a los jefes, oficiales y suboficiales del Ejército Guerrero". Menem lo escuchó en silencio y sólo se comprometió a conversar la situación con el designado jefe del Estado Mayor Conjunto, Isidro Cáceres. Pero unos días después Seineldín comprobó que Menem no estaba demasiado convencido de cumplir con los acuerdos alcanzados con los carapintada: después de un enfrentamiento con el ministro de Defensa Italo Luder, Humberto Romero, uno de los principales operadores del sector, renunció a su cargo de número dos en esa cartera. Lo reemplazó Julio Dentone, esposo de la senadora Alicia Saadi, un hombre ligado a Julio Mera Figueroa. Los seguidores de Seineldín se sintieron traicionados y pintaron las paredes porteñas anunciando que "Se viene el camello", en alusión al coronel de origen árabe.

Los funcionarios del gobierno desfilaban por la casa de Seineldín, quien oficialmente estaba detenido a raíz de su participación en el levantamiento de Villa Martelli el 3 de diciembre de 1989. El secretario Legal y Técnico, Granillo Ocampo, y el joven Gustavo Béliz, que ocupaba la Secretaría de la Función Pública, se convirtieron en dos invitados permanentes. El 28 de agosto Seineldín los recibió en su casa para analizar una propuesta de Béliz: conformar una fuerza "antinarcótico y antiterrorista" que serviría para reincorporar a la actividad militar a los cuadros que estaban marginados de las Fuerzas Armadas por haber participado, en los levantamientos militares. El grupo siguió reuniéndose en la sede de la Fundación para la Paz y Amistad entre los Pueblos de Mario Rotundo e incorporó a las discusiones a Alberto Kohan y a Julio Mera Figueroa.

Béliz se convirtió en un militante de la causa de los carapintada. Después de que Menem firmara el indulto (que terminó con los procesos abiertos por violaciones a los derechos humanos y que dejó en libertad a los detenidos por los sucesos de Villa Martelli) en octubre de 1989, el joven abogado se unió a Miguel Angel Vicco y a Julio Mera Figueroa para presionar sobre el presidente. Querían que Menem alejara a Italo Luder del Ministerio de Defensa y nombrara en su lugar a Humberto Romero.

Las presiones dieron sus frutos en enero de 1990: después de una serie de reuniones organizadas en el Hotel Alvear por Vicco y Béliz en las que se discutía la posibilidad de un inminente golpe de estado por parte de la cúpula de las Fuerzas Armadas, Menem convocó a Luder a su despacho para analizar su manejo del Ministerio. Luder recordó luego ese encuentro con detalles: "Llegué cargado de carpetas y papeles y comencé a explicar punto por punto la situación de cada fuerza, los problemas que tenía, el tema salarial, la cuestión de los carapintada. El presidente me escuchaba en silencio y mientras yo hablaba iba escribiendo algo en unas hojas que tenía en su escritorio. De repente se paró y me pidió que lo esperara porque tenía que ir hasta su dormitorio. Yo no pude con la curiosidad, porque pensaba que en esas anotaciones estaba mi futuro, y cuando él dejó el despacho me acerqué a la hoja para ver qué había escrito. No podía creer lo que ví. ¡Menem estaba escribiendo la formación de River para el partido del domingo!". Luder renunció un día después, y fue reemplazado por Humberto Romero.

El 10 de marzo de 1990 Béliz, acompañado esta vez por el secretario de Planeamiento Moisés Ikonikoff, llegó hasta el domicilio particular de Seineldín para pedirle consejos urgentes. El general Cáceres había sido internado por una enfermedad incurable, los médicos no le daban esperanzas y el presidente quería saber nombres de futuros reemplazantes y conocer al detalle la situación interna del Ejército frente a este tema.

La ruptura de Menem con los carapintada llegaría unos meses después, por una cuestión alejada de los vaivenes políticos y los discursos ideologizados que venían levantando hasta ese momento. Mario Rotundo organizó un viaje de una delegación carapintada a Libia para pedirle apoyo económico a Muammar al Khadafi. Seineldín designó a Gustavo

Breide O'Beid, que había pasado unos meses en aquel país como parte del intercambio militar entre las dos naciones, como su delegado personal. Khadafi los recibió y escuchó sus argumentos sobre la necesidad de conseguir armamento para organizar un Ejército Nacional que apoyara los cambios puestos en marcha por el gobierno. Los libios ya estaban conversando con el gobierno argentino sobre la posibilidad de que les enviaran el misil Cóndor, y Khadafi prefirió no enemistarse con Menem. Un intermediario se comunicó con el presidente argentino para informarle de la reunión y le pidió autorización para entregarles los dos millones de dólares que le habían solicitado. Menem desautorizó a los enviados, le rogó a Khadafi que no volviera a recibirlos y se juramentó destruir a Seineldín y a Rotundo.

El episodio es paradigmático del estilo de conducción del menemismo. En la política se permite todo, siempre y cuando no fracase; en los acuerdos no hay límites, salvo intentar hacerlos a espaldas de "El Jefe".

Bastó la orden de Menem para que los mismos que habían operado el acercamiento de los carapintada comenzaran a planificar su destrucción. Rotundo ya no pudo volver a ingresar a la residencia de Olivos, y tuvo que abandonar la casa de la calle Corrientes. Vicco, Romero, Béliz, y el titular de la Secretaría de Inteligencia del Estado, Hugo Anzorregui, empezaron a diseñar minuciosamente el final de los carapintada. Apelando a la misma lógica que había nutrido a la Junta Coordinadora Nacional del radicalismo, se decidieron a alentar un nuevo levantamiento para reprimir y descabezar al movimiento. El escenario fue propicio. Menem comenzaba a demostrar su decisión de alinearse junto a los Estados Unidos y profundizaba su alianza con el liberalismo: dos razones más que suficientes para que los nacionalistas se plantearan la necesidad de un golpe de efecto que diera vuelta la situación.

En ese marco, no fue difícil para los hombres de Seineldín lograr apoyos económicos. Los empresarios que participaban clandestinamente en la compra y venta de armamentos sabían que este realineamiento complicaría sus negocios y decidieron apostar a los carapintada. José Luis Manzano daba nombres y apellidos: Amalia Lacroze de Fortabat, Jorge Born, Carlos Bulgheroni y el grupo Koner-Salgado. El gobierno anunció que el 5 de diciembre llegaría el presidente de los Estados Unidos, George Bush, en visita oficial a la Argentina. Ninguna ocasión podía haber sido más adecuada. Seineldín le envió el 19 de octubre de 1990 una carta a Menem en la que le anunciaba la inminencia de un levantamiento militar. El Estado Mayor del Ejército lo sancionó con sesenta días de arresto en San Martín de los Andes. El teniente coronel Angel León se convirtió en su representante ante el gobierno. Anzorregui citó a León en su despacho de Balcarce 25 el 15 de noviembre para saber los detalles de la situación. León le anticipó que faltaban sólo algunas semanas para el levantamiento.

—No podemos hacer nada... La detención de "El Turco" levantó a todos nuestros cuadros. No podemos pararlos.

Anzorregui lo miró, comprensivo.

—Y, si no se puede...

La SIDE manejaba una de las "cajas" más importantes del gobierno. De allí salieron, y nadie pudo comprobar nunca quién dio la orden de entregar el dinero, doscientos mil dólares para los carapintada.

Dos días después, León y Patricio Videla Balaguer se entrevistaron con Gustavo Béliz. El secretario escuchó más o menos el mismo planteo que le habían hecho a Anzorregui y se comprometió a informarle todo al presidente Menem.

Vicco, por su parte, en pleno romance con María Julia Alsogaray, impulsaba la designación de la ingeniera como privatizadora del área de Defensa. Era una forma de provocar el incendio: no sólo les advertía a los nacionalistas que había caducado el proyecto de "Producción para la Defensa" que constituía uno de sus pilares doctrinarios sino que, además, les anunciaba que la liquidación de las empresas estaría a cargo de una liberal.

Poco después de la medianoche del 2 de diciembre Alberto Kohan estaba llegando a su casa de San Isidro cuando su amigo, el periodista y empleado de la Secretaría de Informaciones del Estado Carlos Tórtora, le telefoneó para anunciarle que había comenzado el levantamiento. Kohan se comunicó a Olivos, le dio la novedad a Menem y partió hacia el edificio Libertad en que se concentraba la principal operación del grupo. Kohan esperó allí dialogando con los rebeldes hasta que supo que el presidente estaba en su despacho de la Casa de Gobierno. Entonces cruzó la calle y se reunió con "El Jefe".

Menem no podía ocultar su satisfacción. Se sentía todopoderoso. Aunque nunca en su vida empuñó un arma más que para probar suerte en algún ejercicio de tiro, las decisiones que tenían que ver con la vida y la muerte de los demás lo transformaban en su propio Dios. Era la misma sensación que al firmar los indultos, o cuando reclamaba la pena de muerte. La potencia última del soberano era precisamente ésa: tener en sus manos la vida y la muerte, el perdón, la traición o la libertad de sus súbditos.

Seineldín, que había creído alguna vez que sería el presidente en las sombras del gobierno menemista, estaba lejos de comprender que se había convertido en el instrumento para realizar las mayores obsesiones de Menem en aquel mes de diciembre: demostrar a George Bush que era un presidente con convicción y coraje; sentirse mucho más grande que su antecesor Raúl Alfonsín; vengarse de las amenazas de Zulema. Ser, por unos instantes, comandante en una guerra.

La mejor expresión de las sensaciones de Menem en esas horas la dio el brigadier Andrés Antonietti. Parado detrás del sillón presidencial, reclamaba medidas extremas: bombardear el edificio Libertador desde el aire y ejecutar a Seineldín en su prisión. Antonietti se ofrecía para cumplir él mismo con las dos misiones. El jefe de la Fuerza Aérea, José Juliá, y el titular de la SIDE, Hugo Anzorregui, debieron convencerlo de la peligrosidad de las dos medidas. El edificio Libertador dista escasos doscientos metros de la Casa Rosada y no se podía garantizar que el bombardeo no terminara por involucrar blancos civiles. La ejecución de Seineldín podría ser contraproducente para la relación con el presidente norteamericano.

Menem escuchó las argumentaciones y guardó silencio durante unos minutos. Después miró a los comandantes de las Fuerzas Armadas.

—Hagan como mejor les parezca. Pero, aunque los tengan que sacar a todos muertos, esto se termina antes de la medianoche.

Es cierto que Raúl Alfonsín nunca se había atrevido a dar una orden de esa naturaleza en los anteriores levantamientos. Pero también es cierto que la situación militar en aquel momento era sustancialmente diferente: el indulto otorgado en octubre y el complementario que Menem había prometido para mediados del año siguiente habían logrado cohesionar a las Fuerzas Armadas. Además, la posibilidad del apoyo civil que los carapintada alentaban ante cada asonada se había acabado con la llegada de los operadores menemistas al gobierno. Ni Seineldín ni sus lugartenientes terminaban de procesar el cambio en la relación con el menemismo y no habían planteado una estrategia para la nueva situación. Cuando Seineldín se convenció de que habían sido traicionados ya era demasiado tarde. Ensayó una jugada melodramática y pidió una pistola para suicidarse. Decidió no hacerlo cuando comprendió que nadie le negaría el arma.

Más tarde, Julio Mera Figueroa, que era ministro del Interior en el momento del levantamiento, explicó el proceso de los carapintada junto al menemismo aplicando un ejemplo histórico: "Los carapintada fueron para nosotros lo que los montoneros para Juan Perón. Los usamos para llegar y después los dejamos. Ellos, como los montoneros, no se dieron cuenta de que sólo habían sido un instrumento del líder para llegar y creyeron que tenían poder propio. Entonces no quedó otro remedio que matarlos".

LA CAIDA

Carlos Menem prendió un cigarrillo y se recostó sobre el sillón de cuero verde. Haría refaccionar su despacho. El cielo raso tenía manchas de humedad y las molduras casi habían perdido la forma original. Quería revestir todo de dorado, con arañas inmensas y cortinados morados, para dar fastuosidad a su lugar de trabajo. Terminaba de comprender finalmente que Raúl Alfonsín no había sabido disfrutar del poder: ese cuarto oscuro, con las paredes revestidas en madera y los sillones ingleses discretamente dispuestos en los rincones se parecía al despacho de un abogado y no al aposento del "dueño de la Historia". El no era un abogado cualquiera. El se soñaba como Julio César o Adriano, personajes centrales, eternos, casi dioses.

Eran las diez de la noche del viernes 28 de diciembre de 1990. Los decretos por los cuales se indultaba a los jefes de la represión antisubversiva y a los líderes montoneros descansaban desde hacía media hora sobre su escritorio. Raúl Granillo Ocampo había tenido la delicadeza de fecharlos el 29 para no irritar a la Iglesia Católica tomando esa medida el Día de los Santos Inocentes. Menem caminó despacio hasta su sillón. Había pedido que lo dejaran solo, pero ahora deseaba que alguien estuviera allí para presenciar ese momento. Quería verse a sí mismo reflejado en la admiración del otro, transfigurado por la omnipotencia. Pero no quedaba ya nadie en la casa de gobierno. Ramón Hernández y Miguel Angel Vicco lo esperaban en el automóvil, sobre la explanada.

Salió de su despacho y caminó hasta el Salón Blanco, magnífico en la soledad y la penumbra. La suela lisa de sus zapatos nuevos hizo crujir el piso de madera. Se dio vuelta sobresaltado y vio su cara reflejada sobre los espejos de la puerta. Se miró en silencio durante largos minutos, y finalmente sonrió y entornó las pestañas como si intentara seducir a su propia imagen.

Volvió junto al escritorio, se puso sus anteojos de lectura y firmó uno por uno los decretos que dejaban en libertad a los condenados por crímenes aberrantes contra los derechos humanos y a la cúpula montonera y que, además, daban por finalizados los juicios contra Guillermo

Suárez Mason y el ex ministro de Economía José Alfredo Martínez de Hoz. Lo hizo lentamente, leyendo íntegros los fundamentos que Granillo Ocampo había redactado precediendo a cada uno.

Cuando todos estuvieron firmados rebuscó en el montón de hojas apiladas hasta encontrar nuevamente la correspondiente a Albano Harguindeguy. El hombre que se había ensañado con él porque era turco, negro y riojano. El que lo había mandado a Las Lomitas y estaba preso, entre otras razones, por la causa que él, Carlos Saúl Menem, le había iniciado por privación ilegítima de la libertad. Ahora que era todopoderoso lo estaba perdonando. ¿Podía haber una venganza mayor? Harguindeguy lo odiaba, lo despreciaba, y ahora le debía su libertad. Menem sonrió y su sonrisa se espejó sobre la mesa lustrada, enmarcada por la sombra de los decretos y el reflejo de la imagen de la Virgen del Valle que había colocado sobre el escritorio el día de su llegada a la Casa de Gobierno.

Entonces sintió un vacío y una sensación de agobio imprevista. La imagen de la Virgen le recordó a su madre Mohibe cuando aseguraba que "la Señora del Valle" le había salvado la vida en el momento del nacimiento de Carlos. Como si estuviera viendo una película, se sucedieron en su cabeza los recuerdos del 7 de noviembre de 1977, cuando le avisaron que su madre había muerto mientras él estaba detenido en el Penal de Magdalena. La orden de Videla y Harguindeguy, prohibiéndole viajar al velorio. Su propio contraataque al jurar públicamente que no pararía "hasta verlos pudrirse en la cárcel". Recordó los rostros de sus compañeros de cautiverio y el de su madre, una y otra vez. En un gesto instintivo se lanzó sobre el teléfono y marcó el número del departamento de la calle Posadas. Hacía tres meses que no veía a sus hijos. Reconoció la voz de Zulema.

—Soy yo... Por favor, estoy mal, dejáme hablar con los chicos...

—¡Por qué no te vas a la puta madre que te parió!

El tubo le devolvió el monótono sonido: la comunicación había sido cortada. Tomó aire y se recostó en el sillón. Nada importaba. Saldría a festejar. De un salto se puso de pie y golpeó sin querer el borde de la mesa. Los decretos se deslizaron hasta dar con fuerza contra la imagen de la Virgen que rodó y se estrelló contra el piso. Menem miró los trozos de porcelana blancos y celestes desparramados en el suelo. El signo lo horrorizó. Corrió por los pasillos, bajó las escaleras de mármol y se zambulló en el automóvil en que lo aguardaban sus secretarios.

—Ramón, me dejé los decretos sobre el escritorio... Por favor, subí y guardálos en la caja fuerte.

Intentó en vano defenderse. La convicción de que saldría derrotado de la batalla que libraba contra la angustia lo paralizaba y lo llenaba de impotencia. Una vez más, volvió a sentir la sensación de llenarse lentamente de un líquido viscoso que invadiría rápidamente su estómago, le asfixiaría la garganta y se amontonaría en su cabeza hasta que llegara el alivio de las lágrimas, los vómitos y el sueño. Desde el episodio con la imagen de la Virgen, Menem creía ver un presagio en cada cosa. Se acumulaban los augurios apocalípticos. Sus hijos lo odiaban. Su destino era irremediablemente la soledad. A cada momento la voz de Zulema susurraba en sus oídos y le anticipaba un final trágico. La presencia de Vicco y Hernández le incomodaba porque le recordaba que incluso ellos tenían una vida más allá de él: hijos, un hogar, alguien que se preocupara por su suerte. Sólo Nora Alí y Ana María Luján podían consolarlo. Sin proponérselo, había logrado que dejaran todo para seguirlo, que inmolaran sus vidas personales por serle eternamente fieles.

Miguel Angel Vicco comenzó a preocuparse por la depresión del presidente y decidió comunicarse con Alberto Kohan.

—Alberto, "El Jefe" está muy mal. Creo que tenemos que hacer algo, me parece que esto termina mal. ¿Por qué no organizamos una fiesta para pasar el fin de año con él? Está obsesionado con los chicos...

Kohan dudó un momento, pero finalmente creyó que debía decirle la verdad.

—Mirá, Miguel, yo ya lo pensé. Pero mi mujer me mata. Marta está indignada con lo del indulto, no quiere ni verlo por el momento.

La segunda idea de Vicco no fue mejor. Llamó a Graciela Borges, con quien Menem había pasado la Navidad, y le pidió que fuera a Olivos. Ella llegó temprano y en sólo algunos minutos logró arrancarle algunas sonrisas. Hasta que decidió que no podía obviar el tema.

—Carlos, yo tengo que decirle lo que pienso. Lo del indulto es una canallada. Yo creo en la justicia. Usted no es Dios.

Menem intentó defenderse.

—¿Y vos creés que a mí no me duele? Yo estuve preso, me torturaron, pero si yo puedo perdonar... ¿por qué ustedes no?

—Yo no voy a hacer de esto una competencia ni de sufrimiento ni de magnanimidad. Usted no puede jugar con el dolor de la gente. Usted es el presidente de la Argentina, no el dueño.

—Yo te agradezco tu sinceridad —le contestó el presidente, y dio por terminado el encuentro.

Ante la insistencia de Vicco, Amado Menem decidió hacerse cargo de la situación y organizó las cosas para que toda la familia pasara fin de año junto a Menem en Olivos. El no podía viajar a La Rioja porque Zulema y los chicos habían ido para allá, y le habían hecho advertir por Emir que no querían cruzárselo. La cena transcurrió aburrida y casi en silencio. Después de brindar, los jóvenes se fueron a bailar a una discoteca de la zona y los hermanos Menem se quedaron tomando café y fumando.

—¿Viste las encuestas? —preguntó Eduardo.

Menem lo miró y no le contestó.

—Uno de cada siete están en contra del indulto.

Todos quedaron en silencio.

—¿Se puede saber por qué lo hiciste? ¿Cómo pudiste perdonar a ese hijo de puta de Harguindeguy? Al principio me dabas admiración por estas cosas, pero ahora... No te entiendo... ¿Cómo pudiste?

—Ya sé que vos no podrías. Siempre fui mejor que vos.

Esa era, al menos, la creencia familiar. Carlos, mujeriego y jugador, era el vago, el atorrante, el que no trabajaba. Pero era el único de tez blanca, un dato fundamental para las familias árabes. Amado, Munir y Eduardo tenían en su piel el inocultable tono aceitunado de la mayor parte de los descendientes de los hombres del desierto. Carlos era también el preferido de Mohibe, quizá porque la madre intentaba contrarrestar la dureza con que Saúl, el padre, trataba a ese hijo al que no podía convertir en su sucesor en los negocios como hubiera correspondido por tradición familiar.

Pero Mohibe y Saúl estaban muertos, y en esa madrugada del primer día de 1991 sus hermanos estaban allí, exhibiendo a sus esposas y sus hijos y él, Carlos, a pesar de ser el presidente estaba solo.

Lo despertaron después del mediodía, para anunciarle que estaba el ministro de Economía, Antonio Erman González. Se alegró. Erman era uno de sus afectos auténticos. A pesar de que siempre había peleado por mantener su autonomía, era mucho más leal que otros que se mostraban incondicionales. Caminaron por el parque desierto y hablaron de nimiedades hasta que Carlos recordó la conversación que había tenido hacía dos días con el ministro de Relaciones Exteriores, Domingo Cavallo. El canciller estaba indignado porque el frigorífico Swift se había quejado ante el embajador Terence Todman de que Emir Yoma estaba demorando un expediente para lograr sacar una comisión en la negociación. Todman había enviado una carta con la queja, junto a la denuncia de otros siete casos de empresas que encontraban complicaciones para presentarse en licitaciones. Cavallo, que creyó entender que el tema podía terminar en un conflicto con el mismo gobierno de los Estados Unidos, se presentó ante el presidente reclamándole una solución urgente.

Erman escuchó el relato en silencio.

—Yo te dije que íbamos a tener problemas con Emir. Yo no quería darle ese expediente.

—¿Y se lo diste?

—Carlos... ¿De qué me hablás? Si vos me ordenaste que se lo diera...

—Mirá, si se lo diste es un problema entre vos y Emir.

—Vos me ordenaste...

—¿Vos también entraste en ésta? Ahora todos me meten a mí en el medio, nadie se hace cargo de nada, nadie protege mi imagen. Ustedes me quieren ver destruido. Se terminó, ¿entendiste? Yo no te ordené nada. Yo no quiero tener nada que ver con este tema.

Erman lo miró en silencio durante unos segundos y tiró el cigarrillo contra el piso.

—De nuevo no, Carlos. Vos no me podés maltratar. Yo estoy harto. Te conozco demasiado este jueguito. Yo te renuncié dos veces y te voy a renunciar de nuevo. Pero no te acepto esto...

El rostro descompuesto del presidente contuvo su verborragia. Carlos Menem estaba a punto de llorar.

—Negrito, por favor, no me dejes solo... Estoy solo.. Por favor, no me hagas esto... Emir, Zulema, me cagaron la vida... me sacaron a los chicos... no puedo enfrentarlos... no puedo contra ellos. Ayudáme, no me dejes solo.

—¿Estás loco? ¿Qué te pasa?

—Los chicos... me sacaron a los chicos... Zulema les hizo un lavado de cerebro, me odian, ¿entendés?

Menem trataba de contener las lágrimas y temblaba por el esfuerzo bajo el abrasador sol del verano porteño.

—No te preocupes, se va a arreglar todo. Pero no me dejes solo.

A la mañana siguiente manejó la Ferrari roja que le habían regalado los dueños de la empresa Ducati, los hermanos Braghieri y Castiglioni, a más de doscientos kilómetros por hora rumbo a Pinamar. Los empresarios italianos —amigos de Miguel Angel Vicco a través de su relación con Mássimo Del Lago, el representante de la empresa en la Argentina— eran dueños de Ducati, Cagiva, Moke Automovile y una empresa siderúrgica en su país con intereses comerciales en Medio Oriente, Latinoamérica, Libia y Moscú. Estaban pasando sus vacaciones en Punta del Este, y desde allí comandaban las negociaciones para destrabar una línea de créditos que les permitiría construir dos hoteles de la cadena Sheraton y un complejo turístico sobre doscientas mil hectáreas en los esteros del Iberá, Corrientes.

Una vez más, el vértigo y el peligro le sirvieron de terapia. Cuando llegaron a Pinamar, Ramón Hernández, que había oficiado de acompañante, estaba lívido. Pero él había recuperado algo de su presencia de ánimo.

Todo el gabinete estaba instalado en el balneario "CR" en el que tenía su carpa Eduardo. Roberto Dromi, ministro de Obras y Servicios Públicas, hacía de anfitrión en el bar. Menem descargó tensiones con el deporte: voló en helicóptero, hizo surf, jugó al fútbol y al tenis. Pasó dos días durmiendo en la playa. La bella Graciela Alfano le levantaba el ánimo complicándolo con sus juegos en el mar. El sábado manejó de nuevo la Ferrari, esta vez hasta Mar del Plata. Pasó la noche de Reyes entregando juguetes en la colonia de vacaciones de Chapadmalal. Por un momento, creyó que la crisis había pasado y que había recuperado definitivamente la presencia de ánimo.

Sin embargo, el domingo Ramón Hernández lo despertó con mayor brusquedad que lo acostumbrado. El periodista Horacio Verbitsky informaba con detalle en *Página/12* sobre la carta de Terence Todman mencionando el pedido de coima de un hombre del gobierno. Aunque no nombraba a Emir, era obvio que el periodista conocía también esa información. En algunos segundos pasó de la depresión a la furia. Repasó mentalmente la situación y llegó rápidamente a la conclusión de que no había peligro. No había más copias de la carta que las que tenían Cavallo y Erman. La embajada desmentiría la información. Unas horas después enfrentó a los periodistas y anunció que "se trata de un caso de delincuencia periodística".

La información de Verbitsky desató uno de los mayores escándalos de la administración menemista que se conoció como "Swiftgate". La embajada confirmó la información; el gobierno de los Estados Unidos amenazó con sacar una declaración de cuestionamiento a los indultos si Menem no terminaba con la corrupción dentro de su gobierno, y el gabinete se vio inmerso en una crisis sin igual hasta entonces: todos sospechaban de todos. Menem intentaba encontrar una solución espectacular, pero los reflejos que le habían servido para resolver el levantamiento carapintada del 3 de diciembre no alcanzaban esta vez. Emir y Amira Yoma se habían instalado en el despacho lindante con el del presidente, desde donde presionaban para que Menem los apoyara. Conocían las reglas del juego y sus riegos: Menem no iba a cuestionar nada de lo que hicieran, pero tampoco defendería a nadie ante el fracaso de las operaciones.

Emir se lanzó entonces a una búsqueda desenfrenada de los responsables de la filtración. Era la manera de convencer a Menem de que los enemigos estaban dentro mismo del gobierno y desviar la atención, o ponerla en su justo término. Los códigos eran claros: al único que no se perdona es al delator. ¿O alguien podía mostrarse sorprendido? ¿Había alguien que no supiera cómo se manejaban estas cuestiones? Cuando José Luis Manzano lanzó su célebre frase "Yo robo para la Corona" estaba, finalmente, haciendo una delimitación de legitimidades. Con la misma lógica que sus amigos socialistas italianos, Manzano creía que se justificaba cualquier método para conseguir dinero para hacer política y tener poder. Lo que no estaba permitido era hacerlo al margen del circuito y sólo para el enriquecimiento personal.

El Swiftgate fue el primer estallido público de esta interna. González y Emir Yoma consiguieron que los empresarios dieran a conocer un comunicado en el que aseguraban ambiguamente que "no hubo presiones por parte del gobierno". Menem protagonizó una confusa conferencia de prensa en la que defendió a su familia política, aseguró que ponía "las manos en el fuego por los Yoma" y planteó un conflicto con el embajador Todman acusándolo de "mentiroso". El embajador ratificó los términos de su carta y la situación parecía haber ingresado en un camino sin retorno.

Menem convocó a una reunión de gabinete en la residencia de Olivos. Cavallo ratificó ante todos los ministros que él había recibido la denuncia del embajador Todman, que había consultado con los empresarios de Swift y que le habían confirmado que Emir Yoma había pedido una suma de dinero y un avión como compensación para acelerar el expediente. Menem intentó mostrarse sorprendido por el relato. Finalmente había llegado el momento de dejar que prevalecieran los códigos previamente convenidos. Llamó a Emir y cuando éste llegó a la reunión hizo que Cavallo repitiera la versión. Emir no tardó en entender que Menem estaba abriéndose del asunto, y comprendió que no podía buscar ya su defensa. La operación había fracasado y, por lo tanto, habían cruzado la línea que delimitaba el espíritu de cuerpo del sálvese quien pueda. Emir sabía que su futuro público había quedado sellado.[1]

Menem se debatía en medio de su desesperación. Como un típico fatalista, estaba convencido de que su vida estaba regida por círculos, y ese enero de 1991 estaba inmerso en uno de los ciclos de fortuna adversa. Si no producía algún golpe de efecto que le permitiera emerger, todo se volvería cada vez peor. Decidió pasar el fin de semana navegando en el Tigre en el barco que le solía prestar Mario Falak. Tomó sol, pescó, caminó por la isla Martín García, y miró la película *Dos pícaros en apuros* junto a Ramón Hernández y Miguel Angel Vicco. Cuando volvió, el domingo por la noche, ya había tomado una serie de decisiones.

En Olivos lo esperaban Erman González, Eduardo Bauzá, Gustavo Béliz y Domingo Cavallo. Impartió instrucciones. Había que disolver el Ministerio de Obras y Servicios Públicos para terminar con la imagen de corrupción que caracterizaba a Roberto Dromi. Para recomponer las relaciones con los Estados Unidos, dio órdenes precisas de que las naves argentinas que habían sido enviadas al Golfo para participar del embargo comercial a Irak debían aprestarse a participar de la guerra si George Bush decidía atacar finalmente a Saddam Hussein. La posibilidad era firme, ya que el 15 de enero vencía el ultimátum dado por el gobierno norteamericano al líder iraquí. Menem decidió además una recomposición general de su gabinete. Emir Yoma y Alvaro Alsogaray debieron renunciar a sus cargos de asesores; Roberto Dromi, Humberto Romero y Alberto Kohan fueron separados de sus cargos en los ministerios de Obras y Servicios Públicos, Defensa y Acción Social, respectivamente; Guido Di Tella fue nombrado ministro de Defensa y Avelino Porto de Acción Social. Menem anunció también que Granillo Ocampo pasaría a ser ministro de Justicia cuando se creara esa cartera y que César Arias lo reemplazaría como secretario de Justicia.

En una sola mano, Menem intentaba revertir el juego. Como siempre que enfrentaba alguna crisis, de la misma manera que casi veinte años antes, cuando llegó a La Rioja la delegación de López Rega con la intención de intervenir la provincia, Menem apostó exactamente por lo contrario en cada caso, aunque para eso tuviera que entregar a sus amigos. Dromi era la imagen de la corrupción, y había que alejarlo. Romero y Kohan estaban demasiado identificados con los carapintada, había que buscar la imagen misma del Ejército liberal: nada mejor que el académico y pronorteamericano Di Tella. La renuncia de Granillo Ocampo era una devolución de favores para Zulema: después de muchos meses, el secretario Legal y Técnico terminaba pagando su participación en el divorcio con la acusación de haber sido el causante de la filtración del tema Swift.

Después de anunciar los cambios y timonear el final de la crisis durante la semana, viajó a Punta del Este para festejar el cumpleaños de

Miguel Angel Vicco. Hasta allí llegaron María Julia Alsogaray, Bernardo Neustadt, Armando Gostanián, Amalia "Yuyito" González y algunos empresarios amigos como Juan Carlos Sinópoli y Carlos Sergi. Menem volvió a recuperar el buen humor. Se paseó en velero, tomó sol, brindó con champaña hasta la madrugada y manejó a lo largo de la costa en compañía de "Yuyito". Si la relación con la vedette fue un romance serio o sólo alguna salida esporádica, nadie pudo comprobarlo nunca. Sobre todo porque, en un camino contrario al de la discreción que guardaron otras mujeres que alguna vez estuvieron junto a Menem, fue ella misma la principal promotora de la difusión de la relación. Cuando los periodistas le preguntaban por el tema, prefería ruborizarse a negarlo. Se fotografió para una revista bajo un cartel que decía "Yo amo a Carlos" dejando que la ambigüedad del texto confirmara las sospechas. En encuentros de amigas llegó a afirmar que tenía una cuenta en el Banco Francés en la que Menem le depositaba mensualmente una importante cantidad de dólares.

Menem regresó el domingo por la noche y se encontró con Erman González esperándolo en la residencia de Olivos. El ministro de Economía había decidido renunciar. Una vez más, como cada vez que había acompañado a Menem, tomaba sus decisiones con autonomía y luego se las anunciaba, descolocándolo. Menem se desmoronó. Acababa de desatarse una nueva crisis de gabinete y era su amigo, además, el que la provocaba. "Yo no puedo manejar nada si se me suben los celestes a la cabeza", le recriminó Erman refiriéndose a los movimientos de José Luis Manzano, Eduardo Menem y Eduardo Bauzá, quienes habían reiniciado las operaciones para que Domingo Cavallo lo sucediera en Economía. Menem se había resistido durante ese año y medio, pero ahora no le quedaba alternativa. Admiraba a Cavallo como técnico, pero le tenía desconfianza y celos. No quería darle la oportunidad de brillar. Sin embargo, ante lo inevitable, esa misma noche le anunció la novedad al cordobés. Erman pasaría a Defensa, Guido Di Tella a la Cancillería y Cavallo a Economía. Los remezones del Swiftgate habían hecho saltar el dólar y, si no se tomaban medidas urgentes, la sensación de inestabilidad precipitaría una crisis mayor.

Cuando el presidente hizo los anuncios el lunes, nadie dejó de reparar en su rostro demacrado y en su mirada perdida. Las especulaciones sobre su depresión se hicieron moneda corriente. Eduardo Duhalde y José Luis Manzano comenzaron a plantear la posibilidad de designar un primer ministro que pudiera quedar a cargo de la situación institucional si Menem decidía dar un paso al costado. Julio Mera Figueroa, desde el Ministerio del Interior, comenzó a contactarse con los jefes militares y con la cúpula eclesiástica para armar un círculo de apoyo al presidente.

Una tarde de febrero, el gastronómico Luis Barrionuevo recibió un llamado telefónico de su amigo Enrique Nosiglia. Barrionuevo descansaba en el balneario "Horizonte del Sol" de Mar del Plata. Tomaba sol en una suerte de ostracismo en el que intentaba recuperarse de las críticas que venía recibiendo luego de pronunciar una frase poco feliz durante un programa radial: "En la Argentina nadie hace la plata trabajando", había dicho el sindicalista con su sinceridad habitual, pero esta vez Menem no podía apoyar semejante exabrupto. Una tarde de febrero, Barrionuevo recibió un llamado telefónico de su amigo Enrique Nosiglia.

—Che, Luis, con Raúl (Alfonsín) estamos preocupados. Dicen que Menem está muy deprimido. Este tipo no hará una locura... ¿no?

—¿Qué locura puede hacer?

—Qué sé yo... suicidarse.

—¿Quién, Carlos? Ustedes no lo conocen nada... No te preocupes, ya se le va a pasar. Está buscando mimos.

Al día siguiente el que se comunicó fue Jorge Antonio.

—Che, Luisito, Menem está en un pozo terrible. Si no lo sacamos esto va a ser un quilombo. Están gobernando los celestes.

Antonio tenía un buen motivo para preocuparse. Estaba participando de la licitación de Radio Belgrano, y necesitaba que Menem diera su visto bueno para que se la adjudicaran. Barrionuevo decidió viajar a Buenos Aires. El también tenía un asunto pendiente que resolver: Menem le había pedido que abandonara el Instituto de Obras Sociales, que presidía. Barrionuevo no estaba dispuesto a hacerlo si Menem no le aseguraba que quedaría a cargo Moisés Ikonikoff, alguien a quien el gastronómico creía fácil de manejar con sólo ejercer un poco de presión.

Luis Barrionuevo llegó a la Capital Federal por la noche. Fue directamente a la residencia de Olivos, pero allí le avisaron que Menem estaba en la casa de Miguel Angel Vicco. Llegó al departamento de la Recoleta media hora después y encontró a Menem junto a Vicco y a su hermano Eduardo.

Con la segunda vuelta de champaña comenzaron a analizar la situación del gobierno.

—Luis, te tenés que ir. Yo no te puedo bancar. Lo que dijiste fue una locura... —comenzó Menem.

—Está bien, yo me voy. Pero hay que dejar todo arreglado. Yo necesito seguir manejando algo porque no pienso arreglar con "El Cabezón" Duhalde. Necesito estructura para ir a la interna.

La interna del justicialismo bonaerense estaba prevista para junio. Menem le había pedido a Eduardo Duhalde que dejara la vicepresidencia para presentarse como candidato a gobernador, y Barrionuevo se había decidido a apoyar al dirigente de San Martín, Carlos Brown.

—Esperá un poco... "El Petiso" todavía no aceptó. Por ahí tenemos que ir todos con Brown...

Barrionuevo dejó el vaso sobre la mesa y se paró.

—Vos me querés cagar... A mí también... Pero ¿vos te olvidaste cómo llegaste? ¿Vos todavía no tenés claro que no existís sin nosotros? ¿Vos tenés una idea de la guita que yo puse acá? ¿Te creés que me voy a ir sin un mango? Vos sos un hijo de puta. Pero yo te conozco demasiado. Conmigo no podés, ¿entendiste? Si yo me decido a hacerte la guerra voy a terminar matándote, pero vos no me vas a cagar como al resto. ¿Así que estás deprimido? Por mí podés suicidarte, porque sos un cabrón, un traidor, vos creés que nos podés cagar a todos...

Vicco intentaba en vano pedirle que bajara el tono de voz. Barrionuevo se paseaba por la habitación gritando, amenazando, gesticulando. Menem se cubrió el rostro con las manos y comenzó a llorar.

—Luisito... por favor... No me hagas esto... Tenés razón...

Barrionuevo se sentó.

—Escucháme, Luisito... Hagamos una cosa. Don Jorge quiere Radio Belgrano. Asociáte con él y quédense con la radio, eso les va a dar guita y estructura. Yo te juro que estoy pensando lo de Brown, todavía no decidí nada...

Eduardo Menem lo interrumpió.

—Carlos, vos estás loco. Si ya le prometiste la radio a Amalita.

Durante unos segundos interminables Barrionuevo jugó con el hielo de su vaso, hasta que Menem lo tomó fraternalmente del brazo.

—Está bien. Lo ponemos a Ikonikoff en tu lugar y vos seguís manejando todo. Te lo prometo.

Para asegurarse la lealtad de su sucesor, Barrionuevo se ocupó de contarle la reunión con lujo de detalles a Moisés Ikonikoff. El economista, poco acostumbrado a los vaivenes del menemismo, no pudo evitar asustarse. Mucho más cuando una semana después se hizo cargo efectivamente del despacho de Barrionuevo en el instituto de Obras Sociales, que había pasado a llamarse ANSSAL (Administración Nacional de Servicios Sociales). No estaba acostumbrado a lidiar con sindicalistas. Al segundo día llamó por teléfono, desesperado, a su amigo Gustavo Béliz.

—Gustavo, no sé qué hacer... me patean la puerta...

Béliz intentó ponerle una cuota de humor al tema.

—Bueno, por lo menos ya empezaste a usar vocabulario sindical.

—No, vos no entendés. Esto es literal. Me patean la puerta. ¡Me patotean a las secretarias, me patean la puerta y entran!

Béliz también empezó a preocuparse: sabía que Eduardo Bauzá y Eduardo Menem habían comenzado a analizar la posibilidad de internar al presidente en una clínica psiquiátrica hasta que saliera de la depresión. Béliz decidió adelantarse y organizó un retiro en un convento de Azul para mantenerlo alejado de los operadores y darle tiempo a reaccionar. Menem transformó la depresión en misticismo. Pasó dos días durmiendo, rezando y en largas caminatas de meditación buscando el perdido espíritu de sus ancestros, caudillos o califas. Volvió a sus invocaciones y a sus ritos mágico-religiosos intentando descubrir señales que le permitieran salir de su crisis. El lunes se sentía recuperado y le pidió a Béliz que organizara un segundo retiro para el fin de semana siguiente. Pero esta vez ya lo había pensado como una maniobra publicitaria: convocó al periodismo al convento de los monjes trapenses en Azul y se fotografió amasando el pan junto a los religiosos. "Esto es como una cárcel, pero la diferencia es que aquí uno es esclavo de Dios", explicó. La idea fue poco feliz. El intento de contrarrestar la imagen de frivolidad y corrupción utilizando el paisaje brindado por los trapenses terminó por llevar la popularidad de Carlos Menem a su nivel más bajo desde que había asumido como presidente.

Mirtha Legrand, que nació como actriz en las pantallas de cine de finales de los cincuenta, presidió los almuerzos familiares desde las pantallas de televisión durante casi veinte años, con un programa de alto rating. Se hizo famosa por exagerar los ademanes, forzar las gracias y jugar a tener un toque ingenuo para seducir a diestra y siniestra a los grupos de selectos invitados que cada mediodía se sentaban para almorzar con ella frente a las cámaras. Acusada de oligárquica por los movimientos populares de los setenta, expulsada de la televisión por el peronismo, a Mirtha Legrand le desconfiaron tanto los militares como los radicales. Finalmente, con la llegada del menemismo, ella se fascinó con el presidente al mismo tiempo que adhería a la oleada de periodismo crítico que se convirtió en una de las características fundamentales de la Argentina de los noventa. En la primera semana del invierno de 1991, el gobernador de la provincia de Buenos Aires, Eduardo Duhalde, fue su invitado de lujo. El almuerzo transcurría placentero hasta que la conductora, con la misma naturalidad con que venía haciendo comentarios dignos de una ama de casa, preguntó:

—Dígame, Gobernador, ¿usted es narcotraficante?

El gobernador se mostró sorprendido y sonrió como si se tratara de una broma. Pero Mirtha Legrand estaba convencida de que meterse en temas delicados, ser el portavoz de las preocupaciones de la gente común, le estaba dando buenos resultados. Insistió. La pregunta no era absurda. El tema del narcotráfico se había instalado en la sociedad argentina con una virulencia que parecía querer devorarse la aparente inocencia de largos años. De pronto buena parte del menemismo y sus vínculos parecían sospechados de relaciones con el misterioso mundo del tráfico de drogas y el lavado de dólares, del que sólo se conocía hasta entonces lo que trasmitían los series de televisión o las películas norteamericanas.

El estallido involucró, en principio, a la familia Yoma, al ex esposo de Amira, Ibrahim al Ibrahim, y al secretario de Recursos Hídricos, Mario Caserta. Pero las sospechas alcanzaron rápidamente a los caudillos de las provincias del interior, como los Saadi en Catamarca o los Romero en Salta, y las denuncias, nunca confirmadas, llegaron a salpicar a algunos colaboradores del gobernador Duhalde.

La investigación se originó en España, donde el juez Baltasar Garzón Funes tomó declaración a un narcotraficante "arrepentido", miembro de una poderosa red internacional, que mencionó como cabezas de la organización a un uruguayo, Ramón Puentes, y a un argentino, Mario Anello. Pero el golpe para el gobierno argentino llegó cuando el "arrepentido" dio la lista de los contactos en Buenos Aires que intervenían en el proceso del lavado de dólares de la organización: entre ellos se encontraban Mario Caserta (secretario de Recursos Hídricos), Amira Yoma (secretaria de Audiencias de la Presidencia) e Ibrahim al Ibrahim (director de la aduana de Ezeiza). El episodio pasaría a ser denominado "Yomagate" por el periodismo y concentró durante varios meses la atención de la prensa y de la opinión pública. Las investigaciones judiciales se vieron primero entorpecidas por el gobierno. A través de la jueza interviniente, María Servini de Cubría, se intentó desligar a los Yoma e impedir el esclarecimiento aportando cantidad de episodios anecdóticos tales como nuevos arrepentidos que aportaban información, la fuga de Ibrahim al Ibrahim del país, la revelación de las conexiones del grupo con Gaith Pharaon y Munsser al Kassar y las presiones de Jorge Antonio para acallar la cuestión. La Drug Enforcemment Agency (DEA), la agencia norteamericana de lucha contra el narcotráfico que comenzó a actuar en los países latinoamericanos en la década del noventa con la misma obsesividad con que lo había hecho su antecesora CIA en los setenta, aportó datos sobre la existencia de pistas clandestinas en La Rioja, Catamarca y Salta en las que aterrizarían aviones en una supuesta ruta de narcotráfico internacional. Todas las presunciones parecían confirmarse.

Menem actuó de acuerdo al modelo que lo guiaba y que había utilizado con éxito ante cada situación similar. Intentó defender a sus parientes políticos tanto como se lo permitió la falta de pruebas de la Justicia y el lento avance de la investigación, pero cuando la situación se descarriló y se tornó peligrosa para él le pidió la renuncia a Amira y se desligó de su suerte. Los Yoma comenzaron una suerte de extorsión en reclamo de protección, pero no surtió efecto. Estaban atados a sus propios códigos. Como los miembros de la mafia siciliana que sólo pueden acusar convirtiéndose en acusados, Menem sabía que no corría ningún riesgo. Como la ley argentina no conoce la figura del "arrepentido" que ofrece su colaboración a la justicia a cambio de un relajamiento en sus condiciones de detención y una reducción de sus años de condena, sólo había dos posibilidades de que la suerte de Amira complicara a algún otro miembro del gobierno: que la extraditaran y se pudiera acoger a las leyes de otro país o que en algunas de sus cíclicas crisis depresivas se "quebrara". Amira no fue requerida por la Justicia de ningún otro país, y sus crisis terminaron en internaciones en clínicas que lograron contener el descontrol.

El Yomagate precipitó denuncias y escándalos que descubrieron temas que estaban ausentes de la política argentina hasta entonces. Un mes después de su estallido, Menem decretó la intervención de la provincia de Catamarca, en donde gobernaba su amigo Ramón Saadi. La medida presidencial fue una forma de responder a la presión de la DEA, empeñada en recibir alguna señal concreta del gobierno con respecto a su declamado propósito de enfrentar al creciente narcotráfico. Según los informes de la DEA, el narcotráfico había elegido a la Argentina como territorio de paso del comercio de la droga y plaza ideal para el lavado de narcodólares. Aunque fue en realidad una señal hacia la DEA, la intervención a Catamarca aparecía motivada políticamente por la necesidad de dar respuesta al creciente reclamo popular de los habitantes de esa provincia ante la falta de resolución del crimen de una adolescente, María Soledad Morales, en el que aparecían complicados varios miembros de la familia Saadi.

Un gran rompecabezas parecía comenzar a armarse, pero sobraban los indicios, a veces incrementados por las fabulaciones, y faltaban las pruebas. De pronto la relación de las provincias del Noroeste con el Paraguay de Alfredo Stroessner y la Bolivia del narcotráfico aparecían sospechosas. Tanto como la impunidad con que se movía el contrabando en Formosa y Chaco, o las conexiones internacionales de personajes aparentemente ignotos. Los negocios de Jorge Antonio parecían más misteriosos y los nexos de la logia P2 en la Argentina comenzaron a ser analizados con una óptica diferente. Algunas puntas, quizá las menos profundas o significativas de la compleja trama con epicentro en Marbella, comenzaron a ser desatadas. La clave del tema fue formulada por el juez italiano Giovanni Falcone cuando visitó la Argentina, unos meses antes de ser asesinado cuando conducía su automóvil por una autopista del sur italiano: "La P2, la mafia, la corrupción política... todas son parte de lo mismo. Nacen porque no existe un Estado fuerte, y se convierten ellas mismas en un Estado. Tienen territorio, poder y leyes propias. Y basta con que uno de sus miembros se asiente en un lugar para que todo vuelva a comenzar".

Menem no se inmutó. Los escándalos pasaban a su lado sin salpicarlo. El plan económico que implementaba Domingo Cavallo había logrado crear un clima de estabilidad y una sensación de alivio en las clases medias que transformaban en elementos pintorescos todas las denuncias que no hacían mella en su credibilidad política. Menem apostó a fortalecer su relación con el gobierno de los Estados Unidos y a dejar claro que estaba dispuesto a "entregar" a quien fuera necesario. Después de Amira Yoma y Ramón Saadi, la tercera prueba de su generosidad para desprenderse de aquellos que pudieran enlodar su poder llegó con el pedido de renuncia a Julio Mera Figueroa. Claro que esta vez el cambio no fue demasiado terminante: Mera Figueroa, sospechado de sus relaciones con los Saadi, Antonio y otros personajes poco claros, fue reemplazado por José Luis Manzano, quien se había convertido para entonces en el paradigma de la dirigencia política corrupta.

371

Menem pasó el invierno de 1991 pensando las opciones políticas para las elecciones de setiembre, que medirían por primera vez desde 1989 el nivel de aceptación de su gobierno. Durante meses se dedicó a diseñar prolijamente una sofisticada alquimia que combinara los mejores candidatos con el discurso más adecuado. Eduardo Duhalde renunció a la vicepresidencia para presentarse como candidato a gobernador por la provincia de Buenos Aires; el popular cantante Ramón "Palito" Ortega fue candidato en Tucumán, y el ex corredor de Fórmula Uno Carlos Reutemann, en Santa Fe. Menem seguía creyendo que el verdadero poder político en la Argentina se construía a través de la popularidad, y que ésta podía lograrse desde la farándula, el deporte o las revistas de actualidad. La lenta construcción del consenso interno en un movimiento político lo tenía sin cuidado. Tampoco Juan Perón lo había hecho: el Movimiento Justicialista fue una invención posterior a su liderazgo.

En busca de la eternidad

La apuesta dio resultado, y el menemismo obtuvo un respaldo contundente en los comicios de 1991. Logró imponerse cómodamente en la provincia de Buenos Aires y triunfó en los distritos más importantes. El resultado descolocó a la oposición política. El radicalismo, que había basado su campaña en las denuncias sobre corrupción y las vinculaciones del gobierno con el narcotráfico, no alcanzaba a comprender por qué la evaluación de la situación económica se había impuesto sobre los diagnósticos políticos y éticos. El peronismo disidente, que había hecho eje en el concepto de "traición" de Menem a los postulados de su campaña electoral, amaneció sin discurso: esta vez la gente había votado a Menem conociendo no sólo lo que pensaba hacer sino también la manera, heterodoxa y desprolija, en que lo implementaba. Los carapintada se presentaron en la provincia de Buenos Aires liderados por Aldo Rico y obtuvieron un sorpresivo tercer lugar que recogió los votos de las clases más marginadas del sistema político y económico. Los partidos provinciales, la mayoría de ellos con tendencia de derecha, aumentaron sus respectivos caudales de votos.

Después de un año caótico en lo personal y complicado en lo político, Menem emergía como un ganador nato y el único líder de la política argentina. Esos meses, los últimos de 1991, fueron su momento de mayor gloria. Estaba seguro de que había cambiado el rumbo de la Historia.

toria. Realizaba viajes por el exterior y sólo recibía elogios. Había logrado sepultar a sus adversarios más recientes y a los de toda la vida: desde Raúl Alfonsín hasta Lorenzo Miguel, desde Antonio Cafiero hasta Bernardo Neustadt, todos debían reconocer su supremacía. Zulema contribuía a aumentar su autoestima buscando por todos los medios la reconciliación. Salía en las revistas de actualidad reconociendo que aún "seguía amando" a su ex marido; después de muchos meses en que le había prohibido a sus hijos ver al padre, ahora los enviaba a Olivos para que intentaran un acercamiento. Zulemita oficiaba de nexo: citaba a su padre en el departamento de Posadas para que allí se cruzara inexorablemente con su madre. Menem recibía a sus hijos y no ahorraba desplantes a su ex esposa. Dejaba el tema en manos de los abogados que entendían en la causa de divorcio.

Se sentía tan grande que hasta dejó las salidas nocturnas. Ya no le interesaban demasiado las mujeres, y le aburrían los amigos. Pasaba largas horas en el microcine de la residencia de Olivos mirando películas, acompañado sólo por Ramón Hernández o sus perros. Se sentaba frente al televisor para jugar con el control remoto mientras, en realidad, pensaba en sí mismo. Ahora sí, había llegado el momento del Movimiento Menemista.

El gobierno distaba de atravesar su mejor momento. Todos los funcionarios eran sospechados de casos de corrupción. Los cuestionamientos a la forma en que se habían llevado a cabo los procesos de privatizaciones se sucedían, adornados con las acusaciones de frivolidad. En enero de 1992, Miguel Angel Vicco debió abandonar su cargo en la secretaría privada luego de que se denunciara que su empresa había vendido leche en mal estado para un programa materno infantil auspiciado por el gobierno. Las peleas internas en el gabinete se incrementaban: Erman González y Domingo Cavallo no lograban ponerse de acuerdo en casi ningún tema y los dos competían por la paternidad del plan económico. Cavallo y Duhalde pasaron a engrosar la lista de los personajes que lograban irritarlo: Menem creía intuir en ellos el deseo de competir con su liderazgo, y no estaba dispuesto a admitirlo. A medida que pasaban los meses, las acusaciones que vinculaban al gobierno con casos de corrupción se fueron incrementado y, un poco antes de la llegada del verano, Menem decidió pedirle la renuncia a José Luis Manzano y nombró en su reemplazo a Gustavo Béliz.

A pesar de haber sido un operador de varios temas importantes en los primeros años del gobierno, el joven abogado llegaba con imagen principista y pueril. Sus vinculaciones con la Iglesia Católica le otorgaban transparencia a los ojos de cierta parte de la población. Manzano había llegado a ser un símbolo: nadie se preguntaba ya si eran ciertas todas las denuncias y acusaciones públicas en su contra, pero se había convertido en la imagen misma de la corrupción con que se caracterizaba al gobierno. En cualquier caso, Manzano había aprendido los códigos del menemismo: abandonó su Ministerio sin una queja, no hizo cargos, pero tampoco admitió ser investigado y se marchó a Estados Unidos, a estudiar inglés acompañado de su novia, una joven y bella modelo.

Después de haber salido indemne de serias acusaciones durante los primeros dos años de gobierno, Menem estaba convencido de que ya nada haría tambalear su popularidad. Le bastaba presidir un acto en alguna localidad del interior y sentir cómo vivaban su nombre para convencerse de que despertaba el mismo entusiasmo de 1989, cuando se impuso por abrumadora mayoría en las elecciones nacionales. Nada podría contra él porque él, además, estaba dispuesto a todo.

Como siempre, como había sentenciado Zulema, como le habían vaticinado alguna vez las pitonisas a las que consultaba y como estaba escrito en su carta natal, lo obsesionaba el final. El final del gobierno y el final de su vida.

Carlos Menem no estaba dispuesto a dejar la presidencia cuando terminara su mandato, en 1995. Nunca había dudado de que sería reelecto. "Yo no luché toda la vida para ser presidente seis años y después irme", repetía, para bromear poco después: "Y los árabes vivimos cien años". Al principio, la reforma de la Constitución Nacional para quitar la cláusula que impedía la posibilidad de que el presidente fuera reelecto se le antojó apenas un trámite administrativo. Aunque se necesitaban los dos tercios de las cámaras legislativas y el peronismo no contaba con el número suficiente de parlamentarios, descontaba que en algún momento toda la oposición se volcaría masivamente al menemismo y, casi en medio de un acto de fervor popular, levantaría sus brazos para consagrarlo por un nuevo período, por largos períodos. Para siempre. Emperador.

Nada podría detenerlo. No conocía límites, y se sentía todopoderoso. A veces se indignaba cuando debía reconocer las trabas legales que se le imponían y la dificultad para vencerlas. Pero cada vez inventaba una nueva estrategia para salir del problema. Bastaba el aplauso de un grupo en un pueblo ignoto para devolverle la fe en sí mismo y convencerlo de que las encuestas que no reflejaban su popularidad habían sido manejadas por la oposición. El futuro era suyo. Estaba dispuesto a comprar y vender, a aliarse y traicionar, a prometer o a mentir. Pero nadie iba a ganarle esta partida: el triunfo era la perpetuidad.

Había cumplido ya sesenta y tres años y el fantasma de la vejez lo frecuentaba con patética asiduidad. Por eso comenzó una lucha feroz contra su propio cuerpo, sometiéndose a cuanto tratamiento estético le recomendaron. Llegó a inyectarse unas glándulas para rejuvenecer la piel del rostro que le produjeron una reacción alérgica por la que debió permanecer recluido tres días, con el rostro inflamado. Todas la mañanas, durante horas, un masajista golpeaba su cuerpo y frotaba sus manos para activar la circulación. Pesaba los alimentos que comería y reclamaba a los cocineros que le dijeran puntualmente qué vitaminas, minerales y proteínas tenían; algunas noches, en que se acostaba muy tarde, intentaba repasar mentalmente lo que había sucedido durante el día, y al no recordar algún dato se desesperaba, convencido de que estaba en el inicio de una arterioesclerosis. Comenzó a jugar al golf para agilizar los músculos de sus cansadas piernas, abandonó el alcohol, las mujeres, el cigarrillo, los somníferos y todo elemento que le produjera la sensación de estar acelerando su deterioro. Su peluquero se convirtió en el centro de su maltrato: lo obligaba a practicarle un entretejido sobre otro para ocultar hasta el mínimo síntoma de calvicie. Se teñía el cabello día por medio, incluidas las cejas y sus pestañas; se cubría de ungüentos, perfumes y cremas.

Cada mañana, la imagen que le devolvía el espejo tenía nuevas arrugas, y él se dejaba caer durante algunos minutos en la tristeza y la impotencia. Carlos Menem había conseguido todo lo que se había propuesto en la vida. Tuvo a su lado a las mujeres que amó y a los hombres que envidió. No conoció derrotas. Se sacó el polvo de los pies descalzos, curtidos por recorrer los caminos de La Rioja, taconeando en las alfombras rojas de castillos, palacios y hoteles de lujo. Escandalizó, agravió, perdonó, traicionó... pero siempre ganó. Hizo y deshizo a su antojo vidas, compromisos y doctrinas. Tuvo todo el poder, todo el dinero, todo el placer, todos los halagos. Fue Juez y Soberano. Omnipotente, impune, vengativo y misericordioso. Fue El Jefe.

Durante los últimos veinte años había inventado su fecha de nacimiento para mentir una juventud que lo abandonaba inexorablemente. Pero tampoco eso tenía ya sentido: después de los sesenta años, no importa demasiado lo que un hombre dijo ser. La mayor parte de su vida podía ser narrada en pasado. Los deseos y las ambiciones comenzaron a abandonarlo. La distancia entre lo que quería hacer y lo que sabía que haría se agrandaba hasta convertirse en infinita. Cuando se acercaba el invierno de 1993, Carlos Menem hubiera ofrecido sacrificios a los dioses para agregar siglos a los años que le quedaban. Por primera vez había perdido una batalla: hiciera lo que hiciera, la eternidad no sería suya.

NOTA

[1] Los detalles del caso Swift y la reunión de gabinete del viernes 11 de enero de 1991 se encuentran prolijamente desarrollados en *El octavo círculo*, de Sergio Ciancaglini y Gabriela Cerruti; *Robo para la Corona*, de Horacio Verbitsky, y *Misión cumplida*, de Martín Granovsky.

BIBLIOGRAFÍA

La siguiente bibliografía incluye sólo las fuentes públicas citadas en el texto o tomadas como base para la caracterización de determinados períodos históricos, movimientos políticos y sindicales y procesos económicos nacionales e internacionales. Por obvias razones de ética profesional no se mencionan aquí las personas entrevistadas durante la investigación ni la documentación que ellas aportaron bajo la condición de mantener sus nombres en estricta reserva.

Para facilitar su consulta a aquellos que deseen profundizar alguno de los puntos, la bibliografía ha sido dividida en secciones temáticas.

1. Política nacional

A) LIBROS:

Barcelona, Eduardo y Villalonga, Julio, *Relaciones carnales*, Planeta, Buenos Aires, 1992.

Capalbo, Daniel y Pandolfo, Gabriel, *Todo tiene precio*, Planeta, Buenos Aires, 1992.

Cerruti, Gabriela y Ciancaglini, Sergio, *El octavo círculo*, Planeta, Buenos Aires, 1991.

Ciancaglini, Sergio y Granovsky, Martín, *Crónicas del Apocalipsis*, Contrapunto, Buenos Aires, 1986.

Doman, Fabián y Olivera, Martín, *Los Alsogaray*, Aguilar, Buenos Aires, 1989.

Granovsky, Martín, *Misión cumplida*, Planeta, Buenos Aires, 1992.

Majul, Luis, *Por qué cayó Alfonsín*, Sudamericana, Buenos Aires, 1990.

Majul, Luis, *Los dueños de la Argentina*, Sudamericana, Buenos Aires, 1992.

Morstein, Manfred, *Al Kassar*, Planeta, Buenos Aires, 1992.

Potash, Robert, *El ejército y la política en la Argentina (II)*, Hyspamérica, Buenos Aires, 1985.

Rey, Alejandra y Pazos, Luis, *No llores por mí, Catamarca*, Sudamericana, Buenos Aires, 1991.

Rouquié, Alan, *Poder militar y sociedad política en la Argentina (I y II)*, Hyspamérica, Buenos Aires, 1986.

Uriarte, Claudio, *Almirante Cero*, Planeta, Buenos Aires, 1992.

Verbitsky, Horacio, *La educación presidencial*, Puntosur, Buenos Aires, 1990.

Verbitsky, Horacio, *Robo para la Corona*, Planeta, Buenos Aires, 1991.

Verbitsky, Horacio, *Medio siglo de proclamas militares*, Editora/12, Buenos Aires, 1988.

B) Diarios y revistas:

Clarín, enero de 1971-diciembre de 1992.

El Informador Público, Buenos Aires, enero de 1988-diciembre de 1989.

El Periodista, Editorial La Urraca, Buenos Aires, numerosas ediciones desde 1985 hasta 1988.

Gente, Editorial Atlántida, Buenos Aires, enero de 1975-diciembre de 1992.

La Nación, enero de 1976-diciembre de 1992.

La Prensa, enero de 1976-diciembre de 1985.

La Razón, numerosas ediciones de 1985 y 1986.

Noticias, Editorial Perfil, Buenos Aires, junio de 1990-diciembre de 1992.

Página/12, junio de 1987-diciembre de 1992.

Somos, Editorial Atlántida, Buenos Aires, enero de 1987-diciembre de 1992.

2. Peronismo

A) Libros:

Baschetti, Roberto, *Documentos de la Resistencia Peronista 1955-1970*, Puntosur, Buenos Aires, 1988.

Cordeu, Mora, Mercado, Silvia y Sosa, Nancy, *Peronismo: La mayoría perdida*, Sudamericana-Planeta, Buenos Aires, 1985.

Di Tella, Guido, *Perón-Perón*, Hyspamérica, Buenos Aires, 1986.

Gasparini, Juan, *Montoneros: Final de cuentas*, Puntosur, Buenos Aires, 1988.

Gillespie, Richard, *Montoneros: Los soldados de Perón*, Grijalbo, Buenos Aires, 1987.

Granados, Osvaldo, *Jorge Antonio: El testigo*, Peña Lillo Editor, Buenos Aires, 1988.

Perón, Juan Domingo, *Modelo Argentino para el Proyecto Nacional*, Realidad Política, Buenos Aires, 1986.

Perón, Juan Domingo, *Latinoamérica, Ahora o Nunca*, Realidad Política, Buenos Aires, 1985.

Slodky, Javier, *El Estado justicialista/2*, Centro Editor de América Latina, Buenos Aires, 1988.

Unamuno, Bárbaro, Cafiero y otros, *El peronismo de la derrota*, Centro Editor de América Latina, Buenos Aires, 1984.

B) DIARIOS Y REVISTAS:

Clarín, enero de 1971-diciembre de 1992.

Diez años de Polémica (1962-1972), Centro Editor de América Latina, fascículos 1 al 20.

El Descamisado, mayo-junio de 1973.

El Informador Público, Buenos Aires, enero de 1988-diciembre de 1989.

El Periodista, Editorial La Urraca, Buenos Aires, numerosas ediciones desde 1985 hasta 1988.

Gente, Editorial Atlántida, Buenos Aires, enero de 1975-diciembre de 1992.

La Nación, enero de 1976-diciembre de 1992.

La Prensa, enero de 1976-diciembre de 1985.

La Razón, numerosas ediciones de 1985 y 1986.

Noticias, Editorial Perfil, Buenos Aires, junio de 1990-diciembre de 1992.

Página/12, junio de 1987-diciembre de 1992.

Panorama, del 29 de setiembre de 1970 al 25 de enero de 1972.

Polémica, Centro Editor de América Latina, fascículos 1 al 105.

Primera Plana, del 13 de julio de 1965 al 5 de agosto de 1969.

Somos, Editorial Atlántida, Buenos Aires, enero de 1987-diciembre de 1992.

Unidos, ediciones varias entre 1988 y 1990.

C) DOCUMENTOS:

Discursos de Juan Domingo Perón entre 1945 y 1974, recopilaciones varias.

Discursos de Raúl Alfonsín entre 1983 y 1989, en diario *La Nación* y publicaciones de la Secretaría de Información Pública de la Presidencia de la Nación.

Documento final de la Convención Nacional de la Unión Cívica Radical, Parque Norte, Buenos Aires, 1º de diciembre de 1985.

Documentos de la renovación peronista 1986-1987.

Plataforma del Frente Justicialista de Unidad Nacional, Buenos Aires, 1983.

Plataforma del Movimiento Nacional Justicialista, Mar del Plata, 1989.

3. Sindicalismo

A) Libros:

Fernández, Arturo, *Ideologías de los grupos sindicales/1 (1966-1973)*, Centro Editor de América Latina, Buenos Aires, 1986.
Fernández, Arturo, *Las prácticas sociopolíticas del sindicalismo/1 (1955-1985)*, Centro Editor de América Latina, Buenos Aires, 1988.
Fernández, Arturo, *Las prácticas sociopolíticas del sindicalismo/2 (1955-1985)*, Centro Editor de América Latina, Buenos Aires, 1988.
Gorbatto, Viviana, *Vandor o Perón*, Tiempo de Ideas, Buenos Aires, 1992.
O'Donnell, Guillermo, *1966-1973: El Estado burocrático autoritario*, Editorial de Belgrano, Buenos Aires, 1982.
Troncoso, Oscar, *Fundadores del gremialismo obrero*, Centro Editor de América Latina, Buenos Aires, 1983.
Walsh, Rodolfo, *¿Quién mató a Rosendo?*, Ediciones de la Flor, Buenos Aires, 1986.

B) Diarios y revistas:

Clarín, enero de 1971-diciembre de 1992.
El Informador Público, Buenos Aires, enero de 1988-diciembre de 1989.
El Periodista, Editorial La Urraca, Buenos Aires, numerosas ediciones desde 1985 hasta 1988.
Gente, Editorial Atlántida, Buenos Aires, enero de 1975-diciembre de 1992.
Historia del movimiento obrero, Centro Editor de América Latina, fascículos 1 al 90.
Informes de coyuntura y publicaciones varias del Instituto de Estudios sobre Estado y Participación, Asociación Trabajadores del Estado, entre 1989 y 1992.
La Nación, enero de 1976-diciembre de 1992.
La Prensa, enero de 1976-diciembre de 1985.
La Razón, numerosas ediciones de 1985 y 1986.
Noticias, Editorial Perfil, Buenos Aires, junio de 1990-diciembre de 1992.
Página/12, junio de 1987-diciembre de 1992.
Somos, Editorial Atlántida, Buenos Aires, enero de 1987-diciembre de 1992.

4. Historia y cultura árabe

A) Libros:

Adoum, Jorge, *El pueblo de las mil y una noches*, Kier, Buenos Aires, 1988.
Ben Alarif de Almería, Abulabás, *Mahasin Al-Machalis*, Sirio, Málaga, 1987.

Cahen, Claude, *El Islam-I. Desde los orígenes hasta el comienzo del Imperio otomano*, Siglo XXI, México, 1987.

Corán, Introducción, traducción y notas de Juan Vernet, Planeta, Barcelona, 1991.

Gala, Antonio, *El manuscrito carmesí*, Planeta, Buenos Aires, 1992.

Hourani, Albert, *La historia de los árabes*, Javier Vergara, Buenos Aires, 1992.

Vincent, Bernard, *1492: "El año admirable"*, Crítica, Barcelona, 1992.

Von Grunebaun, G. E., *El Islam-II. Desde la caída de Constantinopla hasta nuestros días*, Siglo XXI, México, 1984.

B) DIARIOS Y REVISTAS:

Guía Hispano-Arabe 1982, Darek-Nyumba, Madrid, 1982.

5. Mafia y corrupción

A) LIBROS:

Ayala, Giuseppe, *Mafia*, Rizzoli, Milán, 1992.

Cavallaro, Felice, *Mafia: Album di cosa nostra*, Rizzoli, Milán, 1992.

De Angeli, Floriano, *Le Guide di Mafia Connection* - vols. I, II y III, Biblioteca e Centro Documentazione di Mafia Connection, Roma, 1992.

De la Cierva, Ricardo, *Historias de la corrupción*, Planeta, Barcelona, 1992.

Falcone, Giovanni, *Cose de cosa nostra*, Rizzoli, Milán, 1992.

Giancana, Sam y Chuck, *Fuego cruzado*, Grijalbo, Barcelona, 1992.

Gribaudi, Gabriella, "Mafia, culture e gruppi sociali", en *Meridiano: Rivista di Storia e Scienze Sociali*, tomos 7-8, Instituto Meridianale di Storia e Scienzi Sociali, Milán, 1990.

Lodato, Saverio, *Dieci anni di Mafia*, Rizzoli, Milán, 1990.

Rossi, Luca, *I Disarmati*, Arnoldo Mondadori, Milán, 1992.

B) DIARIOS Y REVISTAS:

Cambio 16, Madrid, ediciones varias de 1991 y 1992.

Clarín, enero de 1971-diciembre de 1992.

El Informador Público, Buenos Aires, enero de 1988-diciembre de 1989.

El Periodista, Editorial La Urraca, Buenos Aires, numerosas ediciones desde 1985 hasta 1988.

Gente, Editorial Atlántida, Buenos Aires, enero de 1975-diciembre de 1992.

Il Mondo, Roma, ediciones varias de 1992.

La Nación, enero de 1976-diciembre de 1992.

La Prensa, enero de 1976-diciembre de 1985.
La Razón, numerosas ediciones de 1985 y 1986.
Le Figaro Magazine, París, N° 631, 10/10/92.
L'Espresso, París, N° 40, 4/10/92.
L'Espresso, París, N° 41, 11/10/92.
L'Europeo, Roma, N° 41, 9/10/92.
Noticias, Editorial Perfil, Buenos Aires, junio de 1990-diciembre de 1992.
Página/12, junio de 1987-diciembre de 1992.
Panorama, Roma, ediciones varias de 1992.
Somos, Editorial Atlántida, Buenos Aires, enero de 1987-diciembre de 1992.
The Economist, Londres, ediciones varias de 1992.
Tribuna, Madrid, ediciones varias de 1992.

6. Carlos Menem: formación política, lecturas personales, biografías. La Rioja.

A) LIBROS:

Bobbio, Norberto y Matteucci, Nicola, *Diccionario de política*, Siglo XXI, México (D.F.), 1987.

Corán, Introducción, traducción y notas de Juan Vernet, Planeta, Barcelona, 1991.

Díaz, José Antonio y Leuco, Alfredo, *El heredero de Perón*, Planeta, Buenos Aires, 1989.

Graves, Robert, *Claudio, el Dios*, Alianza, Madrid, 1984.

Graves, Robert, *Yo, Claudio*, Alianza, Madrid, 1984.

Luna, Félix, *Los caudillos*, Jorge Alvarez, Buenos Aires, 1969.

Llorca, Carmen, *Las mujeres de los dictadores*, Hyspamérica, Madrid, 1978.

Maquiavelo, Nicolás, *El Príncipe*, Bruguera, Barcelona, 1983.

Mercado Luna, Ricardo, *La Rioja de los hechos consumados*, El Independiente, La Rioja, 1991.

Ortiz, Juan Aurelio, *Tinkunaco riojano*, Edic. Tiempo Latinoamericano, Córdoba, 1987.

Parrotta, Ricardo, *Las mejores anécdotas de Menem*, Aguilar, Buenos Aires, 1990.

Sarmiento, Domingo Faustino, *Facundo*, Espasa Calpe, Buenos Aires, 1967.

Villafañe, Benjamín, *Las mujeres de antaño*, Universidad Nacional de Jujuy, S.S. de Jujuy, 1991.

Warner, Rex, *El joven César*, Sudamericana, Buenos Aires, 1990.

Weber, Max, *Economía y sociedad*, Fondo de Cultura Económica, México, 1983.

West, Morris, *Los amantes*, Javier Vergara, Buenos Aires, 1992.

West, Morris, *Lázaro*, Javier Vergara, Buenos Aires, 1990.

West, Morris, *Arlequín*, Javier Vergara, Buenos Aires, 1990.

West, Morris, *El embajador*, Javier Vergara, Buenos Aires, 1989.

West, Morris, *El abogado del diablo*, Javier Vergara, Buenos Aires, 1989.

Yourcenar, Margarite, *Memorias de Adriano*, Sudamericana, Buenos Aires, 1990.

Zárate, Armando, *Facundo Quiroga, Barranca Yaco*, Plus Ultra, Buenos Aires, 1985.

B) DIARIOS Y REVISTAS:

Clarín, enero de 1971-diciembre de 1992.

El Independiente, ediciones de 1973, 1974, 1982, 1983, 1984, 1985, 1986, 1987, 1988 y 1989.*El Informador Público*, Buenos Aires, enero de 1988-diciembre de 1989.

El Periodista, Editorial La Urraca, Buenos Aires, numerosas ediciones desde 1985 hasta 1988.

Gente, Editorial Atlántida, Buenos Aires, enero de 1975-diciembre de 1992.

La Nación, enero de 1976-diciembre de 1992.

La Prensa, enero de 1976-diciembre de 1985.

La Razón, numerosas ediciones de 1985 y 1986.

Noticias, Editorial Perfil, Buenos Aires, junio de 1990-diciembre de 1992.

Página/12, junio de 1987-diciembre de 1992.

Somos, Editorial Atlántida, Buenos Aires, enero de 1987-diciembre de 1992.

ÍNDICE DE NOMBRES

Yaroud, Ahmed, 260.
Yofre, Juan Bautista, 112, 249, 250,
    259, 261, 270, 274, 275, 285, 286,
    303, 322-324.
Yofre, Ricardo, 137.
Yoma, Amín, 22, 23, 24, 25, 30.
Yoma, Amira, 23-25, 54, 185, 256,
    257, 288, 304, 318, 319, 341, 343,
    347, 348, 351, 362, 369-371.
Yoma, Delia, 23, 24, 253.
Yoma, Emir, 23-25, 29, 96, 130, 132,
    185, 253, 282, 284, 287, 288, 290,
    302, 304, 319, 323, 340, 343, 344,
    347, 360-364.
Yoma, familia, 20-22, 24, 25, 29, 30-
    32, 99, 131, 155, 243, 281, 287,
    288, 305, 320, 346, 363, 369, 370.
Yoma, Jorge, 23, 196, 225, 243.
Yoma, Karim, 31, 130, 132, 185,
    253, 254, 284, 287, 288, 302, 319,
    320, 322, 323, 344, 348, 351.

Yoma Leila, 23, 24, 267.
Yoma, Mohamed Amín, 21, 23.
Yoma, Naim, 23.
Yoma, Omar, 23, 24.
Yoma, Zulema, 12, 15, 23-25, 29-31,
    35, 42, 48, 54, 57, 76, 77, 79, 80,
    96, 117, 119, 128, 131, 142, 144,
    149, 163, 165, 166, 168, 169,
    171-174, 181, 184, 185, 190, 203,
    243, 244, 246, 251, 252, 257,
    258, 261, 262, 266, 267, 276,
    277, 280-284, 287, 288, 291, 294,
    295, 299, 302, 304-306, 309, 310,
    313-315, 320, 326, 340-347, 352,
    356, 358, 359, 360, 361, 364,
    373, 374.
Yugurta, 17.

Zamora, Hugo, 70.
Zanatelli, José, 71.
Zanola, Juan José, 235, 247.
Zorraquín, Federico, 322.

Esta edición
se terminó de imprimir en
Talleres Gráficos Segunda Edición
Gral. Fructuoso Rivera 1066, Buenos Aires,
en el mes de junio de 1993.